Historia de la
INQUISICIÓN

Procedimientos para defender la fe

Pilar Huertas
Jesús de Miguel
Antonio Sánchez

LIBSA

© 2014, Editorial LIBSA
San Rafael, 4
28108 Alcobendas, Madrid
Tel. (34) 91 657 25 80
Fax (34) 91 657 25 83
www.libsa.es

ISBN: 978-84-662-2833-6

COLABORACIÓN EN TEXTOS: Pilar Huertas Riveras,
Jesús de Miguel y del Ángel, Antonio Sánchez
Rodríguez y Equipo editorial LIBSA
EDICIÓN: Equipo editorial Libsa
DISEÑO DE CUBIERTA: Equipo de diseño Libsa
MAQUETACIÓN: Equipo de maquetación Libsa
ILUSTRACIONES: archivo Libsa

DL: 2355-2014

Contenido

Introducción

Sin duda se necesita una razón para sumar un nuevo título a los varios millares de estudios que componen la bibliografía de la Inquisición, un tema que no ha perdido actualidad a pesar de la abolición de este tribunal hace casi doscientos años. Del mismo modo parece imprescindible sumarse a uno de los dos bandos en que se polarizan todos esos estudios: defensores y detractores.

Como razón, nuestro único argumento es el de contar de forma clara y amena el porqué y el cómo de una institución de enorme trascendencia en el contexto religioso, político y social de la Europa medieval y que perduró, a lo largo de la Edad Moderna, en el Imperio Español.

A pesar de la imagen estereotipada que se posee de ella, la Inquisición no fue una institución monolítica con fines y procedimientos bien definidos desde su principio. Unos y otros fueron cambiando con el tiempo, adecuándose a las peculiaridades de cada momento histórico a lo largo de sus seis siglos de existencia. La connivencia en el poder de Iglesia y Estado determinaron en gran medida su evolución; y es precisamente en ese papel de servidor de ambos poderes en el que radica su gran interés histórico.

A medida que una religión o una ideología política va desarrollándose en el tiempo y alcanza mayores cotas de poder, ha sido una constante a lo largo de la historia la renuncia que debe hacer, para mantenerlo, a muchos de los principios que la inspiraron. La Inquisición nace porque una institución religiosa, perfectamente jerarquizada y estructurada, la Iglesia Católica, cuenta con la autoridad suficiente para poner a su servicio la fuerza represora de los poderes civiles de su tiempo. Lo paradójico es que esa religión nace de un proceso muy similar a los que ella misma llevará a cabo siglos más tarde: el juicio y ejecución de su iniciador, Jesús de Galilea.

Nacido en el seno de la ortodoxia judía, Jesús participa en todos los ritos de la Ley de Moisés: circuncisión, presentación en el templo, etc., y cuando comienza su vida pública se presenta como un reformador: «*No penséis que he venido a abrogar la Ley o los Profetas; no he venido a abrogarla, sino a consumarla*» (*Mateo*, 5-17), es decir, la elevará a su perfección señalando el espíritu de caridad del que la habían desposeído los escribas. En principio, sus predicaciones no son tenidas en cuenta por la jerarquía religiosa más ortodoxa: saduceos y fariseos, en una religión salpicada de sectas; no obstante, las Bienaventuranzas del Sermón de la Montaña son un horizonte de esperanza para los más desfavorecidos y el número de sus seguidores aumenta sin cesar. A este hecho se sumará otro aún más peligroso para las castas que dominan el Consejo Supremo de los judíos (el Sanedrín): Jesús se proclama como el Mesías anunciado por las Escrituras.

Apresado, juzgado y condenado por el tribunal religioso de forma muy similar a como se realizará siglos más tarde en el procedimiento inquisitorial, Jesús es *relajado* al brazo secular, en este caso el procurador romano, para que se ejecute la sentencia: pena de muerte.

Después de la ejecución del Maestro, sus discípulos cumplen el mandato que les dio: «*Me ha sido dado todo el poder en el cielo y en la tierra; id, pues, enseñad a todas las gentes, bautizándolas en el nombre del Padre, del Hijo y del Espíritu Santo, enseñándoles a observar todo cuanto yo os he mandado*» (*Mateo*, 28 18-20), y a través de pequeños grupos se expande con rapidez a pesar de las persecuciones, gracias a las comunidades judías de la Diáspora extendidas por todo el Mediterráneo.

Ante este crecimiento difícil de controlar surge una necesidad imperiosa: organizarse jerárquicamente y construir un «edificio teológico» sobre la figura de Jesús y sus enseñanzas. Los Evangelios Apócrifos, con relatos sobre la vida del Maestro en los que se mezclan realidad y fantasía, son una muestra de la dispersión y contradicciones que existieron en estos primeros tiempos y que trataron de corregir mediante reuniones periódicas de los representantes de las comunidades cristianas en las que procuraban *conciliar* las diferentes posturas. Una vez conseguido el acuerdo, éste debía ser respetado por todos. En definitiva, se va instituyendo una nueva ortodoxia religiosa separada del judaísmo: el cristianismo; pero, como era de esperar, no todos aceptaban los acuerdos tomados en los *concilios* y mantenían sus propias convicciones, seguros de encontrarse en posesión de la verdad absoluta, y las descalificaciones mutuas provocaban enfrentamientos y odios que los alejaban de la mansedumbre y el mensaje de amor que vertebraban las enseñanzas de Jesús.

Para que la violencia verbal diera paso a la persecución de los disidentes, y la imposición por la fuerza de unos criterios sobre otros fuera posible, era necesario contar con el apoyo del poder civil, del Estado.

La rápida expansión del cristianismo debe mucho a la unidad cultural y política que representaba el Imperio Romano. Sin embargo, los emperadores vieron una amenaza en la carga social de las enseñanzas cristianas y sometieron a las primeras comunidades a persecuciones cruentas durante más de tres siglos que, lejos de debilitar la fe cristiana, fortalecieron su unidad refugiadas en la clandestinidad de las catacumbas. Finalmente, a comienzos del siglo IV, en el año 311, el emperador Galerio promulgó la libertad religiosa. Dos años más tarde, con el Edicto de Milán, Constantino institucionalizará el cristianismo como un culto más del imperio, con personalidad jurídica propia.

La legalización imperial del culto relajó el control que la jerarquía católica ejercía sobre las comunidades cristianas durante el período de ocultación, provocando el resurgimiento de antiguas disidencias, al tiempo que aparecían otras nuevas: maniqueísmo, nesto-rianismo, paulismo, donatismo, arrianismo, etc. Estas disidencias, que se oponen a lo que admite y propone la Iglesia Católica en materia de fe, constituyen las *herejías*, y son severamente condenadas en los Concilios católicos.

Durante el reinado de Teodosio I, el Grande (365-395), el cristianismo se convierte en la religión estatal del Imperio Romano. Por primera vez, alcanzada la unión Iglesia-Estado, la ortodoxia católica utilizará la fuerza del poder civil para luchar contra la herejía. En el año 382, el emperador emitirá varios edictos para combatir al maniqueísmo, recurriendo a castigos como la confiscación de bienes, la prisión e incluso la muerte.

Con la caída de Roma, Europa se sumerge en la barbarie. Carlomagno sólo significó un breve paréntesis en la degradación cultural y moral del continente y al acercarse el final del primer milenio comienzan las señales del Apocalipsis: el hambre, la guerra, la peste y la muerte, que se ensañan sobre todo con las clases más desfavorecidas.

En medio del caos religioso, político y social, la Iglesia Católica se levanta con un imparable impulso reformador. Los esfuerzos de los papas del siglo XI por alcanzar autonomía con respecto al poder temporal de los príncipes europeos de la Edad Media, consiguieron dulcificar la brutalidad feudal con medidas como la *Paz de Dios*, que prohibía la violencia durante muchos días del año, o el *Derecho de Asilo*, que permitía a los perseguidos encontrar un refugio inviolable en algunos establecimientos eclesiásticos.

También fue un logro de esta Iglesia reformadora la creación de las Universidades que, no debemos olvidar, pudieron salir adelante gracias a la ardua lucha de la Iglesia contra los poderes civiles que se opusieron a ellas.

A pesar de todos esos esfuerzos, el anhelo de muchos cristianos por retornar a los postulados del cristianismo primitivo desembocó en soluciones heterodoxas que amenazaban con disgregar el cristianismo europeo en multitud de sectas.

A través de estas páginas se hace un breve resumen de los postulados ideológicos que marcaron el desarrollo de la Iglesia como institución. Después, nos situaremos en el período más crítico de la historia de Europa hasta la Edad Moderna: la caída de Roma y la creación de los estados bárbaros. Un repaso breve al panorama social y político de los últimos siglos del primer milenio nos permitirá comprender las causas que dieron lugar tanto a las reformas acometidas por la Iglesia, como a las que desembocaron en las distintas herejías.

La mayor parte de las veces la Iglesia no tenía grandes dificultades para convertir a los heterodoxos con la ayuda de sus predicadores más brillantes; hasta que en el siglo XII una corriente herética, desarrollada en el Oriente de las Cruzadas, penetra en Europa y se expande en gran parte del continente, arraigando con fuerza no sólo entre el pueblo, sino también entre el mismo clero: el catarismo.

Los cátaros representaban una amenaza para la Iglesia porque no se trataba de una mera desviación de la ortodoxia sino que planteaba una nueva religión cuyos principios doctrinales se basaban en el dualismo –que recordaba a los antiguos maniqueos– y predicaban la comunidad de bienes y la pobreza absoluta, manifestaban un gran desprecio por la vida en tanto que el cuerpo era un castigo para el alma y, aunque sólo tuviera incidencia entre los más radicales, la prohibición de tener hijos para no transmitirles el castigo de la vida, cuestiones éstas inaceptables para la teología católica. A todo ello se sumaba el desprecio por la jerarquía eclesiástica y los sacramentos. Finalmente, la violencia que ejercieron sobre los predicadores enviados por la Iglesia para hacerles desistir de sus creencias les convirtieron en enemigos a eliminar utilizando la fuerza.

La prosperidad del Languedoc, región en la que con más fuerza había arraigado la herejía, atraía la atención de los reyes de Francia que, con su poder ampliamente mermado por los grandes señores feudales, veían cómo esos territorios que habían pertenecido históricamente al reino de los francos, dirigían sus juramentos de vasallaje hacia los reyes de Aragón.

Al otorgarles la misma consideración que a los *infieles musulmanes*, la Iglesia decreta contra los cátaros una Cruzada que los príncipes europeos, sobre todo el rey de Francia, secundan con el mismo entusiasmo y resultados de las expediciones a Tierra Santa: muerte, saqueo y persecución. El Languedoc y los demás territorios en los que la herejía se ha instalado con arraigo, sufren los rigores de los cruzados. Pero entre europeos, sin un distintivo racial reconocible, era difícil diferenciar entre católicos y herejes: *«Matadlos a todos, Dios reconocerá a los suyos»*, exclamará el abad cisterciense de Citeaux antes de tomar y saquear la ciudad de Béziers, sospechosa de herejía.

Tras la Cruzada, la extinción total del catarismo precisaba perseguir a los herejes allí donde estuvieran: se impone un rastreo ciudad por ciudad, aldea por aldea, casa por casa. La Inquisición se institucionaliza; la Iglesia cuenta con buscadores fieles e implacables: los *Domini cani* (los perros del Señor), los dominicos, a los que, al principio, se trata de suavizar en sus métodos expeditivos con la presencia a su lado de monjes más tolerantes: los franciscanos.

La persecución se extiende por otros países de Europa: Alemania, Polonia, Inglaterra, Aragón... Pronto descubrieron los gobernantes medievales la eficacia de una Institución policial tan organizada y eficaz. La Iglesia necesitaba la ortodoxia dogmática para mantener su poder libre de disidencias doctrinales que amenazaran su filosofía de Iglesia Universal, pero también a los Estados les beneficia la estabilidad proporcionada por el control social que la Iglesia ejercía a través del Santo Oficio.

A partir de aquí comienza a hacerse uso del control institucional más eficaz acaecido en la Historia de Europa e Hispanoamérica, hasta las dictaduras del siglo XX: todo individuo, sin importar su condición o clase social, estará bajo sospecha y a merced de acusaciones secretas, confesiones bajo tortura, confiscación de bienes, vergüenza para las familias, prisión..., y hoguera; esta última alcanzará el punto más álgido cuando de las acusaciones de herejía se pase a la persecución del absurdo en la caza de brujas: bajo tortura se confiesan fornicaciones con el diablo, hechizos y conjuros que arruinan cosechas, desgracias a las personas a través del mal de ojo...: «*el sueño de la razón produce monstruos*». Este título de uno de los *caprichos* del gran pintor Francisco de Goya podría resumir la actuación de la Inquisición en los últimos siglos de la Edad Media, que perdurará hasta bien entrado el siglo XVII.

Apoyada en la Inquisición cualquier sinrazón servía para acusar a un enemigo y apoderarse de sus bienes. El control social también estaba garantizado: cualquier movimiento emancipador era fácilmente desbaratado entregando a sus cabecillas al Santo Oficio.

A finales del siglo XVI, la Reforma Protestante abolió la Inquisición en los Estados de Europa en los que dicha reforma se impone. Pero sus métodos son mantenidos por los reformadores: las ejecuciones de brujas en la hoguera en los Estados protestantes fueron muchas, aunque el número exacto es muy difícil de determinar, ya que los registros sobre estos hechos están incompletos. Contrastan, no obstante, las aproximadamente 300 brujas quemadas en España, y de las que solamente 17 lo son por condenas de la Inquisición, con las más de 25.000 ejecutadas en la Alemania Protestante, bien es cierto que las características españolas eran muy diferentes.

Con la Edad Moderna y el Humanismo renacentista, Europa supera los mil años de barbarie vividos desde la caída de Roma y recupera la cultura clásica. La Inquisición va modificando sus objetivos: la ciencia aparece como un enemigo que hace que se tambaleen muchas creencias consideradas inmutables. El siglo XVII se inaugura con la muerte en la hoguera del pensador Giordano Bruno. Pocos años más tarde, Galileo será juzgado y condenado por mantener que «*el sol es el centro del universo, que no se mueve de Oriente a Occidente, que la Tierra se mueve y no es el centro del mundo*», afirmación considerada por la Inquisición romana contraria a las Escrituras e «*insensata y absurda*» en Filosofía. Con setenta años, y para librarse de la hoguera, fue obligado a abjurar de sus teorías arrodillado ante el Tribunal, y cuenta la leyenda que al incorporarse golpeó el suelo con el pie exclamando: «*¡Eppur si muove!*» ¡Pero se mueve!

El Santo Oficio, cada vez más desprestigiado, perdurará en los países católicos de Europa hasta su abolición definitiva, gracias al triunfo de las ideas de la Revolución Francesa a través de las conquistas de Napoleón.

En la primera parte de esta obra seguiremos los métodos de la Inquisición desde sus primeros tiempos: la persecución de los herejes y la institucionalización de los tribunales inquisitoriales. Comentaremos la evolución y perfeccionamiento de los procesos en todas sus fases: denuncia, interrogatorios, torturas y penas, acercándonos a grandes inquisidores como Bernardo Guy, convertido en personaje literario por Umberto Eco en su gran novela *El nombre de la rosa*.

La brujería posee un interés especial en la segunda etapa del Santo Oficio. Estudiar las causas de su evolución, separando la realidad de la fantasía, nos permitirá comprender la fuerza de la superstición en los diversos sectores de una sociedad que lucha por su prosperidad económica y cultural desde finales de la Edad Media. La peculiaridad de los procesos por brujería nos permitirá analizar las formas en que el absurdo se institucionalizó en todo el cristianismo europeo y no sólo en el catolicismo.

La segunda y tercera parte de nuestro libro están dedicadas a la Inquisición en España y sus dominios en el Nuevo Mundo. La fecha de 1478 marca el inicio de lo que puede denominarse la Nueva Inquisición española, y que va ligada, indefectiblemente, al nacimiento de España como nación. Fernando el Católico es coronado rey de Aragón en 1479, siendo su esposa, Isabel, reina de Castilla desde el año 1474. Esta unión matrimonial va a determinar, de hecho, la unión política de ambos reinos y a establecer las bases de la futura España.

Si bien todos los Estados católicos se dotaron de un Tribunal eclesiástico para luchar contra las herejías, el surgido en España fue, no sólo el que más llegó a perdurar en el tiempo —hasta 1834—, sino el que, además, ha sido considerado por muchos historiadores como el más cruento.

Los primeros pasos de la Inquisición en España, similares a otros países de Europa, estuvieron orientados a combatir las corrientes heréticas propugnadas por sectas como la de los cátaros que durante los siglos XII y XIII arraigaron en zonas orientales de la Península, como el valle de Arán y ciertos lugares de Cataluña, para extenderse posteriormente al reino de Aragón. Simultáneamente, el progresivo deterioro de las relaciones entre cristianos y judíos y las severas persecuciones a que fueron sometidos estos últimos durante 1391 en Sevilla, Barcelona, Valencia y Toledo, produjo un efecto de conversión masiva. Los *judeoconversos* fueron objeto de vigilancia, denuncia y persecución en muchos casos, ante la sospecha de que mantenían sus ritos y creencias a pesar de haber abrazado el cristianismo.

A la creciente marea de conversos y la compleja estratificación social en la que se insertaban las minorías étnico-religiosas, se une una fuerte recesión económica que acrecienta las diferencias entre cristianos, por un lado, y judíos, judeoconversos, mudéjares y moriscos, por otro. Hay que destacar que la España de los Reyes Católicos hereda de siglos anteriores una estructura social y demográfica singular y que puede definirse como de coexistencia y tolerancia religiosa entre dichas comunidades.

Sin embargo, esta convivencia estuvo frecuentemente salpicada de acontecimientos violentos, cuando no bélicos, que llevaron una y otra vez al sometimiento de los vencidos.Los judíos fueron referencia común para cristianos y mudéjares y sufrieron persecución y muerte por parte de ambas comunidades en diferentes momentos de la Historia. La animadversión de los cristianos hacia los judíos no sólo se sustentaba en los ritos y costumbres tan diferentes que practicaban (no comían cerdo, no utilizaban mantequilla para freír, sacrificaban los animales de cuya carne iban a comer mediante un rito especial, etc.), sino que además envidiaban la posición social que habían adquirido: dominaban el comercio y los cargos de recaudadores así como las profesiones de médico y prestamista.

A todo esto, el cristiano unía un sentimiento de odio generalizado hacia el pueblo hebreo al considerarlo responsable de la muerte de Cristo: culpaba a la comunidad judía de deicidio, lo que convertía en justificables muchas de las atrocidades cometidas en nombre del hijo de Dios.

La población musulmana, en cambio, no fue objeto de persecucion durante los primeros años de implantación de la Inquisición. Solamente, tras la caída de Granada en 1492, y la Pragmática de conversión forzosa de 1502, comienzan los recelos de los cristianos viejos hacia el cristianismo practicado por los moriscos.

La Inquisición moderna aflora, por lo tanto, con un marcado carácter político que se contrapone con el sello eclesiástico propio de las instituciones inquisitoriales que habían actuado desde los siglos XIII y XIV hasta mediados del siglo XV. El nombramiento de Inquisidores Generales por el rey, la intención de dificultar la colaboración de las autoridades civiles bajo pena de excomunión crearon, a la postre, una organizada estructura de control que sobrepasó con creces el espíritu religioso que inspiró su creación. De esta forma, el poder de la Corona pudo sustraerse a multitud de impedimentos jurídicos dictados por los distintos reinos en virtud de sus fueros y derechos forales, posibilitando el afianzamiento de su hegemonía sobre otros poderes reales del nuevo Estado y apuntalando su política centralizadora. Por primera vez en la historia de España se aplicaba una jurisdicción común a todas las administraciones y se avanzaba en el camino de la unidad política y administrativa.

Esta misión de la Inquisición, tan alejada del combate contra las creencias heréticas como único y principal objetivo, responde, como ya se ha mencionado al comienzo de la introducción, al carácter polivalente de una institución que fue instrumentalizada en cada época para situarse al servicio del poder religioso o político del momento en función de los acontecimientos.

Desde la bula de Sixto IV en noviembre de 1478, autorizando a los Reyes Católicos el nombramiento de Inquisidores, se hace patente esta relación entre los poderes más influyentes de la época. Tomás de Torquemada, prior dominico del Convento de la Santa Cruz de Segovia, fue uno de los que más influyó ante la reina Isabel para que solicitara de la Santa Sede un tribunal inquisitorial para Castilla ante el creciente deterioro de las relaciones de los cristianos viejos con los conversos, apuntalados por hechos concretos que evidenciaban la práctica secreta del judaísmo por parte de estos últimos.

La Bula *Exigit sinceras devotionis affectus* otorgaba a los reyes el poder de nombramiento de dos o tres eclesiásticos para realizar inquisiciones en los territorios de su reino, pero hay que esperar a 1480 para que sean nombrados los primeros Inquisidores: los dominicos Miguel de Morillo y Juan de San Martín, instalándose en Sevilla.

En 1483 se crea en España el Consejo de la Suprema y General Inquisición (popularmente conocido como «la Suprema»), formado por cuatro eclesiásticos, uno de los cuales era el Inquisidor General. Este Consejo puede considerarse como uno de los primeros organismos estatales de la Nueva España y abarcaba todas las posesiones españolas, incluidas las incorporadas tras el descubrimiento de América. Ese mismo año se produce, igualmente, el nombramiento de Tomás de Torquemada como Inquisidor General de Castilla y Aragón, que dotará a esta institución no solamente de la infraestructura necesaria para realizar su cometido, sino también, de un cuerpo legal al que habrán de someterse los jueces de cada tribunal.

Se crearon sedes en Sevilla, Córdoba, Jaén, Ciudad Real, Toledo, Cuenca, Murcia, Valladolid, Santiago, Logroño, Granada, Zaragoza, Barcelona, Valencia, Baleares y Canarias (en América se crearon tribunales de la Inquisición en las ciudades de México, Lima y Cartagena de Indias).

A principios del siglo XVI se puede decir que el Santo Oficio es ya una institución bien organizada que actuaba con decisión en las principales ciudades españolas. La muerte de Torquemada, en 1498, y la de la reina Isabel en 1504, cierran un primer ciclo desde su implantación, cuyos hitos fundamentales estarán localizados en torno a la decidida voluntad de unidad política y territorial de los reinos ibéricos mostrada por los Reyes Católicos, que propiciarán la conquista del reino moro de Granada y el matrimonio de su primogénita con el heredero del trono portugués, así como una clara apuesta por la unidad religiosa para estabilizar socialmente sus reinos, medida que dará a la Inquisición española jurisdicción sobre prácticamente todos los súbditos de sus altezas católicas (los moros granadinos, con las Capitulaciones de Santa Fe recientemente selladas, no suponían de momento ningún problema).

Del drama humano que supuso el dilema entre conversión «forzosa» al cristianismo o expulsión de los territorios hispanos, planteado a las comunidades judía, en 1492, y mora, en 1609, nos dan cuenta las correspondientes crónicas de la época, pero constituirán fechas y hechos que han pasado a engrosar la larga lista de ultrajes que contra el género humano, y a lo largo de la historia, el propio hombre se ha encargado de escribir, llegando a hacer cierta la célebre sentencia latina *homo hominis lupo*.

Será, pues, a lo largo de la segunda parte de nuestra obra cuando nos centraremos en el desarrollo de la Inquisición española y sus peculiaridades, surgidas como consecuencia de acontecimientos políticos y sociales que van a convertir a España en un muy corto espacio de tiempo, en un enorme imperio que se extenderá por gran parte del «viejo mundo» y por los inmensos territorios descubiertos por Colón, allende la mar océana, en una gesta cuya referencia supone el nacimiento de la Edad Moderna.

No obstante, y como cuestión previa para avanzar en el conocimiento de esta institución, es imprescindible detenerse a considerar la génesis y evolución del procedimiento inquisitorial español. Nacido a partir de las primeras *constituciones* o «*Instrucciones*» de las que le dota fray Tomás de Torquemada y a las que posteriormente se irán añadiendo otras nuevas, como las promulgadas por los también Inquisidores Generales Diego de Deza o Fernando de Valdés, comprende el conjunto de actuaciones, diligencias y trámites que el Santo Oficio realiza en su actividad como Tribunal y que van desde la publicación de los primeros edictos (Edicto de Fe, de Gracia, de Anatema), hasta la lectura y ejecución de las sentencias durante la celebración del Auto de Fe, pasando por la instrucción del sumario, el establecimientos de medidas cautelares, la realización de interrogatorios o la aplicación del tormento como técnica procesal.

Un procedimiento que, en la causa abierta por la Inquisición española contra el Arzobispo de Toledo y Primado de las Españas, Bartolomé de Carranza Miranda, entra en confrontación con el modo procesal canónico, el cual debería habérsele aplicado por estar reservadas al Papa las causas episcopales. El proceso «Carranza» cobra especial interés no sólo porque se trata de uno de los prelados más importantes del mundo cristiano, el segundo después del Papa, sino por la cantidad y calidad de las personalidades implicadas y los numerosos «incidentes» religiosos, políticos y diplomáticos que tuvieron lugar durante los diecisiete años que duró el mismo: un proceso en el que el mismísimo Inquisidor General Fernando de Valdés, por «notoria parcialidad y apasionamiento»; en el que el encausado permanece siete años en las cárceles del Santo Oficio de Valladolid y otros diez en el castillo de Sant'Angelo, en Roma, bajo la jurisdicción del Papa; un proceso que ve sucederse en el tiempo tres Inquisidores Generales y cuatro papas, y cuyo desenlace consiste en una sentencia «política» que no satisfizo a ninguna de las partes y en la que el reo es declarado «vehementemente sospechoso» de diversos errores de doctrina (un reo que había sido brillante teólogo en Trento defendiendo las tesis ortodoxas católicas), pero no hereje, como pretendía la Inquisición española. Un proceso, en fin, que se convierte en un auténtico escándalo y en el que Felipe II echa un pulso al representante del poder espiritual para imponer los criterios de la Inquisición española, sus criterios, al tiempo que proporciona un argumento más que añadir a los que van conformando la *leyenda negra* del Monarca.

La llegada de la Inquisición al Nuevo Mundo, una vez terminada la exploración y conquista del inmenso continente americano; la profunda crisis religiosa que sacudió Europa durante el siglo XVI y que tuvo su origen en las famosas 95 tesis contra la venta de indulgencias difundidas por Martín Lutero; el cisma provocado por esta postura del que surgirán la Reforma Protestante y la Contrarreforma Católica gestada en Trento; éstos, y otros muchos, serán los temas que nos aproximen al conocimiento objetivo de una Institución que presidió, fuertemente enraizada en la vida social, política y espiritual del país, tres siglos y medio de la vida española que fueron testigos de su presencia; de su vinculación al poder político y, ciertamente también, de sus excesos y arbitrariedades.

Orígenes del Santo Oficio y su desarrollo en Europa

La Iglesia

de los primeros tiempos

La Iglesia Universal

Para poder entender en toda su magnitud el nacimiento y desarrollo de una institución como la Inquisición es preciso conocer las bases ideológicas que fueron asumidas por la Iglesia Católica durante su proceso de establecimiento en la última etapa del Imperio Romano y la Alta Edad Media.

El cristianismo no sólo se aprovechó de la unidad social y cultural romana sino que adaptó a su estructura organizativa el orden aristocrático y jerárquico que constituía la base del control político y social del Imperio. Así, la Iglesia acabó convirtiendo el orden sacerdotal, y especialmente a los obispos, en una aristocracia de liderazgo sobre el conjunto de los creyentes, y a imitación de la figura del Emperador se va afirmando la figura del obispo de Roma, el Papa, como máxima autoridad de la Iglesia.

Este proceso de institucionalización fue tomando cuerpo en los primeros tiempos del cristianismo. La nueva doctrina se expande con rapidez rompiendo las barreras del territorio ocupado por el pueblo de Israel en Oriente Próximo y las comunidades judías de la *Diáspora*,[1] diseminadas por las ciudades más prósperas del Imperio, reciben con un alto grado de aceptación el mensaje propagado por los apóstoles. Sin embargo, al penetrar en el corazón mismo del Imperio, Roma, los cristianos son considerados por los gentiles como una simple secta judía, y es para romper esta imagen que el cristianismo trata de apartarse de la antigua Ley de Moisés y hace recaer el peso de su doctrina en las enseñanzas evangélicas, enriquecidas con las aportaciones de los apóstoles, con lo que se conforma el Nuevo Testamento.

Es lógico que en este proceso el mensaje evangélico, aunque seguía constituyendo la base fundamental de la doctrina cristiana, acabara trastocándose y adaptándose al particu-

---

[1] Se conoce como *Diáspora* a la «dispersión» del pueblo judío, establecido en comunidades, por todas las provincias del Imperio Romano, sobre todo en el área ribereña del Mediterráneo.

larismo del Imperio. La carga social del mensaje de Jesús fue sustituida por una liberación del hombre que se realizaría sólo tras la muerte. La estructura jerárquica del imperio, basada en un orden que descendía desde el Emperador y la clase patricia romana hasta el esclavo, fue asumida por el cristianismo sin discusión, sobre todo después de la «legalización» que supuso el Edicto de Milán emitido por el emperador Constantino. Las bienaventuranzas se cumplirán en el paraíso prometido, en el que los últimos serán los primeros, pero de momento, en el mundo, la jerarquía emana directamente de Dios y debe ser respetada rigurosamente.

También tuvo gran influencia en la configuración del cristianismo como ideología, la filosofía de Platón, adaptada al dogma católico por los primeros Padres Latinos de la Iglesia, que influyó en el pensamiento filosófico y teológico cristiano hasta la Escolástica del siglo XIII.

Las Escrituras son interpretadas a través del prisma neoplatónico y se impone la idea de un Dios único, creador de un Universo perfectamente ordenado y jerarquizado en el que cada ser particular, cada individuo, tiene un lugar dentro de ese orden y sus acciones deben ir encaminadas al mantenimiento del Orden Divino. Ese orden se refleja, igualmente, en estructuras organizativas tales como el Estado, la familia y, por supuesto, la Iglesia.

Bajo estos presupuestos, la *unidad* es la expresión fundamental del Orden y todo debe estar subordinado a mantenerla. Atentar contra ella se convierte en el mayor de los pecados y, en este sentido, la herejía se presentaba como un ataque directo a esta idea de *unidad* que sustentaba el pensamiento teológico de la Iglesia; el maniqueísmo en particular, que defendía la existencia de dos Principios antagónicos y coeternos, aparecía como doctrina que repugnaba especialmente a los filósofos cristianos neoplatónicos, como san Agustín o san Jerónimo. Sus argumentos acerca de la necesidad de tomar medidas represivas contra la herejía, incluidas la tortura y la muerte, se presentan como los primeros antecedentes de la teología cristiana que inspiraron las acciones de la Inquisición.

La idea de un Universo ordenado y jerárquico, trasladada al terreno político y social, llevaba a la exaltación de la figura del gobernante. Dios ejerce el dominio del Universo en todas sus dimensiones, pero en el mundo lo hace de forma indirecta, a través de intermediarios que sólo a Él deben rendir cuentas: el hombre cumple la voluntad de Dios si se somete al orden institucional.

Al asumir la organización administrativa secular propia del Imperio, la Iglesia va gestando una jerarquía que acabará componiendo una clase clerical diferenciada del resto de los creyentes. Esta idea de casta sacerdotal es una herencia del judaísmo que a la Iglesia le interesa mantener. En principio, del mensaje evangélico se desprende la idea de que toda la comunidad cristiana comporta un sacerdocio y cada discípulo de Cristo es un sacerdote. Sin embargo, la complejidad organizativa de la Iglesia precisará sumar a la figura del obispo otras subclases: *presbíteros* y *diáconos*, que conforman el primitivo sistema clerical. Con la constitución del cristianismo como religión oficial del Imperio estos cargos eclesiásticos aumentan diversificando las funciones: *presbítero, diácono, sub-diácono, acólito, exorcista, lector* y *conserje.*

De esta forma la Iglesia como tal desarrolla un nuevo sacerdocio levítico,[2] en el que el clérigo actúa como intermediario ante Dios. El obispo y sus delegados en el ejercicio del gobierno y control de la comunidad cristiana son los únicos que pueden interpretar las Escrituras y administrar los sacramentos. En el Imperio Romano cristianizado la figura del obispo se realza y reclama para sí la dignidad social propia de la aristocracia y, como un aristócrata más, el obispo acude a reuniones sociales e incluye en sus vestiduras el color de la clase patricia: el púrpura.

Un aspecto ideológico que, como veremos más adelante, orientó las reformas de la Iglesia en la Edad Media y determinó la lucha entre el papado y los reyes, es la determinación de la primacía existente entre el poder espiritual y el poder temporal.

En el Imperio Romano, el poder del Emperador era incuestionable: el Papa era un súbdito más y el clero no ostentaba ningún tipo de gobierno civil sobre los territorios imperiales. Después de la caída del Imperio Romano de Occidente, la desaparición del sistema organizativo de la administración del Estado generó grandes vacíos de poder, sobre todo en las ciudades. La Iglesia mantenía más o menos intacta su estructura organizativa y procuraba dotar al clero de una alta formación cultural en un momento en que se perdía la cultura grecolatina. La forma rudimentaria de gobierno ejercida por los bárbaros, obligó a la clase clerical a participar en la administración de los nuevos Estados aparecidos con la disgregación del Imperio.

Esta nueva situación hizo que pocos años después de la caída oficial del último Emperador, el año 465, el papa Gelasio enunciara la *doctrina de los dos poderes.* Al *Poder espiritual,* ejercido por el clero y que mantenía como máxima representación al obispo de Roma (el Papa), le correspondía el regir sobre los asuntos divinos. El *poder temporal,* ejercido por las diferentes realezas —en ausencia de un poder imperial único al que siempre tendió la Iglesia, desde la coronación de Carlomagno— se encargaba del gobierno de las cosas temporales del mundo.

Si en principio esta división no representaba ningún conflicto, al quedar perfectamente definidas las jurisdicciones de ambos poderes, posteriormente surge el problema cuando se pretende establecer la relación jerárquica entre ellos. Puesto que el *poder espiritual* tiene dimensiones eternas, mientras que el *poder temporal* se aplica a lo contingente, estaba claro para la Iglesia que el supremo poder, como intermediario directo del poder de Dios, debía recaer en

---

[2] En la religión judía el oficio sacerdotal estaba reservado a los varones de la tribu de Leví. Esta distinción había sido otorgada por Yahvé a los descendientes de Aarón, hermano de Moisés. Sólo ellos podían custodiar el Arca de la Alianza y ofrecer sacrificios en el Templo.

la figura del Papa, que pasaba a ser no sólo el sucesor de Pedro sino también el *vicario de Cristo*, de quien emana todo poder: Cristo Dios, pero también Cristo Rey.

De esta forma, el ideal de una sociedad como un todo único que conformaba la *Eclessia Universalis* debía someterse al gobierno del Papa y del clero, mientras que los reyes debían poner el poder de su fuerza al servicio de la defensa de la Iglesia contra sus enemigos. Durante toda la Alta Edad Media europea se establece un constante forcejeo entre el papado y los príncipes por el control del poder en los reinos cristianos de occidente: a la fuerza de la *palabra* esgrimida por la Iglesia, los príncipes opusieron la fuerza de las armas. Las especiales condiciones sociales y políticas que vivió la Europa medieval concedieron la victoria a la Iglesia y las reformas llevadas a cabo en el siglo XI dieron lugar, un siglo más tarde, a la doctrina de la *plenitudo potestatis* –la plenitud del poder– para hacer efectiva la superioridad del *poder espiritual* sobre el temporal. El papado aprovechó la sacralización del juramento de fidelidad, base del poder feudal, para someter a nobles, reyes y emperadores bajo la amenaza de excomunión, que liberaba a los vasallos de la obediencia a la que el juramento comprometía.

La historia de la Inquisición sigue de cerca esta lucha de la dos poderes, que se mantendrá durante toda la Edad Media y gran parte de la Edad Moderna, hasta que las nuevas tendencias políticas sobre la organización del Estado y el poder desarrolladas por el liberalismo ilustrado acabaron por hacer prevalecer la razón de Estado sobre la razón religiosa. Conocer este pulso entre las Iglesia y los Estados medievales hasta la implantación de la Inquisición nos permitirá entender cómo fue posible el nacimiento y desarrollo de una institución que tuvo tanta trascendencia en la vida social, cultural y política de Europa e Iberoamérica.[3]

La Iglesia en la Europa de los bárbaros

> «¡Ay, dolor! Extinguido se ha la clarísima lumbre de las tierras todas; truncada ha sido la cabeza del Romano Imperio; en una sola ciudad ha perecido todo el orbe.»
>
> San Jerónimo

El año 476 Odoacro, caudillo de los ostrogodos, destituyó a Rómulo Augústulo, último emperador romano. Con este gesto concluyó la disgregación del Imperio Romano de Occidente, que caía definitivamente en manos de los pueblos bárbaros.

Para los historiadores este gesto constituye el paso de la Edad Antigua a la Edad Media. Su importancia radica en la repercusión que tuvo para Europa la extinción casi total de la cultura clásica grecorromana, muy superior a la de los conquistadores, que sumió a

---

[3] Empleamos este término porque hace referencia a los países del continente americano que fueron colonias de los dos grandes reinos de la Península Ibérica: España y Portugal.

casi todo el continente en una penumbra cultural, social y política que tardaría un milenio en ser superada.

Sólo la Iglesia trató de preservar la herencia de la cultura y civilización clásicas. Sin embargo, con el correr del tiempo el caos del mundo bárbaro también hizo presa en ella y gran parte del clero se contagió de sus vicios: violencia, corrupción y amoralidad. A pesar de que los concilios condenaban constantemente usos como el matrimonio o el amancebamiento de los clérigos,[4] la simonía o la usura, su práctica estaba generalizada no sólo entre el bajo clero sino también entre los obispos y abades. La *simonía*[5] era un uso común en todos los reinos bárbaros y los reyes compensaban con altas dignidades eclesiales a sus servidores laicos, al tiempo que se adueñaban de las rentas de la Iglesia.

Poco a poco, la herencia cultural se perdió casi por completo también entre los miembros de la Iglesia. Los jóvenes clérigos recibían una educación cada vez más escasa y rudimentaria: apenas sabían leer y la escasez de libros sagrados hacía que muchos textos religiosos debieran ser aprendidos de memoria.

Aunque se conservó el latín como vehículo de transmisión cultural, la escasa instrucción del clero, incluso de su jerarquía, hizo que esta lengua fuera degenerando progresivamente.

Como consecuencia, la vida religiosa fue apartándose del mensaje cristiano de los evangelios para caer en la superstición. La teología cultivada en los primeros años del cristianismo apenas era entendida y fue sustituida por el culto a los santos y mártires.

En estos cultos, casi paganos, se generalizó la veneración de reliquias y su posesión desencadenó un lucrativo comercio. Se atribuían propiedades mágicas a productos como el aceite que se consumía en los templos de los Santos Lugares, como el del Santo Sepulcro, o la tierra recogida en los sitios que aparecían mencionados en los Evangelios asociados a la presencia en ellos de Jesús, como el huerto de Getsemaní. Estos productos, encapsulados en ampollas o medallones, eran utilizados como talismanes con poderes mágicos.

El peso de la Iglesia en una sociedad civil escasamente cristianizada era cada vez menor y la crítica a los abusos de poder llevados a cabo por los reyezuelos bárbaros, realizada por los eclesiásticos que procuraban mantener las más elementales enseñanzas de la caridad cristiana, podía acarrearles la muerte.

Afortunadamente, ante este estado degenerativo de la civilización clásica y la religión, se produjo una reacción positiva por parte de algunos cristianos que decidieron separarse del mundo para vivir la doctrina cristiana bajo una regla de disciplina: así nacieron las órdenes monacales.

---

[4] Estas prácticas fueron reiteradamente condenadas por la Iglesia que siempre propugnó la castidad de los clérigos. Fue conocida como *nicolaísmo*, haciendo referencia a los fornicadores nicolaítas, citados por el Apocalipsis.

[5] La *simonía* era la compraventa de cargos eclesiásticos. El nombre hace referencia a Simón el Mago, personaje citado en los *Hechos de los Apóstoles,* que quiso comprar a san Pedro el secreto para hacer milagros.

De entre todas las reglas más o menos complejas y severas que se desarrollaron para vivir el cristianismo en comunidad acabaron por imponerse dos. La primera nació en Irlanda y fue obra de san Columbano, nacido hacia el año 540. La regla desarrollada por este monje comportaba una dura disciplina basada en la oración y la penitencia. La segunda, de mayor fortuna para el futuro de la cultura europea, fue desarrollada por san Benito de Nursia y se difundió con gran rapidez.

Benito nació en Nursia, localidad a escasa distancia de Roma. Era hijo de una familia patricia romana y como tal fue a la gran urbe para realizar sus estudios. A finales del siglo V decidió vivir como eremita y se retiró a una gruta situada en un paraje desértico. Su virtud hizo que numerosos discípulos se acercasen a él para recibir enseñanza sobre normas de vida, pero al cabo de unos años fue obligado a abandonar su lugar de retiro y decidió dedicarse a sus discípulos fundando un gran monasterio en Monte Casino.

La regla de san Benito era más estricta y evolucionada que la de san Columbano. Se imponía la obediencia al abad y se prohibía la circulación de los monjes de un monasterio a otro a su libre albedrío, costumbre muy común en ese tiempo. La búsqueda de la paz y sosiego interior se conseguía a través de tres actividades, *«porque la ociosidad es el mayor enemigo del alma»*: la oración, distribuida a lo largo del día; la actividad manual —sobre todo el trabajo de la tierra—, para la subsistencia de la comunidad; y la actividad intelectual, dedicada a la lectura de los textos sagrados.

La organización de la vida en los monasterios benedictinos tuvo efectos beneficiosos para su entorno: el trabajo manual creó pequeños focos de actividad económica que atrajo hacia ellos mano de obra, sobre todo campesina. La vida de los monjes constituyó un ejemplo para las comunidades que vivían en contacto con ellos y ayudó a fortalecer al cristianismo como forma de vida.

Pero de entre todas sus virtudes, la cultura europea se benefició del trabajo intelectual de los monjes: cada monasterio poseía una biblioteca que se afanaba por mejorar y engrandecer con nuevas adquisiciones, y, más interesante si cabe, un *scriptorium*[6] en el que eran copiadas las obras de mayor interés para su posterior difusión.

El amor de los benedictinos por los libros hizo que junto a los textos clásicos del cristianismo se conservaran y difundieran textos clásicos del paganismo, sobre todo de los grandes filósofos grecolatinos como Platón, Aristóteles o Séneca.

Aunque de menor trascendencia que la obra de los benedictinos, en otros enclaves de los pueblos romanizados se trató de conservar en lo posible los restos de la cultura clásica: a la labor de estudiosos como Casiodoro de Vivarium, Veda el Venerable e Isidoro de Sevilla se sumó la acción anónima de los monjes de muchos monasterios diseminados por Irlanda y Gales.

---

6 El *scriptorium* era la sala en la que los monjes desarrollaban su labor como traductores y copistas de los libros rescatados de las escasas bibliotecas que habían sobrevivido a los saqueos de los bárbaros.

De este panorama de los primeros siglos de la Edad Media se deduce que los monjes eran las únicas personas letradas y la cultura se encontraba encerrada tras los muros de los monasterios.

Esta penuria cultural propició también el que grandes territorios, escasamente cristianizados o situados más allá de las fronteras imperiales, volvieran al paganismo o lo mantuvieran y fue preciso realizar una acción misionera de proporciones considerables. En muchos casos, como ha sucedido en multitud de ocasiones en la acción evangelizadora de la Iglesia a través de los siglos, los ritos cristianos se mezclaban con los paganos o bien se optaba por cristianizar los ritos y costumbres más enraizados en la cultura religiosa de los pueblos evangelizados.

De gran importancia para la evangelización de la Europa de los bárbaros era la conversión de las familias reales y la aristocracia de los pueblos conquistadores, que solía llevar a la conversión oficial, que no real, de todos los súbditos del rey convertido.

Una medida que daba excelentes resultados era conservar los lugares y templos sacralizados en los cultos paganos célticos y germánicos sustituyendo las imágenes de los antiguos dioses por reliquias e imágenes de santos cristianos.

La Iglesia contó con un personaje excepcional en esta ardua misión evangelizadora de los pueblos bárbaros: el papa Gregorio el Grande. Al igual que san Benito, Gregorio era miembro de una antigua familia de patricios romanos. También realizó extensos estudios en Roma y abandonó la vida de aristócrata para convertirse en monje. En el año 589 fue elegido Papa, contra su voluntad, por aclamación del pueblo romano.

Como Sumo Pontífice realizó una intensa labor en la normalización y ordenación de la liturgia católica recomponiendo el canon de la misa. Su importante colaboración en la constitución de la *schola cantorum* romana hizo que los cantos desarrollados en ella hayan conservado el recuerdo de su nombre hasta nuestros días al ser conocidos como *canto gregoriano*.

Gracias a sus esfuerzos frente a la fragmentación cultural y política de los reinos bárbaros la Iglesia logró mantener, aunque con grandes dificultades, una cierta homogeneidad cultural y un principio de ordenación jerárquica bajo la autoridad del Papa romano.

Una nueva religión: el Islam

El panorama político y religioso del mundo medieval iba a transformarse radicalmente a partir del siglo VII con la aparición y desarrollo de una nueva religión: el Islam. El profeta Mahoma —el Alabado— nació en La Meca en torno al 570. Sus primeros años de vida transcurren como pastor de los rebaños de su tío Abu Talib. En sus viajes como nómada debió conocer las culturas judía y cristiana, desarrolladas en los monasterios y comunidades del Norte de Arabia, en territorios del imperio bizantino.

Casado con una rica viuda, Jadicha, Mahoma se convierte en administrador de las propiedades de su esposa. En su madurez, entre 610-621, se retira al desierto para orar. Una noche, se le apareció en sueños el arcángel san Gabriel. A partir de entonces el Profeta comenzó a recibir, a través de estados de trance, fragmentos del Libro Eterno que custodian los ángeles, en el que está escrita la voluntad de Dios para sus criaturas.

Durante tres años, sólo los amigos más íntimos conocen sus revelaciones, sobre todo su esposa, que siempre creyó en él y le apoyó. Un día recibió el mandato divino de predicar las enseñanzas que había recibido y comenzó una larga etapa jalonada de grandes fracasos y pequeñas, pero decisivas, victorias. Mahoma comenzó a proclamar en su ciudad, La Meca, a un único Dios, del que él se consideraba su portavoz: su profeta. La actitud contraria de los habitantes, sobre todo los más poderosos, obligaron a la primera comunidad musulmana a refugiarse en la ciudad de Yatrib. El día 24 de diciembre de 622, el Profeta entra en esta ciudad que, desde entonces, toma el nombre de *madinat al Nabi* (Medina). Esta fecha de la emigración –*hégira*– de Mahoma y sus fieles, marca el año 1 del calendario musulmán.

Para poder sobrevivir ante la hostilidad creciente tanto de los habitantes de La Meca, como de los enemigos que encontraron en Medina, los musulmanes tuvieron que recurrir a las armas. Mahoma, inspirado por Dios, ofreció el paraíso a los que dieran su vida en la lucha por extender la nueva doctrina; así nace el concepto de guerra santa del Islam: *el yihad*.

En el 630, un ejército musulmán de diez mil guerreros pone sitio a La Meca. La ciudad se rinde sin combate y Mahoma procede a derribar los antiguos ídolos guardados en la Kaaba. La nueva fe se extiende por toda Arabia y las tribus se organizan en torno a la autoridad del Profeta. Finalmente, el 8 de junio de 632, Mahoma muere en la ciudad de Medina.

Las enseñanzas del Profeta, como en el caso de Jesús, fueron recogidas por sus discípulos. Los primeros sucesores de Mahoma: los califas Abu Bakr y Omar, mandaron a Zayd ibn Thabit que recogiera todo cuanto los primeros discípulos conservaban escrito o recordaban en su memoria. Con esta información, el califa Otmán mandó redactar lo que sería el definitivo texto sagrado de los musulmanes: el Corán.

Desde la muerte del Profeta en 632 hasta su primera derrota importante, la batalla de Poitiers en 732, transcurre un siglo en el que los musulmanes extienden su poder por oriente, el norte de África y la Península Ibérica. Una vez unificada la península Arábiga, el Islam aprovecha la debilidad de los imperios bizantino y persa para expandirse hacia Oriente Medio y el norte de África. Entre 633 y 642 conquistan Siria, Egipto y Cirenaica. El imperio persa, sumido en la corrupción y el desgobierno caerá en pocos meses; en 635 los árabes ya ocupan Ctesifonte, su capital.

Con la subida al poder de la dinastía Omeya en 660 las conquistas se prolongan a través del sector occidental del norte de África, donde vencen a bizantinos y bereberes. Por fin, en 711, la debilidad de la monarquía visigoda de la Península Ibérica les induce a la invasión de Europa. El 23 de julio de ese año las tropas del rey godo Don Rodrigo son vencidas en la batalla del río Guadalete y toda la Península queda abierta a la invasión musulmana. Sólo quedarán pequeños reductos de resistencia en los sistemas montañosos del Norte que serán el germen de una reconquista que durará ocho siglos.

En su avance hacia el Norte los musulmanes franquearon los Pirineos en 721 y saquearon las ciudades del sur de Francia: Touluse, Carcasona, Nimes y Burdeos. En 732, los francos frenaron el avance del gran califa Abd al-Rahmán en la batalla de Poitiers, pero no pueden impedir que siguieran programando campañas de saqueo por el sur de Francia.

El éxito de la expansión del Islam y sobre todo del firme afianzamiento de un imperio tan poderoso radica en la actitud de tolerancia que permite la nueva religión y la disposición asimiladora de las culturas, muy superiores a la suya, de los imperios conquistados.

A diferencia de la intolerancia de la Iglesia, la guerra santa –el *yihad*– extendía la nueva doctrina por los territorios conquistados, pero no sometía a los ciudadanos a persecuciones religiosas ni imponía la conversión. Precisamente, las religiones basadas en la Biblia –gentes del Libro– recibían un trato especial. Los judíos y cristianos conservaban sus bienes y posesiones, así como sus templos y casas de culto, y sólo debían pagar un tributo especial. En Persia, este trato especial se realizó con los seguidores del zoroastrismo. La única exigencia de carácter religioso que se les imponía era el no hacer proselitismo de sus creencias entre los musulmanes.

Junto a esta actitud tolerante de los seguidores de la nueva religión los conquistadores árabes asimilaron las estructuras administrativas de los antiguos imperios, sobre todo el modelo bizantino, pero dotando además a las ciudades de un alto grado de autonomía. Cada ciudad conservó su propio derecho y sus aparatos judiciales. El ejército árabe sólo se encargaba de garantizar el orden público. La autoridad judicial musulmana, el *cadí*, solamente actuaba en cuestiones de derecho público o como mediador entre posibles conflictos originados por enfrentamientos entre diferentes grupos confesionales o étnicos.

Este ambiente de tolerancia y la unidad política y administrativa del nuevo imperio permitió un gran desarrollo del urbanismo –en contraposición con el proceso de ruralización que se produjo en Europa– y de las industrias asentadas en las ciudades. Se desarrollaron o importaron de Extremo Oriente nuevas tecnologías, tanto en la industria metalúrgica como en la textil, que permitieron un relanzamiento del comercio y un rápido desarrollo económico.

Las ciencias también fueron muy protegidas y se recuperaron grandes obras de la antigüedad: la filosofía de Platón y Aristóteles; la geografía de Ptolomeo; la medicina de Galeno e Hipócrates; la botánica farmacológica de Dioscórides; y las obras de grandes matemáticos y astrónomos como Arquímedes y Euclides.

Este esfuerzo por rescatar y proteger la cultura —desproporcionadamente mayor a lo que pudieron realizar los monjes europeos— salvó para el mundo gran parte del patrimonio cultural de occidente.

A comienzos del siglo VIII, frente al esplendor de la cultura árabe, la Europa cristiana ofrecía, en contraste, un panorama desolador: las capas sociales más desfavorecidas de la escasa población europea sufrían la miseria, el hambre y la violencia y opresión de una clase dominante ignorante y embrutecida. La misma Iglesia había perdido el empuje de la etapa gregoriana. El clero se hallaba corrompido y rendía servidumbre a la inmoralidad y depravación de los príncipes y señores feudales. La ignorancia, tanto del clero como de la inmensa mayoría de los creyentes, habitantes casi en su totalidad del medio rural, había conseguido que las supersticiones ahogaran las prácticas cristianas. Sólo algunos monasterios siguieron su tarea, ¡impagable!, de conservar los restos de la cultura europea.

Desde la caída de Roma los movimientos de pueblos bárbaros a través de Europa, desplazándose unos a otros, habían sido incesantes. En los albores del siglo VIII todavía continuaban. Por el norte, las tribus procedentes de Frisia o Sajonia devastaban los campos y ciudades de los reinos francos. Desde el este, los ávaros, asentados en la llanura Panónica, a orillas del Danubio, amenazaban con sus incursiones el norte de Italia y obligaron a los venecianos a refugiarse en las lagunas a orillas del Adriático.

Otro elemento desestabilizador eran los lombardos, asentados en el norte de Italia. Este pueblo, aunque convertido al cristianismo, ambicionaba dominar los territorios que se encontraban bajo el gobierno efectivo de la Santa Sede.

El renacer del Imperio: la dinastía carolingia

Durante el siglo VII, el reino de los francos, regido por la dinastía merovingia, estaba absolutamente disgregado y la autoridad civil dividida entre las grandes familias de la aristocracia feudal. Una de estas familias, la de los Pipínidas, consiguió hacerse poco a poco con el poder hasta llegar a representar una alternativa dinástica al trono. A finales de siglo, Pipino de Heristal consiguió el poder sobre los tres grandes reinos francos: Austrasia, Neustria y Borgoña. Sin embargo, a su muerte, la continuidad en el poder sufrió un cambio decisivo: Carlos Martel, uno de sus hijos naturales, encerrado por la esposa oficial de Pipino, logra huir para ponerse a las órdenes del último rey merovingio, Teodorico IV.

Al servicio del rey merovingio Carlos venció a los pueblos bárbaros que presionaban las fronteras septentrionales del reino: frisones, sajones, alamanes y bávaros quedaron sometidos al reino de los francos. Pero más decisiva fue su victoria sobre los árabes que, desde la España ya ocupada casi en su totalidad, habían penetrado en el sur de los territorios francos. Junto a Poitiers (723), logró detener el avance del ejército árabe hacia el interior de Europa.

Cuando en el año 737 muere Teodorico IV, Carlos se comportó como señor absoluto del pueblo franco y su poder no fue cuestionado por nadie.

A su muerte, en el año 741, dividió el gobierno del reino entre sus dos hijos: Pipino y Carlomán, que actuaban como mayordomos de Palacio sin ostentar ningún título de realeza. Cuando en el año 747 Carlomán decide retirarse al monasterio benedictino de Monte Casino, su hermano se plantea si ha de restituir el reino a alguno de los descendientes merovingios o asumir él mismo el título de rey. Pipino, aunque contaba con el beneplácito de los nobles francos, decide solicitar consejo al Papa.

La elección de Pipino como rey de los francos tuvo gran repercusión en la historia de Europa y de la Iglesia Católica y constituye un hecho fundamental en el futuro de las relaciones entre los poderes del Estado y la Iglesia en los reinos cristianos de Europa.

El año 750, el papa Zacarías otorga el beneplácito a Pipino para usurpar el trono de los francos: *«Es mejor llamar rey a quien ya tiene el poder real que a quien no lo tiene»*, expresaría el Pontífice. Pero, a pesar de contar con el permiso de Roma, el pretendiente al trono debía presentarse ante la asamblea popular de los francos para ser ratificado, según la costumbre tradicional.[7] Ante una gran asamblea reunida en Soissons en 751 Pipino fue proclamado rey de los francos, aunque encontró una fuerte oposición, sobre todo por parte de algunos obispos.

Roma, para dejar clara su postura de apoyo, mandó celebrar una ceremonia litúrgica especial, oficiada por san Bonifacio, en la que el nuevo rey fue ungido con los santos óleos, a la manera de los reyes bíblicos. Con este acto quedaba sacralizado el acceso al trono de Pipino, conocido como *el Breve*, y se sellaba una fuerte alianza entre la Iglesia y la nueva dinastía de reyes francos.

Al amparo de esta alianza, el propio papa Esteban II ratificó en Saint-Denis la sacralidad del derecho a la corona de Pipino y sus descendientes. A cambio de este apoyo de la Iglesia, Pipino ayudó al Pontífice en la guerra que mantenía contra el rey lombardo Astolfo, que había conquistado tanto las posesiones de la Iglesia en Italia como las del emperador bizantino. Derrotado el rey lombardo por los francos, el Papa quedaba como señor efectivo de grandes territorios en Italia, que constituyeron a partir de entonces los Estados de la Iglesia.

La sucesión del primer rey carolingio estaba bien asegurada por la gran personalidad de su hijo Carlos. Aunque, siguiendo la tradición de los francos, Pipino dividió el

---

7 Entre los francos, como entre otros pueblos germánicos, el rey era un *primus inter pares* −primero entre iguales− y en la ceremonia de proclamación la asamblea se lo recordaba con una fórmula protocolaria: «nos, que somos tanto como vos, y todos juntos más que vos, os proclamamos rey».

reino entre sus dos hijos, Carlos y Carlomán; la prematura muerte del segundo, en 771, devolvió la integridad del reino al primogénito. El joven Rey, que será conocido como Carlomagno –*Carolus magnus, Carlos El Grande*–, como heredero de la unción papal, se consideraba a sí mismo defensor de toda la cristiandad, y tomó como un tema personal la evangelización total de los territorios bajo su dominio. Sabía, por otra parte, el beneficio que obtenía con este propósito en la asimilación cultural de los pueblos bárbaros de la periferia del reino.

A veces las medidas para la cristianización eran extremas: a los sajones, enemigos crueles y despiadados, que fueron vencidos en 785 tras largos años de guerra, se les impuso una severa ley que castigaba con la pena de muerte cualquier acción contra la fe cristiana (negarse a ser bautizado, romper el ayuno de Cuaresma, no bautizar a los niños nacidos en el año, etc.). También se castigaba severamente la persistencia en acciones propias de sus religiones, asumidas como costumbre: comer carne humana o incinerar a los muertos, por ejemplo. Ante la eficacia contraria al propósito, de medidas tan duras, las leyes tuvieron que suavizarse y transformar los castigos corporales por multas.

Las campañas militares de Carlomagno lograron extender el cristianismo a pueblos como los ávaros del Danubio, al tiempo que frenaron el avance de los árabes en España estableciendo la frontera –*marca hispánica*– en el río Ebro, al sur de Cataluña.

En sus relaciones con la Iglesia, después de derrotar de nuevo a los lombardos que amenazaban Roma en 774, confirmó los acuerdos alcanzados por su padre y añadió por su parte nuevos territorios a las posesiones del papado. Sin embargo, los Estados de la Iglesia constituían un obstáculo para el control total de la península itálica por los francos y Roma hubo de cobrar derecho de paso por sus territorios a las tropas reales.

El año 799 el papa León III había sido raptado de su palacio, apaleado y abandonado en un monasterio. Sobre él recaían las acusaciones de perjurio y adulterio. El Papa, restablecido de sus heridas se dirigió a Sajonia para solicitar a Carlomagno su ayuda para recuperar el poder en Roma. El rey franco sometió al Papa a la humillación de jurar la falsedad de las acusaciones que recaían sobre él ante un jurado de notables tanto de la Iglesia como de la ciudad de Roma. Con este gesto, León recuperaba el pontificado pero quedaba en deuda de gratitud con el Rey.

El invierno del año 800 Carlomagno se hallaba de nuevo en Roma. En la mañana del día de Navidad, el rey, vistiendo a la manera de los patricios romanos, oraba frente al arco triunfal que enmarcaba el altar mayor de la basílica de San Pedro. Sin tener conocimiento previo de lo que allí sucedería, el gran rey de los francos hizo ademán de incorporarse, para que diera comienzo la ceremonia de la misa, cuando observó al papa León III acercarse hacia él portando en las manos una corona que coloca sobre su cabeza. El rey permaneció inmóvil mientras los presentes exclamaban: *«larga vida a Carlos Augusto, coronado por Dios grande y pacífico emperador de los romanos»*.

Con este gesto, que desencadenó posteriormente graves conflictos diplomáticos con el Imperio Bizantino,[8] se restauraba la Iglesia Universal propugnada por el papa Gelasio en su doctrina de los dos poderes: el poder celestial y espiritual, representado por el obispo de Roma y el poder temporal encarnado en el nuevo emperador, como defensor secular de la Iglesia contra sus enemigos internos y externos.

Aunque lo más probable es que Carlomagno conociera e incluso pactara con el Papa la coronación, lo importante del hecho radica en que se cumplía el sueño del renacer del antiguo Imperio, que permanecía en el recuerdo de la jerarquía eclesiástica como una Edad de Oro del cristianismo.

Carlomagno marca un antes y un después en la historia de la cultura occidental tras la desaparición de Roma. Era un hombre con gran afán de instrucción –hablaba varias lenguas y se expresaba indistintamente en latín y en su lengua natal– y procuró inculcar ese mismo afán en los hombres a su servicio. El analfabetismo dominante, incluso entre la jerarquía de la Iglesia, queda patente en uno de sus edictos: «Los obispos entenderán las oraciones que rezan en la misa, comprenderán la palabra del Señor y entenderán su significado y no darán lectura a falsos escritos para no inducir al pueblo a error, ni permitirán a los sacerdotes difundir entre el pueblo otras enseñanzas que las expresadas en las Sagradas Escrituras».

No obstante, Carlomagno sólo consideraba el título de emperador como algo honorífico y siguió denominándose oficialmente como rey de los francos.

A su muerte, obró como sus predecesores y dividió el reino –imperio– entre sus hijos. También la casualidad, como sucedió en su caso, hizo que la muerte prematura de dos de ellos dejara todo el poder en manos de un solo rey: Luis El Piadoso.

A diferencia de su padre, Luis sí se consideraba «Emperador augusto, por obra de la Providencia Divina». Su idea de mantener la unidad imperial le llevó a abolir la antigua ley sucesoria de los francos para poder designar en el futuro a un único sucesor que ostentase el título imperial.

Su formación intelectual le llevó a rodearse de clérigos en las tareas de gobierno y su preocupación por la moralidad cristiana le valió el título de El Piadoso. Con respecto al papado obró a la manera de los emperadores romanos y exigió al Papa juramento de fidelidad, con lo que de hecho le convertía en uno más de sus súbditos.

Con el nuevo emperador la situación de las instituciones eclesiásticas mejoró sensiblemente. Como en épocas anteriores era muy frecuente la simonía –compraventa de cargos eclesiásticos, sobre todo los de obispo y abad– en virtud de la cual eran otorgados estos cargos en muchos casos por el propio rey a personas laicas como pago a sus servicios o para fortalecer lazos con familias nobles. Estos cargos conllevaban el que recayeran las rentas de la Iglesia en

---

[8] Los emperadores bizantinos se sentían los únicos herederos legítimos de la dignidad imperial romana y la coronación de Carlomagno fue interpretada como una usurpación de ese derecho.

manos de particulares. Con ello no sólo se conseguía dificultar la propia supervivencia de las comunidades religiosas sino que además se reducían o suprimían las habituales obras sociales llevadas a cabo por la Iglesia sobre la población más desfavorecida.

A Carlomagno se debe una medida que perdurará en las sociedades cristianas de occidente durante siglos: la instauración de los diezmos. Por ley, se reservaba la décima parte de las cosechas para el mantenimiento de las parroquias. Pero la avaricia de los obispos y abades simoníacos hacía que gran parte de esos recursos acabaran en sus arcas. En el caso de las abadías, la merma de sus ingresos obligaba al verdadero abad —el religioso que dirigía la vida religiosa y los trabajos de los monjes— a buscar recursos para la supervivencia de la congregación.

Para remediar esta situación, Luis el Piadoso instituyó el sistema de las dos mesas, por el cual se procedía al reparto de los bienes de las abadías. Con ello se consiguió, que aunque la mayor parte de las rentas fueran a parar al abad simoníaco, los monjes no tuvieran dificultades para sobrevivir y poder realizar sus funciones.

El mantenimiento de la labor de reproducción de libros llevado a cabo en los *scriptoria* era especialmente gravoso: preparación de pergaminos; obtención de tintas a partir de pigmentos naturales —algunos traídos desde Oriente, como el azul, obtenido del lapislázuli— y panes de oro. Además, los libros no eran realizados con ánimo de lucro; su destino eran otras bibliotecas o simplemente —como el caso de los Evangeliarios— permanecer custodiados en una parroquia.

Era normal que cada parroquia poseyera un ejemplar de los Evangelios, que el párroco guardaba celosamente. Por desgracia su posesión era sólo testimonial pues muchos sacerdotes no sabían leer. Las citas evangélicas eran aprendidas de memoria, con las consiguientes deformaciones que esto producía. Aun así, el libro de los Evangelios era mostrado a los fieles como un tesoro que conservaba la palabra de Dios.

Durante el reinado de Carlomagno y Luis se emprendió una profunda reforma de las instituciones eclesiásticas. Junto a personajes como san Bonifacio o el mismo Papa, los soberanos participaron activamente en la reforma.

En todo el Imperio se reordenaron las sedes episcopales y parroquias y se crearon provincias eclesiásticas regidas por arzobispos que representaban directamente al papado. Todo el territorio debía poseer parroquias o, en su defecto, oratorios, que hicieran accesibles los oficios religiosos a toda la población.

Un tema que quedaría pendiente hasta las decisivas reformas del siglo xi fue el de la elección de obispos y abades. Aunque el derecho canónico establecía que estos cargos debían ser elegidos por la Iglesia, los reyes carolingios continuaron imponiendo la elección de los mismos por el rey; bien es verdad que detrás de estas medidas había sobre todo intereses de Estado. Como hemos comentado, los clérigos eran las únicas personas instruidas y eran imprescindibles para una organización administrativa eficaz de tan extensos territorios. San Bonifacio realizó una importante labor de purga entre los altos cargos de la Iglesia corruptos o deshonestos y la simonía pudo ser controlada.

La instrucción de los clérigos fue un tema capital tanto para la Iglesia como para el Estado. La Historia habla de un primer «renacimiento» en la etapa carolingia: se crearon escuelas monásticas y volvieron a florecer las abadías y catedrales como foco de cultura. Una medida excepcional para su tiempo fue la escolarización gratuita de los seglares. Según la orden expresa de Carlomagno los obispos ordenaban: «*Que los sacerdotes abran escuelas en los pueblos y ciudades. Si un fiel quiere enviarles a sus hijos para que se instruyan, no deben negarse a recibirles e instruirlos. Y que no reclame por esto salario alguno, que no acepten nada, como no les sea ofrecido espontáneamente y por amistad*».[9]

El mismo palacio real se convirtió en un centro de cultura. Carlomagno llamó a su lado a los intelectuales más notables de su tiempo: gramáticos, como Pietro de Pisa y Paulino de Aquilea; al historiador Paulo Diácono; y por encima de todos, Alcuino, la personalidad intelectual más prestigiosa de su tiempo.

Alcuino reorganizó el sistema de estudios, recuperando el programa de Marciano Capella basado en el estudio por separado de gramática, retórica y dialéctica —*trivium*—; y geometría, aritmética, astronomía y teoría musical —*quadrivium*—. El mismo rey, dando ejemplo, puso gran empeño en su instrucción: estudió geometría, retórica, dialéctica y astronomía, ciencia por la que sentía gran pasión. También mandó instruirse a todos sus hijos, tanto niños como niñas.

Un gran esfuerzo en la recuperación cultural del Imperio fue tratar de subsanar la escasez de libros. Se realizaron importantes adquisiciones para las bibliotecas y se multiplicó la producción de copias en los *scriptoria* de los monasterios. Otra de las grandes aportaciones del período carolingio fue el diseño de un tipo de letra de fácil legibilidad: así nacen las letras minúsculas, en un tipo de letra conocido como *minúscula carolingia* que hoy conservamos como herencia al inspirar, siglos después, los caracteres de imprenta denominados «romanos».[10]

Este despertar de la cultura europea, aunque discreto en sus logros, y que no admite comparación con el gran desarrollo de la cultura árabe de su tiempo, representó un paso de gigante en la superación de casi tres siglos de barbarie.

Un nuevo paso atrás: piratas del siglo IX

Es sabido que los imperios suelen caer más por su propia debilidad interior que por las presiones de enemigos externos. En el siglo IX, cuando todo hacía presagiar una evolución

---

[9] Harold Lamb, *Carlomagno*. Alianza Editorial, Madrid.

[10] En nuestros modernos ordenadores, la fuente de letra *Times New Roman*, diseñada en el siglo XIX por los impresores del periódico inglés *Times*, e inspirada en los tipos carolingios, aparece como predeterminada en muchos programas de tratamiento de textos.

progresiva del renacimiento carolingio, fue la ambición de los poderosos la que dio al traste con el prometedor futuro que auguraba el renacer institucional del Imperio de Occidente. Los últimos años del reinado de Luis el Piadoso estuvieron repletos de tensiones entre los hijos habidos en sus dos matrimonios, para asegurarse una parcela de poder en la sucesión del monarca.

Según la ley de sucesión, modificada por el propio Luis, la unidad del Imperio debía mantenerse al recaer la corona directamente sobre su primogénito: Lotario. Sin embargo, el heredero tuvo que enfrentarse a sus hermanos para mantener el poder. Finalmente, vencido, hubo de claudicar y acceder a la división del Imperio. En agosto de 843, Lotario firma con sus hermanos el Tratado de Verdún. En él concedía a su hermano Carlos la franja occidental del Imperio; a su otro hermano, Luis, le correspondía el sector oriental; y el legítimo emperador, Lotario, dominaría la franja media del reino, desde el Mar del Norte hasta los Estados de la Iglesia, en Italia.

Sucesivas divisiones realizadas a la muerte de Lotario fraccionaron aun más el antiguo reino de Carlomagno; y las incesantes luchas por conseguir mayores parcelas de poder no sólo paralizaron los avances económicos, sociales y culturales del efímero Imperio sino que lo convertían en presa fácil para enemigos externos.

Comentábamos con anterioridad cómo los árabes habían sido rechazados por Carlomagno hasta el Ebro. Sin embargo el dominio del mar por los sarracenos les había permitido ocupar las islas más importantes del mar Mediterráneo: islas Baleares, Córcega y Sicilia. Desde estas bases, los piratas asolaban las costas de los reinos cristianos, sobre todo Italia, llegando incluso a sitiar la misma Roma y saquear la basílica de San Pedro.

Por su parte, las costas atlánticas sufrieron un azote aun más terrible y devastador: los normandos.[11] Excelentes navegantes, aprovecharon la calidad marinera de sus naves y sus conocimientos de orientación astronómica para realizar largas singladuras. Sus incursiones en las costas del Atlántico Norte llevaron el saqueo y el terror a ciudades y monasterios. Muchos territorios pactaron pagarles altos tributos para evitar enfrentarse con ellos.[12]

Desde el siglo VIII los escandinavos se lanzaron a recorrer las rutas septentrionales. Como exploradores y colonos alcanzaron el norte de Escocia e Irlanda; y más a occidente Islandia. Ya en el siglo X, alcanzarían Groenlandia y la costa canadiense.

El bajo calado de sus naves les permitía remontar los ríos y penetrar tierra adentro. El Sena y el Loira fueron algunos de los ríos que más sufrieron estas incursiones. En el año 850 saquearon algunas grandes ciudades como Ruan, París o Chartres. También en Inglaterra remontaron el Támesis hasta Reading.

---

[11] Los piratas normandos, sobre todo daneses, que asolaban sistemáticamente las costas del Atlántico Norte europeo nos son más conocidos como *wikingos*.

[12] El tributo a los daneses, conocido como *danegeld*, se generalizó en Inglaterra y las costas galas.

A mediados del siglo IX se aventuraron a cruzar el estrecho de Gibraltar: remontando el río Guadalquivir saquearon la rica ciudad musulmana de Sevilla, sorprendida en un momento en que el ejército estaba fuera de la ciudad. No obstante, no estaban acostumbrados a la gran movilidad de las tropas árabes y fueron cercados antes de su retirada y obligados a devolver el botín obtenido. Aun así, una vez que pactaron las condiciones de su rendición, las naves restantes pudieron continuar su expedición por el Mediterráneo.

Cuando a finales del siglo IX el saqueo dejó de ser rentable, los daneses pasaron a la ocupación directa del territorio. El año 911 el rey franco les cedió los territorios que hoy conocemos como la región francesa de Normandía –*país de los normandos*–.

Desde Europa oriental los reinos cristianos sufrieron también el azote de otro pueblo de guerreros: los húngaros. Provenientes de las estepas del Asia Central, ocuparon la llanura esteparia del Danubio medio, muy similar en clima y paisaje a su región de origen. Aunque poco numerosos para acometer el sitio y saqueo de grandes ciudades, su gran movilidad como jinetes les permitía asolar bastos territorios y saquear aldeas y monasterios.

Los caducos sistemas de movilización y combate de los ejércitos francos no permitían ofrecer una resistencia eficaz a tan audaces, persistentes y simultáneas agresiones que estos nuevos invasores, sarracenos, normandos y húngaros, ejercían sobre todos los puntos cardinales de la Europa cristiana.

El miedo al saqueo dejó despobladas muchas tierras de labor y el comercio quedó tan mermado que permanecía casi en estado de sitio y desconectado de las rutas comerciales internacionales. Todo el avance conseguido en la etapa carolingia se vino abajo y Europa volvió a empobrecerse económica y culturalmente.

El constante saqueo de los monasterios redujo la labor cultural de los monjes y muchas bibliotecas fueron incendiadas. Las actividades de estudio fueron casi abandonadas y de nuevo la miseria, la ignorancia y la superstición fueron la seña de identidad de los reinos cristianos.

Ante esta dramática situación la Iglesia reaccionó tratando de evangelizar a los nuevos bárbaros. A finales del siglo IX, Vaik, rey de los húngaros, se convirtió al cristianismo y fue bautizado como Esteban, nombre con el que sería canonizado posteriormente.[13] Con él se cristianizaba oficialmente todo el pueblo húngaro.

El fraccionamiento político del Imperio no impidió que la Iglesia tratara de mantener el título imperial, para conseguir ayuda militar de los francos en la lucha que mantenían los Estados de la Iglesia contra los piratas sarracenos que asolaban Italia. El título imperial fue otorgado a reyes que sólo cumplían sus compromisos testimonialmente al no contar con capacidad militar suficiente como para defender a la Iglesia de tan temibles enemigos.

---

[13] La Iglesia celebra la festividad de san Esteban de Hungría el día 16 de agosto.

La debilidad de los reyes propició el desarrollo de la aristocracia militar y terrateniente. El Rey acabó siendo refrendado por los grandes señores a cambio de la promesa por parte del monarca de respetar sus privilegios.

La respuesta de los territorios cristianos a los sistemas de lucha empleados por los pueblos agresores, basados en ataques rápidos y concentrados, propició la creación de fortalezas para la defensa local. La defensa se organizaba a partir de espacios protegidos con una empalizada y una torre de madera, desde la que una pequeña guarnición bien entrenada y con gran movilidad gracias a la modernización de la caballería, podía responder rápidamente a las incursiones enemigas. El señor de este primitivo castillo, que habitualmente detentaba también la propiedad de tierras en la región que defendía, acabó siendo la única autoridad reconocida por la población.

Los territorios se dividieron para su defensa en circunscripciones, condados, y los encargados de su defensa y gobierno, los condes, en los personajes principales de esta nueva aristocracia feudal. Los que detentaban estos cargos presionaron sobre el rey para que fueran hereditarios. Los reyes tuvieron que aceptar también el carácter hereditario de la mayoría de los cargos públicos: el anquilosamiento social de Europa por esta diferenciación desigual de la sociedad no sería superado hasta la toma del poder por la burguesía.[14]

El apocalíptico siglo x

El Apocalipsis de san Juan tuvo desde el principio del cristianismo una gran influencia en los que confiaban en el regreso inminente de Cristo para rescatar a sus discípulos. Durante el siglo x se multiplicaron las interpretaciones que relacionaban este regreso con el fin del milenio.

Los pueblos que asolaban a los reinos cristianos desde los cuatro puntos cardinales: sarracenos, normandos y húngaros, eran reconocidos como las naciones paganas de Gog y Magog que mencionaba el libro profético: *«Cuando se terminen los mil años, será Satanás soltado de su prisión y saldrá a seducir a las naciones de los cuatro extremos de la tierra, a Gog y a Magog, y a reunirlos para la guerra, numerosos como la arena del mar. Subieron por toda la anchura de la tierra y cercaron el campamento de los santos y de la Ciudad amada».* Los jinetes del Apocalipsis habían descendido a la tierra arrasándolo todo y sembrando la muerte y la desolación a su paso: la guerra, el hambre, las epidemias y la muerte eran lo cotidiano en la vida de los pueblos de la cristiandad europea del siglo x.

---

[14] El reconocimiento y aceptación de la Iglesia a esta situación social de privilegio de unos pocos, que la Inquisición ayudó a mantener, aceleró la secularización del Estado durante la Edad Moderna.

El abandono de muchas tierras de labor y la coincidencia con períodos meteorológicos adversos, en los que se alternaban sequías e inundaciones, hicieron que la escasez de alimentos tuviera consecuencias catastróficas:

> *«Cuando se hubieron comido los animales salvajes y los pájaros, los hombres, bajo el imperio de un hambre devoradora, se pusieron a comer toda clase de carroñas y cosas horribles de decir... ¡Ay! ¡Oh dolor! Cosa raramente oída en el transcurso de los tiempos, un hambre rabiosa hizo que los hombres devoraran carne humana. Los viajeros eran asaltados por gentes más robustas que ellos, que los despedazaban, y, después de cocerlos, los devoraban. Muchas personas que se desplazaban de un lugar a otro para huir del hambre y habían encontrado hospitalidad en el camino, por la noche fueron degolladas y sirvieron de alimento a quienes los habían recogido. Muchos, mostrando una fruta o un huevo a los niños, los atraían a lugares apartados, los mataban y los devoraban. En muchos lugares fueron desenterrados cadáveres e igualmente sirvieron para aplacar el hambre... Como si se hubiera convertido en una costumbre comer carne humana, hubo alguno que la vendía en el mercado de Tournus.»*[15]

La organización de la defensa contra las invasiones aceleró el desarrollo del orden feudal. La sociedad se dividió en clases: los clérigos, los nobles y los siervos; unos rezan, otros combaten y los últimos trabajan. La nobleza se estructuró conforme a las divisiones administrativas impuestas por la defensa del territorio, e impuso a los reyes el hacer hereditarios los derechos de regalía inherentes al cargo.

Los reyes ostentaban el poder de forma casi testimonial y se comportaban como unos señores feudales más en las escasas posesiones sobre las que todavía ejercían dominio efectivo. Los duques, que ejercían su gobierno sobre varios condados, eran a menudo más poderosos que el mismo rey.

La Iglesia también se contaminó del orden feudal. Obispados y abadías se convirtieron en señoríos feudales y obispos y abades estaban obligados al juramento de fidelidad y a la obligación de participación militar con sus señores. Esta situación motivó el que la simonía se impusiera como norma y la alta nobleza procurase situar al frente de esos cargos a miembros de su familia.

También debido a las necesidades defensivas se desarrollaron nuevas técnicas de combate. La necesidad de mayor movilidad operativa hizo que se perfeccionara la caballería: se adoptó la silla de montar con apoyos delanteros y traseros y se utilizaron estribos y espuelas, para mejorar la estabilidad sobre la montura y la velocidad. El jinete se protege con una pesada cota de malla y cambia las armas arrojadizas por armas pesadas de choque. El equipo de guerra de

---

[15] Pietri, Luce. *La Edad Media. Gran Historia Universal*. Ed. Argos-Vergara, 1979.

un jinete era tan costoso que sólo los miembros de las grandes familias podían afrontarlo. El oficio militar se especializa y nace una nueva casta de nobleza: el caballero.

Esta aristocracia feudal y guerrera despreciaba a los siervos a los que oprimía y eran los que más sufrían los enfrentamientos entre los señores feudales. Era un uso frecuente el que los caballeros saquearan aldeas y ciudades en sus expediciones de guerra. Los siervos, en buen número, habían sido pequeños propietarios que se vieron obligados a ceder la propiedad de sus tierras a un noble a cambio de protección. Su condición era prácticamente la esclavitud.

La brutalidad de las prácticas de saqueo movieron a la Iglesia a tomar medidas contra ellas. Los concilios trataron de limitar la violencia sobre los más débiles imponiendo a los caballeros, bajo sagrado juramento, la paz de Dios. El juramento los comprometía a no ejercer violencia sobre los miembros y posesiones de la Iglesia, las mujeres y los campesinos.

En este siglo todavía quedaban muy lejos las reglas de la caballería que conocemos por los cantares de gesta. Los caballeros eran máquinas de matar que vivían por y para la guerra. Los torneos eran batallas campales en las que dos bandos se acometían como en una verdadera acción de guerra y en las que entre los vencidos abundaban los heridos y muertos. Los vencedores despojaban a sus contrincantes de sus costosas armaduras, como botín, y los tomaban como prisioneros para pedir rescate a sus familias.

El entramado político y social del feudalismo se articulaba en torno al juramento de vasallaje. El juramento entre el señor y su vasallo implicaba una relación de lealtad y amistad. Para reforzar el peso del compromiso adquirido, el ceremonial sacralizaba el acto mediante juramento sobre los Evangelios. Romper el juramento suponía un grave pecado. La Iglesia aprovechó a menudo esta sacralidad del juramento para amenazar a los poderosos. Las medidas que tomaba la Iglesia para someter los abusos de los príncipes eran la *excomunión* y el *interdicto*. La excomunión liberaba al vasallo del juramento de fidelidad y convertía al excomulgado en un proscrito social, pero para tener efectos reales debía ser sancionada por el mismo Papa. El interdicto era una medida más severa, suponía la prohibición de impartir los sacramentos en una comunidad entera, salvo el bautismo de los recién nacidos. Esta medida se utilizaba con prudencia porque con ella se castigaba a los miembros de toda la comunidad por las faltas de su señor.

En este momento crítico de la historia de Europa la cultura contempló un descenso más grave que el ocasionado por la caída de Roma. Si la Iglesia había sido tradicionalmente la guardiana y protectora de la herencia cultural grecorromana, la degradación de las instituciones eclesiásticos contribuyó a la casi desaparición de los avances conseguidos en la etapa carolingia.

Los miembros del clero, sometidos al orden feudal del siglo, materialista y corrupto, acabaron sucumbiendo ante él. La corrupción de la Iglesia partía de la más alta jerarquía: el papado. A comienzos del siglo X, el papa Sergio III delegó el gobierno de los Estados de la Iglesia en uno de sus funcionarios, Teofilacto, mientras él se complacía con los favores de Marozia, hija de aquél. A la muerte de su padre, Marozia tomó el poder y urdió el encarcelamiento y asesinato del papa Juan X (931-935), que se oponía a sus manipulaciones en el gobierno de la Iglesia. El poder de esta mujer llegó a su punto extremo cuando logró hacer nombrar como papa a Juan XI, el hijo habido de sus relaciones con Sergio III.

El bajo clero también sufrió los rigores del feudalismo. Los sacerdotes eran nombrados directamente por los señores, que detentaban la propiedad de las iglesias instaladas en sus territorios. Estos nombramientos recayeron a menudo en hombres iletrados, en su mayoría siervos del señor feudal. Además, al reclamar la propiedad de la parroquia también reclamaban el diezmo instituido por Carlomagno. En definitiva, la supervivencia del sacerdote dependía enteramente de la caridad de su señor. Esta situación de precariedad era esgrimida como disculpa por los sacerdotes que tomaban una concubina, so pretexto de necesitar una ayuda para sobrevivir.

En peor situación, si cabe, quedaron los monasterios. Si las invasiones se encargaron de saquear y destruir gran parte de ellos, el feudalismo los hizo casi desaparecer. El título de abad era reclamado en muchas ocasiones por el señor feudal para sí o para sus hijos. Pero los verdaderos abades, que debían haber aprovechado el sistema de mesas, que ya hemos comentado, para la supervivencia de la comunidad, reclamaron estas percepciones para sí mismos, con lo que los frailes se vieron obligados a salir de los monasterios para trabajar o mendigar. El trabajo intelectual fue literalmente abandonado.

Esta penuria de la Iglesia tuvo graves incidencias en la población laica. Fuera de la Iglesia el analfabetismo era total y pronto la superstición desplazó a la doctrina evangélica. Dios y sus ángeles eran más temidos que amados y los santos fueron convertidos en intermediarios casi mágicos que podían aplacar la ira de Dios. Conjuros y talismanes eran de uso cotidiano entre la población no sólo laica sino también religiosa.

En este ambiente de sortilegios comenzó a proliferar el solicitar la manifestación directa de Dios en los asuntos del mundo. La idea de que Dios haría prevalecer la razón del inocente se convirtió en creencia común. Los juicios de Dios —*ordalías*— eran requeridos por muchos tribunales. Entre los poderosos, el juicio podía ser solventado con la lucha entre dos paladines. Dios movería el brazo del poseedor de la razón para vencer a su contrincante. Para los pobres el juicio de Dios era bastante más adverso: el acusado podía ser sometido a pruebas de fuego o agua y esperar que la intervención directa de Dios obrase milagrosamente librando al acusado de los efectos de uno u otra. El resultado solía ser claro: la declaración de culpabilidad del reo.

A pesar de que se alzaron muchas voces en el seno de la Iglesia para desautorizar y prohibir estas prácticas, su uso era muy común y ha trascendido en la literatura caballeresca de la Edad Media. En cuanto a las pruebas de fuego y agua serán utilizadas por la Inquisición en su primera etapa.

Otra de las consecuencias de la superstición fue el interpretar los grandes males que constituían la vida cotidiana, como obras del poder del demonio como príncipe del mundo material. Para algunos, no estaba de más estar a bien, al mismo tiempo, con Dios y con el diablo; para otros, no fue difícil apostar por el último para obtener beneficios inmediatos en el mundo. La adoración al diablo se extendió con rapidez, sobre todo entre los pueblos germánicos de centroeuropa débilmente cristianizados.

A finales del siglo X, el terror que llegó a inspirar la llegada del año mil y con él la nueva venida de Cristo, hizo que muchos cristianos reaccionaran contra la depravación social y moral del siglo y adoptaran el ascetismo como modo de vida para esperar este momento: *«Dichosos los que laven sus vestiduras, así podrán disponer del árbol de la Vida y entrarán por las puertas de la Ciudad»* (*Ap.*, 22, 14). Muchos monasterios dedicados exclusivamente a este fin surgieron en lugares emblemáticos de la cristiandad, sobre todo a lo largo del Camino de Santiago. Algunos poderosos se desprendieron de todos sus bienes a favor de sus herederos o de la Iglesia; o los repartieron entre sus siervos.

En toda la cristiandad europea se cuestionó la autoridad moral de la Iglesia y comenzaron a elevarse voces, tanto dentro como fuera de ella, que reclamaban medidas urgentes de reforma. El hecho de que estas propuestas reformadoras se sometieran o no a la ortodoxia de Roma determinó el que fueran aceptadas por la Iglesia o rechazadas como herejías. La etapa que desencadenó las luchas de la Iglesia por mantener la unidad de la *Iglesia Universal*, y propiciaría, dos siglos más tarde, la creación de la Inquisición había comenzado.

El renacer de Europa en el siglo XI

La Europa feudal, la de los señores y caballeros, estaba sustentada por el abnegado trabajo de los campesinos. La agricultura era la principal actividad económica en la Europa cristiana del siglo X, asediada y expoliada por las invasiones. Durante el siglo XI, el perfeccionamiento de las técnicas de cultivo y la extensión de la superficie cultivada permitieron una agricultura excedentaria que actuaría como motor para las demás actividades económicas en la Baja Edad Media.

La utilización del hierro para la confección de herramientas mejoró los rendimientos del trabajo agrario. Las forjas se multiplicaron y generaron una incipiente industria metalúrgica artesanal. A su vez, el aumento de las forjas impulsó las actividades que debían proporcionar la energía que precisaban: el carbón y el agua.

La industria artesanal proporcionaba al campo un amplio utillaje: palas, rastrillos, hachas, hoces, guadañas y arados. Estos últimos se modificaron añadiendo refuerzos de hierro y elementos recuperados de la antigüedad.[16] La incorporación del hierro al arado permitió roturar tierras demasiado compactas para las antiguas rejas de madera. La caballería de guerra desarrolló mejoras en los atalajes de las monturas que pronto se adaptaron a las bestias de trabajo, al igual que lo hizo el herrado, y la fuerza de trabajo se multiplicó. Como consecuencia, se mejoró y multiplicó la producción de alimentos, las cosechas permitieron superar las hambrunas del siglo anterior y propiciaron un importante incremento de la población europea. Por otro lado la efectividad de los sistemas defensivos feudales facilitaron una relativa paz.

El beneficio obtenido con la venta de excedentes agrarios motivó a señores y colonos a cultivar mayores extensiones de tierras. El espacio rural medieval seguía un modelo circular que se estructuraba con el castillo como punto central y, en torno a él, o en sus

---

[16] El arado con elementos como la mancera, la vertedera y complementados con ruedas que facilitaban su desplazamiento era utilizado por los romanos y todavía pervive en la actualidad.

proximidades, se asentaba el poblado; las tierras de labor ocupaban parte de ese espacio central y junto a ellas se disponían terrenos preparados especialmente para ganadería; un segundo anillo contenía pastos naturales en terrenos de bosque aclarados o roturados; por último, un tercer anillo lo ocupaba el bosque natural, que suministraba leña, como combustible esencial de la época, y alojaba la caza, propiedad exclusiva del señor. En las llanuras más fértiles, la alta rentabilidad de las zonas cultivadas provocó que la extensión de bosque fuera reduciéndose hasta llegar a conformar únicamente pequeños rodales aislados.

El siglo XI es también el siglo de la colonización de los espacios vírgenes europeos. Con el beneplácito de los reyes se produjeron grandes movimientos de colonización en territorios que habían permanecido salvajes hasta entonces. La colonización llevó aparejada la creación de numerosas villas y aldeas, con lo que el espacio social de Europa se agrandó considerablemente. Como efecto de la mejora de los métodos de cultivo y el aumento de población se produjo un excedente de mano de obra agraria que tuvo que buscar su medio de subsistencia en las ciudades, en las que por el contrario se demandaba mano de obra especializada para atender a la diversificación funcional que las nuevas necesidades sociales habían provocado.

Las ciudades comenzaron a ser el motor de las profundas transformaciones sociales de la Baja Edad Media. Pronto se convirtieron en centros de mercado y de producción artesanal especializada. Además de proporcionar herramientas bien elaboradas para la agricultura, el aumento de la riqueza diversificó las actividades artesanales para proporcionar los elementos suntuarios que reclamaba la clase social más acomodada. Los caballeros precisaban armas cada vez mejor elaboradas y que sumaran a su calidad una cuidada ornamentación: el bronce, la plata, el oro y las pedrerías fueron incorporados a las espadas, dagas, yelmos y lorigas. El vestido se convirtió también en símbolo de distinción social y convirtió a la industria textil en uno de las principales sectores de producción. Junto al tradicional sayal[17] se comenzaron a tejer el lino, para la confección de prendas interiores, y gruesos paños de lana, vistosamente teñidos, para atender una moda en la que la nobleza trataba de imitar las amplias vestimentas utilizadas por el alto clero.

Los artesanos de los diferentes oficios se organizaron en agrupaciones profesionales que poseían unos rígidos estatutos en los que se reglamentaba la práctica del oficio, determinando los grados profesionales y las condiciones para obtenerlos. Los estatutos reglaban también las normas de fabricación para asegurar la calidad del producto final. Algunas ciudades o regiones obtuvieron una marca de origen por la calidad de sus productos. Para asegurar el cumplimiento de estas normas existía un cuerpo de inspectores y los infractores podían ser sancionados con la suspensión, temporal o definitiva, en el ejercicio de la profesión.

---

[17] Paño tosco pardo o gris usado en la vestimenta de la clase baja.

Una consecuencia natural de la organización de la producción fue la generación de excedentes y la necesidad de obtener, en el exterior de Europa, materias primas que no se conseguían en el continente. El comercio, paralizado durante más de un siglo, volvió a revitalizarse. Las ciudades del Mediterráneo, sobre todo Venecia, incrementaron las escasas relaciones comerciales que se mantenían con el Imperio Bizantino e iniciaron relaciones con los emiratos árabes del Norte de África.

En el Atlántico, los belicosos vikingos se cristianizaron y cooperaron en el desarrollo de la Europa septentrional. Inglaterra y los países flamencos extendieron sus productos textiles por todo el continente. Para que esto fuera posible, se hizo necesario asegurar las rutas comerciales interiores. Los señores feudales, que durante el siglo X asaltaban desde sus castillos a los escasos buhoneros que se aventuraban por los caminos, se convirtieron durante el siglo XI en policías que garantizaban la seguridad de las rutas comerciales a cambio de fuertes peajes de paso. Las rutas se mejoraron y se reconstruyeron las calzadas y puentes romanos, que habían soportado estoicamente los avatares de los siglos de barbarie, a la vez que se construían otros nuevos imitando la solidez de las obras de ingeniería de la época imperial.

Junto a las asociaciones de los diferentes oficios aparecieron las de comerciantes. La actividad comercial entrañaba grandes riesgos tanto por tener que atravesar zonas en guerra como por siniestros naturales. Los naufragios que sufrían las frágiles embarcaciones que se aventuraban por las peligrosas aguas del Atlántico Norte eran frecuentes; en el Mediterráneo, además de los temporales, los marinos debían hacer frente a los constantes ataques de los piratas. Los comerciantes asumieron pronto las ventajas que proporcionaban la unidad y organización que desarrollaban las cofradías. Las sociedades mercantiles se conocían con el nombre de *guildes* o *hansas* y agrupaban a los comerciantes de una ciudad que pedían adherirse libremente. Como en las cofradías, los miembros de la *guilde* prestaban juramento de solidaridad y ayuda mutua. La fuerza de estas organizaciones comerciales impuso el privilegio de comercio para cualquier producto, arrebatándoselo a las cofradías, a las que se les permitió la producción, pero no la venta directa. La *guilde* se hizo dueña del mercado, único lugar en que podían realizarse transacciones comerciales, y en el que también se llevaba a cabo el control de precios. Con estas medidas los comerciantes de la ciudad vigilaban también la competencia de los foráneos, a los que cobraban tasas por el ejercicio del comercio en la ciudad. Una de las grandes ventajas de las asociaciones de comerciantes fue la posibilidad de reunir capitales suficientes para enviar expediciones comerciales a lejanas regiones, tanto por tierra como por mar. Así, beneficios y pérdidas eran repartidos proporcionalmente de acuerdo al capital aportado por cada miembro.

El proceso de asociación, tanto de las cofradías como de las *guildes*, fomentó la creación de riqueza obtenida al margen de la actividad agraria, controlada casi en exclusividad por la clase feudal. Una nueva clase social, asociada a las ciudades, luchaba por ensanchar las estrechas miras sociales y políticas de la oligarquía feudal: la burguesía. En muchas ciudades aparecieron comunas: agrupaciones ciudadanas que se enfrentaban al poder de nobles y obispos. Las comunas debieron enfrentarse a veces al poder con levantamientos revolucionarios que dieron paso, aunque muy lentamente, a un nuevo orden social y político que acabaría convirtiendo a Europa en gran potencia mundial durante la Edad Moderna.

El panorama intelectual también sufrió transformaciones radicales. La penuria cultural del siglo X fue superada gracias a la acción conjunta de los esfuerzos de la Iglesia y el poder civil. A finales del siglo X asumió la silla de Pedro una de las personalidades intelectuales más prestigiosas de la Edad Media: Gerberto de Aurillac, que tomaría el nombre de Silvestre II. El poder civil participó de este renacer con la política cultural del emperador germánico Otón I, empeñado en emular a Carlomagno en todos los campos. De esta manera, frente a la labor intelectual que habían vuelto a recuperar las abadías, comenzó a prosperar un número creciente de las llamadas escuelas episcopales, nacidas en las grandes ciudades que ostentaban categoría diocesana. A las nuevas escuelas urbanas acudían estudiantes de todas las clases sociales sin diferencia de edades. Hugues de Saint Victor comentaría: «*Veo una reunión de estudiantes; son una gran multitud; los hay de todas las edades; los hay niños, adolescentes, jóvenes y ancianos*».[18] Los alumnos acudían ante la noticia de un gran maestro y seguían sus enseñanzas. Esta búsqueda de las figuras intelectuales motivó una pléyade de estudiantes que erraban por las ciudades de Europa, a los que unía una lengua común que la Iglesia había mantenido como símbolo de la cultura: el latín. Su ansia de libertad y la liberalidad de costumbres de esta clase estudiantil llegaron a escandalizar a la jerarquía eclesiástica que procuraba controlar la enseñanza mediante la designación de los maestros por el obispo. De estos estudiantes errabundos y liberales, denominados *goliardos*, nos han llegado interesantes muestras de música y literatura recogidas en los denominados *Carmina Burana*.

En el siglo XI la reconquista de la Península Ibérica –sobre todo la conquista de Toledo en 1085– puso a disposición de Europa la cultura de árabes y judíos, así como las grandes obras de los clásicos rescatadas por ellos. Toledo se convierte en el gran centro cultural europeo, destacando sobre todo en el campo científico. Uno de esos estudiantes ávidos de saber, el inglés Daniel Morley, nos dejó escrito:

> «*La pasión por el estudio me había hecho salir de Inglaterra. Estuve algún tiempo en París. Aquí sólo vi salvajes instalados con grave autoridad en sus cátedras escolares, con dos o tres escabeles ante ellos cargados con enormes obras que reproducían las lecciones de Ulpiano en letras de oro, con plumas de plomo en la mano, con las cuales pintaban gravemente sobre sus libros asteriscos y obelos (signos transversales con los que se marcaban las faltas). Su ignorancia*

---

[18] Citado en Pietri, Luce. *Op. cit.*

los obligaba a una actitud de estatuas, pero pretendían mostrar su sabiduría con su ignorancia misma…Al comprender la situación, pensé en los medios de escapar a esos riesgos y abrazar las artes que iluminan las Escrituras de otro modo que saludándolas al pasar o evitándolas con resúmenes. De manera que, como en vuestros días en Toledo se dispensa a las multitudes la enseñanza de los árabes, que consiste enteramente en las artes del quadrivium *(las ciencias), me apresuré a marchar allí para escuchar las lecciones de los más sabios filósofos del mundo…».*[19]

Europa redescubre la obra de Aristóteles, sobre todo la lógica traducida por Boecio en el siglo v. La dialéctica se convierte en el método de razonamiento aplicado a todas las disciplinas del saber. La discusión y la controversia parecía que podían resolver cualquier discrepancia entre contrarios. Figuras como san Anselmo y Pedro Abelardo abrieron este camino de conocimiento filosófico que, por desarrollarse en las escuelas, fue denominado como *escolástica*. Como veremos más adelante, la Iglesia, con gran ingenuidad, trató de resolver el problema de las herejías proponiendo a los herejes enfrentamientos dialécticos.

El Imperio Romano Germánico

El feudalismo había mermado o eliminado el poder real y eran los duques los detentadores reales del poder. Como en otros aspectos de la vida política y social de la Europa sometida a las invasiones, fueron las necesidades de defensa las que impulsaron a los duques que gobernaban el sector occidental del antiguo Imperio Carolingio a buscar la unidad y organizarse para poner fin a la anarquía y ausencia de poder que había originado el orden feudal. Estos ducados: Sajonia, Baviera, Suabia y Franconia, ocupados exclusivamente por pueblos de lengua germánica, decidieron unirse y elegir a uno de los duques para que detentara el poder real. En esta monarquía electiva, el rey actuaba como *primus inter pares*, respetando los privilegios y prerrogativas de los otros duques.

Para evitar problemas sucesorios, los primeros reyes alemanes consiguieron que la elección de su sucesor se realizara en vida, y el elegido permaneciera asociado al poder real hasta su coronación. Durante la primera mitad del siglo X, Enrique I, duque de Sajonia, propuso como sucesor a su hijo Otón. Cuando éste asumió el poder real en 936 con el nombre de Oton I, trató de imitar en todo a Carlomagno: tomó el título de *Rex francorum*, y al igual que el gran rey de los francos, se consideraba servidor del Estado y defensor de la Iglesia.

Otón I reforzó el papel de los obispos e hizo grandes donaciones materiales al clero para crear una fuerte aristocracia eclesiástica que pudiera enfrentar a la aristocracia

---

[19] *Ibíd.*

feudal. Pero como en tiempos de Carlomagno, el Rey mantenía el privilegio de nombrar a los obispos y junto a sus derechos temporales –derechos de *regalia*– también les otorgaba personalmente los atributos eclesiásticos de su rango: el báculo y el anillo episcopal. Los nuevos obispos, como el resto de los vasallos, debían jurarle fidelidad.

Como en tiempos anteriores, el Rey trataba de asegurarse con ello el servicio de las personas más instruidas para que asumieran los trabajos de la administración del Estado. Hay que señalar que, en el caso de Otón I la elección recayó siempre en hombres de probada valía intelectual e integridad. Otra de las aspiraciones del Rey, en su afán de convertirse en un nuevo Carlomagno, fue el reclamar para sí el título Imperial. Sin embargo, la situación de corrupción e intereses políticos que dominaron la vida romana durante más de medio siglo movieron al papa Agapito a denegárselo reiteradamente. La situación cambió cuando un nuevo papa, Juan XII, solicitó la ayuda militar del rey alemán para mantenerse en el solio pontificio. Tras su entrada triunfal en Roma, Otón I fue coronado emperador el 2 de febrero de 962.

Las disputas que surgieron posteriormente entre el papa y el emperador llevaron a la destitución de Juan XII y la elección de un nuevo papa: León VIII. Desde entonces, el emperador impuso a Roma la obligación de contar con la autorización imperial para nombrar nuevo papa. El poder temporal se imponía sobre la Iglesia sin ningún tipo de concesiones y aprovechando la sumisión del papado al poder temporal del emperador, Otón I consiguió que el título imperial fuera hereditario.

Otón III, nieto del primer emperador, asumió la dignidad imperial con más entusiasmo que sus predecesores: trasladó su capital a Roma y pretendió la restauración del antiguo Imperio Romano. Su hijo, Enrique II, aunque abandonó tan ambiciosa pretensión, logró el dominio político de Alemania, Italia y Borgoña, que constituyeron la base de un Estado Imperial: el nuevo *Imperium Romanorum*.

Utilizando la imposición sobre la elección de papas, los sucesores de Otón I aprovecharon para poner al frente de la Iglesia pontífices elegidos entre sus propios vasallos alemanes. Otón III nombró sucesivamente a Gregorio V (Papa, 996-999) y Silvestre II (Papa, 999-1003). Las acciones de estos papas alemanes, lejos de ser negativas para los intereses de la Iglesia, dieron fin a las intrigas cortesanas de Roma y crearon el sentimiento de dignidad del pontificado que culminaría en las reformas llevadas a cabo durante el siglo XI.

Con Enrique II termina la dinastía de los Otones y comienza la de los emperadores *salios*.[20] Durante el siglo que ocupó el reinado de esta dinastía se producirá la lucha de-

---

[20] Recibe este nombre por recaer la elección en el duque de Franconia, reconocido como heredero directo del reino de los francos: *salios*.

cisiva para establecer las posiciones de jerarquía entre los dos poderes: el temporal, del emperador; y el espiritual, del papa. El resultado de esta confrontación será decisivo para entender el proceso de institucionalización de la Inquisición durante la Baja Edad Media.

La Reforma de la Iglesia

La degradación de las instituciones eclesiásticas producida durante el siglo X sembró la incertidumbre y el desasosiego entre las comunidades cristianas que se resistían al estado de depravación, violencia y corrupción que se imponía en todos los órdenes de la vida social. Los monasterios, que habían actuado desde los primeros siglos del cristianismo como refugio de los que deseaban vivir las doctrinas evangélicas con plenitud, fueron también entonces los primeros en ver la necesidad de efectuar profundas reformas, que dieran término al abandono de las primitivas reglas que la simonía y la corrupción de costumbres había llevado a muchas abadías. Por otro lado, las profecías milenaristas propiciaron que muchos cristianos buscasen refugio en el ascetismo monacal, en la creencia de vivir los signos del Apocalipsis y la inminente *parusía*.[21]

Pero también hubo hombres del siglo que buscaron en la vuelta al monacato en sus primitivas esencias la mejor forma de vivir la fe en Cristo. Uno de estos hombres fue Bernon, un joven de la nobleza borgoñona que decidió recuperar en toda su plenitud la primitiva regla de San Benito. Para realizar su propósito fundó un establecimiento monacal en la región del Jura, en el que acogió a todos cuantos quisieron seguirle en sus propósitos.

El entusiasmo que despertó su iniciativa hizo que pronto se quedaran pequeñas las instalaciones de la primera casa. Bernon solicitó entonces al duque de Aquitania, Guillermo *el Piadoso*, la concesión de tierras para el asentamiento de una nueva casa. El Duque accedió y en 910 donó a los monjes tierras en la región de Cluny. La carta de donación otorgada por Guillermo *el Piadoso* reviste gran importancia porque era la primera vez que se suprimía cualquier interferencia del poder temporal feudal sobre un establecimiento eclesiástico: la carta otorgaba plena autonomía a una comunidad religiosa para vivir sus destinos; y lo hacía dando ese derecho a los monjes a perpetuidad:

> *«Yo, Guillermo, conde y duque por don de Dios…, como deseo proveer a mi salvación mientras esté a tiempo, he pensado que sería prudente, e incluso necesario, emplear una pequeña parte de los bienes temporales que me han sido concedidos en beneficio de mi alma… Por esto, sepan todos aquellos que viven en la unidad de la fe y en la esperanza de la misericordia de Cristo que, por amor de Dios y nuestro salvador Jesucristo, que cedo a los apóstoles Pedro y Pa-*

---

[21] La *parusía* hace alusión al regreso triunfante de Cristo al final de los tiempos.

blo la propiedad del dominio de Cluny con todas las cosas que de ella dependen. Esos bienes están situados en el condado de Mâcon. Doy todo esto para que en Cluny se construya un monasterio regular en honor de los santos apóstoles Pedro y Pablo y para que allí se reúnan monjes que vivan según la regla del bienaventurado san Benito. Poseerán, detentarán, tendrán y administrarán esos bienes a perpetuidad, a fin de que ese lugar se convierta en un asilo venerable de la oración... Hemos querido incluir en esta acta una cláusula en virtud de la cual los monjes aquí reunidos no estarán sometidos al yugo de ningún poder terrestre, ni siquiera al nuestro o al de nuestros parientes, ni al de la majestad real».[22]

Desde Cluny se inició un proceso reformador que pronto se trasladó a otras comunidades monacales. Las abadías solicitaban de la casa madre ayuda para acometer sus propias reformas. La reforma cluniacense triunfó no sólo por la vuelta a la estricta observancia de la regla –en la que no se desarrolló con tanto entusiasmo como en siglos anteriores la labor intelectual–, sino porque se trató de conseguir de los nobles las mismas condiciones de independencia y autonomía obtenidas por Bernon. A la muerte del reformador la dirección de la obra recayó en el fraile Odón, viajero infatigable que consiguió restaurar la disciplina benedictina en toda la cristiandad europea, desde Inglaterra a la Península Ibérica.

El éxito de Cluny estimulaba las ansias de reforma que existían en muchos miembros del clero. El relajamiento de la moralidad durante el siglo X había llevado a un número considerable de sacerdotes a hacer caso omiso de sus votos de castidad y su comportamiento social corrupto les hacía perder el respeto y aprecio de sus feligreses. Sin embargo, el mayor daño que sufría la Iglesia institucional era su sumisión al orden feudal. Los cargos eclesiásticos fueron cada vez en mayor medida objeto de compraventa por parte de los señores.

El vaso lo colmaba la imposición de que la elección del papa estuviera supeditada a la aprobación del emperador. Sin embargo, el afán por acabar con la corrupción romana había obligado a los emperadores a poner al frente de la Iglesia a hombres íntegros que poseían además una elevada formación. Los papas alemanes abrieron el camino a la recuperación de la dignidad papal y su primer sucesor, Esteban IX (Papa, 1059-1061) se enfrentó por primera vez al emperador cuestionando su privilegio para designar tanto al Papa como a los obispos.

El gran artífice de la reforma va a ser el monje Hildebrando Aldobrandeschi, un clérigo de ascendencia humilde: su padre fue cabrero y él mismo desempeñó el oficio de pastor. Ingresó muy joven como monje benedictino y cluniacense; su maestro, Juan Graciano, elegido papa con el nombre de Gregorio VI, le nombró su secretario. Su habilidad política y diplomática le mantuvo en esa labor al servicio de los cinco papas que comenzaron la

---

[22] *La film de l'histoire médiévale*, ed. Arthaud, en Pietri, Luce. *Op. cit.*

reforma: León IX, Víctor II, Esteban IX, Nicolás II y Alejandro II. A la muerte del último, el 22 de abril de 1073, él presidía los funerales en su calidad de Arcediano y Canciller cuando la muchedumbre comenzó a exclamar: «¡Hildebrando, papa!». El colegio cardenalicio ratificó la elección popular unánimemente y el nuevo pontífice ocupó la silla de Pedro con el nombre de los grandes papas reformadores de la historia de la Iglesia: Gregorio VII.

Como hemos comentado, el nuevo papa era más un político y diplomático que un teólogo, por eso se hizo asesorar en dichas cuestiones por pensadores, como Anselmo de Lucca, y teólogos, como su amigo san Pedro Damiano. Poseía, eso sí, un profundo convencimiento de la responsabilidad que su cargo representaba, sobre todo ante Dios. Desde el principio de su pontificado se propuso recuperar el antiguo ideal de *Iglesia Universal* y establecer, de una vez por todas, la primacía jerárquica del poder espiritual sobre el temporal.

Sus primeras medidas fueron encaminadas a la lucha contra la simonía y el privilegio de los príncipes para investir a los cargos eclesiásticos. En el concilio de Roma de 1075 el Papa retira a los príncipes el privilegio de investidura. El deseo del Papa es suprimir cualquier intervención de los laicos en la elección de cargos eclesiásticos, incluso la contemplada en los antiguos cánones, que establecían la intervención del clero y el pueblo en la elección de los obispos.

Sin embargo, la acción fundamental de la reforma fue la emisión de las proposiciones contenidas en los *Dictatus Papae* que condensan toda la teoría del poder pontificio desarrollada durante el largo proceso institucionalizador de la Iglesia.

Gregorio y sus consejeros contemplaron la teoría gelasiana de los dos poderes en su primitivo sentido de unicidad. Pedro Damiano lo expresa claramente en su *Disceptatio synodialis*:

> *«Los jefes del mundo vivirán en una unión de perpetua caridad y evitarán toda discordia entre los miembros inferiores; en estas instituciones que son dos para los hombres, pero una para Dios, el reino y el sacerdocio, serán unidas por lazos tales que, gracias a una mutua caridad, se verá en el rey al pontífice y en el pontífice al rey».*[23]

Pero el papel preponderante de la Iglesia en el orden jerárquico social queda ratificado con rotundidad en las veintisiete proposiciones de los *Dictatus Papae*[24]:

> *«1. La Iglesia romana fue fundada sólo por el Señor.*
> *2. Sólo el Pontífice romano merece ser llamado universal.*

---

[23] Martín y Fliche. *Historia de la Iglesia,* Edicep. Valencia, 1976.
[24] *Ibíd.*

3. Sólo él puede destituir o absolver a los obispos.

4. Su legado, en un concilio, manda a todos los obispos, incluso si es de rango inferior y, sólo él puede pronunciar una sentencia de deposición.

5. El Papa puede deponer a los ausentes.

6. No puede permanecerse bajo el mismo techo que aquellos que por él hayan sido excomulgados.

7. Sólo él puede, según las circunstancias, establecer nuevas leyes, fundar nuevas diócesis, transformar una colegiata en abadía, dividir un obispado rico y unir los obispados pobres.

8. Sólo él puede usar insignias imperiales.

9. El Papa es el único hombre a quien todos los príncipes besan los pies.

10. Es el único cuyo nombre se pronuncia en todas las iglesias.

11. Su nombre es único en el mundo.

12. Le está permitido deponer a los emperadores.

13. Le está permitido, cuando la necesidad lo exija, transferir un obispo de una sede a otra.

14. Puede, allí donde quiera, ordenar un clérigo de la iglesia que fuere.

15. Quién haya sido ordenado por él puede gobernar cualquier otra iglesia, pero ni servir ni recibir de otro obispo un grado superior.

16. Ningún sínodo puede ser llamado general sin su consentimiento.

17. Ningún escrito, ningún texto puede considerarse canónico sin su autoridad.

18. Sus sentencias no pueden ser reformadas por nadie, y sólo él puede reformar las de todos.

19. No debe ser juzgado por nadie.

20. Nadie puede condenar una decisión de la Sede apostólica.

21. Debe de ser informado de los asuntos importantes referentes a todas las iglesias.

22. La Iglesia romana no ha errado jamás y, como testifica la Escritura, jamás podrá errar.

23. El Pontífice romano, si ha sido ordenado canónicamente, pasa a ser indudablemente santo por los méritos de san Pedro, por la fe de san Enodio, obispo de Pavía de acuerdo con esto con numerosos Padres, como se ve en el decreto del bienaventurado papa Símaco.

24. Por orden suya y con su autorización, se permite a los súbditos acusar a sus superiores.

25. Puede deponer y absolver a los obispos incluso sin un concilio.

26. Quien no concuerde con la Iglesia romana, no es considerado católico.

27. El Papa puede eximir a los sujetos del juramento de fidelidad prestado a los injustos.

La radicalidad de las proposiciones hablaba a las claras del firme propósito con que Gregorio VII había emprendido el camino para establecer la supremacía de la Iglesia sobre el orden social feudal. La lucha contra los príncipes feudales, sobre todo contra los emperadores germánicos que no encontraban ningún tipo de oposición social para ejercer el poder a su capricho, parecía perdida de antemano. La Iglesia sólo contaba con su ascendencia sobre la sociedad, que estaba gravemente cuestionada por la degradación de muchos clérigos. Esta desfavorable situación frente al poder temporal hizo que tuvieran que tomarse medidas de fuerza durante los primeros siglos de la reforma para imponer sus principios de Iglesia Universal y de la *plenitudo potestatis*,[25] lo que llevó a los papas a tomar medidas de fuerza, sobre todo en la lucha contra la herejía, que acabaron traicionando las virtudes cristianas evangélicas. Como veremos más adelante, la Inquisición fue el más importante brazo ejecutor de esa traición.

Las reformas de la Iglesia trataron de penetrar en todo el tejido social del feudalismo. El orden feudal altomedieval había desembocado en una ausencia casi total de las instituciones jurídicas: la única ley era la de los fuertes sobre los débiles, y a éstos sólo les quedaba la venganza como recurso para saciar sus ansias de justicia. Lo mismo sucedía entre los señores: en ausencia de tribunales que decidieran en sus pleitos, recurrían a la fuerza como único argumento de razón.

El incipiente fortalecimiento del poder real en algunos Estados corrigió estas ausencias de poder legislativo y judicial. Con respecto a los más desfavorecidos, fue la Iglesia la que tomó partido a su favor.[26] Los abusos de poder llevaron a la Iglesia a luchar enconadamente por conservar el *derecho de asilo* en algunos templos y dependencias eclesiásticas. Cualquier delincuente común, fuese inocente o culpable, no podía ser perseguido o apresado en cuanto traspasaba los límites de los templos que poseían derecho de asilo. Si violando este derecho, la autoridad civil apresaba al asilado, éste podía seguir esgrimiéndolo y contestar a las preguntas de los jueces: *«soy Iglesia»*. Por supuesto, la violación del *derecho de asilo* era castigada con la excomunión. Esta situación provocaba que en los alrededores de muchos monasterios se crearan pueblos enteros de refugiados que entraban al servicio de los monjes en calidad de colonos.

Contra la violencia de los caballeros y mesnadas de los señores la Iglesia impuso la *paz de Dios*, que ya hemos comentado. Pero como el uso de la violencia tenía una presencia constante en el tiempo, durante el siglo XI la Iglesia reaccionó imponiendo la *tregua de Dios*. Esta medida limitaba el uso de la violencia entre los mismos guerreros. Se prohibía cualquier tipo de violencia desde la puesta de sol del miércoles, hasta la salida de sol del lunes.[27] Además se impusieron como períodos obligatorios de tregua la Navidad, el Adviento, la Cuaresma y la Pascua.

---

[25] La *plenitudo potestatis* –plenitud del poder–, tanto espiritual como temporal, habría sido otorgada por Jesús a san Pedro. Como sucesor de Pedro, el Papa es vicario de Cristo y sobre él recaen todos los atributos de Éste: *«Rey de reyes y Sumo Sacerdote en el orden de Melquisedec»*.

[26] Hay que mencionar aquí el hecho de que en el derecho de los pueblos germánicos –muy rudimentario en comparación con el Derecho Romano– se contemplaba un trato extremadamente desigual en penas y sanciones, según la clase social del acusado. No se trataba del trato desigual con que la justicia ha tratado a lo largo de la Historia a ricos y pobres, eran las mismas leyes las que recogían esta situación. La desigualdad llegaba al extremo de que en algunas situaciones los pobres no tenían siquiera el derecho a recurrir a los tribunales de justicia contra los poderosos.

[27] La tregua de Dios establecía esos días en recuerdo de la pasión de Cristo: el jueves, en recuerdo de la ascensión; el viernes, recordando su pasión y muerte; el sábado por respeto a Cristo sepulto; y el domingo como recuerdo a la resurrección.

Para reforzar los efectos de estas medidas la Iglesia se propuso desarrollar un código de caballería inspirado en las virtudes cristianas, que suavizara su carácter exclusivo de culto a la fuerza y la violencia: el fuerte brazo del caballero se pondría al servicio de la Iglesia y la justicia, al tiempo que se convertiría en un enconado defensor de los débiles. La ceremonia de investidura se sacralizó: el futuro caballero velaba las armas en la capilla durante toda la noche y era armado después de haber recibido la eucaristía durante la misa. Una forma de encauzar la violencia de los caballeros para ponerla al servicio de la Iglesia y de la fe cristiana fue la predicación, pocos años después de la muerte de Gregorio VII, de la primera Cruzada destinada a reconquistar los Santos Lugares.

La aplicación de la reforma encontró una tenaz oposición en los sectores de la Iglesia más afectados por el decreto contra la simonía y las investiduras y los *Dictatus Papae*: los obispos y abades simoníacos y los clérigos que se encontraban casados o amancebados.[28] Sin embargo, las rápidas medidas para destituir a los simoníacos y poner en su lugar a miembros de confianza del pontífice consiguieron que se implantara la reforma con éxito, sobre todo en los Estados de los príncipes que aceptaron proclamarse vasallos del Papa.

La penitencia del emperador Enrique IV

Como era de esperar, la mayor oposición se encontró en el Emperador. La reforma convertía a la cristiandad en una teocracia y la autoridad absoluta del Papa tanto sobre la Iglesia como sobre los poderes temporales conllevaba el derecho a deponer a los príncipes de los Estados cristianos, incluido el Emperador.

El emperador Enrique IV contempló la reforma como una intromisión en los privilegios que poseía la dignidad imperial y desoyendo las proposiciones de los *Dictatus* siguió nombrando a los obispos. El Papa le amenazó con la excomunión, a lo que el emperador contestó convocando un concilio de obispos alemanes que destituyó a Gregorio. Pero éste estaba dispuesto a llevar adelante la reforma hasta sus últimas consecuencias: depuso al Emperador, excomulgándole y liberando a sus súbditos del juramento de fidelidad.

La idea del Papa de que su responsabilidad es solamente ante el cielo se refleja en la carta enviada al emperador comunicándole la pena de excomunión y su destitución como monarca y emperador; en ella, el Papa se dirige no al Emperador sino a san Pedro:

---

[28] La Iglesia denominó *nicolaítas* a los clérigos que no cumplían el voto de castidad. El nombre viene de los nicolaítas, secta del siglo I muy atacada en el Apocalipsis (*Ap.*, 2, 6-15), que incitaban a la fornicación.

«Tú eres testigo de que la Santa Iglesia Romana me puso al frente de su timón contra mi voluntad... Por tu bondad quisiste que el pueblo cristiano me eligiese tu representante, y por tu gracia me fue concedido el poder atar y desatar en el Cielo y en la Tierra. Yo, lleno de confianza, para honor y defensa de tu Iglesia, en el nombre de Dios omnipotente, del Padre, del Hijo y del Espíritu Santo, y en virtud de los plenos poderes a ti concedidos, privo al rey Enrique, hijo del emperador Enrique, que con inaudita soberbia se levantó contra tu Iglesia, del señorío sobre Italia y de su Imperio, dispenso a todos los cristianos del juramento que le han prestado o le prestarán y prohíbo a todos que le sirvan como a rey. En nombre tuyo lo ato con la cadena del anatema, para que los pueblos reconozcan y comprueben que tú eres Pedro y que sobre ti ha edificado el Hijo de Dios vivo su Iglesia y que las puertas del infierno no prevalecerán contra ella».[29]

El miedo de la población, ante la pena de interdicto para todo el imperio que podía traer consigo la desobediencia a la orden del Papa, originó revueltas por toda Alemania. Ante la gravedad de la situación, Enrique IV decidió viajar a Italia para negociar directamente con el Pontífice.

Para evitar sorpresas, Gregorio VII se trasladó al castillo de Canosa, una formidable fortaleza que dominaba el paisaje en medio de los montes Apeninos. La llegada del Emperador se produjo el 24 de enero de 1077; pero el Papa no reconoció su autoridad, perdida con las penas que él mismo había impuesto. La fuerza de carácter y la firmeza del Pontífice impresionaron al joven monarca: decidido a obtener el perdón, Enrique, descalzo y vistiendo las ropas de penitente, permaneció tres días a la puerta del castillo solicitando humildemente el perdón papal. Finalmente, Gregorio, impresionado también por la actitud del penitente, accedió a recibirle y levantar la excomunión que pesaba sobre él. Sin embargo, la restitución de la dignidad imperial quedaba todavía en suspenso.

Esta victoria de la Iglesia fue sólo una tregua. Gregorio VII no llegó a reconocer la dignidad imperial de Enrique IV y apoyó la elección del duque de Suabia como nuevo monarca. Enrique impuso la superioridad de su ejército y combatió a los partidarios del Papa; en 1084 tomó la ciudad de Roma obligando a huir al pontífice que tuvo que refugiarse en Salerno. El Papa reformador murió el 25 de mayo de 1085: *«He amado la justicia y odiado la iniquidad, por eso muero en el destierro»*, comentaría antes de su muerte. El solio pontificio fue ocupado por Clemente III, un antipapa nombrado por el Emperador.

A pesar de la maniobra imperial, la cristiandad siguió considerando a Gregorio VII como única y verdadera cabeza de la Iglesia. Su sucesor legítimo, Urbano II, continuó la lucha de la Iglesia por imponer la reforma. Con la ayuda de varios Estados cristianos reconquistó Roma y se anticipó al intento imperial de imponer a otro antipapa convocan-

---

[29] Lower, Thomas. *La Inquisición*. Valencia, 1975.

do el Concilio de Clermont en el que fue predicada la primera Cruzada, de la que Alemania quedó excluida.

La *Guerra de las investiduras* continuó con el sucesor de Enrique IV, su hijo Enrique V. Éste se apoyó en la Iglesia para destronar a su padre. Pero al conseguir el poder continuó desobedeciendo las proposiciones de los *Dictatus* sobre la investidura de los obispos, a los que siguió otorgando los símbolos del poder espiritual: el báculo y el anillo. En 1111 obligó al Papa, encarcelado por orden real, a coronarle Emperador.

Una vez en libertad el Papa obró con él como lo hiciera Gregorio con su padre: lo castigó con la excomunión y destitución del poder real. La respuesta fue idéntica a la de la situación anterior: nueva expedición a Italia y elección de un antipapa. Finalmente el cisma que provocaba esta situación en el seno del mundo cristiano forzó la negociación de un acuerdo entre el Emperador y el Papa. El 23 de septiembre de 1122 se firma el *Concordato de Worms* que pone fin al problema de las investiduras con una solución intermedia: la elección de obispos sería libre, pero se realizaría en presencia del Emperador, que podría sancionarla en caso de conflicto entre facciones.

Aunque la Iglesia no logró imponer todos los objetivos de la reforma, el grado de independencia alcanzado sobre los poderes temporales le permitía dirigir desde el centralismo romano la vida religiosa en los Estados cristianos. No contaban los reformadores con la implantación de movimientos espontáneos de reforma, que se habían ido produciendo paralelamente a las luchas entabladas por los dos poderes y que amenazaban la unidad espiritual de la cristiandad: las herejías. Para volver al ideal de la *Iglesia Universal* debía comenzar un arduo proceso de reconversión de los descarriados.

La radicalización de la reforma monástica: la Cartuja y el Císter

La observancia estricta de la regla de San Benito, recuperada por la reforma de Cluny no tardó en relajarse. Las donaciones que la orden recibía acabaron provocando la acumulación de riquezas en las abadías y la vida monacal fue invadida por un grave pecado capital, la gula: *«hacen de su vientre un Dios»*, les recriminaría san Bernardo.

En 1084, san Bruno fundaría al pie de los Alpes una comunidad de monjes ermitaños: la cartuja. A pesar de vivir en comunidad los monjes mantienen una independencia casi total: cada uno posee su propia celda en la que cocina los pocos alimentos que toma, básicamente pan y legumbres; el agua discurre por una acequia que recorre todas las celdas. La regla de silencio era casi absoluta y sólo estaba dispensada los sábados. No poseían ningún tipo de riqueza, ni siquiera entre los elementos del culto, ni aceptaban donaciones en dinero. Sin embargo, como los primitivos benedictinos, tenían una gran afición a los libros y al desarrollo de la vida intelectual como parte de la elevación espiritual.

De mayor incidencia y difusión que la cartuja fue la reforma monástica llevada a cabo en Citeaux por Robert de Molesmes: el Císter. Como los monjes de Cluny, los cistercienses deseaban restablecer la primitiva regla de San Benito pero sometida a un mayor espíritu ascético: se exigía la pobreza en el vestido, compuesto únicamente por una túnica de lana y una cogulla; se imponía una limitación estricta en el tipo de alimentos que podían tomar los monjes, prohibiendo absolutamente la carne; y los monasterios debían establecerse lejos de las ciudades, villas y castillos buscando la paz de entornos aislados. La orden no podía poseer iglesias, rentas ni diezmos, por lo que los monjes debían proveer su sustento con el fruto del trabajo manual, por esta razón sí podían poseer terrenos aptos para la agricultura y la ganadería.

La figura fundamental de este movimiento de reforma fue San Bernardo (1090-1153). Ingresó en la orden con tan sólo veintidós años de edad llevando consigo a otros treinta familiares y amigos pertenecientes a la nobleza. Al convertirse en 1115 en abad de Claraval impuso en su congregación una regla más severa si cabe que las de otros monasterios del Císter: además de la carne se prohibía el consumo de pescado, huevos y productos lácteos. Su ejemplo fue seguido por muchas otras casas y pronto sus propuestas de vida estaban implantadas en la mayoría de los monasterios de la Orden. San Bernardo fue esencial en muchos aspectos para el Císter, que vivió con él una auténtica convulsión a nivel interno.

Gran estudioso, fue el doctor de la Iglesia más prestigioso de siglo XII: ferviente defensor de la reforma de la Iglesia, combatió las desviaciones de la ortodoxia tanto frente a filósofos de la talla de Pedro Abelardo como ante los diferentes movimientos heréticos, allí donde surgieron. Como defensor de la fe, predicó la segunda Cruzada y en su *Elogio de la nueva caballería* argumentó la finalidad religioso-militar de las Órdenes militares, poniendo especial ahínco en la aprobación de la Orden del Temple, para la que redactó una regla a imagen de la de Claraval.

Una de las preocupaciones de san Bernardo fue la de modificar el estado de miedo que producía en las clases populares la relación con Dios. Durante el siglo X proliferaron un gran número de visionarios y charlatanes que preconizaban el fin del mundo y aterrorizaban a la población con la amenaza de castigos horribles. La superstición, el culto a los amuletos y la hechicería sustituyeron a la plegaria directa a un Dios que aparecía como implacable castigador: «*¡Fuera los perros, los hechiceros, los impuros, los asesinos, los idólatras, y todo el que practique la mentira!*» (*Ap.*, 22, 15), proclamaba el Apocalipsis. En la arquitectura románica comenzó a tener un lugar predominante la figura de Cristo como Redentor y, sobre todo, san Bernardo exaltó la figura de la Virgen como mediadora ante Cristo, su hijo. Él comenzó a dirigirse a ella como *Nuestra Señora* y gran número de los templos y catedrales que se erigieron en el esplendor de la arquitectura gótica fueron dedicadas a la Virgen con este título.

Los reformadores heterodoxos: la herejía

Paralelamente al espíritu reformador de la jerarquía institucional nacen en el seno de las comunidades cristianas, desamparadas por un clero corrupto en el que ya no confían, movimientos que tratan de buscar una salida a la tiranía y violencia del orden feudal en la vuelta al cristianismo igualitario de las primeras comunidades.

La diferencia fundamental entre las herejías medievales y las del cristianismo primitivo es que en las segundas la controversia se planteaba por temas filosóficos en los momentos en que se están gestando las bases teológicas de la nueva religión. Los heterodoxos son a menudo hombres ilustrados que defienden sus posturas con razonamientos filosóficos. En la Edad Media estos casos apenas existen; salvo excepciones las heterodoxias nacerán como fruto del descontento de los sectores más desfavorecidos de la sociedad y sus planteamientos van dirigidos, eminentemente, a la crítica de la forma de vida desordenada de muchos miembros de la Iglesia y la acumulación de riquezas y de poder temporal por algunos clérigos.

Uno de los pocos casos de heterodoxia de base filosófica es el de Joaquín de Fiore. Este monje de comienzos del siglo XII, abad del monasterio de san Giovanni, en Fiore, solicitó el permiso papal para trabajar sobre el *Apocalipsis* de san Juan. Las reflexiones sobre este libro evangélico son una constante en la vida monacal desde comienzos del cristianismo y, una vez superadas las expectativas apocalípticas del siglo X, se hacía evidente la necesidad de nuevas interpretaciones del texto profético.

De Fiore culminará sus reflexiones planteando la teoría de las *tres edades de la humanidad*, relacionadas con las personas de la Trinidad: la primera edad, del Padre, correspondía a la etapa del Antiguo Testamento; la segunda edad, del Hijo, estaba condicionada por las enseñanzas del Nuevo Testamento y todavía seguía vigente entonces; la tercera edad correspondería al Espíritu Santo y se caracterizaría por los hombres que harían de la humildad y la espiritualidad el objeto de su vida, sólo así se llegaría a la libertad y la perfección.

Esta tercera edad estaba próxima y comenzaría con el fin de siglo. Las teorías del abad de Fiore tuvieron gran incidencia entre muchos especuladores apocalípticos que se lanzaron sin demora a calcular el comienzo exacto de la nueva era. Como suele pasar en estas ocasiones, al recurso del estudio de los antiguos profetas bíblicos y del mismo *Apocalipsis* se mezclaron citas tomadas al azar y cálculos astrológicos. El resultado fue una fecha concreta: el año 1260. Estas temeridades proféticas inquietaron a la Iglesia, que sin embargo no tomó ninguna medida directa contra el abad Joaquín. No obstante, a su muerte, en 1202, la Iglesia condenó, en el IV Concilio de Letrán, la doctrina de las tres edades y el resto de las creencias que animaron a sus seguidores.

En el otro contexto de la heterodoxia –la preconización del retorno a las formas de vida de pobreza e igualdad de las primeras comunidades cristianas–, las propuestas surgie-

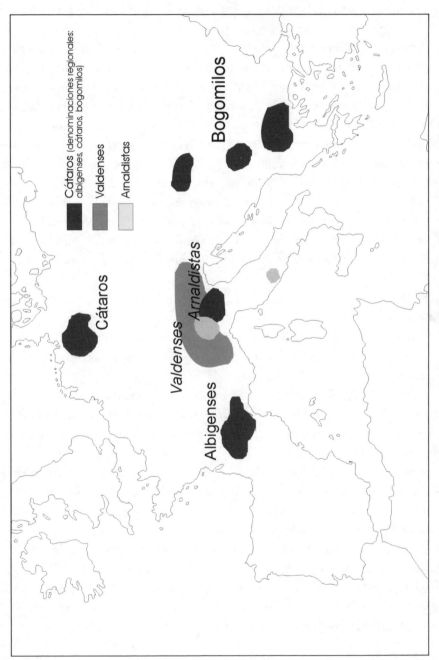

Distribución de los principales focos de herejía perseguidos por la Inquisición en la Edad Media (Los bogomilos estaban bajo la influencia de la Iglesia bizantina).

ron a menudo desde el mismo seno de la Iglesia, como en el caso de Arnaldo, abad de Brescia, que preconizaba la renuncia a todos los bienes materiales, por parte del clero, para que la reforma de la Iglesia fuera realmente efectiva.

Arnaldo era un brillante erudito, alumno de Pedro Abelardo en París. Su primer enfrentamiento fue con el obispo de Brescia, al que conminó a dejar el poder político y material que la Iglesia ejercía sobre la ciudad, en manos de la comunidad: *«Afirmo la imposibilidad de salvación para los clérigos propietarios, los obispos, los señores y los monjes propietarios de terrenos. Sus bienes deben pasar a uso único de los laicos».*[30] La presión de la jerarquía eclesiástica hizo que volviera a París, donde siguió predicando cada vez con mayor virulencia hacia la Iglesia institucional. Sus doctrinas fueron condenadas en el II Concilio de Letrán, en 1139, y dos años más tarde se ratificó la condena en el Concilio de Sens. En Roma, organiza un numeroso grupo de seguidores que extienden sus doctrinas como una mancha de aceite; no sólo atacaba ya al poder temporal y la riqueza de los clérigos: los arnaldistas se cuestionaban la utilidad del sacerdocio y los sacramentos. Sus dotes de orador y su habilidad política le llevaron a ocupar la dirección de la comuna de Roma y enfrentarse al papa Adriano IV.

Las tensiones entre el papado y el emperador Federico I Barbarroja le llevaron a buscar la alianza con el poder imperial, pero al restablecerse la concordia entre el Emperador y el Papa ambos se volvieron contra él. Entregado al brazo secular fue condenado y su ejecución fue un precedente de los futuros ajusticiamientos por herejía: fue quemado y sus cenizas se esparcieron sobre las aguas del Tíber.

Un movimiento de reformismo seglar de gran trascendencia a comienzos del siglo XII fue el de los *humillados,* en el que hallaron refugio algunos de los seguidores de Arnaldo de Brescia. En ocasiones fueron confundidos con los cátaros, por lo que a veces se les denominó como *pátaros.*[31]

Los *humillados,* al igual que los *arnaldistas,* tuvieron gran desarrollo en Lombardía; se organizaban en comunidades que vivían en la pobreza y del trabajo de sus manos. En su labor de predicación usurpaban el papel de los sacerdotes al tiempo que atacaban las acciones de los clérigos y a la jerarquía de la Iglesia.

Las doctrinas de los humillados nos han llegado a través de las refutaciones redactadas por el teólogo Vacarius en su *Liber contra multiples et varios errores.* En este libro se cuestionaban y refutaban las creencias mantenidas por los humillados: rechazaban el sacerdocio y los sacramentos, especialmente el bautismo. Frente a los actos exteriores de culto ellos preconizaban la compunción íntima y la comunión mística. Anticipándose al protestantis-

---

[30] Citado en Mestre Codes, Jesús. *Los cátaros. Problema religioso, pretexto político.* Ediciones Altay-Península, Barcelona, 1971.

[31] Algunos autores hacen derivar el término *pátaro* del vocablo italiano *«patta»* (andrajo), asociándolo a la obligada pobreza en el vestido impuesta a las comunidades de humillados.

mo defendían la salvación por la fe y la redención por los méritos de Jesús. Fueron condenados en el Concilio de Verona de 1184.

De entre los heterodoxos católicos seglares destaca la figura de Pedro Valdo. Este rico comerciante de Lyon distribuyó sus riquezas entre los pobres para predicar el Evangelio. Pronto se le unió un nutrido grupo de seguidores que le secundaban en su labor de predicación utilizando traducciones a lengua vulgar de textos sagrados. Como existía una prohibición expresa dictada por Alejandro III para la predicación de los laicos, Valdo solicitó permiso al Papa en el III Concilio de Letrán de 1179.

Al contrario que los humillados, los valdenses rechazaban el trabajo manual y vivían de limosnas. En una carta enviada por el sacerdote Walter Map al Papa, éste le comunicaba acerca de la forma de vida de los valdenses: «*no tienen ningún sitio estable donde vivir, caminan de dos en dos, descalzos, vestidos con una túnica de lana. No poseen nada, todo lo ponen en común, como los apóstoles. Desnudos sirven a un Cristo desnudo*».[32] A pesar de no realizar prácticas contrarias a las de la Iglesia entraban en controversia al negar la *transustanciación* y la *Comunión de los Santos*. Proclamaban el derecho y deber de todo hombre justo a predicar el mensaje evangélico e impartir los sacramentos. La proclamación de este derecho fue lo que más les enfrentó a la Iglesia. Con el tiempo acabaron jerarquizándose y constituyendo ellos mismos una nueva Iglesia. Al igual que los humillados fueron condenados por el papa Lucio III en el Concilio de Verona de 1184.

La reconversión de los descarriados: la Inquisición episcopal

Ante la proliferación de los grupos heterodoxos, y su gran capacidad de proselitismo entre las masas populares, la Iglesia se planteó la necesidad de enfrentarse a ellos. Eran los años en que la escolástica había sustituido la visión del mundo propia de la filosofía de Platón «cristianizada» por los Padres de la Iglesia latina, por la de Aristóteles que, previamente adaptado y prolongado, constituía un profundo y coherente cuerpo de doctrina filosófica-teológica que podía acabar con la vieja pugna entre el hombre de la fe y el de la razón. La dialéctica aristotélica, en oposición a la retórica, era la herramienta preferida para afrontar y resolver cualquier controversia: utilizar la razón y la referencia a los textos sagrados así como las obras de los padres de la Iglesia y de los filósofos clásicos.

En principio parecía fácil discutir utilizando las reglas de la dialéctica aplicadas a la fe, y hacer del razonamiento en la confrontación de ideas contrarias el camino para llegar a la verdad. Este planteamiento dialéctico podía realizarse en un doble sentido: san Anselmo (1033-1109) afirmaba «creo para comprender», en este planteamiento la fe era la que ilu-

---

[32] Citado en Mestre Godes, Jesús. *Op. cit.*

minaba el discurso del razonamiento; el sentido contrario fue propuesto por el gran filósofo Pedro Abelardo y se basaba en que era la razón la que debía iluminar la fe. Abelardo
desarrolló el enfrentamiento de ideas contrarias, contenidas en los textos de los padres de
la Iglesia, en su obra *Sic et non* , tratando de conciliar las contradicciones entre unos y otros.
Procurando ir más lejos se atrevió a someter al razonamiento dialéctico un tema tan deli-
cado como la Trinidad, llegando a conclusiones diferentes a las de san Anselmo. La Iglesia
reaccionó acusándolo de herejía y tuvo que retractarse.

Otra corriente que cobraba gran fuerza en la Iglesia de la reforma era el misticismo
propugnado por san Bernardo de Claraval. El cisterciense rechazaba el método dialéctico
aplicado a los temas de fe y apoyaba el conocimiento teológico en la revelación divina,
conservada en las Sagradas Escrituras y la inspiración proporcionada por el Espíritu Santo
a los padres de la Iglesia.

Ambas posturas eran ineficaces para enfrentarse a las sectas heréticas surgidas paralelamente a las reformas institucionales. La primera, porque sobrevaloraba la preparación intelectual de los herejes para utilizar unos métodos discursivos que no conocían. La mayoría de los movimientos heterodoxos eran respuestas espontáneas a una situación social
injusta de la que muchos clérigos eran cómplices. Sus planteamientos eran simples: pobreza = bien, riqueza = mal. La disidencia no obedecía, salvo excepciones, a un discurso filo-
sófico-teológico: simplemente se protestaba con una actitud de rechazo a la jerarquía, tanto eclesiástica como civil, y todo lo que ella representaba. Sólo en el caso de los cátaros se
plantearon debates en los que había verdaderos enfrentamientos teológicos, aunque éstos
procuraban llevar la discusión a temas de moral para evitar las posturas intransigentes de la
Iglesia católica con respecto al dogma. La segunda postura, la de los místicos, tampoco era
válida para tratar el tema de la disidencia. Si el contenido de la revelación y la inspiración
del Espíritu Santo sobre los Padres de la Iglesia constituían necesariamente la Verdad, y ésta
estaba recogida en las Escrituras y en los dogmas de la Iglesia, cualquier tipo de discrepancia o cuestionamiento de éstos eran errores que atentaban contra el mismo Dios y sólo cabía la abjuración total por parte de los disidentes.

Al principio la controversia se realizó a través de la publicación de libros en los que
se refutaban los errores de las sectas o sus líderes. Ejemplo de este procedimiento son el *Liber contra multíplices et varios errores*, de Vacarius; el *Liber adversus Valdensis sectan*, de Bernardo,
abad de Foncaude; y el *Manifestatio haeresis catharorum*, especialmente dedicado a los cátaros, obra de Bonacorsi, un antiguo cátaro.

Las doctrinas heréticas se extendían como una mancha de aceite por la Europa feudal y tanto la Iglesia como el poder civil comenzaron a preocuparse por la desestabiliza-
ción social que esto producía. Al no existir legislación que contemplara estos movimientos como delitos, se realizaron arrestos contra algunos cabecillas destacados. Las penas
obedecían al grado de madurez moral de los gobernantes que las sancionaban, en procesos

llevados a cabo de forma totalmente arbitraria. Podían ser desde pequeñas multas hasta la confiscación de bienes o la pena de muerte.

A veces el poder civil procedió de forma unilateral ante el cariz antisocial de algunas comunidades heréticas. Es el caso de Enrique II de Inglaterra o del conde Raimundo V de Tolosa, que actuó por medio de tribunales civiles contra los herejes a instancias de los reyes de Francia e Inglaterra.

Los tribunales recuperaron del derecho romano de la época del emperador Teodosio la pena de muerte con que se castigaba al maniqueísmo, y en algunos procesos se trataba de encontrar indicios que permitieran imponer esta pena bajo sospecha de un nuevo brote de esta antigua herejía.[33] Sin embargo, la Iglesia trataba de que fueran aplicadas las penas más benévolas: multas y exilio.

El tema de la herejía había dejado de preocupar a la Iglesia durante siglos y no se había desarrollado ningún tipo de legislación canónica para procesarla y castigarla. Las discrepancias de orden teológico surgidas en el seno de la Iglesia se resolvían a través de la controversia de los doctores ortodoxos y el disidente, con el resultado normal de la vuelta al orden de éste. Por esta razón, existía la idea de que cualquier discrepancia podía solucionarse con razonamientos, evitando los derramamientos de sangre. Una alta jerarquía eclesiástica había escrito, refiriéndose a la ejecución en la hoguera de Arnaldo de Brescia:

> «Hubiera querido, por malvadas que fueran sus doctrinas, que Arnaldo fuera castigado con cárcel o exilio y no con la pena de muerte; pero, puesto que se le ha hecho perecer, hubiera deseado que hubiera sido en tales condiciones que no se pudiera acusar a la Iglesia ni a la Curia romana».[34]

La falta de un procedimiento jurídico que tratara los temas de herejía imposibilitaba la realización de juicios con garantías de poder probar la inocencia o culpabilidad de los acusados. Al no contemplarse la prueba testifical –entre otras razones por miedo a futuras represalias sobre los testigos– el proceso era una confrontación entre la sospecha de la autoridad eclesiástica, que había hecho apresar al acusado, y la declaración de éste. Si el acusado se declaraba inocente no había posibilidad de pedirle la abjuración sobre ningún error. Ante la impotencia de los tribunales para probar nada, se acude a una medida que siempre produjo controversias en el seno de la Iglesia: el juicio de Dios –ordalías–. El concilio de Reims de 1157 prescribe someter a los acusados de herejía a la prueba del hierro candente.[35] Como en otras ocasiones fueron muchas las voces que se levantaron en el seno de la

---

[33] El significado de la herejía maniquea se desarrolla en el capítulo 3.
[34] Citado en Martín y Fliche. Op. cit.
[35] Las diferentes pruebas de juicio de Dios, utilizadas por la Inquisición medieval, se describen en el capítulo 6.

Iglesia contra la utilización de estas prácticas. El mismo papa Alejandro III las condenó tachándolas de juicio execrable. Posteriormente, Inocencio III prohibió terminantemente en los tribunales eclesiásticos cualquier tipo de juicio de Dios.

El papa Alejandro III será el que desarrolle la primera legislación canónica contra la herejía. El canon 4 del concilio de Tours plantea una serie de medidas para frenar la expansión del catarismo: sus reuniones quedan prohibidas y serán perseguidas; también se prohíbe a los católicos darles asilo y protección o tener cualquier tipo de relación con ellos, bajo pena de excomunión. Por primera vez se contempla la existencia de una comisión con el fin específico de buscar y denunciar a los herejes. Estas comisiones formaron lo que se conoce como *Inquisición legatina*, y no constituían un tribunal sino un procedimiento de búsqueda y acusación, basado en encuestas realizadas entre los católicos de fidelidad probada –normalmente notables del lugar– que declaraban bajo juramento.

La importancia creciente de la herejía como problema religioso y social hizo necesaria una política de actuación conjunta entre la Iglesia y el poder civil. En 1184 se reunieron en Verona el papa Lucio III y el emperador Federico I Barbarroja, llegando al acuerdo de tomar medidas conjuntas contra la herejía. Desde la misma Verona, el Papa emite una bula que será decisiva históricamente en la lucha contra la herejía: *Ad abolendam*.[36]

Esta bula papal pone en funcionamiento la que se ha dado en llamar Inquisición Episcopal y es considerada la «carta magna» de la Inquisición. *Ad abolendan* comienza con la presentación de propósitos, condenando la herejía e implicando al poder temporal del emperador para eliminar cualquier falso dogma que contamine la pureza de la fe católica. A continuación, el Papa vuelve a mencionar el acuerdo que implica al poder imperial y a los príncipes de los Estados católicos en la erradicación de las herejías más comunes. Se condena con anatema perpetuo a las herejías más extendidas: cátaros, patarinos y humillados; después menciona otras disidencias de menor trascendencia social como los pasaginos, josefinos y arnaldistas. Haciendo mención a los valdenses, la decretal condena a todos aquellos que se arrogan la autoridad de predicar sin la autorización de la Santa Sede.

Es anatemizado también todo movimiento o persona que se atreva a cuestionar cualesquiera de los sacramentos, así como a quien acepte o predique cualquier doctrina distinta a la mantenida por la iglesia Romana. El anatema también recae sobre los encubridores y defensores de los herejes, haciendo mención a los consolados y perfectos de la iglesia cátara. La bula amenaza expresamente a los clérigos que se adhieran o encubran cualquier herejía, proponiendo su inmediato despojo de todo orden eclesiástico y su remisión al brazo secular. Tanto en el caso de clérigos como de laicos, *Ad abolendam* prevé la

---

[36] El mismo título latino de la bula hace referencia a las dos palabras con que se inicia la redacción, y es suficientemente significativo: «Para abolir» la depravación de las diversas herejías...; *Ad abolendam* fue convertida en decretal en 1231 por el papa Gregorio IX.

abjuración de los culpables y su vuelta a la fe católica. La reincidencia implica la remisión directa del reo al juicio secular sin necesidad de nuevo proceso. En este caso, se procederá inmediatamente a la confiscación de bienes del reincidente, en beneficio de la Iglesia.

La vigilancia del cumplimiento de la norma recae en los obispos, amenazando con la suspensión en el cargo, durante tres años, a los negligentes y perezosos. Posteriormente se desarrolla el *procedimiento inquisitorial*: una o dos veces al año, los obispos o sus archidiáconos deben inspeccionar las parroquias bajo sospecha de herejía y allí conformar una comisión de vecinos –de forma similar a la determinada por Alejandro III– que estaría formada por un mínimo de tres personas, pero dando la opción de involucrar a toda la población si fuera necesario, obligándola, bajo juramento, a denunciar cualquier apreciación sobre reuniones secretas, o costumbres que se aparten de las realizadas por el común de los fieles. Los acusados debían presentarse ante el obispo o archidiácono para que procediera a juzgar su falta, sometiendo al acusado a un interrogatorio bajo juramento.

La bula termina involucrando al poder civil en los procesos, encargando a las autoridades civiles la ejecución de las penas. Se amenaza con la excomunión a aquellos que se nieguen a colaborar. En el caso de que sea una ciudad la que se niegue a colaborar será privada de la dignidad episcopal y aislada en el comercio con las demás.

Para evitar que los monasterios, exentos de la jurisdicción diocesana, pudieran servir de refugio a los perseguidos por herejía –recordemos cómo muchos monasterios sirvieron de refugio a los perseguidos por las injustas leyes de su tiempo–, quedaban sometidos a las disposiciones de la bula a juicio del obispo, que actuaría como legado papal.[37]

En el texto no se precisaba el castigo impuesto a los culpables, dejando este tema en manos de lo que dictaran las costumbres del poder civil. Generalmente, como ya vimos anteriormente, las penas impuestas mayoritariamente fueron las multas, la confiscación de bienes y el exilio. La Iglesia trató de que se evitaran penas más severas, sobre todo la de muerte, aconsejándolas solamente en caso de obstinación o reincidencia del culpable. Aunque en algunas localidades las masas promovieron ejecuciones espontáneas de herejes, legalmente sólo se contempló la posibilidad de castigar con la pena de muerte en el reino de Aragón, a través de una ordenanza de 1197 dictada por Pedro II el Católico.

La aplicación de *Ad abolendan* tuvo efectos fulminantes para la erradicación de los múltiples movimientos disidentes en la mayor parte de los Estados europeos. Sin embargo, en algunas regiones de la Europa meridional, sobre todo el Languedoc, la herejía a la que mayor referencia se hacía en la decretal, el *catarismo*, permanecía casi indemne y fuertemente imbricada en el entramado social.

---

[37] Como recordaremos, en los *Dictatus papae* los legados papales representaban, ante cualquier estamento, a la persona del Papa.

Los peligros

de una nueva religión:

el catarismo

A pesar de que la Iglesia Católica consideró al catarismo como una herejía, éste se constituía como una religión independiente con su propia teología y liturgia, además de contar con unas instituciones jerárquicas bien organizadas. Para combatirlo, el papado tuvo que recurrir a medios cada vez más radicales, desde el planteamiento de controversias y campañas de predicación a través de nuevas órdenes religiosas, hasta la proclamación de una cruzada similar a las enviadas a Tierra Santa. Finalmente, sería necesaria la creación y desarrollo de la Inquisición institucional para perseguirlo tenazmente durante más de cincuenta años hasta su eliminación definitiva.

El marco geográfico

Para comprender el fenómeno cátaro debemos situarlo en el marco geográfico en el que se desarrolla dando a este término su contenido de síntesis tanto del espacio físico como de la realidad económica, social y cultural del territorio.

Esta herejía, conocida bajo multitud de apelativos, se difundió desde oriente por varios países de Europa occidental: Alemania, Italia y Francia. Su núcleo principal se encontraba en el Mediodía francés, concretamente en el espacio conocido en la actualidad como Languedoc. En la Edad Media este territorio no tenía unos límites políticos sino culturales, que representaban a los territorios en los que se hablaba la *lengua de oc*, una lengua romance derivada del latín al igual que lo eran el italiano, el francés, el rumano, el catalán, el portugués, el gallego y el castellano. Sus límites físicos son difíciles de precisar, pero corresponderían aproximadamente a los territorios que enmarca la cuenca alta del Garona y su afluente el Ariège, al norte de los Pirineos Orientales.

Políticamente se correspondía con los señoríos del condado de Tolosa y sus vizcondados vasallos: Carcasona, Béziers, Albi y Rases, gobernados por la casa de los Trancavel. Estos territorios, aunque en el pasado dependieron políticamente de la Francia carolingia, desde el siglo XI rendían vasallaje al condado de Barcelona, y consecuentemente al reino de Aragón, que se encontraba en proceso de expansión tanto por el sur de Francia, como por los territorios de la Península Ibérica que iba conquistando a los musulmanes.

El desarrollo de la herejía cátara coincide con la etapa de crecimiento económico del Languedoc, que había comenzado en el siglo XII y continuó, a pesar de los efectos devastadores de la Cruzada, que asoló la región para exterminar a los herejes, durante el siglo XIII. Esta bonanza económica llevó aparejado un importante crecimiento demográfico y el desarrollo de villas y burgos: Tolosa, que superaba los 20.000 habitantes, era una de las ciudades más pobladas de Europa y la población total de la región occitana rondaba el millón de habitantes.

Todo el territorio es de fácil articulación por los escasos obstáculos físicos que presenta al establecimiento de vías de comunicación. Cuenta además con importantes puertos en el mar Mediterráneo a lo largo del golfo de León. Recordemos que en estos siglos tiene lugar un espectacular crecimiento del comercio marítimo en este mar, realizado por potencias marítimas italianas como Venecia, Génova o Pisa, y comienza la expansión mediterránea del reino de Aragón.

Aunque la base social seguía siendo rural y campesina, el florecimiento del comercio y las incipientes industrias manufactureras que se desarrollan en las ciudades, sobre todo la de la lana, propiciaron el crecimiento de la burguesía urbana. Esta burguesía había creado sus propias instituciones para contrarrestar el poder de la nobleza feudal. En las ciudades el gobierno comienza a ser controlado por las comunas a través de la elección de cónsules.

Este ambiente de prosperidad y relativo aumento de las libertades individuales y colectivas propició el desarrollo de una civilización con rasgos diferenciadores con respecto a sus vecinos, sobre todo la Francia del norte regida por la dinastía de los Capeto, mucho menos refinada. Junto a la nobleza de sangre, en la cultura occitana comienzan a ser tenidos en cuenta los valores personales del individuo. En el caballero se valoran tanto la cortesía y la instrucción como el valor. Esta actitud modifica también el estatus de la mujer, que ve cómo aumenta su estima social.

Sin duda el elemento fundamental que da homogeneidad a esta cultura es la *lengua de oc*, que ha alcanzado la evolución suficiente como para permitir el nacimiento y creado de la poesía lírica de los trovadores. Estos personajes, tan característicos de la cultura literaria de la Edad Media, desarrollaron la concepción del amor igualitario y libre propio de la cultura occidental. El amor cobra un valor metafísico y se convierte en premisa de todo conocimiento y fuente de todos los valores del hombre. Se exalta el *Jois* (el estado de enamoramiento y pasión propio de los primeros instantes de la relación amorosa) y el *Jovens*, el rejuvenecimiento del espíritu que se produce en los amantes sin importar su edad. Sin embargo los matrimonios seguían siéndole impuestos a la mujer para satisfacer intereses familiares, por lo que en el amor trovadoresco cobra importancia la figura del amante: la fidelidad, el *fin'amor*, se le debe únicamente al ser amado libremente elegido.

Como era de esperar, la Iglesia Católica se opuso a esta idea del amor y por ello los trovadores, aun sin ser defensores del catarismo, fueron decididamente anticatólicos, y sufrieron también persecución por parte de la Inquisición.

Desarrollo y expansión del catarismo

A comienzos del segundo milenio aparecen en el occidente europeo las primeras reseñas sobre la existencia de predicadores que son tomados por los cronistas como maniqueos. Sin embargo su presencia no se hace especialmente notoria hasta el siglo XII, en que las referencias a ellos aparecen desde Alemania al sur de Francia. En el concilio de Reims, celebrado en 1148, son mencionados sin prestarles demasiada atención, pero ya por esas fechas el catarismo cuenta con una organización jerárquica sólidamente establecida en el Languedoc.

A partir de entonces son numerosas las referencias a ellos en muchos países de Europa, desde Bulgaria a Inglaterra. Aunque generalmente se les asocia al maniqueísmo son conocidos bajo múltiples denominaciones: en el Languedoc predomina la de *albigenses*, por su abundante presencia en la ciudad de Albi, sede del primer obispado cátaro; también serán denominados como *búlgaros*, por su asimilación con los bogomilos, y *tejedores*, por la difusión que tuvo la herejía entre los miembros de este gremio. En otras regiones de Francia se les conoce como *publicanos* –deformación del término pauliciano– y, por último, en Alemania comienza a utilizarse el apelativo de *cátaros*, *puros*, el más popular en la actualidad junto al de *albigenses*.

Ejemplo que pone en evidencia el peligro que el cristianismo católico veía en la alternativa religiosa que constituía el catarismo son los sermones pronunciados por el monje Egberto en Alemania para refutar las doctrinas cátaras. En ellos desarrolla la teología cátara y describe sus ritos, que son contemplados como una clara manifestación del maniqueísmo.

Por las mismas fechas en el concilio de Tours, celebrado en 1163, se refleja ya cómo la herejía se ha ido expandiendo por el Languedoc reuniendo un gran número de seguidores. Para tratar de frenar este avance, la Iglesia propone un debate entre la jerarquía cátara y los teólogos católicos. El encuentro se realiza en Lombers, a pocos kilómetros de Albi: allí se reúnen las más importantes dignidades de la Iglesia Católica, representando a los obispados de Occitania, con otros tantos representantes cátaros. Los debates pusieron en evidencia las grandes diferencias entre ambas formas de interpretar y vivir el cristianismo: los cátaros procuraban llevar el debate hacia temas de moral, mientras que los católicos daban una importancia primordial al dogma. Cuando finalmente los interlocutores católicos escucharon de los cátaros sus posiciones teológicas, entre ellas la negación del Antiguo Testamento como parte de las verdades reveladas, el veredicto estuvo claro: fueron declarados herejes.

Un acontecimiento de gran trascendencia en el desarrollo institucional de la herejía fue el concilio de Saint-Felix de Lauragués de 1167. Este concilio congregó a la plana mayor del catarismo. Acudieron dieciséis Iglesias, de las que destacaban las cuatro Iglesias del Languedoc, que actúan como anfitrionas. Las crónicas del Concilio han destacado la presencia del pope Nicetas, de la Iglesia bogomila de Constantinopla, lo que evidencia la conexión entre las Iglesias dualistas cátara y bogomila. Nicetas orientó a las iglesias participantes sobre el modelo de organización de obispados seguido por las iglesias de Oriente. El reconocimiento a su jerarquía queda patente al ser el oficiante que otorga el *consolament*[38] a multitud de perfectos y perfectas, entre ellos el obispo de Albi.

En Saint-Felix se procedió a la organización de los cuatro obispados del Languedoc: antes del Concilio solamente el Albigés contaba con obispado y su capital se estableció en Albi; un segundo obispado fue organizado en Tolosa, aunque por motivos de seguridad la capital se encontraba en Lavaur; el tercer obispado correspondía al Carcasés, y la sede episcopal era la ciudad de Carcasona; por último, y más al norte que los anteriores, en los límites de Aquitania, se encontraba el obispado de Agén, del que se desconocen sus peculiaridades.

Como se ve, el catarismo se presentaba como una seria alternativa religiosa al catolicismo: constituía una «federación» eclesiástica organizada en iglesias autónomas, pero muy unidas entre sí, y jerarquizadas de forma similar a como lo estuvo el cristianismo primitivo. El hecho de que la represión ejercida sobre ellos malograra su expansión no permitió que el esquema organizativo llegara a ser más complejo: nunca se habló, por ejemplo, de una primera jerarquía cátara asimilable a la figura del Papa.

Otros centros de difusión del catarismo, bajo formas similares de dualismo y con ritos parecidos, se encontraban en territorio imperial: Alemania e Italia. En la primera, era Colonia la ciudad en que tuvo mayor incidencia la herejía; en Italia, las ciudades más «con-

---

[38] Esta ceremonia oficiada por Nicetas tiene un significado de *Confirmación*; según la doctrina cátara los perfectos asistentes al concilio necesariamente tenían que haber recibido ya el *consolament*.

taminadas» eran Milán y Florencia. Estos centros, aunque menos importantes en lo que concierne a la incidencia social de la herejía y número de adeptos, tuvieron, sin embargo, una enorme trascendencia en el desarrollo de la Inquisición institucional.

Organización y liturgia

La organización cátara es siempre local. La célula primaria es la casa, en la que conviven los perfectos y perfectas. En cada localidad pueden encontrarse varias «casas», y en las grandes ciudades un número considerable de ellas. En la casa se realizan las ceremonias litúrgicas con los creyentes y se organizan las labores de predicación. Cuando el número de casas y adeptos alcanza suficiente desarrollo en una región se constituyen como iglesia autónoma y eligen un obispo. Como en el cristianismo primitivo, las necesidades organizativas hacen que los oficios de ayuda a la labor episcopal se diversifiquen: el obispo cátaro, a semejanza del católico, está asistido en sus funciones por varios diáconos. Entre sus cometidos está el de asegurar la continuidad jerárquica, por lo que el obispo elige de entre sus diáconos un Hijo Mayor y un Hijo Menor: el primero es su asistente más directo y le sustituye inmediatamente en caso de fallecimiento; el segundo pasa a ocupar, también de forma automática, el cargo de Hijo Mayor.

Entre los cátaros existen dos grados jerárquicos, según el grado de elevación espiritual: los creyentes y los perfectos. Los creyentes conforman la feligresía cátara. Sus compromisos de vida no son muy exigentes y se les permite una moral bastante relajada. Participan de una liturgia muy simple denominada *aparelhament*. Este rito consistía en una confesión pública que realizaban una vez al mes. En ella el creyente, de forma individual, hacía confesión pública de sus faltas y se le imponía una leve penitencia como exhortación a una conducta mejor, que le ayudara a superar su grado de evolución espiritual. Si el creyente reaccionaba favorablemente y enmendaba su forma de vida era señal de que se encontraba en la etapa de reencarnación apropiada para alcanzar el grado de perfecto a través del *consolament*. El creyente no podía tampoco dirigirse a Dios personalmente a través del *Padrenuestro* y precisaba de un perfecto, que actúa como intermediario, para poder hacerlo. La actitud de respeto del creyente hacia el perfecto (hacia el Espíritu Santo que moraba en el perfecto por el *consolament*) se efectuaba a través del rito del *melhorament*.[39] Cuando el creyente se hallaba ante un perfecto le hacía tres reverencias diciendo cada vez: «*Señor, la bendición de Dios y la vuestra*». El perfecto respondía: «*Dios os bendiga*». Después el creyente pedía: «*rogad a Dios por el pecador que soy, para que me conduzca a buen fin*».

---

[39] En lengua occitana: *mejoramiento*. Es un signo de reverencia hacia el Espíritu Santo que *mejora* y hace evolucionar al creyente.

La verdadera iglesia cátara, que tiende a institucionalizarse, la componen los *perfectos*. Como veremos más adelante al estudiar la teología que vertebra esta religión, el perfecto ha alcanzado un alto grado de desarrollo espiritual a través de múltiples reencarnaciones y por ello se encuentra en condiciones de recibir al Espíritu Santo a través del rito del *consolament*.

El *consolament* era un bautismo místico que se realizaba por imposición de manos. A través de él se producía el *consuelo* del Espíritu Santo, del mismo modo que les sucedió a los apóstoles en Pentecostés. El ritual occitano para recibir el *consolament* establecía que el creyente solicitara primeramente el *melhorament*, pidiendo perdón por sus pecados y, una vez concedido, se procedía al rito de imposición de manos:

> *«El que deba recibir el* consolament *que tome el Libro de manos del Anciano. Que hable así: «Pedro (nombre del que va a recibir el* consolament*), ¿Quieres recibir el bautismo espiritual del Espíritu Santo en la Iglesia de Dios, con la santa oración, como la imposición de manos de los* bons homes*? Si quieres recibir este poder y fortaleza es necesario que guardes todos los mandamientos de Cristo y del Nuevo Testamento. Ha ordenado que el hombre no incurra en adulterio, ni en homicidio, ni en mentira, que no jure, que perdone a quien le cause mal…». Que el creyente diga: «Ésta es mi voluntad, rogad a Dios que me dé fuerzas». Después, que el primero de los* bons homes *presente, al igual que el creyente, su veneración al anciano y diga: «Parcite nobis». Por todos los pecados… pido perdón a Dios, a la Iglesia y a todos vosotros».*

A continuación se le administra el *consolament*. «Que el anciano tome el Libro, se lo ponga encima de la cabeza y los otros *bons homes*, con la mano derecha en alto, recen el *parcias* y tres *adoremus* y luego: «*Pater sancte, suspice servum tuum in tua justicia, et mitte gratiam tuam et spiritum sanctum tuum super eum*». Deben darse la paz entre ellos y con el Libro. Rueguen a Dios con peticiones de gracia y la ceremonia habrá concluido».[40]

Con el *consolament* el creyente entraba como perfecto en el orden cátaro y quedaba comprometido con unas rígidas y estrictas normas de conducta. Al poseer al Espíritu Santo su propio espíritu quedaba liberado de la atadura y el engaño que constituía la creación material: ya no era posible caer en el pecado.

La moral cátara obligaba a los perfectos a llevar una rectitud total en su conducta personal y social, pero sobre todo debían evitar, absolutamente, lo que consideraban graves pecados: estaban obligados a mantener la mansedumbre de los primeros cristianos y evitar cualquier tipo de violencia. Por supuesto causar la muerte a un semejante era el mayor de los pecados.

---

[40] Tomado de Mestre Godes, Jesús. *Op. cit.*

Puesto que el acto carnal fue el primer pecado del hombre, éste constituía un grave pecado. Los perfectos no podían tener ningún tipo de relación carnal; si el perfecto o perfecta estaba casado, al recibir el *consolament* debía renunciar a cualquier contacto carnal con su pareja.

La repugnancia del acto carnal como fuente de transmisión del mal les hacía renunciar a los alimentos que tenían su origen en el coito, incluidos los huevos y leche. Admitían el pescado pensando que los peces surgían por generación espontánea de las aguas. Su alimento debía reducirse a pescado, hortalizas y legumbres.

La mentira era una de las más destacadas cualidades del Demonio y mentir significaba seguir atado a la materia. Para el perfecto la mentira era un pecado contra el Espíritu Santo, que representaba la Verdad. Tampoco podían jurar, pues el juramento era una costumbre del Antiguo Testamento, obra del Demonio, que contravenía las enseñanzas de Jesús en los Evangelios: «Habéis oído también que se dijo a los antepasados: «No perjurarás, sino que cumplirás al Señor tus juramentos. Pues yo os digo que no juréis en modo alguno: ni por el Cielo, porque es el trono de Dios, ni por la Tierra, porque es el escabel de sus pies; ni por Jerusalén, porque es la ciudad del gran Rey. Ni tampoco jures por tu cabeza, porque ni a uno sólo de tus cabellos puedes hacerlo blanco o negro. Sea vuestro lenguaje: «Sí, sí»; «no, no»: que lo que pasa de aquí viene del Maligno». (*Mt.*, 5, 33-37).

La obligación de suprimir el pecado de su conducta debía complementarse con una vida entregada a la oración y a la predicación. Vivían de forma austera y evitaban toda tentación de riqueza y honores mundanos.

Uno de los dones que otorgaba el *consolament* era el poder dirigirse a Dios de forma directa a través del Pater[41] Como indicamos anteriormente, los simples creyentes no podían dirigirse directamente a Dios sino a través de un perfecto; sin embargo, y como caso excepcional, un creyente podía ser iniciado en el Pater sin recibir después el *consolament*.

Una facultad que se reservaba al creyente que no había renunciado al mundo para acceder al grado de perfecto era la de recibir el *consolament* en el momento de su muerte, como una extremaunción. El rito era el mismo que el de los perfectos, pero quedaba invalidado en caso de que el enfermo sanase. Se pretendía con ello que el moribundo hallase el perdón en el momento de su muerte y pudiera acceder a la liberación del espíritu.

Como hemos visto al hablar de las reformas en las órdenes religiosas católicas la exigencia de vida de algunas congregaciones, como los monjes cartujos o cistercienses, era tan severa, si no más, que la de los perfectos cátaros, y su contribución al resurgimiento de la cultura y civilización europeas fue, sin duda, mucho más importante. Pero los monjes reformados viví-

---

41 El *Pater* cátaro era una interpretación propia del Padrenuestro evangélico empleado por todos los cristianos, tanto ortodoxos como heterodoxos.

an de espaldas al mundo para no contaminarse con él. El éxito social de una religión como el catarismo habría que buscarlo en la capacidad de sus jerarquías para el proselitismo: la predicación, apoyada en el ejemplo personal, era decisiva en una sociedad en la que el catolicismo luchaba con ahínco para desterrar los vicios del siglo que contaminaban a sus sacerdotes y obispos. La reacción de la Iglesia, promoviendo la predicación de la fe católica a través de las Órdenes mendicantes, empleando los mismos métodos que los perfectos cátaros, fue tardía y no logró desmontar el tupido entramado de adeptos tejido pacientemente por la Iglesia cátara, que penetraba en todas las clases sociales del Languedoc.

Las rutas y campañas de predicación se planificaban en las casas. Refiriéndose a la forma de proselitismo de los cátaros, santo Domingo de Guzmán refiere: *«van de pueblo en pueblo descalzos, contentándose en comer lo imprescindible e imponiéndose por una aparente santidad y por el espectáculo de una pobreza y de una austeridad evangélica».*[42]

La doctrina cátara: el dualismo

> «Todo ha sido hecho por Él, y sin Él nada se hizo»
> (interpretación católica)
>
> «Todo ha sido hecho por Él, y sin Él se hizo la nada»
> (interpretación cátara)
>
> JUAN (I, 3)

La búsqueda de una interpretación para la existencia del mal en el mundo se encuentra en el principio de todas las religiones. Las religiones *politeístas* solucionaban el problema imaginando dioses buenos, generalmente propicios al hombre, y dioses malos a los que hay que apaciguar con sacrificios sangrientos. Con el tiempo, la evolución del pensamiento humano logró sincretizar la multiplicidad de atributos de los distintos dioses buenos y malos bajo dos modalidades teológicas: el *monismo*, que contempla la existencia de un Dios único, origen y causa de todo lo creado, incluso el mal; y el *dualismo*, en el que coexisten dos principios opuestos, eternos e indestructibles: *el bien* y *el mal*.

En el *monismo* el mal es consecuencia del libre albedrío, como don que Dios regala a sus criaturas y que les confiere la capacidad de poder elegir entre el bien y el mal. En el monismo judío, del que proviene el cristianismo, esta elección del mal es llevada a cabo primeramente por un grupo de ángeles, encabezados por Lucifer y su terrible pecado de soberbia, y posteriormente por el hombre, simbolizado en el acto de desobediencia cometido por Adán y Eva en el Paraíso, instigados, eso sí, por el Demonio.

---

[42] Citado en Martín y Fliche. *Op. cit.*

La principal religión *dualista* de la antigüedad fue el *mazdeísmo*, practicado en el Imperio Persa, y desarrollado por Zoroastro a través del Zend Avesta. Zoroastro denominaba Ormuz al principio del bien y lo simbolizaba en la luz y el fuego; el principio del mal, al que denominaba Ahriman, era simbolizado por la oscuridad y las tinieblas. Más tarde los medas simbolizarán este principio en la serpiente, al igual que en el Antiguo Testamento bíblico. Ambos principios mantienen una constante lucha cósmica que se mantiene en el hombre. Esta religión incorporaba la idea de un alma inmortal y una vida futura.

En el siglo III, y teniendo como base el mazdeísmo de Zoroastro, se desarrollará un dualismo más radical, promovido por el reformador Manes, que ha llegado hasta nosotros con el nombre de maniqueísmo. Manes nace en Mesopotamia en el año 220. Confesaba haber tenido desde muy joven revelaciones divinas y el propio Espíritu Santo le había comunicado su misión de predicar la Verdad entre los hombres. Sus doctrinas tratan de ser la expresión de una religión universal que aunaría las enseñanzas de Buda, Zoroastro y Jesús. Su dualismo absoluto contempla dos principios: El *Bien-Espíritu-Luz* y El *Mal-Materia-Tinieblas*, opuestos y enfrentados eternamente.

Desde Persia, donde Manes disfrutaba de la protección de los reyes, las doctrinas maniqueas se extendieron por gran parte del mundo conocido: hacia Occidente por el Imperio Romano, y hacia Oriente por Asia Central, Turkestán y China. No obstante pronto fueron perseguidas de forma implacable: Manes fue condenado a flagelación y prisión perpetua y murió tras sólo veintiséis días de encarcelamiento, el 26 de febrero del año 277, y poco a poco el maniqueísmo fue casi totalmente eliminado. Sin embargo, sus restos se conservarían en pequeños núcleos de Oriente esperando un momento oportuno para renacer.

En el siglo VII surge en Armenia, que formaba parte del Imperio Bizantino, una doctrina inspirada en el maniqueísmo y que por tener su origen en un tal Pablo, se extiende con el nombre de *paulicianismo*. A pesar de que sus seguidores negaban ser maniqueos, su doctrina era claramente dualista. Mantenían la existencia de dos principios: el uno era Padre Celestial y Señor de los tiempos futuros; el otro, Creador y Príncipe de este mundo. La secta es pronto perseguida por la iglesia bizantina y sus seguidores son deportados a Tracia (junto a la orilla occidental del Mar Negro) en el siglo VIII. Este hecho pudo constituir la base de la reaparición de doctrinas inspiradas en el maniqueísmo en Europa occidental.

La primera de estas manifestaciones religiosas de inspiración maniquea aparecida en la Europa medieval es el *bogomilismo* búlgaro. Como ya hemos comentado, las herejías medievales nacen como respuesta popular a la degradación del clero ortodoxo y a los abusos de poder que provoca el feudalismo. El bogomilismo surge en la Bulgaria feudal del siglo X, en la que el campesinado arruinado veía en los señores feudales y el clero corrompido la encarnación del mal. Sus comienzos son atribuidos a Bogomil,[43] personaje del que se duda tuviera existencia real y que pronto fue mitificado. Esta doctrina tiene claras raíces en el *paulicianismo* y por tanto en el *maniqueísmo*. Sin embargo no se desarrolló como una doctrina homogénea y dio lugar a dos tendencias diferenciadas.

La primera de ellas, desarrollada por la Iglesia de Bulgaria, expresaba un *dualismo moderado* en el que el mal no se representaba como un principio coetáneo y opuesto al bien. En su mitología se reconoce un único Dios, bueno y creador del mundo espiritual y de los ángeles. En esta creación, los primeros seres angélicos son considerados hijos de Dios: el mayor es Jesús y el menor Satanael.

Satanael promueve la rebelión contra el Padre, por libre albedrío,[44] y genera la creación del mundo material. También crea al hombre material: Adán, pero no puede dotarle de un alma y le pide al Padre que le proporcione una. Así, Dios encarnó en el hombre una primera alma de origen angélico. Pero las almas de los ángeles que van conformando la humanidad se ven sometidas al influjo del mal que representa la creación material y se corrompen. El descenso del hijo mayor, Jesús, se hace necesario para marcar a estas almas el camino de retorno a Dios.

La segunda tendencia doctrinal está representada por la Iglesia de Dragovitsa y plantea un *dualismo radical* más cercano al *maniqueísmo*. En ella se mantiene la existencia de un principio del mal, coeterno con el Dios bueno e independiente de Él. Este principio habría creado el mundo material y a los hombres, cuyos cuerpos poseen almas de ángeles arrancadas por la fuerza y arrebatadas de la creación espiritual realizada por Dios, principio del bien.

Ambas Iglesias bogomilas, sobre todo la segunda, tuvieron influencia sobre las herejías dualistas desarrolladas en Europa occidental que dieron lugar al catarismo. Estas doctrinas penetraron hasta Constantinopla durante el siglo XI, y contaron con el favor de las clases sociales más elevadas. Su gran difusor fue el monje Basilio, que durante más de cincuenta años predicó sin oposición y atrajo a un gran número de adeptos que conformaron un germen herético importante opuesto a la ortodoxia bizantina.

Basilio sostenía poseer un ejemplar del original de los textos evangélicos que no había sido sometido a la revisión y censura de los primeros padres de la Iglesia, en especial san Juan Crisóstomo. Un acierto de este predicador para que sus creencias tuvieran mayor aceptación entre las clases elevadas fue convertirlas en una religión *mistérica* en la que los conocimientos secretos se adquirían en etapas sucesivas, a través de ritos de iniciación aderezados con ceremonias litúrgicas que confirmaban al adepto en grados de elevación espi-

---

[43] Posiblemente un pseudónimo que significa *«digno de la misericordia de Dios»*.

[44] Esta doctrina, sin embargo, no reconoce un principio del mal que inspire ese libre albedrío sino que el mal se produce con permiso del Dios Padre bueno.

ritual, cuidadosamente jerarquizados, para potenciar el sentimiento de superioridad con respecto a los grados inferiores y, por supuesto, generaban un abismo entre ellos y la masa común de los no iniciados.

En el grado superior de iniciación la ceremonia consistía en la colocación del Evangelio sobre la cabeza del aspirante para que recibiera al Espíritu Santo que así entraba en comunión con el espíritu angélico, encarcelado en el cuerpo de cada individuo, y le permitía liberarse de la creación material llevada a cabo por Satanás. Sin embargo, alcanzar este grado suponía exigentes compromisos morales para el iniciado: el celibato, la castidad absoluta, el ayuno, la abstinencia de todo alimento generado a través del coito (incluida la leche) y una vida ascética que sirviera de ejemplo a los grados inferiores. Como veremos más adelante, la similitud de estas prácticas con las de los cátaros es evidente.

A finales del siglo XI el emperador bizantino Alejo Comneno decide apoyar incondicionalmente a la Iglesia bizantina y erradicar la herejía. Los bogomilos son perseguidos y encarcelados y sólo la oposición popular les libró de sufrir las ejecuciones masivas en la hoguera decretadas por el poder real; pero fueron sometidos a la excomunión, la confiscación de sus bienes, el exilio y la prisión. No obstante, como medida ejemplarizante, Basilio fue quemado públicamente en Constantinopla el año 1111.

La teología y mitología cátaras

Los cátaros no sólo se consideraban cristianos sino que se sentían los descendientes directos de los apóstoles de Cristo: *la verdadera Iglesia*. Como consecuencia de ello rechazaban el catolicismo al que consideraban obra del Demonio.

Los conocimientos que poseemos sobre los fundamentos de la religión cátara son muy escasos. La Inquisición se ocupó de hacer quemar los libros y documentos de fuente directa, y en las actas procesales de los juicios por herejía que se conservan sólo se hace hincapié en los aspectos teológicos que los apartaban de la ortodoxia católica.

Afortunadamente disponemos de obras escritas por teólogos cristianos en las que se critican y refutan los fundamentos teológicos cátaros, como Durant de Huesca, que en su *Liber contra Manicheos* (1222-1223), transcribe parte del *Tratado cátaro* de Bartolomé de Carcasona (personaje cátaro de la primera mitad del siglo XII).

De las escasas obras escritas que se conservan, y pueden ser atribuidas directamente a los autores cátaros, la más importante es el *Liber de duobus principiis* —*Libro de los dos principios*—,[45] que fue escrito hacia 1250 y es atribuido al cátaro italiano Juan de Lugio. Sin embargo, la obra y su autor representaron un verdadero cisma en el catarismo tardío y plan-

---

[45] Este libro fundamental no fue descubierto y publicado hasta la primera mitad del siglo XX.

tea una teología dualista enfrentada a las creencias de la tradición primitiva, mayoritariamente aceptadas. A diferencia de la Iglesia católica la jerarquía cátara no sometía sus creencias teológicas a dogmas que configurasen una ortodoxia estricta. Esto supuso que existieran diferencias en la forma de interpretar el dualismo y en la construcción de las mitologías simbólicas que se desarrollaron para hacer comprensible el drama cósmico de la caída de los ángeles, la existencia del mal en el mundo y el papel del hombre en la creación.

El principio, no obstante, era el mismo en todos los casos: un intento de explicar la contradicción entre la bondad del alma de los inocentes y la maldad de un mundo regido por la violencia, la crueldad y la opresión. Creían que la bondad debía tener necesariamente como causa y principio a un Dios bueno, al que se oponía otro principio que sería causa necesaria del mal. Los cátaros nunca equipararon los dos principios: el bien está en Dios, soberano y omnipotente; el mal, el Diablo, es *nihil* (la nada) y de él ha nacido todo lo material y corruptible: toda su obra ha nacido del caos primordial y a él retornará.

La teología cátara apoyaba esta concepción dualista de la creación en el Evangelio de San Juan: el más esotérico de los evangelios canónicos. La versión latina del texto evangélico emplea el término *nihil*, susceptible de ser usado como adverbio: *nada*; o como sustantivo: *la nada*. De este modo, el versículo *«sine ipso factum est nihil»*. Juan I, 3, puede ser interpretado como: *«y sin Él (Dios, el Verbo) nada se hizo»*, traducción aceptada por los católicos; o como: *«y sin Él se hizo la nada»*, interpretación que apoyaba la concepción *dualista* de los cátaros.

Las formas de afrontar esta doble acción creadora dio origen a dos corrientes teológicas entre los cátaros: en la primera el Demonio, que no es el principio del mal sino una emanación de éste, actúa como demiurgo que organiza el mundo material y corruptible a partir de una materia previamente creada por Dios y con su permiso. Este *dualismo moderado*, que no difería demasiado de la teología católica en lo que respecta a la creación, sí era claramente heterodoxo en sus ideas acerca de la Trinidad, así como en la naturaleza de Cristo y su misión en el mundo.

De mayor difusión en la Occitania es la teología desarrollada por el *dualismo absoluto*. Mucho más impregnado de maniqueísmo que el anterior, el dualismo absoluto sí contempla al mal como principio eterno pero ininteligible, que sólo podemos conocer en sus manifestaciones a través del mundo material y las imperfecciones y vicios inherentes a la materia.

Para explicar la creación y la acción de los dos principios en ella, los cátaros desarrollaron una mitología independiente de la tradición bíblica del Antiguo Testamento, al que rechazaban como obra del Demonio.

En el principio Dios crea la luz, y en ella los siete cielos jerarquizados en su grado de perfección. Los cielos son poblados por espíritus buenos, los ángeles, con sus tres naturalezas: espíritu, alma y forma (cuerpo espiritual). Pero la unidad sustancial de estas naturalezas es menor según ocupan los cielos más alejados del principio creador.

En los cielos superiores: quinto, sexto y séptimo, habitan los ángeles superiores. Sus naturalezas conforman una unidad substancial que no se puede romper y su unión con Dios es tan íntima que no cabe la posibilidad de ser seducidos por el mal: son *impecables*. Sin embargo, los ángeles de los cielos inferiores no tienen los elementos de su naturaleza tan íntimamente unidos y Satanás pudo arrebatar sus almas y dejar incompleta su esencia ternaria.

Para los *dualistas absolutos*, Satanás irrumpe en los cielos inferiores y seduce a los ángeles ofreciéndoles los placeres del mundo material: el poder, la riqueza y los placeres de la carne. Pero esta seducción satánica sólo es posible por la propia debilidad óntica de estos ángeles, que no les permite oponerse al Demonio. En definitiva, la caída estaba prevista por Dios y se produce de forma *necesaria*.

Paralelamente a la creación de Dios, el principio del mal crea la materia, sometida al cambio y la corrupción. A partir de ella, crea los cuerpos humanos dotados de un alma materializada. Con la caída, las almas de los ángeles se encarnan en cuerpos materiales quedando atrapadas en ellos. Para los dualistas absolutos no tienen sentido las figuras bíblicas de Adán y Eva: todos los ángeles cayeron a la vez y sus almas van siendo incorporadas a los cuerpos materiales según se producen los nacimientos.

Esta caída del tercio de los ángeles tiene por objeto su evolución para retornar a Dios y ninguna de ellas se perderá. Todo está pues, predeterminado y se produce *ex necessitate*. Del mismo modo las almas materializadas de los demonios están determinadas por su propia sustancia y volverán a la nada. Como consecuencia de todo lo anterior los ángeles caídos no son responsables del pecado porque cayeron por *necesidad* y no por libre albedrío.

Para Juan de Lugio la caída arrastra al mundo material no sólo a los ángeles inferiores, que constituyen el tercio de todos los ángeles, sino el *alma* de toda la creación angélica que constituye el tercio de su naturaleza sustancial.

La liberación de las almas se produce tras sucesivas etapas de reencarnación. Los cátaros creían en la trasmigración de las almas como medio de evolución, por medio de la purificación que representa el sufrimiento de los males del mundo material: creación y dominio del mal. El infierno estaba pues, en este mundo. La cantidad de reencarnaciones necesarias para que el alma se liberase de su envoltura material era variable y dependía de las experiencias acumuladas por los seres individualizados en cada una de ellas. Cuando el alma alcanzaba un grado suficiente de evolución estaba preparada para seguir el camino de liberación mostrado en el mensaje de Jesucristo y conservado en los Evangelios, sobre todo el de san Juan. En este punto se plantea la concepción cátara acerca de la figura de Cristo y su naturaleza. Para ellos Jesucristo era el ángel del cielo superior más cercano a Dios y se opuso a la acción del Demonio en la caída de los ángeles, por eso a veces se le confunde con san Miguel. Su misión en el mundo había sido mostrar a las almas encarnadas el engaño que suponía la creación material y mostrarles el camino para acelerar su retorno a

Dios. Su encarnación no puede ser real puesto que al ocupar un cuerpo material habría quedado contaminado por el mal: era, por tanto, una simple visión y su sacrificio en la cruz sólo podía ser un símbolo.

Con el Evangelio como guía y dentro del verdadero cristianismo (la iglesia cátara), el alma evolucionada alcanza el grado de *perfecto* y se libera del proceso de trasmigración. Además, el *perfecto* continúa la misión de Cristo mostrando a sus hermanos, a través de la predicación, el camino de liberación.

Alcanzar el grado de *perfecto* supone restaurar la unión consustancial de la naturaleza angélica y así el alma vuelve a sentirse unida al espíritu del que fue separada. Esta unión alma-espíritu se produce en la ceremonia del *consolament*, que aporta además al iniciado el consuelo del Espíritu Santo. Este Espíritu Santo *Paráclito*[46] no forma parte de la Trinidad católica, del mismo modo que no lo hace Cristo. Es también como él un ángel muy cercano a Dios, pero ni uno ni otro son consubstanciales con Él ni poseen la omnipresencia divina.

A diferencia de la idea de reencarnación del hinduismo, que asocia la evolución espiritual con la posición social (dando origen al sistema de castas), los cátaros piensan que el alma debe experimentar todos los grados de la escala social, por lo que el príncipe actual podría ser un campesino en una próxima encarnación y viceversa. Del mismo modo, las almas deben experimentar diferentes estados de género y ser indistintamente hombre o mujer en cada encarnación. La idea de algunos sectores misóginos dentro del catarismo es que la última encarnación, antes de la liberación del alma, debe ser en hombre. Sin embargo esta postura se contradice con la práctica generalizada que permite a las mujeres alcanzar el grado de *perfectas* recibiendo y pudiendo otorgar a otros el *consolament*, lo que representa estar en el último grado de evolución y acceder a la liberación definitiva del alma.

Finalmente, el retorno a Dios de todas las almas angélicas se produce al final de los tiempos. El *dualismo absoluto* sostiene una visión de los últimos tiempos en la que la reunificación de los tres elementos de las naturalezas angélicas se produce del mismo modo que lo hizo en la caída: por *necesidad*. Todas las almas creadas por Dios, principio del bien, retornarán a Él. Del mismo modo, las almas materializadas, creadas por el diablo, se disolverán en la nada: el caos primordial del que surgieron. Este punto también constituye una grave trasgresión del dogma católico que afirma la resurrección de la carne después del Juicio Final.

Como vemos, las creencias de los cátaros se oponen a las principales verdades que conforman el credo católico recogidas en el *Símbolo Atanasiano*.[47] Por ello, la jerarquía cátara procuraba llevar los debates que mantenían con los católicos hacia temas de moral y evitar entrar en disquisiciones teológicas que terminaban irremediablemente en posturas irreconciliables.

---

[46] Del griego *parákleetos*, abogado, defensor.

[47] El Símbolo Atanasiano, atribuido a Atanasio de Alejandría (+373) se trata de un resumen de la doctrina cristiana, centrado en el dogma de la Santísima Trinidad, que recoge los principales contenidos del credo de la Iglesia Católica.

La reacción
de la Iglesia

Programa de pontificado de Inocencio III

En 1198 heredaba el Condado de Tolosa Raimundo VI. Para entonces el catarismo estaba fuertemente implantado en todo el condado, desde el Garona hasta el Ródano y sólo algunas regiones cercanas al Mediterráneo permanecían inmunes a la penetración de la herejía: el vizcondado de Narbona, en el que comparten el poder el vizconde y el obispo, y Montpellier, perteneciente a la corona de Aragón.

Los nobles occitanos, en cuyas prósperas ciudades florecía la herejía cátara, aceptaron de mala gana las reformas de la Iglesia y, lejos de someter su poder temporal al papado, procuraron desasirse de la tutela de la Iglesia. El mejor medio para lograrlo lo encontraron favoreciendo la implantación de la nueva religión, en detrimento de la católica. Tanto el nuevo conde de Tolosa, como los poderosos Trancavel y el conde de Foix, mantenían un trato tolerante hacia los cátaros y la labor de los obispos para luchar contra la herejía no contaba con la ayuda del brazo secular; es más, incluso puede observarse cómo muchos clérigos católicos se suman a ella. El mal ejemplo de algunos obispos, que se habían desviado de la reforma gregoriana para retornar a los vicios característicos de otros tiempos, había ocasionado que perdieran autoridad tanto ante los seglares como ante el bajo clero. Algunos sacerdotes, atraídos por la sencillez de los perfectos pidieron recibir el *consolament*.

El mismo año de 1198 la Iglesia va a recibir nuevos aires reformadores al ser elegido papa Lotario Segni con el nombre de Inocencio III. El nuevo pontífice es un joven de 38 años, de familia noble e instruido –ha estudiado en Roma y París– que retoma las reformas comenzadas en la Iglesia un siglo antes. Su intención es revitalizar las ideas de *Iglesia Universal* y de *plenitudo potestatis*, y está resueltamente decidido a imponer la primacía del poder espiritual sobre el temporal. En su pontificado se propuso desarrollar un ambicioso programa que incluía tres frentes diferentes: organizar una nueva Cruzada para liberar los Estados Latinos, en poder de los sarracenos desde 1187; el segundo frente tenía como objetivo la lucha contra la herejía cátara en el sur de Francia y Lombardía y el tercero consistía en la continuación de las reformas de la Iglesia siguiendo la línea trazada por Gregorio VII.

En cuanto al objetivo cátaro, Inocencio III era consciente de que el progreso de esta herejía obedecía a la falta de prestigio del clero católico sobre los feligreses, principalmente en la sociedad burguesa de las ciudades, que constituían espacios especialmente propicios para las labores de proselitismo de los perfectos cátaros. En una de sus cartas, Inocencio III refleja su preocupación sobre la falta de compromiso cristiano con que los clérigos asumen su responsabilidad como directores espirituales de la sociedad:

> «En la Iglesia de Dios fueron establecidos diversos órdenes y se exige más a aquellos en los que más se confió. Así pues, es necesario que quienes se comprometieron al servicio del Señor sean superiores a los laicos tanto por su vida como por su dignidad, de suerte que no estén por encima de ellos únicamente en razón de su jerarquía sino que consigan también sus costumbres un grado superior de honestidad».[48]

El ambicioso programa pontificio pretendía además de la unidad en la fe de todos los cristianos –poniendo fin al cisma de la Iglesia griega y luchando contra la herejía– la unidad de los Estados Cristianos con vistas a la Cruzada. La actitud sobre el principio de la *plenitudo potestatis* mantenido por Inocencio III representa, para algunos historiadores, un intento de imperialismo papal. A pesar de respetar la elección de los reyes y del emperador según las tradiciones seglares, el Papa considera que su ministerio posee una dignidad temporal que le sitúa por encima de ellos. Según sus propias palabras:

> «Como rey, el pontífice romano lleva la tiara y como obispo universal, la mitra. De la mitra se sirve en todas partes y en todo tiempo, mientras que de la tiara hace uso más limitado tanto en el tiempo como en el espacio, pues la autoridad espiritual es más antigua, más digna y más duradera que la autoridad terrena. En el pueblo de Dios el sacerdocio está antes que el imperio».[49]

Sin embargo, las pretensiones papales se enfrentaron con una realidad política en la que los reyes y príncipes de los más importantes Estados europeos mantenían una lucha feroz por afianzar su poder frente a la independencia con la que actuaban los señores feudales. Las guerras mantenidas en el seno de la Europa cristiana escapaban a cualquier intento del Papa por controlarlas y conseguir el sometimiento de los príncipes al poder de la Iglesia; muy al contrario, las desafortunadas acciones papales promoviendo cruzadas en el

---

[48] Citado en Martín y Fliche. *Op. cit.*
[49] *Ibíd.*

seno de Europa para luchar contra la herejía sólo consiguieron dar satisfacción a las ambiciones de poder de unos príncipes en detrimento de otros.

Los tres frentes del programa del Pontífice parecían destinados a conseguir que la evolución social de un mundo unido bajo el mensaje evangélico, comenzada por los papas reformadores del siglo XI, configurase un modelo de sociedad en el que las virtudes cristianas resplandecieran. Si como hemos podido ver en capítulos precedentes, la Iglesia constituyó la mayor fuerza de progreso social y cultural de Europa tras la caída del Imperio Romano, a partir del siglo XIII pasará a convertirse, con la complicidad del poder temporal y con el concurso de la Inquisición, en una institución reaccionaria que acabará finalmente dividida por el cisma de la Iglesia bizantina y la Reforma Protestante.

El primero de los frentes de la política papal, la predicación de la cuarta Cruzada, va a culminar en 1204, no con la liberación de los Santos Lugares, como era su propósito, sino en una auténtica masacre y el saqueo más feroz de la capital del Imperio Bizantino: Constantinopla.

La Iglesia había luchado con denuedo durante siglos para suavizar la brutalidad de la casta política y militar del feudalismo europeo. Vimos cómo Urbano II, a través de la predicación de la primera Cruzada en 1095, había urdido emplear los ardores guerreros de los cristianos europeos en la reconquista de los Santos Lugares, sobre todo la ciudad santa de Jerusalén. Desde la primera Cruzada, los cristianos dieron muestras de una violencia y brutalidad que asombró a los musulmanes. La toma de Jerusalén en 1099 o la de san Juan de Acre en 1191, fueron trágicos ejemplos de crueldad innecesaria empleada por los cristianos que los musulmanes siempre tuvieron muy presente.

La toma de Constantinopla, pues, renovó la barbarie de las anteriores, sólo que en este caso tanto las víctimas como los verdugos eran todos cristianos. La codicia y atrocidad de los europeos que participaron en el saqueo —franceses del norte, alemanes, lombardos, normandos de Sicilia y los siempre insaciables venecianos—, no tuvo límites. Como cuentan las crónicas de su tiempo:

«Los poderosos y los ricos se reunieron, pues, y decidieron tomar las mejores casas de la ciudad... Cuando los pobres se dieron cuenta de ello, se fueron a cual mejor para coger lo que pudiesen, y encontraron y tomaron mucho, e incluso dejaron: tan grande y poblada era la ciudad. Después se ordenó que todo el botín fuera llevado a una abadía de la ciudad; y se eligió para guardarlo a diez caballeros de alto rango entre los peregrinos y a dos venecianos en quienes se tenía confianza. Había tantas vajillas de oro y plata, tejidos de oro y ricas joyas, que era una maravilla. Desde que el mundo existe no se vio o no se conquistó tanto, ni tan noble, ni tan rico, ni en los tiempos de Alejandro, ni en los de Carlomagno, ni antes ni después. No creo que hubiera en las cuarenta ciudades más ricas del mundo tanto como se encontró en Constantinopla. Y los griegos pretendían que los dos tercios de lo que había en el mundo entero estaba en Constantinopla y la tercera parte dispersa por

todo el mundo. Pero aquellos mismos que debían guardar el botín se lo llevaban, joyas de oro y todo lo que querían; y todos los ricoshombres tomaban joyas de oro o telas de seda y oro y se llevaban lo que preferían. Comenzaron a robar el botín, y no se dio nada a los humildes soldados, ni a los caballeros pobres, ni a los servidores que habían ayudado a ganarlo, salvo la plata no preciosa, por ejemplo, jofainas de plata que las damas de la ciudad llevaban al baño. Los venecianos se quedaron con la mitad del botín...».[50]

Los cruzados se repartieron los despojos del imperio bizantino y consagraron al conde de Flandes emperador del que denominaron Imperio Latino. En un primer momento Inocencio III celebró la victoria de la Cruzada, que aún sin conseguir ninguno de los objetivos que la promovieron lograba colocar de nuevo a la Iglesia griega bajo el control de Roma. El Papa reconoció al Imperio Latino y a su Emperador, que se proclamaba vasallo suyo, y consideró la conquista de Constantinopla como un acto de la providencia *«realizado por Dios para alabanza y gloria de su nombre, por el honor y el provecho de la Sede apostólica para beneficio y exaltación del pueblo cristiano».*[51] Sin conocer la verdad de los acontecimientos, Inocencio III esperaba que la cruzada continuase con su propósito de conquistar los Santos Lugares. Pero al enterarse de lo realmente acontecido en Constantinopla comprendió que los cruzados se daban por satisfechos con el fruto de su rapiña. Entristecido, reprobó las acciones de los cruzados con la mayor dureza:

«Lo reconocemos con dolor y vergüenza: allí donde parecíamos haber realizado un avance, hemos retrocedido, y las razones de júbilo se han transformado en motivo de angustia. ¿Cómo haremos volver a la Iglesia griega a la unidad y cómo obtendremos de ella que sea adicta a la Sede apostólica, después de haberla afligido y perseguido? La Iglesia griega no ha visto entre los latinos, más que ejemplos de perversidad y obras de tinieblas, de manera que está en su derecho aborrecerlos como a perros. Aquellos que no han debido buscar sus propios beneficios, sino los de Cristo, han teñido de sangre cristiana las espadas que hubieran debido dirigir contra los infieles. No han respetado ni la religión, ni la edad, ni el sexo. Han cometido públicamente incestos, adulterios y fornicaciones, y han entregado a las madres de familia, e incluso a las vírgenes consagradas a Dios, para que fuesen deshonradas por sus soldados. Y no les ha bastado con llevarse los tesoros del Imperio, despojar a los poderosos y a los humildes, sino que han robado también los tesoros de las iglesias y, lo que es más grave, sus propiedades. Han arrancado los ornamentos de plata de los altares y los han roto en pedazos que se han disputado; han violado los santuarios llevándose las cruces y reliquias».[52]

---

[50] de Clari, Robert. *La conquête de Constantinople.* Citado en Pietri, Luce. *Op. cit.*

[51] Citado en Martín y Fliche. *Op. cit.*

[52] *Ibíd.*

El primer frente del programa pontifical de Inocencio III había conseguido los propósitos contrarios a los pretendidos. El segundo también tendría graves consecuencias para el futuro político de Europa. En cualquier circunstancia hay que valorar las consecuencias de la toma de decisiones.

La lucha contra la herejía

Para el nuevo Papa no pasaba desapercibido el peligro que suponía la expansión organizada de la herejía cátara tanto en el Languedoc como en Lombardía e incluso en algunas ciudades de los Estados Pontificios. Para acabar con las controversias de los juristas y teólogos sobre la aplicación de *Ad aboledam*, el 25 de marzo de 1199 Inocencio III emite la bula *Vergentis in senium*. En ella el Papa compara la herejía con el delito de *lesa majestad* contra el Emperador, rescatada del derecho imperial romano, al considerar que la herejía, al atentar contra Dios, atenta contra la máxima expresión del poder. La bula prevé sanciones de excomunión e interdicto contra las ciudades que acojan y protejan a los herejes. Las medidas papales se extienden a todos los *credentes, fautores, receptatores y defensores*[53] de cualquier herejía condenada. Dispone para los recalcitrantes la confiscación de bienes y la abrogación de los derechos de los herederos. La primera aplicación de la bula se llevó a cabo en Viterbo, ciudad perteneciente a los Estados Pontificios en la que los herejes cátaros dominaban la comuna de la ciudad hasta el punto de que pensaron en expulsar de ella a los miembros de la Iglesia Católica. La efectividad de la bula animó al Papa a imponerla en otros territorios afectados de herejía, sobre todo en el Languedoc.

Inocencio III no pretendía un enfrentamiento directo con los señores feudales occitanos. El conde Raimundo VI mantuvo desde el comienzo de su gobierno una actitud absolutamente respetuosa hacia las libertades de la Iglesia impuestas por la reforma, y se consideraba vasallo del Papa, pero las especiales circunstancias sociales de su territorio, en el que la herejía cátara impregnaba todo el entramado social, le aconsejaban mantener una actitud tolerante hacia los herejes.

---

[53] «*Credentes se llaman los que asienten a sus errores en común o en particular, con tal que manifiesten exteriormente su asenso. Son verdaderos herejes y así quedan, como éstos, sujetos a la excomunión. Fautores se dicen los que con la comisión u omisión dan favor a los herejes; como el que no denuncia al que lo es, y el que preguntado sobre ello, calla la verdad, y el que alaba al hereje de hombre bueno y arreglado. Mas para ser propiamente fautores, han de favorecer al hereje en cuanto tal, y no por otro distinto respeto. Receptatores se llaman los que los hospedan en sus casas, o dan acogida en la ajena, aun cuando no lo hagan sino una vez. Finalmente por defensores se entienden aquellos que defienden a sus personas o errores. Todos los dichos incurren en la excomunión y demás penas impuestas, cuando con efecto creen, favorecen, reciben, o defienden a los herejes en cuanto tales, pero no si lo hacen por otros títulos, como de parentesco, amistad, urbanidad u otros, que no tengan conexión con la Religión.*» Marcos de Santa Teresa: *Compendio Moral Salmaticense, Tratado VII, capítulo 2º.*

En un primer momento el Papa utilizó el sistema de la celebración de controversias con las jerarquías cátaras para que las poblaciones de las ciudades pudieran comprobar la verdad de los dogmas del catolicismo y la falsedad de sus contrarios al ser sometidos al discurso dialéctico. Con esta misión envió una legación compuesta por monjes cistercienses que contaban con la preparación suficiente como para salir airosos de las controversias. Los primeros legados fueron los cistercienses hermanos Rainiero y Guido, a los que se unió posteriormente Pere de Castelnau y Raúl de Fontfroide, que disponían de una ventaja sobre sus predecesores: conocían y hablaban el idioma de los occitanos. Más adelante se les unirá Arnaldo Amalrico, abad cisterciense de Citeaux, cuya familia estaba unida a la nobleza occitana y conocía bien el espíritu de sus gentes. Los legados papales también llevaban como misión presionar sobre los príncipes para que se aplicaran sobre los herejes recalcitrantes las penas previstas en la bula *Vergentis*, haciendo hincapié en que debían evitarse los castigos corporales.

Los obispos cátaros, que ya habían pasado por experiencias similares en otro tiempo, rehuían las controversias propuestas por Roma a sabiendas de que los principios teológicos de unos y otros eran irreconciliables. Aun así, en 1204 el obispo cátaro de Carcasona accedió a someterse en esta ciudad a una controversia con los cistercienses. Éstos, pese a que como hemos indicado conocían el idioma occitano,

«Hablaron a la gente en un latín que ya muy pocos empleaban. Y lo hicieron convencidos no sólo de su universalismo ortodoxo, sino por convencimiento de que era su idioma, el lenguaje sagrado que todo fiel tenía la obligación de entender, pues su ignorancia sería ya, en sí misma, señal evidente de herética pravedad.[54] Añadamos a esto que tomaron como misión primordial la depuración del clero, ignorando a un pueblo que era, en definitiva, el principal infectado por la herejía; que implicaron sobre todo a los nobles, e incluso a Pedro II de Aragón, en promesas que les serían difíciles o imposibles de cumplir, por más juramentos que mediasen. En lo más íntimo, ninguno de aquellos señores se sentía proclive a utilizar la fuerza con sus propios vasallos, incluso muchos de ellos eran conscientes de que el espíritu cátaro les liberaba de la servidumbre a la que la Iglesia les tenía sometidos.

Cuatro años de labor inútil, refuerzos constantes de monjes sin obtener el mínimo resultado, convencen a Roma y a los cistercienses de que sólo la fuerza bruta puede contener la irreductible fe de los cátaros. Ni uno solo de ellos es capaz de admitir la posibilidad de haber obrado equivocadamente. La suya es una empresa de paz y de fe —negotium pacis et fidei—, se saben poderosos y capaces de ejercer ese poder. Sólo hace falta un motivo, una excusa. Y esa excusa surge cuando un esbirro del excomulgado Raimundo VI de Tolosa, queriendo ayudar a su señor, apuñala mortalmente a Pere de Castelnau a orillas del Ródano, cuando el legado papal se disponía a cruzar el río».[55]

---

54 Iniquidad, perversidad.
55 Atienza, Juan G. *Monjes y monasterios españoles en la Edad Media*. Ediciones Temas de Hoy, Madrid, 1995.

La fuerza de la razón: Santo Domingo de Guzmán

Cuando los legados papales reunidos en Montpellier estaban dispuestos a abandonar su empresa y regresar a Roma, entra en escena un personaje clave en el desarrollo posterior de los acontecimientos: Domingo de Guzmán, un clérigo español nacido en el año 1170 en Caleruega, una pequeña localidad cercana a la ciudad castellana de Burgos que pertenecía al obispado de Osma. Su firme vocación le lleva a profesar en el Císter y a ser viceprior capitular y canónigo de este episcopado en 1196.

En 1203, Domingo acompañaba a su obispo, Diego de Acevedo, en una misión diplomática por Dinamarca encargada por el rey castellano Alfonso VIII. Durante el viaje atravesaron Francia y tuvieron ocasión de entrar en contacto con la realidad social y religiosa del Languedoc cátaro. En Montpellier, en 1206, Domingo expuso a los legados pontificios su visión sobre la mejor forma de combatir la herejía: predicar la teología católica entre el pueblo empleando los mismos métodos que los *buenos hombres*, como él llamaba a los cátaros: a través del ejemplo de la propia vida y la pobreza.

Los legados cistercienses estubieron de acuerdo con estas ideas pero lanzaron un guante a los españoles: ¿Quiénes las pondrían en práctica? Diego y Domingo aceptaron el reto y solicitaron el permiso del Papa. La idea de los españoles fue del agrado de Inocencio III que, en una bula de 19 de noviembre de 1206, recomienda a los obispos «*escoger para la predicación a hombres experimentados que imitando la pobreza de Cristo, el gran pobre, no teman ir vestidos humildemente y con un deseo ardiente, a encontrarse con los herejes a fin de sacarlos del error, con la gracia de Dios, con el ejemplo de su vida y con la ciencia de sus palabras*»,[56] y no dudó en conceder el permiso, permitiendo que una docena de frailes cistercienses les acompañase en la predicación. A pesar de su escaso número los primeros predicadores comenzaron su tarea con entusiasmo, lanzándose a los caminos sin un céntimo y viviendo de la limosna que les ofrecían las gentes a las que predicaban imitando a los apóstoles.

Cuando el obispo de Osma tuvo que retornar a España, Domingo asumió la dirección de la campaña de predicación. Convencido de la fuerza de su fe no rehuía plantear debates públicos con los perfectos cátaros para evidenciar los errores de la herejía. En 1207 se produjo en la ciudad de Montreal un encuentro entre los predicadores católicos y los más eminentes obispos cátaros para debatir temas teológicos ante el pueblo, que serían sometidos al dictamen de un tribunal conformado por notables de la ciudad. Después de quince días las posturas de ambos seguían igual de enfrentadas y el jurado no se atrevió a emitir un veredicto a favor de ninguno de los contendientes.

A pesar de sus esfuerzos los éxitos conseguidos por los predicadores fueron escasos. Sin embargo Domingo no cejaba en su empeño. Contrario a la utilización de la violencia

---

[56] Citado en Martín y Fliche. *Op. cit.*

se negó a participar en la Cruzada contra los cátaros y continuó con sus métodos de predicación. Siguiendo las indicaciones de la bula papal, el obispo de Tolosa, Fulco, solicitó la intervención de los predicadores en su diócesis, localizada en el corazón mismo de los territorios contaminados por la herejía cátara. Animado por el obispo, Domingo trató de constituir una nueva orden religiosa cuya misión fundamental fuera la predicación de la doctrina católica. Con este propósito presentaron su propuesta de una orden de *Hermanos Predicadores* ante el IV Concilio de Letrán, convocado por Inocencio III en septiembre de 1215. En principio el Papa se opuso a la creación de nuevas órdenes religiosas, y así, el canon 13 del Concilio prohibía expresamente la creación de nuevas órdenes religiosas:

> *«Por miedo a que una gran diversidad de órdenes religiosas entrañe una grave confusión en la Iglesia de Dios, prohibimos formalmente fundar nuevas Órdenes. Cualquiera que desee hacerse monje deberá entrar en una Orden ya aprobada. Del mismo modo, aquel que quiera fundar una nueva comunidad religiosa deberá aceptar las reglas y la organización de las órdenes ya aprobadas».*[57]

En el tema concreto de la predicación deseaba que esta responsabilidad siguiera recayendo en los obispos: el canon 10 del Concilio reiteraba la autoridad del obispo para asumir en su diócesis esa labor, aunque recomendaba que para ello buscara la ayuda de hombres especialmente capacitados para tal fin y además también para *«confesar, distribuir penitencias y para todas aquellas cosas que se refieran a la salvación de las almas».* El Papa aconsejó a Santo Domingo y a sus hermanos acogerse a una de las reglas ya existentes. Junto a la propuesta dominica estuvo también presente en Letrán otra semejante de una comunidad de hermanos reunida en torno a Francisco de Asís. Este monje contaba igualmente con la aprobación verbal del Papa para realizar predicaciones sobre temas de moral, dejando al margen la teología y el dogma.

Tras la muerte de Inocencio III, fue el nuevo Papa, Honorio III, el que se decide a aprobar la fundación de la orden de los *Hermanos Predicadores* por bula de 22 de diciembre de 1216. Domingo de Guzmán murió en Bolonia en 1221 tras dedicar los últimos años de su vida a esta actividad y a la expansión de su Orden en Francia, España e Italia.

El protagonismo que adquirieron los dominicos en la fundación y desarrollo de la Inquisición institucional ha llevado a una interpretación errónea de la figura de Santo Domingo, canonizado en el año 1234. En un famoso cuadro del pintor español Pedro de Berruguete vemos al santo presidiendo un auto de fe inquisitorial. Sin embargo, Domingo murió muchos años antes de la institucionalización formal del Santo Oficio y, sobre todo,

---

[57] Citado en Martín y Fliche. *Op. cit.*

nada hay más alejado de la verdad que el asociar con la violencia inquisitorial a un hombre que siempre creyó en dos poderosas armas: la palabra y la razón.

La razón de la fuerza: la Cruzada contra los albigenses (cátaros)

La intensa acción de los predicadores sólo consiguió éxitos puntuales. La herejía estaba sólidamente implantada en la sociedad occitana y los perfectos cátaros se movían con toda libertad en su labor proselitista. Por todo el Languedoc, al trabajo de los predicadores se unía la actividad de los legados papales, sobre todo en el condado de Tolosa y sus feudatarios: los vizcondados de los Trancavel y el condado de Foix. El conde Raimundo VI había recibido una carta personal del Pontífice en la que le comunicaba con toda claridad el significado de la herejía y las sanciones temporales que debían ser impuestas a los herejes y a cuantos les acogieran o ayudaran. Entre estas penas –eminentemente la confiscación de bienes y la infamia, que les privaba de sus derechos a representar cargos públicos o eclesiásticos– no se encontraba la pena de muerte: la Iglesia pensaba todavía que con medidas adecuadas se podría reconducir a los descarriados por el camino de la ortodoxia. En este sentido puede contrastarse el rigor de las acciones para corregir las posturas heterodoxas de los herejes con la tolerancia que la Iglesia tenía hacia otros credos como el judaísmo y el islamismo, que convivían en armonía con el cristianismo en los territorios reconquistados por los reyes cristianos de la Península Ibérica.[58]

La actitud ortodoxa de que hacía gala el conde Raimundo VI no se correspondía con la permisividad hacia la herejía que practicaban los nobles occitanos: la misma mujer del conde de Foix dirigía una casa de perfectas y participaba abiertamente en las ceremonias litúrgicas de los cátaros. Esta actitud contemporizadora exasperaba a los legados pontificios que remitían encendidas misivas a Roma en las que se condenaba la actitud del conde tolosano. El Papa acabó por convencerse de las acusaciones y pronunció sentencia de excomunión e interdicto contra Raimundo en mayo de 1207.

Esta medida contrarió profundamente al Conde, que solicitó reiteradamente a los legados que se la levantaran. A comienzos de 1208 Raimundo sostuvo una entrevista con ellos con este fin. Como en otras ocasiones la actitud de la legación fue firme y tajante: el Conde debía comprometerse firmemente a luchar contra la herejía. La actitud impositiva de los emisarios de la Santa Sede hizo que la reunión derivara hacia un nuevo y acalorado enfrentamiento entre las dos partes; finalmente concluyó con la confirmación de la excomunión por parte de los legados y las airadas amenazas del Conde: *«id con cuidado, por donde quiera que vayáis no os perderé de vista».*

---

[58] Faltan todavía casi trescientos años para que los Reyes Católicos decidan unificar la práctica religiosa en España obligando a convertirse al catolicismo a judíos y moriscos, y expulsando del país a los que no se sometieron a ello.

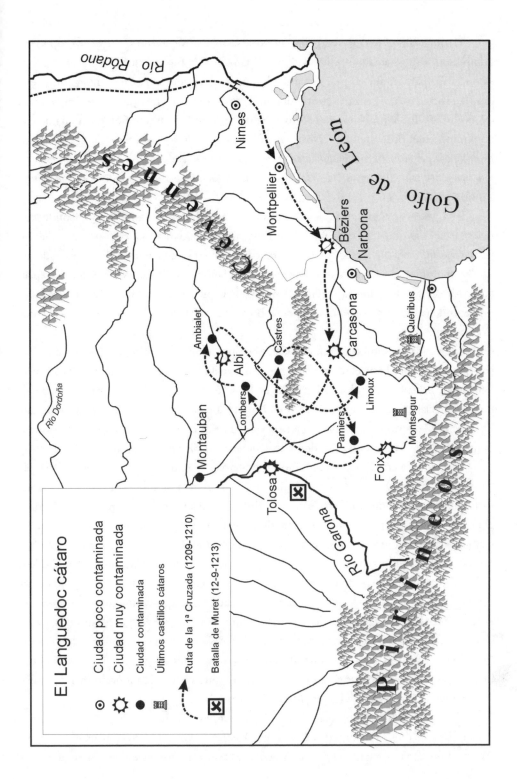

El Languedoc cátaro

⊙ Ciudad poco contaminada

✶ Ciudad muy contaminada

● Ciudad contaminada

🏛 Últimos castillos cátaros

⤷ Ruta de la 1ª Cruzada (1209-1210)

✖ Batalla de Muret (12-9-1213)

El año 1208 el legado del papa Pere de Castelnau fue asesinado y recayeron sobre Raimundo sospechas de complicidad en el crimen. Esta fue la justificación que necesitaba el Papa para poner en práctica medidas más contundentes. El 10 de marzo, Inocencio III proclamaba la cruzada contra el conde de Tolosa y los herejes que se amparan en sus dominios. En la proclama se recordaba a sus vasallos la implicación de la pena de excomunión en el orden feudal: «*Declaramos libres de sus obligaciones a todos los ligados al conde de Tolosa por el juramento de fidelidad, parentesco o cualquiera otros, y autorizamos a todo católico para que, sin vulnerar los derechos del soberano de Francia, persiga al conde en persona, ocupe sus tierras y las posea*».

Para justificar la violencia de la Cruzada el Papa comparaba a los herejes con los infieles sarracenos que eran combatidos en España y Tierra Santa: «*tratadles peor que a los sarracenos, porque son peores que éstos*». Los participantes en esta singular cruzada gozarían de todas las obligaciones y beneficios de los que lo hacían en las Cruzadas de Oriente: debían combatir 45 días a cambio de recibir la indulgencia plenaria, la exención del pago de los intereses de las deudas contraídas y el derecho al reparto de los bienes y tierras incautados al enemigo.

La cruzada constituía una oportunidad única para el rey francés Felipe II Augusto de expandir sus dominios hacia el sur, mucho más rico y civilizado. A pesar de que los condados del Languedoc habían sido feudos tradicionales de los reyes francos, desde comienzos del siglo XII rendían vasallaje al reino de Aragón. Sin embargo, y a pesar de las reiteradas invitaciones del Papa, Felipe Augusto no consideró oportuno implicar directamente a la Corona, pero no se opuso a que sus vasallos que así lo desearan acudieran a la llamada de Roma.

En la primavera de 1209 se reunió un poderoso ejército compuesto por 20.000 soldados de caballería y cerca de 200.000 infantes, bajo el mando militar de Simón de Monfort, noble veterano de la Cuarta Cruzada. El Conde Raimundo, temeroso al comprobar el potencial de este ejército, solicitó el perdón y se manifestó dispuesto a acatar la penitencia que le fuera impuesta. Inocencio III aceptó la petición y, como hiciera en su día Gregorio VII con el emperador Enrique IV, convocó al Conde en la ciudad de Saint-Guilles, donde fue asesinado Pere de Castelnou, y en un acto público revestido de gran solemnidad Raimundo se presentó ante el legado pontificio, los obispos y una gran multitud con el torso desnudo y la cabeza gacha en señal de sumisión. En ese acto el legado papal ata a su cuello una estola, a modo de rienda, y tira de él despacio hacia el interior del templo. A los asistentes, sin importar su condición social, les está permitido golpear la espalda del penitente hasta que éste se introduzca en la catedral. Ante el altar, Raimundo recibe el perdón y ora en la cripta ante el sepulcro de Castelnau.

Con la rendición incondicional del conde tolosano la defensa de la Occitania quedaba en manos de su sobrino: Ramón Roger Trencavel, vizconde de Carcassona, Béziers, Albi y el Rasès, feudatario del rey de Aragón. La cruzada penetró en el Languedoc arrasándolo todo a su paso. Durante el mes de julio fue sitiada la ciudad de Béziers que se negó a entregar a los herejes. Preparados para el asalto final, los capitanes cruzados preguntan al legado pontificio, el cisterciense Amaury, cómo distinguirán entre la población a los herejes y los católicos: «*matadlos a todos, Dios reconocerá a los suyos*», será la respuesta. La política a seguir en la toma de las ciudades nos ha quedado descrita por Guillermo de Tudela, cronista de la Cruzada:

> «*Los barones de Francia y de los alrededores de París, clérigos y laicos, tanto príncipes como marqueses, convinieron entre ellos que en cada ciudad fortificada donde se hiciera resistencia al ejército sitiador, una vez tomada por asalto, fuesen pasados a cuchillo todos sus moradores. Tan grande fue el terror después de algunos ejemplos de esta índole, que apenas encontraban ciudad que no se rindiera. De tal manera conquistaron Montreal y Fanjeaux, y el resto del país; porque sin esto yo os juro por mi fe que jamás hubieran conquistado el país por la fuerza. Por esta razón fueron asesinados los habitantes de Béziers: los mataron a todos, a falta de poder hacerles algo peor. Todos los que se refugiaron en la iglesia fueron asesinados: nada pudo salvarlos, ni la cruz, ni el altar, ni el crucifijo. Estos rufianes, locos y mendigos, mataron clérigos, mujeres y niños; ni uno, creo yo, escapó. Que Dios reciba sus almas, si así lo dispone, en el Paraíso. No creo que nunca se haya realizado tan salvaje matanza desde la época de los sarracenos*».[59]

La casi totalidad de los habitantes de Béziers fueron pasados por las armas. Con la victoria, el jefe militar de la Cruzada, Simón de Monfort, obtuvo los títulos de vizconde de Béziers y duque de Narbona.

El siguiente objetivo, a comienzos de agosto, será Carcassona, defendida directamente por el vizconde Roger. La ciudad acogía a un gran número de refugiados que habían huido ante el avance del ejército cruzado. Bien fortificada, su conquista habría exigido mantener un asedio prolongado que no convenía al propósito de la cruzada. Pero un hecho fortuito cambió la situación: el vizconde acudió al campamento cruzado para negociar las condiciones de una posible rendición y fue apresado por Simón de Montfort. Poco tiempo después anunciaron a los habitantes de Carcassona que había muerto de disentería y éstos, desalentados por la pérdida de su señor, decidieron aceptar las condiciones de los sitiadores: debían abandonar la ciudad dejando en ella todos sus bienes. Con el fin de que no pudieran escamotear objetos de valor escondidos entre la vestimenta, deberían ir cubiertos únicamente con ropa interior. Como Béziers, Carcassona fue sometida al saqueo más absoluto y Simón de Monfort también reivindicó para sí el título de vizconde de Carcassona. Desde ese momento será el máximo jefe de la Cruzada.

---

[59] Citado en Pietri, Luce. *Op. cit.*

Entre tanto, Raimundo VI observaba el desarrollo de los acontecimientos desde Tolosa manteniendo un doble juego diplomático con Inocencio III y con su señor, el rey de Aragón Pedro II el Católico.[60] El rey aragonés estaba unido a la Occitania por fuertes lazos: su esposa era heredera de Montpellier, ciudad que vio nacer a su hijo, el futuro rey Jaime I. Además, la fidelidad del Condado de Tolosa estaba sellada con el matrimonio de la hermana del monarca, Leonor, con el conde Raimundo.

La situación en la que se encontraba el aragonés era muy compleja. Al ser coronado en Roma en 1204 había jurado vasallaje a Inocencio III cuando éste solicitó su ayuda en la lucha contra la herejía. Pero el ataque de la Cruzada a sus feudos occitanos beneficiaba al monarca francés, que apoyándose en las victorias de sus vasallos podía hacer valer los antiguos derechos de los reyes francos sobre estos dominios.

Después de la caída de Carcassona muchos caballeros dieron por cumplido su voto de cruzada y regresaron a sus casas con el botín obtenido. Para mantener la lucha el Papa ofreció a Monfort parte de los dominios del conde de Tolosa y hacerle entrega de la mayor parte de los bienes incautados a los herejes. Durante dos años más la persecución de la herejía supuso el saqueo de muchas aldeas y ciudades del Languedoc: en 1210 fue asaltada Menerba y 140 cátaros fueron llevados a la hoguera; en 1211 cayeron Lavaur y Cassès: los herejes ajusticiados se cuentan por centenares.

Ese mismo año el Papa, cansado de la ambigüedad del conde Raimundo con respecto a la persecución de los herejes en sus tierras, ordenó a Monfort que se apoderase de Tolosa, pero los cruzados fueron rechazados. Para asegurarse de que el rey aragonés no se decidiera a prestar ayuda a su vasallo, el jefe cruzado logra un ventajoso pacto con Pedro II: su hijo y heredero, Jaime, de tres años de edad, permanecería como rehén de los cruzados y se firmaría el compromiso de la boda del príncipe con la hija de Monfort. Esta unión de la casa de Monfort con el reino de Aragón no tranquilizó a los señores feudales de la Occitania, que intuían las aspiraciones del Rey francés sobre estos territorios, y reclamaron la ayuda del Rey aragonés.

Durante 1212 la Cruzada, abandona el objetivo de la conquista de Tolosa y continúa sus conquistas por tierras occitanas, siendo tomadas las comarcas del Agenes, el Carcí y Comenge. Por entonces el rey de Aragón, junto con Alfonso VIII de Castilla y Sancho VII de

---

[60] El rey Pedro el Católico (1196-1213) es el segundo monarca aragonés con ese nombre y por ello le corresponde el ordinal II en la dinastía aragonesa. Sin embargo, desde la muerte de Ramiro II, Aragón es gobernado por una dinastía de origen catalán que comienza, en 1137, con la boda de la hija del difunto rey, doña Petronila, con el conde de Barcelona Ramón Berenguer IV. Actualmente algunos historiadores catalanes reivindican el protagonismo de Cataluña en los destinos del reino de Aragón y comienzan a contar los ordinales desde la toma del poder real por los condes de Barcelona; por ello el rey Pedro el Católico aparece con el ordinal I en algunas obras de autores catalanes, si bien suelen especificar en la primera referencia al mismo que se trata de Pedro el Católico, II de Aragón y I de Cataluña. Nosotros hemos optado por conservar los ordinales tradicionales que aparecen en los manuales de Historia, y que corresponden a los de la dinastía original aragonesa.

Navarra estaban inmersos en otra Cruzada, en este caso contra los sarracenos, y que culminó con la célebre batalla de Las Navas de Tolosa, en la que el ejército cristiano logra parar definitivamente el empuje de los almohades.

Finalmente Pedro II, que no puede permanecer ajeno a las peticiones de ayuda de sus vasallos, acude a Tolosa el 27 de enero de 1213, donde tanto el conde Raimundo como los condes de Foix y Bearn, le rinden homenaje. El 13 de septiembre, el rey aragonés acude al Languedoc al frente de un poderoso ejército, y junto a sus vasallos occitanos se disponen a librar batalla contra los cruzados de Monfort en Muret, a orillas del río Garona.

La superioridad del ejército occitano-aragonés auguraba una fácil victoria sobre las mermadas fuerzas de los cruzados, pero mientras los franceses constituyen una piña en torno a su jefe, Simón de Monfort, la disensión reina entre el rey aragonés y el conde de Tolosa. Confiados en la superioridad numérica de su ejército descuidan la estrategia en la batalla, en la que cae muerto Pedro II.[61] Al perder a su jefe, las huestes del monarca aragonés, desmoralizadas, cesaron en sus bríos y abandonaron el orden de batalla. Ante el cariz que había tomado la lucha, la retaguardia, formada por los tolosanos, ni siquiera entró en combate y emprendió la huida. Los cruzados provocaron una verdadera carnicería en la desbandada del ejército vencido. El conde Raimundo, que no llegó a tomar parte en la liza, huyó apresuradamente para refugiarse en Provenza. Cuando cesan la persecución y el despojo de los caballeros vencidos, Simón de Montfort recorre un campo de batalla repleto de cadáveres semidesnudos y al descubrir el cadáver del rey aragonés exclama apesadumbrado «¡lo siento!». El cadáver del catalán fue entregado a los Caballeros Hospitalarios para que procedieran a su entierro.

Después de la batalla de Muret, Monfort pudo continuar la cruzada sin encontrar apenas oposición militar. Los castillos y poblaciones del Condado de Tolosa van siendo tomados sin ofrecer apenas resistencia. El apresamiento y ejecución de los cátaros es implacable, salvo la de aquellos que logran huir a Lombardía y Aragón. Entre tanto, sólo la ciudad de Tolosa parece apartarse de las miras del jefe cruzado. Tal vez el Papa, influido por el obispo Fulco, ejerciera presión sobre Monfort a través de sus legados para apartarle de este objetivo.

El reparto del botín proporcionado por la Cruzada desató la discordia entre Simón de Monfort, que iba atribuyéndose los títulos y tierras de los que va desposeyendo a los vencidos, y el legado papal, Arnaud Amaury que, además de recibir del Pontífice el nom-

---

61 En la muerte del Monarca aragonés se ha mezclado la historia y la leyenda. Se cuenta que dos caballeros cruzados, Alain de Roucy y Florent de Ville, se habían juramentado para atacar directamente al rey aragonés y darle muerte. La elevada estatura del catalán le hacía fácilmente reconocible en el campo de batalla. Aun así, los conjurados confundieron su objetivo y derribaron a otro caballero. Cuando los franceses proclamaron la muerte del rey, Pedro, en una alarde de vanidad proclamó: *El rey sigue vivo, y soy yo»*. Esta vez, sin que hubiera duda, los caballeros pudieron acometer su embestida combinada contra el verdadero monarca y darle muerte.

bramiento de arzobispo de Narbona, se autoadjudicó el título de duque que ostentaba el jefe cruzado. Para poner fin a las disputas entre ambos, que había llevado a la condena de excomunión del cruzado por parte del ambicioso arzobispo, Inocencio III nombra como nuevo legado a Pedro de Benavent.

Una de las primeras misiones del nuevo legado papal va a consistir en ocuparse del príncipe Jaime, heredero legítimo de la corona de Aragón, que permanecía como rehén en manos de Simón de Monfort. El Pontífice quería evitar cualquier acción que pudiera poner en peligro la vida del infante, que apenas contaba siete años de edad, por lo que fue puesto bajo la custodia de Guillermo de Montredó, maestre de los templarios de Aragón, Cataluña y Provenza, que así mismo se ocuparía de la educación del Príncipe, bien protegido tras las inexpugnables murallas de la fortaleza de Monzón, hasta que cumpliera la edad que le permitiría el acceso al trono. Mientras llegara el momento era preciso consensuar un sistema de regencia, cuestión ésta de la que se encargará el legado pontificio con la nobleza catalano-aragonesa.

En 1215 Benavent convocó un concilio en Montpellier para tomar las medidas políticas y religiosas que debían ponerse en práctica en el escenario de la cruzada. El tema principal, además de los consabidos cánones sobre la persecución de la herejía, era dilucidar si el condado de Tolosa debía permanecer en manos de Raimundo VI o si, por derecho de victoria, correspondía a Simón de Monfort. La decisión final fue puesta en manos de Inocencio III que, a su vez, la desvió al IV Concilio de Letrán que estaba a punto de celebrarse.

Las decisiones tomadas en el Concilio fueron absolutamente contrarias a los intereses occitanos, que pagaban de esta forma su largo apoyo a los herejes. Los territorios conquistados por los cruzados, es decir, los condados de Tolosa, Foix, Comminges y Bearn, fueron puestos bajo la administración de Simón de Monfort, incluida así mismo la ciudad de Tolosa. Se prohibió el regreso de Raimundo VI a sus dominios, al tiempo que se le imponían nuevas penitencias. No obstante, y como gracia especial, las posesiones provenzales dependientes del condado de Tolosa que no habían sido conquistadas por la Cruzada, pasarían en herencia al hijo del depuesto conde, el futuro Raimundo VII.

En 1216, pocos meses después del concilio lateranense, muere el papa Inocencio III y el pontificado va a ser asumido por Honorio III, un hombre de carácter menos firme que su antecesor. Por su parte, el joven Raimundo no tardó en poner en evidencia que no va a ser un gobernante dócil a las pretensiones de los franceses de dominar el Languedoc. El mismo año de 1216 va a levantarse contra los cruzados, a los que expulsa de la ciudad de Bocaire. Este éxito del joven Conde exaltó los ánimos de los ciudadanos de Tolosa que emprendieron una audaz rebelión contra Monfort, que había fijado su residencia en el antiguo palacio condal. Para sofocar la revuelta el cruzado actuó con su acostumbrada rotundidad y dio orden a sus tropas de incendiar la ciudad.

Entretanto la cruzada proseguía con acciones esporádicas sobre los castillos dependientes del joven Raimundo que guardaban la marca de su feudo entre Provenza y el Languedoc. En 1217 cayeron los castillos de Pesquiers, Vauvert y Bernils, y los cruzados, como en ocasiones anteriores, pasaron por las armas a todos sus pobladores. Ese mismo año los habitantes de Tolosa planearon una nueva insurrección contra Monfort y alertaron, para que la dirigiera, a su señor natural, Raimundo VI. El Conde acudió en ayuda de sus vasallos desde Cataluña, pero antes de llegar a la ciudad se detuvo en la llanura de Muret para orar por los muertos en la batalla de 1213.

Rescatada la ciudad, Simón de Monfort, escaso de efectivos para mantener el asedio, solicitó al rey de Francia y al Papa el envío de nuevos contingentes de la cruzada. Pero los contingentes no llegaron hasta la primavera del año siguiente. Entretanto, los tolosanos habían recibido el refuerzo de las tropas reclutadas por el hijo del conde Raimundo en sus feudos provenzales. Una vez recibidos los refuerzos de Francia, y cuando el asedio de la ciudad se mantenía con firmeza, un acontecimiento fortuito va a dar un nuevo giro a los acontecimientos. El 25 de junio de 1218, durante la lucha encarnizada que se libra cada día para tomar la ciudad, una piedra, lanzada desde una catapulta, alcanza al jefe cruzado causándole la muerte.[62] Al morir el líder indiscutible de la cruzada el mando pasó a su hijo, Amaury de Montfort, que heredaba también todos los títulos conquistados por su padre. Pero el relevo en el mando no pudo poner fin a la desmoralización causada por la pérdida de tan bravo caballero[63] y el nuevo jefe opta por levantar el asedio y regresar a Carcasona.

La Cruzada debió esperar a la primavera del año siguiente para reanudar sus actividades ofensivas. Esta vez, el rey Felipe Augusto mandaba a su heredero, el príncipe Luis, al frente de una poderosa expedición. Por primera vez la Corona de Francia se implicaba de forma directa en la cruzada, disponiéndose y se disponía a recoger los frutos de la intervención de sus vasallos. En 1216, con objeto de obtener el apoyo real en su conflicto por el ducado de Narbona, Simón de Monfort había ofrecido al soberano francés el vasallaje de todos los títulos conquistados. Aun así el joven príncipe sólo estaba comprometido a luchar durante una cuarentena, como cualquier otro cruzado. Los motivos religiosos de la cruzada aparecen ya muy diluidos en el tema central de la contienda: el dominio de la Occitania. Como señala Mestre Codes:

---

62 Las crónicas de la Cruzada cuentan que el proyectil que alcanzó al audaz guerrero partió de una catapulta manejada por jóvenes damas tolosanas que colaboraban en la defensa de su ciudad. La piedra alcanzó a Monfort en la cabeza destrozándosela por completo.

63 En la controvertida personalidad de Montfort se mezclaban la piedad del cristiano convencido de la santa misión que representa la Cruzada, con la fiereza del guerrero despiadado, que ni da ni toma cuartel, y que utiliza la matanza sistemática, la tortura y el descuartizamiento de sus enemigos como actos habituales de la guerra. Los historiadores no han pasado tampoco por alto la gran ambición de este hombre, que acumuló cuantos títulos pudo arrebatar a sus enemigos y antepuso siempre sus propios intereses a los de sus mismos aliados.

«*La idea de luchar contra la herejía se ha esfumado ya, se ha diluido. Todavía quedan cátaros y aun los veremos actuar a lo largo de más de veinte años. Ahora se está guerreando por motivos políticos y personales; lo que está en juego es, simplemente, el condado de Tolosa.*»[64]

En su camino hacia el sur los cruzados franceses encuentran la ciudad de Marmande y se detienen para tomarla. De nuevo se repiten las trágicas acciones de Béziers: las crónicas de la Cruzada hablan de 5.000 muertos. La ciudad de Tolosa es nuevamente sitiada en esta campaña de 1219, pero el príncipe Luis respeta escrupulosamente la cuarentena que comprometía a los cruzados y al concluir ésta regresa con sus tropas a París sin haber podido rendir la resistencia tolosana. El fin de las hostilidades es aprovechado de inmediato por los occitanos para reforzar sus posiciones en la región y en 1221 logran tomar la villa de Montreal.

En el año 1222 moría el conde de Tolosa Raimundo VI y su hijo heredaba el título condal como Raimundo VII. Durante algunos años más los occitanos podrán ampliar sus victorias y reconquistar posiciones importantes. Un año después, morirá el rey francés Felipe II Augusto y asumirá el trono el príncipe cruzado, con el nombre de Luis VIII. El antiguo sitiador de Tolosa, acuciado por problemas más importantes, no sentía ninguna prisa por retomar las acciones de guerra en el Languedoc.

En los catorce años transcurridos desde el inicio de la cruzada se ha producido el relevo generacional de sus protagonistas. Con la reconquista de la Occitania y la vuelta a sus señoríos de esta segunda generación, todo parece volver al estado inicial de la contienda. En estas condiciones la herejía cátara pudo reorganizarse y volver a tener una viva presencia en el Languedoc. Pero las medidas de la Iglesia para luchar contra ella son firmes. A pesar de que los dominicos continúan su paciente labor de predicación, la Iglesia les depara una misión ingrata que les apartará de los pacíficos postulados de su fundador: perseguir a los herejes con tenacidad de perros de presa.[65] El nuevo Papa, menos escrupuloso que su predecesor, se mostrará insensible ante el endurecimiento de las penas que el poder secular va a imponer a los herejes que le han sido *relajados* por la Iglesia.

La ley de la hoguera

Las medidas más severas aplicadas en la lucha contra la herejía van a tener su origen en la legislación civil imperial. En noviembre de 1220 el papa Honorio III envía una bula a Al-

---

[64] Mestre Codes, Jesús. *Op. cit.*

[65] Su apelativo de *dominicos*, como seguidores de santo Domingo de Guzmán, va a ser reemplazado popularmente por el de *domini canes*, los perros del señor, en virtud de la tenacidad demostrada en la persecución de los herejes cuando les fue otorgada la misión de dirigir los tribunales inquisitoriales.

berto de Magdeburgo, obispo de Tusculum y legado papal en el imperio Romano Germánico. En ella se recogen todas las medidas que deben ser aplicadas en la represión de la herejía, tanto a los herejes como a los responsables del poder civil que apoyen a los herejes o que actúen de forma negligente en la represión. Ese mismo mes se promulga un edicto imperial que recoge en la legislación civil todas las especificaciones de la bula del Papa. Con este edicto, los cánones aplicables a la represión de la herejía, sancionados en Letrán en 1215, se convirtieron en leyes civiles del imperio. A instancia del Papa, Alberto de Magdeburgo solicita del emperador Federico II que sean explicitadas estas medidas. El Emperador respondió a las solicitudes de la Iglesia emitiendo, en marzo de 1224, la que se conoce como *Ley de la hoguera*. La *animadversio debita* –pena debida–, que desde *Ad Abolendam* se confiaba a la decisión del poder civil según su tradición jurídica, alcanza su máxima severidad en la Ley imperial:

> «*Cualquiera que haya sido manifiestamente declarado hereje por el obispo de su diócesis, será apresado en ese mismo instante a petición de éste, por las autoridades seculares del lugar, que lo enviarán a la hoguera. Si estos jueces creen necesario conservarle la vida, sobre todo para convencer a otros herejes, se le deberá cortar la lengua, que no ha dudado en blasfemar la fe católica y el nombre de Dios; esta orden no es un simple rescripto, es una ley aplicable en toda Lombardía*».[66]

El papa Honorio III va a presionar al emperador para que estas medidas se impongan en todo el territorio imperial y el decreto se incluya en las ordenanzas municipales de todas las ciudades. Al aceptar este rigor en las penas por herejía, previsto en el edicto imperial, la Iglesia va a traicionar su tradicional actitud de benevolencia en la aplicación de castigos corporales contra los herejes. La ley de la hoguera de 1224 marca el punto de inflexión entre la Iglesia progresista de los papas reformadores y la Iglesia represiva que tiene como seña de identidad la Inquisición institucional.

La segunda Cruzada

En 1224 nuevos acontecimientos van a volver a movilizar la maquinaria bélica francesa para retomar el tema occitano. El hijo de Simón de Monfort, Amaury, renunció a sus derechos sobre el Languedoc en beneficio del rey de Francia, Luis VIII. Este hecho va a motivar la reacción inmediata del Conde de Tolosa para reconciliarse con la Corona francesa y con el papado. Ante el concilio de obispos occitanos reunido en Montpellier en agosto

---

[66] Citado en Martín y Fliche. *Op. cit.*

de 1224 Raimundo VII va a realizar el juramento solemne de expulsar a los herejes de su territorio, si se le restituye el antiguo dominio de su familia, y le es levantada la excomunión que pesa sobre él y sus aliados occitanos. También se compromete a compensar con creces a la Iglesia por los perjuicios ocasionados durante los años de Cruzada. Los obispos del Languedoc remitieron a Roma la propuesta del Conde de Tolosa, pero la respuesta del Papa se demoró hasta noviembre de 1225. En un nuevo concilio, celebrado en esta ocasión en Bourges, son rechazadas todas las propuestas del tolosano y se confirma la sentencia de excomunión que pesa sobre los señores del Languedoc, al tiempo que se procede a predicar una nueva cruzada contra ellos.

En esta ocasión Luis regresa al Languedoc al frente de los cruzados con el firme propósito de asestar un golpe definitivo a los señores occitanos. El monarca francés pretende establecer una fuerza permanente en el territorio, que le asegure el control de todos los señoríos que le corresponden, por derecho de conquista en cruzada, tras la renuncia hecha a su favor por Amaury de Montfort. El 30 de enero de 1226 se moviliza un nutrido ejército que no tarda en reconquistar el Languedoc, a excepción de la ciudad de Tolosa. Nuevamente un hecho accidental va a ser el que ponga fin a la campaña: el rey francés, aquejado de una extraña enfermedad, muere el 30 de noviembre de ese mismo año. Pero esta vez, aunque el grueso del ejército se retira, el plan real sigue adelante y quedará implantada una administración basada en el sistema de senescalías. Con ella la Corona tratará de garantizar el control directo del territorio por parte del poder real, con el apoyo de una fuerza de ocupación permanente.

El descalabro sufrido por Raimundo VII con la nueva Cruzada, le hizo ver con claridad la imposibilidad de mantener el enfrentamiento continuado con el fortalecido reino de Francia. Intentando contemporizar con la Iglesia y con los vencedores franceses, como tantas veces antes hizo su padre, solicitó de nuevo el levantamiento de la excomunión para volver al seno de la Iglesia de Roma. El cese de hostilidades favorecía a todas las partes en conflicto y a la Iglesia le fue fácil convencer a la reina regente de Francia, Blanca de Castilla, hasta la mayoría de edad del futuro Luis IX, para que aceptase las propuestas del conde de Tolosa.

La reunión es convocada en Meaux, en las inmediaciones de la capital francesa, y comienza el primer día del año 1229. La aceptación por el Conde de las duras condiciones impuestas, constituyó el final de la independencia occitana: por una parte el Conde se comprometía con la Iglesia a mantener su fidelidad a Roma y combatir contra la herejía apoyando al sistema inquisitorial, que va cobrando cada día mayor vigor. Además debe comprometerse a restituir a la Iglesia todos los bienes confiscados y mantener escrupulosamente el pago de los diezmos. Entre otras medidas, Raimundo deberá también sufragar, a cuenta del erario tolosano, varias cátedras que constituirán la base de la Universidad de Tolosa. Por último, se le impuso como penitencia el servir durante cinco años como cruzado en Tierra Santa.

En el plano político, el condado de Tolosa quedará vinculado a Francia. Raimundo VII podrá seguir ostentando el título condal, pero tendrá que acceder al matrimonio de su hija con el hermano del rey Luis, y en el momento en que quedase rota la línea directa de sucesión, el título *retornaría* directamente a la Corona francesa. Con esta expresión de *retorno* se pretendía dejar bien claro que el condado había sido históricamente territorio francés al que la Corona nunca había renunciado.

Aunque el conde de Tolosa continuó realizando extraños juegos políticos y alianzas con otras potencias, la suerte del Languedoc estaba echada, y con ella, la de los herejes cátaros.

Institucionalización de la Inquisición: los primeros inquisidores

> *«Este tribunal, convertido en letrina donde todas las bajas pasiones, las vilezas, las villanías, las intransigencias y las miserias hallaron lugar, retrasó el progreso de Europa, convirtió a los hombres en viles esclavos y, juzgándose órgano predestinado de la verdad, aun a sabiendas de que nada representaba en el orden divino, aprovechó su poder omnímodo, tan omnipotente que, al decir de fray Luis de León, su solo nombre inspiraba terror, en órgano encubierto de maldad, de vicio, de soborno, de venganza y de odio, y sus procedimientos representaron en las páginas de la historia el retroceso al terror de las épocas más repugnantes de la humanidad».*[67]

> JUAN ANTONIO LLORENTE (Secretario de la Inquisición española)

Honorio III fue sucedido en el solio pontificio por Gregorio IX en 1227. El nuevo Papa, sobrino de Inocencio III, estuvo plenamente de acuerdo con la pena de hoguera para los herejes decretada por el emperador Federico II. La actitud del nuevo Papa contra la herejía fue tajante: el Concilio de Narbona, celebrado a los pocos meses de asumir su pontificado, ordenaba a los obispos la institución en cada parroquia de comisiones de testigos encargados de *inquirir* −investigar− a los posibles herejes y proceder a su denuncia. En la investigación y sanción de los culpables el Concilio implicaba igualmente a los responsables del poder civil. En 1229 el joven rey de Francia, Luis IX, incluirá una novedad en las medidas para incentivar la participación secular en la lucha contra la herejía: se pagará una cantidad de dinero al denunciante.

El paso siguiente en la institucionalización de la Inquisición se produjo en el concilio de Tolosa de 1229. Allí se reconoció la necesidad de la constitución de tribunales per-

---

[67] Juan Antonio Llorente: *Historia Crítica de la Inquisición Española*. Ediciones Hiperión, Madrid, 1980.

manentes encargados de juzgar a los sospechosos de herejía. A pesar de ello, el juez único sobre el que recaía la responsabilidad del proceso seguirá siendo el obispo. Acto seguido, el legado del Papa en el Languedoc, cardenal Romano de Sant'Angelo, puso en marcha en la misma Tolosa un procedimiento que constituirá un precedente en la historia inquisitorial: investigación a través de testigos cuya declaración permanecerá en secreto; toma de declaración al acusado; contrastación de las dos declaraciones y juicio definitivo en manos del Tribunal Ordinario Episcopal.

En 1231, Gregorio IX, como jurista, buscó la unificación de la legislación canónica y civil contra la herejía. El Edicto imperial de 1224 fue integrado en la constitución pontificia *Excomunicamus et anathemizamus*, de febrero de 1231. En ella se refundían las disposiciones antiheréticas de las bulas y concilios desde *Ad abolendam*: se prevé la excomunión contra los que tuvieran alguna relación con las herejías condenadas en ellos, tanto para los creyentes como para los defensores, partidarios o quienquiera que se relacione con herejes sin denunciarlos. La pena de infamia privaba a los laicos de sus derechos civiles y los inhabilitaba para ocupar cargos públicos. Serían considerados como herejes aquellos sospechosos que antes de un año no hubieran abjurado y satisfecho las penitencias impuestas: a los culpables de herejía se les negaría sepultura en los cementerios consagrados; los herejes impenitentes sufrirían emparedamiento o cadena perpetua; los acusados de herejía no tendrían derecho a un abogado ni podrían recurrir la sentencia; los hijos de los herejes o de quienes les ayudaran no podrían ocupar cargos eclesiásticos hasta la segunda generación. Por último, los condenados serían entregados a la justicia civil para que se les fuera impuesta la *animadversio debita*, es decir, desde 1224, la muerte en la hoguera.

En noviembre de 1231, el Papa emitió la bula *Ille humani generis*, que ordenaba al prior de los dominicos de Ratisbona realizar misiones de predicación y proceder a investigar la herejía con la ayuda de los fieles y según las normas de la nueva constitución pontificia. Los hermanos podían absolver a los arrepentidos y otorgar indulgencias. Los obispos ordenaron al poder civil prestarles todo el apoyo necesario, pero todavía eran ellos la única autoridad reconocida para dictar sentencia. A pesar de ello, esta bula papal se ha visto como un primer intento de establecer tribunales inquisitoriales independientes.

El proceso en que la Inquisición iba tomando forma, hasta concluir en una verdadera institución canónica, fue el resultado de diferentes ensayos, a veces simultáneos, para establecer un frente de lucha contra la herejía que dependiera directamente de la Santa Sede y aplicara procedimientos homogéneos en los procesos.

Uno de estos ensayos fue encomendado a Conrado de Magdeburgo, un sacerdote famoso por su vida ascética y por la predicación de la Cruzada de Federico II a Tierra Santa, a quien el Papa encargó en 1231 la formación de un tribunal inquisitorial que actuara con independencia de la jurisdicción episcopal. Podría imponer la excomunión y el interdicto según su criterio, reconciliar con la Iglesia a los herejes que abjurasen y reclamar del brazo secular la ejecución de la pena de hoguera para los que así dispusiese.

La arbitrariedad y crueldad mostrados por el tribunal que conformaban Conrado y sus dos coadjutores, el hermano Conrado de Tors y un laico llamado Juan de Borgne, sembró el terror en el sur de Alemania. En los procesos que llevaban a cabo no se procedía a realizar ninguna investigación, solamente se instaba al acusado a confesarse culpable y someterse a una severa penitencia o negar la acusación y ser condenado directamente a la hoguera. La arbitrariedad de los procesos fue aprovechada por primera vez por muchos malintencionados que con una acusación falaz se libraban de un adversario molesto. A pesar de los abusos comprobados, el Papa, a través de órdenes cursadas en 1233 a los prelados, le mantuvo como inquisidor reforzando su apoyo. La codicia también motivó muchos de los procesos: los bienes del acusado eran requisados y repartidos entre el obispo, el rey y el tribunal inquisitorial. La impunidad del tribunal de Conrado motivó que muchos obispos no desearan ser menos y le siguieran en sus procedimientos.

El final de esta etapa de terror se produjo cuando la codicia movió a los inquisidores contra el conde de Sayn, acusado de permisividad hacia la herejía. El conde, apresado, reclamó su derecho a ser juzgado en presencia del rey. El 25 de julio de 1233 se reunió un concilio especial para juzgarle, ante la presencia del rey Enrique. El juicio acabó volviéndose contra Conrado que perdió el apoyo de sus partidarios. Aun así, aunque el Conde quedó en libertad, se procedió a la condena de muchos de sus vasallos. En represalia, el 30 de julio de 1233 Conrado de Magdeburgo fue asesinado.

Un hecho destacable de la actuación de este siniestro tribunal es la denuncia de una nueva secta herética a la que la Iglesia denominó como *luciferinos*. Puede que se tratara simplemente de una interpretación errónea del principio del mal, contemplado en el catarismo, adornado de abominables ritos de adoración al Demonio. Lo cierto es que el Papa denunció a la secta en su bula *Vox in Rama*. En ella se describían ritos en los que los asistentes besaban los cuartos traseros de un gato negro y participaban de orgías promiscuas en las que el incesto era habitual. La bula hablaba de cómo los luciferinos creían en el triunfo final del Demonio como príncipe de este mundo y esperaban obtener de él recompensas por su fidelidad. La repugnancia del Papa hacia esta forma de desviación de la fe tal vez fuera la que le movió a mantener a Conrado como inquisidor, a pesar de las noticias sobre la arbitrariedad de sus acciones. De cualquier forma —interpretación errónea de los inquisidores o realidad cierta— los ritos de adoración al Demonio en Alemania denunciados por Conrado preparaban un futuro frente de acción para la Inquisición en siglos venideros: la brujería, en la que aparecían mezclados la superstición con antiguos ritos paganos, creencias cátaras y rituales de magia, estaba llamando a la puerta de la historia religiosa de Europa.

Paralelamente a las actuaciones del tribunal de Conrado de Magdeburgo en el sur de Alemania el Papa encargó al provincial de los dominicos en este país seleccionar hermanos expertos en derecho para formar tribunales inquisitoriales que actuarán por toda Alemania. Estas acciones estuvieron apoyadas por el emperador Federico II, que en 1232 promulgó el edicto de Rávena, renovando todas las disposiciones existentes para reprimir la herejía. El edicto comprometía el apoyo incondicional del poder civil a la acción de los hermanos predicadores en Alemania.

Internacionalización de la Inquisición

A pesar de estas iniciativas, la autoridad de los obispos para promover procesos inquisitoriales es todavía incuestionable. No obstante, la ineficacia de las acciones llevadas a cabo por los titulares de las diócesis en regiones tan infectadas por la herejía como el Languedoc, llevaron al Papa a promover en el sur de Francia la creación de tribunales semejantes a los de Alemania. Los obispos franceses recibieron una bula, de 13 de abril de 1233, que se expresaba en los mismos términos que *Ille humani generis*. Al mismo tiempo el Pontífice ordenaba al prior provincial de los dominicos designar a los hermanos más cualificados para llevar a cabo, además de su tradicional actividad predicadora, inquisiciones en nombre de la Santa Sede.

En 1233 se generalizaron los tribunales inquisitoriales controlados directamente por Roma que aplicaban la legislación canónica contra la herejía de forma coordinada y coherente. Este hecho producirá efectos contrarios. Por una parte, la Iglesia conseguirá implicar al poder secular en la aplicación de las penas, por severas que éstas fueran y, como consecuencia, éxitos espectaculares en la lucha contra la herejía; pero por otro lado las acciones de los inquisidores provocaron un rechazo generalizado por parte de la población, que en ocasiones derivaron en acciones hostiles contra los monjes inquisidores.

Para actuar en las diócesis de Tolosa y Cahors, que todavía acogían una importante actividad de los cátaros, fueron designados como inquisidores los hermanos Pedro Cella y Guillermo Arnaud. Les son encomendadas las ciudades de Albi, Carcasona, Tolosa y Agen. Su acción se va a ver apoyada por la designación de Juan de Benin como legado papal, que constituirá otro tribunal para apoyar al anterior en la región de Tolosa, y nombrará como inquisidor a Arnaldo Catalá.

Los inquisidores emprendieron con tal celo su labor que pronto las hogueras se expandieron por las ciudades y aldeas del Languedoc. Como respuesta, las poblaciones se levantaron contra los inquisidores por la crueldad de sus acciones. El 4 de agosto de 1234, para celebrar la canonización de Santo Domingo de Guzmán, fueron quemados en Tolosa un grupo de herejes, entre ellos una mujer, anciana y enferma, que es llevada a la hoguera en su propia cama. Los levantamientos se sucedieron en ciudades como Tolosa, Albi y Narbona. Guillermo de Arnaud fue instado por la población de Tolosa para que abandonase el país y fue arrastrado por las calles de la ciudad al negarse a hacerlo. La misma suerte corrieron los padres predicadores instalados en el convento, que se negaron a abandonarlo pese a que fueron advertidos por el conde Raimundo VII de la gravedad de la situación. Y de nuevo el conde de Tolosa es anatemizado, esta vez por el intransigente inquisidor. Las noticias acerca de la extrema severidad de las acciones inquisitoriales llegaron al rey de Francia que elevó una queja personal al papa Gregorio IX. El Pontífice levantó la excomunión que pesaba sobre Raimundo pero le obligó a recibir de nuevo a los hermanos predicadores en Tolosa.

Cuando el inquisidor Arnaud regresa a Tolosa, a finales de 1236, vuelve a hacer gala de sus crueles métodos y nuevamente las tensiones que se ocasionan entre el inquisidor y los tolosanos aconsejan al Papa suspender temporalmente las acciones inquisitoriales. Pero en la primavera de 1241 el inquisidor Arnaud retoma su labor ejerciendo su acostumbrada crueldad, por lo que, ante una nueva oleada de protestas apoyadas por el rey francés, la Iglesia encargó a un legado especial llevar el control de las inquisiciones. Este legado tenía funciones de Inquisidor General, aunque seguía correspondiendo a los provinciales de la orden dominica nombrar a los inquisidores.

La Inquisición en el Languedoc había ido cerrando el cerco sobre los focos de catarismo que aún persistían, desarrollando su acción casa por casa. Lo que no había conseguido la Cruzada lo estaba consiguiendo el eficaz sistema inquisitorial persiguiendo a los herejes uno a uno, como parecía ser preciso.

El foco de resistencia más importante de los herejes lo constituía la fortaleza de Montsegur, mandada construir por la iglesia cátara a Ramón de Perelha. De esta inexpugnable fortaleza va a partir el contingente que protagonizará los sucesos de Avignonet y que constituyeron el principio del fin de la herejía cátara en el Languedoc.

En el Norte de Francia la Inquisición va a contar con todo un personaje: Roberto le Bougre.[68] De forma similar a Conrado de Magdeburgo este inquisidor y su coadjutor, el hermano Jacques, efectuaron procesos de forma arbitraria y llevaron a la hoguera a un número considerable de acusados de herejía, entre los que se presume debieron incluirse muchos inocentes. La indignación de los obispos por este tipo de actuaciones obligaron al Papa a suspender temporalmente al provincial de los dominicos su mandato para designar inquisiciones y puso a los inquisidores habilitados bajo el mandato del Ordinario. En 1234 es el legado Juan Bernin quien controlaba personalmente la actividad inquisitorial en Francia y Aragón.

En agosto de 1235 el Papa redacta tres bulas, que serán remitidas al prior provincial de los dominicos, una al arzobispo de Sens, la siguiente, y, la tercera, a Roberto le Bougre, que, en

---

68 Roberto era un antiguo cátaro que había abjurado de su fe. El sobrenombre *le Bougre* aparece traducido en ocasiones como *el Bribón;* sin embargo bajo el apelativo *bougre,* seguramente una deformación de *búlgaro,* eran denominados los cátaros en algunas regiones del Languedoc.

síntesis, vienen a desaprobar la actitud de los obispos hacia el inquisidor y a rehabilitar a éste en su cargo. Roberto le Bougre recorrió el norte de Francia sembrándolo de hogueras. Protegido por una fuerte escolta militar, se presentaba en las poblaciones involucrando a obispos y autoridades civiles en la persecución despiadada de cualquier infeliz en el que recayera la menor sospecha de herejía. A veces, reos que habían sido declarados inocentes por la inquisición episcopal fueron posteriormente declarados culpables y condenados por el tribunal controlado por Roberto. Las quejas no tardaron en llegar a Roma, pero el Papa continuó otorgando su apoyo al inquisidor y a su cometido. El acto estrella en la carrera de terror de Roberto le Bourge fue la quema de más de 180 herejes en el Mont Aimé, en la región de Champaña. Los reos procedían de todos los obispados del Norte de Francia y para presenciar el funesto espectáculo fueron invitados el rey de Navarra, los barones de Champaña y al menos dieciséis obispos de las diócesis más importantes de la región.

De este perverso personaje, al que denominaban *martillo de herejes*, se afirmaba que era capaz de distinguir a un hereje culpable sólo observando sus gestos y su manera de hablar. Sin embargo, las acciones del inquisidor no son fruto de la depravación de un individuo, sino que en todo momento contó con el apoyo de la Santa Sede, de los obispos franceses y del poder secular, personificado en el rey de Francia, que sufragó todos los gastos y dispuso la protección del impopular inquisidor por una nutrida escolta de soldados del ejército real. Según algunos cronistas el Papa, alarmado por los excesos del inquisidor en Mont Aimé, le suspendió en el cargo y ordenó su encarcelamiento. No obstante, existen evidencias de que continuó ejerciendo, ya bajo el pontificado de Inocencio IV, hasta al menos 1245.

Italia presentaba una situación peculiar: las ciudades italianas estaban vinculadas a la corona imperial alemana, pero habían conseguido una autonomía de gobierno de carácter civil a través de comunas. En numerosas ciudades la comuna consideraba la acción de tribunales que actuasen al margen de su autoridad como una intromisión intolerable, y por ello los tribunales inquisitoriales, dependientes directamente de Roma, eran rechazados sistemáticamente. Otra de las razones del rechazo a la Inquisición era la división de la sociedad italiana en dos grandes facciones: los *gibelinos,* que apoyaban la dependencia del poder imperial sobre Italia, y los *güelfos,* que apoyaban al Papado en sus conflictos contra el Emperador. En este clima de tensiones internas dentro de las ciudades las comunidades cátaras gozaron de cierta tranquilidad para ejercer sus actividades, hasta la segunda mitad del siglo XIII. Destaca, no obstante, el éxito obtenido por el inquisidor Juan de Vicenza, un dominico que enardecía a las masas con su elocuencia y que actuó en Bolonia, Padua y la marca de Treviso. Su actividad se vio facilitada por el éxito del movimiento *Aleluya,*[69] y durante 1233 pudo llevar a la hoguera a un número considerable de herejes. Por las mismas

---

[69] Este movimiento, que duró apenas diez meses, surgió en 1233 como consecuencia de la repulsa de la población de las ciudades italianas a las continuas disputas internas que ensangrentaban el país.

fechas, otro célebre inquisidor, Pedro de Verona, consiguió también que se aplicara con rigor la legislación antiherética en Milán, el foco más importante del catarismo en Lombardía. El movimiento *Aleluya* dio paso a otros como la *Milicia de Cristo*, promovida por el dominico Bartolomé de Vicenza en la ciudad de Parma, que integraba a familias patricias comprometidas a llevar una vida ordenada y asumir una intensa acción social con los más desfavorecidos. Como un signo más de su aceptación de la ortodoxia católica estaba su defensa de la fe contra cualquier desviación herética. Aunque la Milicia no tuvo excesiva duración en el tiempo sirvió de modelo para la formación de *confraternidades*, con objetivos similares, que prosperaron en diversas ciudades italianas.

En España la herejía penetraba por el Pirineo a medida que los cátaros del Languedoc se veían forzados a huir ante el acoso de los inquisidores. En el reino de Aragón los tribunales inquisitoriales se sometían a la autoridad de los obispos y eran éstos los que actuaban. Los primeros tribunales se constituyeron en 1232, pero es en 1235 cuando va a ser impulsada la Inquisición por una de las grandes figuras del derecho canónico: Raimundo de Peñafort.

Nacido en 1175 en Peñafort, cerca de la ciudad de Barcelona, Raimundo estudió derecho civil y canónico y fue profesor de las universidades de Barcelona y Bolonia. A los cuarenta años ingresó en la orden de predicadores, de la que llegaría a ser General. En Roma, fue confesor del papa Gregorio IX, que le encomendó reunir las disposiciones de derecho canónico emitidas con posterioridad a la recopilación de Graciano de 1150. Integrando los dos trabajos compuso un *hábeas* canónico en cinco volúmenes que ha pasado a la historia del Derecho con el título de las *Decretales*.

En Castilla la penetración de la herejía es casi imperceptible; aun así, el rey Fernando III el Santo impuso como pena a los herejes relajados por la Inquisición ser marcados en la cara con un hierro candente, la confiscación de bienes y el destierro.

En el reino de Portugal los tribunales inquisitoriales van a ser rechazados, no sólo por la Corona, sino por el mismo clero.

El 13 de mayo de 1242, durante el Concilio de Tarragona, Raimundo de Peñafort, de común acuerdo con los obispos, propone redactar un *reglamento* para los tribunales de la Inquisición. Se trata solamente de un rudimentario manual pero que constituye una útil guía de procedimiento. En él se dan especificaciones para todo el proceso inquisitorial: la definición de los ajusticiables, la predicación y el periodo de gracia; la condena de emparedamiento para los arrepentidos por miedo a la muerte y la entrega de los obstinados al brazo secular, al tiempo que proporcionaba fórmulas de condena o absolución, según los casos. En este Concilio el episcopado catalano-aragonés quiso preservar su autoridad en los procesos inquisitoriales, pero el Papa deseaba que siguieran actuando los tribunales compuestos por padres predicadores. En 1245, Inocencio IV, a petición del rey Jaime I centralizará las inquisiciones en manos de los dominicos.

El fin del catarismo: Montsegur

> *«El Montsegur es una roca cónica de vertientes escarpadas que se eleva partiendo de una llanura tortuosa, hasta el punto de semejar a primera vista más bien una ilusión lejana, algo que no pertenece a este mundo.»*
>
> PERTER BERLING: *Los hijos del Grial.*

A pesar de la capitulación casi absoluta que supuso para el Languedoc el tratado de Meaux-París, firmado por Raimundo VII, la idea de expulsar a los franceses seguía latente en el corazón de la población occitana. Cuando en 1240 el vizconde Ramón Trancavel emprendió desde Cataluña una campaña para promover la rebelión en sus antiguos feudos, fueron muchos los que apoyaron su intento. También el conde Raimundo VII continuó su doble acción de contemporizar con la Iglesia y el soberano francés, por un lado, mientras que por otro buscaba la alianza con los enemigos de Francia: el monarca inglés Ricardo III, el emperador alemán Federico II y el rey aragonés Jaime I. Esta actitud de rebeldía de los señores naturales del Languedoc constituía un aliento de esperanza para los cátaros, que habían comprendido la imposibilidad de escapar a la tenaz persecución de los tribunales inquisitoriales.

La tregua que supuso la suspensión de la acción inquisitorial en el condado de Tolosa desde 1238 había permitido a la jerarquía cátara reorganizar su acción. Si las casas cátaras habían pasado a desarrollar sus funciones en la clandestinidad, era conocida por todos su presencia en fortalezas que parecían inexpugnables, como Montsegur y Quéribus. La relativa tranquilidad de aquellos años terminó cuando en 1241 se reanuda la actividad inquisitorial al frente de la cual se halla nuevamente el odiado Guillermo Arnaud. La campaña inquisitorial recorre el Lauragés y la Inquisición vuelve a sembrar el terror: en Lavaur son más de cien los cátaros que perecen en la hoguera.

En la primavera de 1242 los inquisidores dirigen sus pasos más al Sur, hacia el condado de Foix. En el camino solicitan hospedarse en el castillo de Aviñonet, a medio camino entre Tolosa y Montsegur, que gobierna Ramón Alfaro, baílio del conde tolosano y simpatizante de los cátaros. El séquito inquisitorial está compuesto por dos dominicos, uno de ellos Guillermo Arnaud, dos franciscanos, dos sacerdotes de Tolosa y cuatro seglares, familiares del Santo Oficio. Alfaro se apresuró a comunicar la presencia de los inquisidores al jefe militar de Montsegur, Pierre-Roger de Mirepoix. Sin pensar demasiado en las consecuencias, el comandante al servicio de los cátaros[70] planea asestar un golpe de efecto contra la actividad de la Inquisición: una partida armada abandona la fortaleza y va sumando

---

[70] Como la religión cátara prohibía a los perfectos ejercer directamente cualquier tipo de violencia, su defensa la encomendaban a tropas mercenarias.

refuerzos por el camino. El 28 de mayo los mercenarios, y algunos simpatizantes de los cátaros, llegan al castillo de Aviñonet y son sigilosamente conducidos hasta el recinto en el que duermen los componentes del séquito inquisitorial. La puerta cede ante las hachas de los asaltantes. Los inquisidores comprenden enseguida la finalidad de la acción y comienzan a entonar un *Te Deum* que los golpes de espadas y hachas ahogan en sus gargantas. El afán de venganza hace ensañarse a los atacantes con los despojos de sus víctimas: la carnicería es total.

Lejos de proporcionar algún efecto propicio a la causa cátara, los sucesos de Aviñonet sirvieron para que los conquistadores franceses fijaran sus ojos en las fortalezas que servían de refugio a muchos perfectos cátaros, especialmente Montsegur.

El castillo de Montsegur está situado en la falda septentrional del Pirineo, en tierras del condado de Foix. Había sido reconstruido y acondicionado por Ramón de Perelha, a instancias del diácono cátaro Ramón Mercier, para que se constituyera en el principal refugio del catarismo ante las persecuciones inquisitoriales. En sus aledaños se construyeron edificaciones menores, muros y empalizadas para aumentar la capacidad defensiva de la fortaleza, en la que se había hecho acopio de alimentos y agua para resistir un largo asedio.

En tiempos de Cruzada, la escasa duración de la cuarentena obligatoria hubiera permitido soportar la campaña de asedio llevada a cabo durante la primavera y reponer fuerzas durante el resto del año para preparar el asedio de la campaña siguiente. Pero la situación en ese momento era diferente. La presencia de fuerza militar francesa en el Languedoc era constante desde la segunda Cruzada y Aviñonet fue interpretado por la Corona como un acto de osadía al que había que responder con contundencia. En mayo de 1243 los franceses, al mando del mismísimo senescal de Carcasona, Hugo de Arcis, establecen un campamento permanente para sitiar al castillo y rendir a sus pobladores por hambre y sed. Las fuerzas sitiadoras se calculan en torno a 8.000 soldados. En Montsegur 150 soldados, al mando de Pierre-Roger de Mirepoix, defienden a más de 200 cátaros. A pesar de la superioridad cualquier intento de asalto es fácilmente rechazado desde una posición tan ventajosa: el cerco se vislumbra largo y tedioso por el jefe de los sitiadores.

A pesar de las medidas desplegadas para evitar cualquier ayuda a los sitiados, la infiltración de información, suministros e incluso personas era habitual durante los primeros meses de asedio. Con la llegada del otoño el cerco se manifiesta ineficaz y el senescal francés planea acciones más efectivas. Durante los meses de asedio había observado detenidamente la topografía que sustentaba al castillo descubriendo su punto débil: una plataforma situada en el sector oriental de la montaña en la que se podría establecer un puesto avanzado desde el que atacar directamente al castillo. Para llevar adelante la arriesgada misión fue preciso contratar mercenarios vascos, expertos en moverse por terrenos escarpados. Con un audaz golpe de mano, los vascos escalan al amparo de la noche los verticales cantiles de la peña hasta alcanzar la escasamente guarecida posición; con sigilo, dan muerte a los centinelas y se hacen fuertes en ella. El primer paso está dado: desde allí, las máquinas de guerra pueden alcanzar las posiciones de los sitiados y mermar sus reducidos efectivos. Con la llegada del invierno la posición de los habitantes de Montsegur se va haciendo más crítica. Cuando los sitiadores logran dar su segundo golpe de audacia, ocupando la torre oriental del castillo, la cruda realidad de la situación se hace evidente, la fortaleza caerá sin remedio. Los ministros cátaros toman una decisión de urgencia: poner a salvo las reservas monetarias custodiadas en la fortaleza para poder seguir financiando en el futuro la actividad de la Iglesia cátara.[71]

Se ha especulado con la idea de que los sitiados resistieron tanto tiempo esperando una acción liberadora por parte de los señores del Languedoc, especialmente el conde de Tolosa, que habría pactado con el emperador alemán Federico II. Lo cierto es que a finales del invierno se pierde toda esperanza y el jefe militar de Montsegur, Pierre-Roger de Mirepoix, propone al senescal francés negociar las condiciones para rendir la fortaleza. Los acuerdos tomados son extraordinariamente favorables para los sitiados: se decreta una tregua de quince días, previa entrega de rehenes al jefe francés, para preparar los pormenores de la rendición; los hombres de armas que han defendido la posición, aunque deben realizar una confesión ante los inquisidores, podrán abandonarla libremente llevándose consigo sus equipos de guerra. Para los cátaros se abren las dos puertas previstas en el proceso inquisitorial: los que abjuren de la herejía saldrán en libertad y sólo les serán impuestas penitencias leves; los que persistan en sus creencias, negándose a abjurar, serán ejecutados en la hoguera de forma inmediata. Como última medida, de carácter puramente político, se prevé que el dominio del castillo pase a la administración directa de los hombres del Rey. Puede que el senescal francés expresara en la misericordia de estas medidas órdenes previas de la Corona, en manos de la regente Blanca de Castilla, madre de San Luis. También es probable que fuera la decisión de un jefe que unía a sus dotes de guerrero la prudencia del gobernante administrador. Lo cierto es que los acuerdos tomados fueron escrupulosamente respetados por la Corona.

Durante los quince días de tregua los *perfectos* cátaros se prepararon para sufrir el destino que les esperaba. Lejos de producirse deserciones para acogerse a las medidas de gracia que se les ofrecía, fueron muchos los simples creyentes que pidieron recibir el *consolament* para acompañar a los *perfectos* en su sacrificio. Incluso algunos de los guerreros mercenarios, que compartieron con los *bons homes* los días de asedio, fueron ganados por la entereza de los *perfectos* y decidieron que les fuera otorgado también a ellos el consuelo del Espíritu Santo, previo a la inmolación aceptada. Terminado el plazo de tregua, el 13 de marzo de 1244, los sitiados abandonan el castillo: primero, los cátaros; después, los hombres de

---

[71] Se ha especulado mucho sobre el paradero de estas riquezas que constituían el mítico *tesoro cátaro*. Lo más probable es que estos fondos alcanzaran su destino final sufragando la huida a otros países de muchos perfectos, que escapaban de la persecución inquisitorial, y ayudara a reorganizar en ellos la Iglesia cátara.

armas al mando de Mirepoix. En el interior de la fortaleza, tres perfectos cátaros permanecen escondidos esperando la oportunidad de escapar cuando se relaje la atención de los sitiadores. Llevan encomendada una misión secreta sobre la que también se ha especulado largamente durante mucho tiempo.[72]

Los aproximadamente doscientos cátaros que rechazaron la oferta de abjuración ofrecida por los representantes de la Iglesia fueron trasladados a una gigantesca pira situada al pie de la fortaleza, en el que fue conocido desde entonces como *Prat dels Cremats*, para su purificación en la hoguera. Con este episodio se dio el golpe de gracia a la religión cátara en el Languedoc, pero la Inquisición no estaba dispuesta a dejar las cosas a medias: la herejía debía ser totalmente exterminada.

Con la caída del bastión cátaro los inquisidores prosiguieron su actividad con el mayor celo y rigor. Los métodos de investigación se perfeccionaron: se diseñaron cuestionarios con preguntas estandarizadas que eran aplicados a todos los testigos por igual. Un equipo de escribanos y notarios, ante la presencia del clero local, levantaban acta de cada declaración y los sumarios quedaban abiertos en espera de alguna declaración que pudiera implicar de nuevo a los sospechosos. Desde 1244 a 1248, los inquisidores Bernardo de Caux y Juan de Saint Pierre, fijaron su residencia en la Universidad de Tolosa e hicieron desfilar ante ellos a multitud de acusados y testigos de toda la Occitania. El cruce de informaciones de las declaraciones tomadas en interrogatorios y contrainterrogatorios, ponía al descubierto con facilidad las confesiones falsas realizadas por los herejes para eludir las severas sanciones que conllevaba el no haberse presentado a confesar durante el *Periodo de Gracia*.[73] La progresiva sistematización en la persecución de los cátaros propició un cambio de actitud en la población occitana que le dispensaba sus simpatías y los encubría, por miedo a ser acusados de *fautores*, *receptatores* o *defensores*[74] de los herejes.

Ante la tenaz persecución muchos perfectos decidieron huir a las ciudades italianas de Lombardía dominadas por los gibelinos, otros buscaron refugio en las regiones pirenaicas del condado de Foix o cruzaron la cordillera hacia tierras del reino de Aragón. Una de las estrategias decisivas en la persecución fue conseguir comprar la colaboración de los propios cátaros a cambio de benevolencia en las penas impuestas e incluso tierras o dinero. Algunos perfectos actuaron como agentes dobles de la Inquisición, que les permitía, incluso, participar de la liturgia cátara para no ser descubiertos.

---

[72] Esta secreta misión de los cátaros escondidos ha dado pie al escritor Peter Berling para montar una imaginativa trama sobre el verdadero tesoro que custodiaban los cátaros: el mítico grial. En la propuesta del escritor, el grial está representado en dos jóvenes, herederos directos de la sangre de Cristo. Resulta paradójico plantear que los cátaros custodiaran a descendientes de la unión carnal de Jesucristo y María Magdalena cuando, como vimos, para los cátaros Cristo no pudo poseer un cuerpo material, pues todo lo material es obra del principio del mal.

[73] Ver el significado de Periodo de Gracia en el capítulo VII, donde se describen todos los pormenores del procedimiento inquisitorial.

[74] Diferentes cargos dentro de la institución.

El miedo, no sólo de los cátaros sino de toda la población, hizo que las delaciones ante la más mínima sospecha de herejía dividieran a los vecinos de aldeas y ciudades, e incluso a los miembros de una misma familia: la obligación de declarar afectaba a los varones de más de catorce años y a las mujeres de más de doce, lo que supuso que muchos hijos, aleccionados o atemorizados por el clero, declararan en contra de sus propios padres.

El 19 de abril de 1246, fue convocado un concilio en Béziers, a instancias del legado pontificio, Pedro de Collemieu, para dictar las normas que debían regir la acción inquisitorial en el Languedoc. El Concilio reitera las prescripciones de otros concilios y las bulas papales de Gregorio IX en materia de constitución de los tribunales, las comisiones parroquiales, el procedimiento y las penas. Para evitar acciones como la de Aviñonet, facilitadas por la vulnerabilidad de los inquisidores en sus desplazamientos, se acuerda que fijen su residencia en una ciudad. Por primera vez, se aplican medidas de benevolencia, aumentando la duración del Periodo de Gracia, y se aconseja aplicar medidas de indulgencia, que pueden llegar a la conmutación de la pena cuando se produce el arrepentimiento sincero de los herejes encarcelados.

Un hecho contrasta con este intento de suavización de las penas impuestas en la lucha contra el catarismo: en 1249, el último año de su vida, Raimundo VII, el Conde contemporizador y rebelde, conduce a la hoguera a ochenta creyentes cátaros en la ciudad de Agen.

Las bulas de Inocencio IV

El pontificado de Inocencio IV estuvo determinado por su lucha sin tregua contra el emperador Federico II. En vida del Emperador las ciudades italianas estuvieron dominadas por la facción gibelina, claramente anticlerical, pero a la muerte de Federico, en 1250, las facciones güelfas, afectas al Papado, tomaron el poder en muchas ciudades italianas.

Una de las iniciativas de Inocencio en sus últimos años de pontificado fue ordenar la actividad inquisitorial. En el sur de Francia la estructura y los métodos inquisitoriales estaban ya firmemente implantados y los resultados en la persecución de los herejes eran concluyentes. Inocencio se propuso exportar la experiencia occitana al resto de la cristiandad. El primer paso lo dio en las ciudades italianas ganadas a la influencia imperial: en mayo de 1251 nombró a Pedro de Verona inquisidor de Cremona. Este fraile dominico había nacido hacia 1205 en el seno de una familia infectada de catarismo. Siendo estudiante de la Universidad de Bolonia quedó fascinado por las predicaciones de Domingo de Guzmán y recibirá de él mismo el hábito de los hermanos predicadores. Su fama de predicador, siguiendo el primitivo modo de vida de pobreza que inspiró la orden, se extendió por la Toscana, el Milanesado y la Romaña, regiones en las que ejerció su acción predicadora.

Inocencio IV quiso aprovechar el prestigio del dominico para organizar la inquisición en Lombardía. Los cátaros, que habían gozado de una casi absoluta inmunidad durante la vida del Emperador, vieron en esta designación el preludio de una persecución implacable y planearon el asesinato del inquisidor. A tal fin contrataron a un grupo de sicarios, a los que pagaron 40 libras milanesas. La empresa no era difícil porque el fraile viajaba siempre a pie, con la única compañía de otro hermano. El 6 de abril de 1252 los inquisidores regresaban de Milán al convento de Como cuando los agresores cayeron sobre ellos dando muerte a Pedro e hiriendo gravemente a su acompañante. El trágico suceso, como en Aviñonet, tuvo consecuencias nefastas para sus promotores. El relato del suceso, narrado por el hermano herido, corrió de boca en boca convirtiéndose en mito: Pedro, al que habían golpeado en la cabeza con un instrumento de labranza, moría escribiendo con su sangre, sobre el suelo, la palabra «creo». La hábil propaganda propiciada por la Iglesia, que comenzó inmediatamente el proceso de canonización, estimuló la repulsa popular hacia los cátaros y endureció la postura del Papa para reprimir la herejía.

Tan sólo un mes más tarde, en mayo de 1252, Inocencio IV emite la bula *Ad extirpanda*. En ella se establece la persecución de la herejía como razón de Estado y, por primera vez, la Iglesia *obliga* al poder secular a utilizar la tortura para obtener confesiones en los procesos inquisitoriales. Es cierto que la utilización de la tortura para obtener confesiones era algo habitual en los sistemas judiciales civiles de la Edad Media, pero hasta entonces la Iglesia había procurado evitarla por la evidencia lógica de que su uso distorsionaba la confesión del reo. Ahora, bajo tortura, los inquisidores podían dirigir el interrogatorio por los caminos que más convinieran. Sin embargo, para muchos inquisidores el uso de la tortura les planteaba serios problemas de conciencia. El papa Alejandro IV (1254-1261) lo solucionó, unos años más tarde, disponiendo que estuvieran presentes dos inquisidores: uno para dirigir la tortura y otro para absolver a los que la ejecutaban.

El Pontífice pretendía también hacer extensivo a toda la cristiandad el sistema policial inquisitorial que tan buenos resultados estaba dando en el sur de Francia. En la bula se establece también el sistema de reparto de los bienes incautados a los herejes condenados, del que se favorecía el poder civil, la Iglesia y la propia Inquisición que, con una parte de estos bienes, constituía una dotación presupuestaria para pagar a los delatores, confidentes y agentes dobles reclutados entre los conversos.

En octubre de ese mismo año emitió la bula *Cum adversus haereticam*, recuperando las severas medidas antiheréticas contenidas en la legislación imperial dictadas por Federico II, que habían permanecido en suspenso durante los años de conflicto con el Papado.

La implantación institucional de la Inquisición en el resto de los países católicos se realizó a través de la bula *Super extirpatione*, en la que se estableció la creación de provincias inquisitoriales. El Papa quiso aprovechar también la fama de humildad y benevolencia de los franciscanos y les encomendó participar activamente en los tribunales inquisitoriales. En

Italia les fueron adjudicadas las provincias del sur, mientras que las del norte, Lombardía y el Regno, siguieron en manos de los dominicos. En el resto de la cristiandad católica los franciscanos intervendrían en el sur de Francia, Polonia, Dalmacia, Bohemia, Croacia, Serbia, Hungría y el reino de Jerusalén. Los dominicos iban a ejercer su acción en el norte de Francia, Alemania y Austria, y ambas Órdenes actuarían conjuntamente en Aragón, Navarra y Borgoña.[75]

Inocencio IV muere en 1254 y durante la segunda mitad del siglo XIII se sucedieron doce pontífices que continuaron su obra en la lucha contra la herejía con mayor o menor rigor. La tenaz persecución por parte de la Inquisición de los cátaros y de algún resto o rebrote de la herejía valdense consiguió, como pretendía la contundente bula de 1252, *extirpar* la herejía casi por completo. En 1255 caerá el último baluarte cátaro del Languedoc, el castillo de Queribús.

El empleo de la tortura fue decisivo para crear un terror tal que sirvió para que se produjeran confesiones voluntarias y abjuraciones sólo con usarla como amenaza. Tuvo una contrapartida positiva en el descenso drástico de las penas capitales, con lo que las hogueras fueron desapareciendo. Muchas de las condenas se produjeron *post mortem*. En ocasiones los cadáveres fueron desenterrados de sepulturas situadas en cementerios católicos y llevados a la hoguera: es el caso de Arnau de Castelbó y su hija Ermessendis, condenados en noviembre de 1269 por los inquisidores de Cataluña, Pedro de Cadireta y Guillermo de Calonge, siendo sus restos exumados y quemados.

El catarismo no desapareció del todo y encontramos vestigios de su presencia hasta finales del siglo XIV. Una de las últimas tentativas para volver a generar una estructura organizativa fue la acción de los hermanos Autier, Pedro y Guillermo, oriundos de Ax, en el condado de Foix. Entre 1295-1296 los dos hermanos se sintieron atraídos por las doctrinas cátaras y decidieron viajar a Lombardía para ser instruidos y recibir el *consolament*. Esta región italiana contaba todavía con una significativa presencia de la iglesia de los *bons homes* y seguía recibiendo a la mayor parte de los perfectos que huían de la persecución inquisitorial.

En Lombardía lograron reunir un reducido grupo de entusiastas y decidieron volver al Languedoc, bajo la dirección de Pedro Autier, para llevar a cabo una audaz labor misionera no sólo en las recónditas aldeas del Pirineo, sino también en toda la Occitania. Su labor clandestina se desarrollaba dentro de estrictas normas de seguridad: viajaban durante la noche yendo de casa en casa de los creyentes que solicitaban sus servicios para otorgarles el *consolament*, o en las que se preparaban reducidas reuniones litúrgicas organizadas con el mayor cuidado. En esta precaria situación los nuevos perfectos tuvieron que realizar accio-

---

[75] Grandes reinos católicos como Inglaterra, Castilla y Portugal se mantuvieron al margen de las acciones de la Inquisición institucional y la lucha contra la herejía continuó en manos de los obispos.

nes impensables cien años antes: al ser informados de la intención de un *beguino*[76] de actuar como agente doble, para entregarlos a la Inquisición, ordenaron a dos creyentes darle muerte.

La misión primordial del reducido grupo de perfectos era asegurar el *consolament* antes de la muerte a los creyentes que mantenían viva su fe, aun a riesgo de ser descubiertos por la pertinaz labor de los inquisidores. Su labor organizadora apenas dio frutos y el movimiento no llegó a contar más allá de dieciséis perfectos escasamente instruidos por la imposibilidad de desarrollar un noviciado adecuado. Finalmente, la traición, ejercida por un creyente descontento, puso nuevamente a toda la organización bajo el punto de mira de los inquisidores.

De 1305 a 1309 aldeas enteras fueron sometidas a los interrogatorios de los más famosos inquisidores del sur de Francia, Geofrey d'Ablis, inquisidor de Carcasona y Bernardo Gui, nombrado inquisidor de Tolosa en 1307. Sus métodos no contemplaban la tortura propugnada por *Ad extirpanda*: creían más en su habilidad policial que en las declaraciones forzadas por el dolor y el miedo. Bernardo redactó un famoso manual para dirigir los interrogatorios, y la toma de miles de declaraciones, registradas con toda escrupulosidad para ser examinadas y comparadas con detenimiento, daba siempre los frutos esperados. Esta paciente labor policial se veía reforzada cuando se capturaba a un perfecto: los hombres que no dudaban en escoger la hoguera frente a la abjuración de su fe, mantenían con firmeza su voto de decir siempre la verdad para no perder las gracias que otorgaba el *consolament*.

En esos cinco años, los registros inquisitoriales conservados hablan de más de mil acusados declarados culpables de relacionarse con la herejía en alguna de las formas previstas por la legislación canónica, lo que da idea de la importante pervivencia de ésta. Durante 1309, los perfectos fueron siendo apresados y llevados a la hoguera. Pierre Autier permaneció encarcelado durante un año hasta su ejecución en abril de 1310, y el perfecto Guillermo Bélibaste huyó a Morella, en el reino de Aragón. La fama de Bélibaste ha trascendido por haber incorporado a la liturgia cátara tradicional interpretaciones personales sobre el dualismo que llegaron a confundir a muchos investigadores sobre el verdadero contenido teológico de la religión cátara. Los escasos restos del movimiento de los Autier sufrieron el golpe definitivo en 1318, cuando fue designado inquisidor de Pamiers el más notable investigador de la Inquisición medieval, el obispo Jacques Fournier, que asumiría el pontificado en 1334 con el nombre de Benedicto XII. Sus sagaces interrogatorios sirvieron para rastrear las pistas de los últimos cátaros, algunos de los cuales habían logrado eludir incluso a Bernardo Gui. Fournier no dudó en utilizar la colaboración de agentes dobles, como Arnaud Sicre. Este antiguo cátaro colaboró en la captura de Bélibaste, que fue

---

[76] Persona que colaboraba.

atrapado en 1321 y trasladado al Languedoc. Ese mismo año murió en la hoguera en la ciudad de Villerouge-Termenés, perteneciente al arzobispado de Narbona.

Todavía en 1329, cuando ya Fournier había abandonado el cargo de inquisidor, queda constancia de la ejecución en la hoguera de tres creyentes cátaros. Pero para entonces puede darse por aniquilado el catarismo en el Languedoc.

En Italia, el debilitamiento del poder imperial, y con él el de las facciones gibelinas de las ciudades permitió la persecución de la herejía en Lombardía, mientras que los inaccesibles valles alpinos del Piamonte siguieron siendo un refugio seguro para los herejes durante años. Allí convivían los restos del catarismo y valdismo que sobrevivieron a la acción inquisitorial tanto en Italia como en Francia. En 1365 y 1374 fueron asesinados dos inquisidores que realizaban investigaciones en la región. Poco a poco los escasos núcleos heréticos se convirtieron en sociedades secretas sujetas a un riguroso voto de silencio, bajo pena de muerte. Esta clandestinidad cerrada fue desvirtuando el contenido de las antiguas creencias y de esa época oscura de finales del siglo XIV han llegado hasta nosotros los nombres de dos maestros importantes, Antonio di Galosna y Giacomo Bech, que lograron escapar a la campaña inquisitorial realizada en la región durante 1387-1389 por el inquisidor Antinio di Settimo di Savigliano. El broche final al catarismo, en el ámbito del mundo católico[77], lo puso el auto de fe celebrado en la localidad de Chieri en 1412, en el que fueron llevados a la hoguera los restos exhumados de quince herejes fallecidos años atrás.

El aniquilamiento del catarismo por la Inquisición plantea consideraciones morales contrapuestas. La idea del inquisidor sádico y sediento de sangre, estereotipada a través de la literatura y el cine, se revela falsa cuando se profundiza en el conocimiento de los hechos, aunque, ciertamente, existieran inquisidores «sanguinarios», como Conrado de Magdeburgo, Roberto le Bougre o Guillermo Arnaud. El éxito de la Inquisición se debió, sobre todo, a la tenaz acción policial y el desarrollo del sistema procesal que le dio nombre. El uso de la tortura, así mismo, si bien fue rechazada por inquisidores de la talla de Gui o Fournier, fue empleada por otros menos hábiles o más desaprensivos. Pero lo realmente condenable de esta institución fue su actuación —en palabras de Lambert— como *policía del pensamiento* al servicio de la ortodoxia católica romana, erigiéndose como arma poderosa de represión. En siglos venideros sus métodos y estructura van a ser utilizados por el poder temporal aunque de forma mucho más cruel y despiadada.

---

[77] En Bosnia las doctrinas dualistas lograron sobrevivir hasta mediados del siglo XV.

Brujas y hechiceros

«*Eu non creo nas meigas… pero habelas, hailas.*»
(Yo no creo en las meigas[78]…pero haberlas, las hay.)

DICHO POPULAR GALLEGO

Está muy asentada en la cultura occidental, a través de la literatura y el cine, la imagen de la bruja fuertemente atada a un poste sobre un montón de leña que comenzará a arder en cualquier momento para cumplir la sentencia dictada por algún fraile-inquisidor medieval, pero lo cierto es que, si bien la Inquisición también entendió de causas relacionadas con la hechicería o la brujería durante la caza de brujas que se llevó a cabo en Europa durante los siglos XIV, XV, XVI y XVII, las investigaciones actuales le atribuyen una participación más prudente y limitada de la que tradicionalmente ha sido considerada. Hay que señalar también que desde la muerte del papa Bonifacio VIII la Inquisición deja de servir los intereses generales de la Iglesia como unidad regida de forma centralizada desde Roma, para ponerse al servicio de las Iglesias nacionales, más relacionadas con el poder civil.

Llama la atención el bajo índice de ejecuciones por brujería llevadas a cabo en los países que siguieron siendo católicos tras la Reforma luterana con respecto a las realizadas en los territorios ganados por el protestantismo: la intolerancia de los clérigos protestantes centroeuropeos contrastó, por ejemplo, con la actitud de los inquisidores españoles, mucho más interesados en la lucha contra las desviaciones de la ortodoxia católica. A principios del siglo XVII el inquisidor Salazar, encargado de juzgar a los acusados de brujería en el célebre caso de Zugarramurdi, durante uno de los momentos álgidos de su persecución en Europa, anotaría en el informe que remitió al Inquisidor General, ciertamente enojado: «*No hubo brujos ni embrujados hasta que se empezó a escribir de ellos*». En nuestro estudio trataremos de ver el significado religioso y social de los fenómenos de la superstición, la magia y la brujería en los últimos siglos de la Edad Media y la actitud de la sociedad, la Iglesia y la Inquisición ante los mismos.

---

[78] Las *meigas* son magas curanderas que fueron asimiladas a las brujas, aunque distinguiéndolas de ellas, en la cultura popular de Galicia.

El racionalismo del siglo XIX consideraba que únicamente la educación conseguiría terminar con toda la superstición que había ido enraizando en el cuerpo social con el transcurrir de los siglos de la mano de la más absoluta de las ignorancias. Pero en pleno siglo XXI, y en sociedades avanzadas, nos encontramos con que la superstición, lejos de desaparecer, se encuentra perfectamente aposentada en lo más profundo del ser humano. Los medios de comunicación constituyen el vehículo ideal para seguir difundiendo todo tipo de supercherías a través de falsarios: horóscopos, cartas astrales o la cartomancia arrastran día a día a gran número de personas a pesar de la irracionalidad en que se basan sus predicciones —o precisamente por ella—. Un personaje universal como Pablo Picasso sólo permitía que fuera una de sus ex-esposas la que se ocupara de cortarle el pelo y las uñas para evitar que pudieran ser utilizados en rituales de brujería *(maleficium)* por sus enemigos. No debe extrañarnos entonces que la Europa de la Edad Media estuviera contaminada por las mismas irracionales creencias.

El cristianismo tuvo que luchar desde sus primeros momentos para darle sentido teológico y crédito a la profecía y la magia, heredadas del mundo judío, que aparecen reflejadas en la Biblia. Por su parte, la Roma imperial era el crisol en el que se fundían todas las artes adivinatorias del mundo conocido: desde la astrología caldeo-egipcia hasta la innumerable lista de mancias (de *mantiké:* adivinación) que utilizaban los más disparatados medios para adivinar el porvenir. Desde el principio los padres de la Iglesia se opusieron a todas estas prácticas que atentaban contra la omnisciencia divina: sólo Dios puede trasmitir a los hombres conocimientos sobre hechos futuros a través de los profetas. Sin embargo, aceptaban que los demonios, que se movían en espacios más sutiles que los hombres, pudieran percibir cosas que escapaban a las capacidades humanas; pero era sólo eso: un atributo de su naturaleza, de igual manera que el perro posee un olfato más fino.

También los bárbaros poseían el rico acervo cultural celta y germánico en el que aparecían unidas la medicina, la magia y la mitología. La cristianización hizo que estas creencias fueran abandonadas, a pesar de lo cual siguieron persistiendo en las periferias culturales de Europa, sobre todo en el mundo rural. Algunas de estas creencias estaban tan arraigadas que eran contempladas por las leyes de los reinos germánicos medievales: el *maleficium* —entendido como capacidad para hacer daño utilizando medios ocultos— era castigado por las leyes civiles en función del perjuicio provocado. Normalmente se estipulaba una multa compensatoria *(wergild),* pero en los casos en que el *maleficium* era considerado la causa de una muerte, sobre todo si se trataba de personajes destacados, la pena prevista por las leyes era la ejecución en la hoguera.

En el cristianismo primitivo, especialmente a través del pensamiento de san Agustín, cualquier tipo de magia era considerada una manifestación de los demonios. Siglos más tarde la Iglesia no tomaba demasiado en serio estas consideraciones y toleraba con dificultad sus reminiscencias paganas en el derecho de los reinos cristianos. Los papas más enérgicos no dudaron en enfrentarse a ellas: a finales del siglo XI el papa Gregorio VII recriminaba al rey Harald de Dinamarca que en su reino fuera frecuente la ejecución en la hoguera de mujeres acusadas de causar, por *maleficium*, calamidades tan habituales como epidemias y tempestades.

Aunque la autoridad civil fue responsable de muchas de estas ejecuciones, era la superstición popular, sobre todo en el mundo rural, la que con más frecuencia actuaba contra las personas acusadas de provocar calamidades utilizando el *maleficium*. Es nuevamente en el mundo germánico, en la Baviera del siglo XI, donde un monje nos relata cómo las turbas juzgaron a tres mujeres hallándolas responsables de ocasionar daños a personas y animales con prácticas de hechicería. Los habitantes de la población de Freising, después de someterlas a tortura para que confesaran y a pesar de que no lo hicieron, procedieron a quemarlas vivas. El monje que relata el suceso nos refiere la oposición del clero a la farsa del proceso y la crueldad de la sentencia impuesta. Después de la bárbara ejecución, un sacerdote y dos monjes recogieron los restos de las desdichadas, a las que el cronista considera «mártires», para enterrarlos en suelo sagrado.

El mago

En la Europa de los siglos XII y XIII, que vio el resurgir de la cultura a través de la creación y desarrollo de las universidades, y que ayudada por la dialéctica aristotélica trataba de racionalizar el conocimiento del mundo, tanto en el plano físico como metafísico, los temas de brujería eran contemplados en su justa medida: como superstición y producto de la imaginación calenturienta de algunas personas. Esta opinión comenzará a cambiar a partir del siglo XIII. La irrupción masiva en la cultura europea de libros procedentes del mundo árabe, rescatados principalmente por la Escuela de Traductores de Toledo, recuperó obras de la antigüedad en las que aparecían mezcladas la ciencia y la magia. En 1256 se tradujo en Toledo, por orden del rey Alfonso X el Sabio, el *Picatrix*, una obra en la que aparecen entremezcladas la astronomía, la astrología y los encantamientos mágicos.

En los siglos XVI y XVII proliferaron muchos manuscritos sobre alta magia que pasaban por ser considerados recuperaciones medievales de libros perdidos en la antigüedad, y los supuestos autores, personajes míticos o mitificados, especialmente Salomón. De estas obras la que más trascendencia tuvo fue el *Lamegetón*, más conocido como *Clave Menor del Rey Salomón*. También existen manuscritos de los siglos XVI y XVII de una *Clave Mayor del Rey Salomón*, obra de la que el Museo Británico conserva siete códices. Otros textos han llegado hasta nosotros a través de menciones, pero desconocemos su contenido; es el caso del *Libro de los oficios de los espíritus*, mencionado por el filósofo Roger Bacon. La Edad Media recuperaba de esta forma un personaje de tiempos pasados: *el mago*.

La idea sobre el mago nos remite a la representación de un varón de cierta erudición que utiliza los rituales mágicos para someter a los demonios a su autoridad por medio de un complejo ritual y a través de la utilización de conjuros, aunque siempre realizados en el nombre de Dios. Los tratados de magia medievales recuperan o inventan una demonología en la que aparecen todos los supuestos príncipes de las tinieblas con sus nombres, grados y atributos particulares. Pero el mago no pacta con los demonios ni los adora, muy al contrario. El conjuro, en el que se invoca el nombre de Dios, se traduce en una orden que tiene el poder de someter al espíritu maligno y ponerlo a su disposición. De los demonios pueden obtenerse conocimientos relativos a los misterios de la ciencia y al dominio de las artes.[79] También ponen a disposición del mago todos sus secretos, pudiendo enseñarles la localización de tesoros ocultos o cómo alterar las fuerzas de la naturaleza y provocar tempestades, o amainarlas, según la voluntad del mago.

La magia ritual exigía una cuidada preparación: el mago se sometía a prolongados períodos de ayuno y abstinencia sexual. Precisaba una vestimenta adecuada y una colección de instrumentos especialmente fabricados y purificados, como dagas, espadas y recipientes diversos. Para escribir conjuros y dibujar signos y pentáculos[80] debía disponer de lienzos y pergaminos vírgenes, también especialmente fabricados. Las condiciones astrológicas eran de importancia capital por la asociación, tanto de los demonios como de los ángeles, con los diferentes planetas así como los días y horas que regía cada uno de ellos: no se aconsejaba realizar un conjuro si el planeta asociado al espíritu convocado estaba afligido.[81] Cuando estas condiciones se cumplían, el mago, situado dentro de un círculo protector que no debía traspasar bajo ningún concepto —so pena de ser él mismo atrapado por los demonios— se encomendaba a la protección de las tres personas de la Santísima Trinidad: Padre, Hijo y Espíritu Santo, de la Virgen María y de los ángeles y santos, después de lo cual procedía a pronunciar sus conjuros.

En el libro de magia ritual *Pseudomonarchia daemonum*, obra del médico holandés Johannes Weyer —escrito en el siglo XVI, y recogido posteriormente por el inglés Reginald Scott en su obra *Discoveries of Witchcraft*— se ofrecen todo tipo de conjuros y ceremonias para lograr el propósito perseguido. Sirva de ejemplo el siguiente, que tiene como finalidad atrapar a un espíritu en el interior de un cristal de roca para confeccionar con él un anillo dotado de poderes mágicos:

---

[79] En el Antiguo Testamento el Demonio ofrece a Adán y Eva el conocimiento que les hará iguales a Dios. Por este motivo el ansia de saber constituyó para algunos Padres de la Iglesia una concupiscencia más peligrosa que la de la carne.

[80] Se le da el nombre genérico de pentáculo a los talismanes que integran figuras geométricas y signos diversos como nombres o símbolos astrológicos. El nombre hace referencia a la estrella de cinco puntas conocida desde la Antigüedad como Estrella de David y que tiene un significado diferente, positivo o negativo, si ofrece en su parte superior una o dos de sus puntas.

[81] En astrología un planeta está afligido si se encuentra en determinados signos del zodiaco o mantiene relaciones angulares negativas con otros planetas. Las relaciones negativas más fuertes son la oposición: 180°, y la cuadratura: 90°.

«*Yo os conjuro, encargo y ordeno a todos vosotros, Sitrael, Malantha, Thamaor, Falaor y Sitrama, reyes infernales, a poner en este cristal de roca un espíritu oculto y experto en todas las artes y ciencias en virtud del nombre de Dios Tetragrámaton, y por la Cruz de Nuestro Señor Jesucristo, y por la Sangre del Cordero de Dios, que redimió al mundo, y por todas sus virtudes y poderes, os encargo, a vosotros nobles reyes, que dicho espíritu nos enseñe, muestre y declare, a mí y a mis amigos, a cada hora y minuto, de día y de noche, la verdad de todas las cosas corporales y espirituales de este mundo, cualquiera sea mi pregunta o deseo, y me declare siempre el verdadero nombre. Y esto os ordeno, y que me obedezcáis como a vuestro único amo y señor.*

(...) Hecho esto, llamarán a cierto espíritu a quien ordenarán entrar en el centro del cristal redondo. Luego, pon el cristal entre dos círculos y verás que se ennegrece. Luego ordénales que ellos, a su vez, le ordenen al espíritu del cristal que no deje la piedra, hasta que tú le des permiso, y que cumpla con tu voluntad, siempre... Y luego, coge el cristal y mira en su interior, preguntando lo que deseas y allí dentro lo verás... y cuando el espíritu esté encerrado, átalo con un pequeño lazo...».[82]

La actitud habitual de los espíritus del mal era de rebeldía y el mago necesitaba a menudo recurrir a conjuros cada vez más poderosos. La *Clave Mayor del Rey Salomón* describe cómo el más poderoso conjuro es capaz de convocar a las supremas jerarquías del infierno que acaban finalmente por someterse:

«*Habiendo llevado a cabo estas cosas, verás los espíritus venir de todos lados con gran prisa con sus príncipes y superiores; los espíritus de primer orden como soldados, armados con lanzas y escudos; los de segundo orden como Barones, Príncipes, Duques, Capitanes y Generales de ejército. En tercero y último orden aparecerá el Rey, ante quien irán muchos músicos, acompañados por hermosas y melodiosas voces con canto y coros.*

(...) El Maestro del Arte,[83] *al arribo del Rey, que verá coronado con una diadema, deberá descubrir los santos pentáculos y medallas que trae sobre el pecho cubiertos con una tela de seda o de lino fino, y los mostrará ante él diciendo: «Contempla los signos y santos nombres ante cuyo poder toda rodilla se dobla, de todo lo que está en el cielo, sobre la tierra o en el infierno. Humillaos por lo tanto, bajo la poderosa mano de Dios». Entonces el Rey doblará la rodilla ante él y dirá: «¿Qué deseas, por qué nos has hecho venir de las bóvedas del Infierno?»*».[84]

Tras esta actitud servicial del mismísimo Príncipe de las Tinieblas y de todos sus secuaces, el mago podía ordenarles todo lo que deseara, debiendo luego otorgarles licencia para retornar a las profundidades del Infierno. La *Clave Mayor del Rey Salomón* ordenaba la

---

[82] Citado en Cohn, Norman. *Los demonios familiares de Europa*. Alianza Editorial, Madrid, 1980.
[83] Con este título se designaba al mago en la Edad Media.
[84] S. Liddell MacGregor Mathers: *La Clave mayor del Rey Salomón*. (Traducción de los manuscritos originales del Museo Británico.)

jerarquía de los demonios según los diez grados del *Sepher Yetzirah*, el libro más importante de la *Cábala*. Entre los nombres otorgados a estos príncipes se entremezclan los que aparecen en la Biblia con las más importantes divinidades paganas de Asiria y Babilonia: *Satán, Moloch, Belcebú, Lucifer, Astarté, Asmodeo, Belfegor, Baal, Adremelech, Lilith y Nahema*.

A pesar de las apelaciones del mago a toda la jerarquía celestial en sus rituales la Iglesia no vio nunca con buenos ojos estas prácticas, que de alguna forma servían para activar el poder de las fuerzas del mal. Santo Tomás de Aquino mantuvo que cualquier ayuda recibida de un demonio constituía un pacto con él y, consecuentemente, una apostasía de la fe cristiana, y es susceptible de ser perseguido al igual que la herejía. En el año 1258 el papa Alejandro IV alentó a los inquisidores para que persiguieran la práctica de la magia ritual que se consideraba ya como manifiestamente herética. En 1326 fue Juan XXII, con la bula *Super illius specula*, quien procedió a reforzar los poderes de los inquisidores que perseguían las prácticas de magia ritual, muy difundidas en el sur de Francia.

La consecuencia funesta de estas prácticas fue la magnificación no sólo del Demonio sino de los múltiples demonios, tuvieran o no nombre y rango. Cualquier fortuna o cargo político alcanzados de forma fácil se hacían rápidamente sospechosos de una intervención diabólica. Las envidias personales supieron sacar buen partido de ello difundiendo rumores y relatos de testigos que juraban haber contemplado las absurdas apariciones de los demonios que se suponía producían las invocaciones de la magia ritual. Paradójicamente, como veremos más adelante, fueron un papa, Bonifacio VIII, y una Orden de monjes caballeros, los Templarios, quienes primero tuvieron que sufrir los efectos de la consideración jurídica del absurdo y la calumnia.

Antes de continuar con las acciones de la Inquisición sobre la magia y la brujería conviene repasar las condiciones sociales y religiosas que fueron gestando la imagen de la bruja y que acabaron modelando el estereotipo perseguido en siglos posteriores. Como vimos, existía una reminiscencia de ritos paganos, fundamentalmente de origen celta y germano, que sobrevivieron durante siglos en el mundo rural de la periferia europea. Puede servirnos de ejemplo el mundo rural de Galicia, en el rincón noroeste de la Península Ibérica. A pesar del gran foco cultural que representó para toda España el Camino de Santiago, la compleja orografía gallega sumía a muchas pequeñas aldeas en un alto grado de incomunicación con respecto a los centros urbanos. La mitología y creencias célticas, en muchos casos sincretizadas o mezclada con ritos cristianos, siguieron vivas en la tradición popular: los *cruceiros*[85] y *petos de ánimas*[86] fueron marcando los cruces de caminos perpetuando su antiguo significado mágico. La antigua sabiduría médica druídica fue transformándose en una medicina natural que mezclaba los antiguos remedios, basados en la observación de la na-

---

[85] Columnas de piedra coronadas por una pequeña cruz.
[86] Pequeños altares de piedra dedicados al culto de los muertos.

turaleza y el ensayo, con ritos y fórmulas mágicas. Finalmente los detentadores de estos conocimientos acabaron siendo mujeres que los trasmitían a sus hijas de generación en generación. La primitiva *meiga* podía curar, pero también practicar el *maleficium* sobre las personas, el ganado y las cosechas, por lo que era necesitada y temida al mismo tiempo. Proporcionaba, además de remedios curativos para el cuerpo, toda una serie de preparados y fórmulas para los más diversos propósitos: filtros de amor, fórmulas para curar la impotencia y la esterilidad o para provocarlas en otros, recetas para mantener el deseo en el marido o el amante y otras muchas para los fines más peregrinos. Las persecuciones de que fue objeto durante siglos acabaron identificándola con la bruja bajo el estereotipo difundido por toda Europa.

Además de este ejemplo de supervivencia de ritos paganos antiguos, la superstición abarcaba todas las áreas de la vida cotidiana: lo que se miraba, pisaba o derramaba, podía conllevar o acarrear consecuencias nefastas. Más lamentable era la superstición que implicaba directamente a personas o animales: el hombre o mujer sobre el que se extendía el rumor de que atraía la mala suerte, el *gafe*, era objeto de marginación social. Lo mismo sucedía con los animales considerados de mal agüero: gatos negros, cuervos, etc, que sufrían una obstinada persecución.

Para contrarrestar estos efectos negativos existía toda una amplia gama de amuletos que se suponían de eficacia probada: patas de topo y de conejo, herraduras, tréboles de cuatro hojas... Muchos elementos del culto cristiano cumplían también ese papel: los poderosos procuraban obtener reliquias de los santos y mártires, que los pobres sustituyeron por las medallas, para uso personal, y por la imaginería de santos para defender la casa del *maleficium* que pudieran propiciar vecinos envidiosos.

La Iglesia trató fervientemente de luchar contra la superstición que atribuía a los santos virtudes milagreras que obraban mecánicamente. Teólogos como Nicolás de Cusa y Enrique de Gorkum escribieron obras en las que se condenaban las prácticas supersticiosas relacionadas con ritos litúrgicos cristianos. Uno de ellos fue el relacionado con la proliferación de «hostias sangrantes», custodiadas en algunas iglesias, que movilizaban grandes peregrinaciones para rendirles culto. Para reforzar el dogma de la presencia de Cristo en *todas y cada una* de las hostias consagradas, la Iglesia mandó investigar las presuntas sangrías milagrosas, tras lo cual fueron declaradas como superchería y se prohibieron las peregrinaciones que originaban.

En el mundo urbano, algo más avanzado, lo irracional se mezclaba con ciencias incipientes, como la geografía o la medicina, incluso entre las clases más instruidas. En la cartografía todavía persistían los primitivos mapas en «T» que eran una representación simbólica de los tres continentes conocidos. Las creencias en reinos míticos lejanos, en los que habitaban seres imposibles y animales legendarios, estaban muy difundidas y aparecían en libros denominados *bestiarios*.

En cuanto a la medicina, en los libros recuperados a través de traducciones del árabe de los grandes médicos grecorromanos Galeno, Hipócrates y Dioscórides aparecían mezclados remedios científicos con rituales mágicos y oraciones. La astrología médica tuvo gran desarrollo y todo tratamiento debía someterse tanto a la cualidad astrológica atribuída a cada parte del organismo como a los remedios que se prescribían para su curación.

Muy relacionados con la medicina y la astrología eran los *lapidarios*, libros que describían las propiedades de las gemas y sus atribuciones como talismanes o como remedios curativos. Las gemas también poseían atributos astrológicos y su tratamiento era objeto del mismo cuidadoso estudio de las condiciones planetarias que en los casos anteriores. Los *lapidarios*, aunque solamente en su aspecto simbólico, tuvieron mucha difusión en la Iglesia por referencias sobre las gemas que aparecían en la Biblia: en el Antiguo Testamento las doce gemas contenidas en el pectoral del sumo sacerdote representaban a cada una de las doce tribus de Israel y simbolizaban cualidades atribuibles a cada una de ellas.

Por su parte, estas mismas referencias lapidarias habían sido reflejadas por san Juan en el *Apocalipsis,* en el que las gemas configuraban las doce hiladas de la muralla de la Jerusalén Celestial. Las perlas, que constituían el material del que estaban hechas las puertas, fueron inmediatamente identificadas simbólicamente con la Virgen María. En la liturgia también se consideraba este simbolismo lapidario: por ejemplo, el anillo de los obispos poseía una amatista por las virtudes de sobriedad que se suponía otorgaba esta gema. Umberto Eco, en *El nombre de la rosa*, nos ilustra a este respecto por boca del abad Abbone:

> «*Alzó una mano y dejó que la luz del día iluminase el espléndido anillo que llevaba en el dedo anular, insignia de su poder. El anillo destelló con todo el fulgor de sus piedras.*
>
> *—Lo reconoces, ¿verdad? —me dijo—, es símbolo de mi autoridad y también de la carga que pesa sobre mí. No es un adorno, sino una espléndida síntesis de la palabra divina, a cuya custodia me debo. —Tocó con los dedos la piedra, mejor dicho, el triunfo de piedras multicolores que componían aquella admirable obra del arte humano y de la naturaleza—. Ésta es la amatista, ese espejo de humildad que nos recuerda la ingenuidad y la dulzura de San Mateo; ésta es la calcedonia, emblema de caridad, símbolo de la piedra de José y de Santiago el mayor; éste es el jaspe, que propicia la fe, y está asociado con san Pedro; ésta, la sardónica, signo del martirio, que nos recuerda a san Bartolomé; éste es el zafiro, esperanza y contemplación, piedra de san Andrés y san Pablo; y el berilo, santa doctrina, ciencia y tolerancia, las virtudes de Santo Tomás... ¡Qué espléndido es el lenguaje de las gemas! —siguió diciendo, absorto en su mística visión—, los lapidarios tradicionales lo extrajeron del pectoral de Aarón y de la descripción de la Jerusalén celeste que hay en el libro del apóstol. Por otra parte, las murallas de Sión estaban in-*

crustadas con las mismas joyas que ornaban el pectoral del hermano de Moisés, salvo el carbun-
clo, el ágata y el ónice, que, citados en el Éxodo, son sustituídos en el Apocalipsis por la calce-
donia, la sardónica, el crisopacio y el jacinto...

—Recuerdo un libro de letanías que describía las diferentes piedras y las cantaba en
versos de alabanza a la Virgen. Así, el anillo de compromiso era un poema simbólico: las pie-
dras con que estaba adornado expresaban, en su lenguaje lapidario, un esplendente conjunto
de verdades superiores. Jaspe por la fe, calcedonia por la caridad, esmeralda por la pureza, sar-
dónica por la placidez de la vida virginal, rubí por el corazón sangrante en el calvario, criso-
lito porque su centelleo multiforme evoca la maravillosa variedad de los milagros de María,
jacinto por la caridad, amatista, mezcla de rosa y azul, por el amor de Dios... Pero en el en-
gaste también estaban incrustadas otras sustancias: el cristal, que simboliza la castidad del
alma y del cuerpo, el ligurio, semejante al ámbar, que representa la templanza, y la piedra
magnética, que atrae el hierro así como la Virgen toca las cuerdas de los corazones arrepenti-
dos con el plectro de su bondad...».

Otro fenómeno que contribuyó al resurgimiento de las antiguas tradiciones paganas
fue la recuperación, por parte de la literatura medieval, de los antiguos mitos de las religiones celta y germánica que aún se conservaban. Aunque la recreación literaria convirtió
todo ese mundo mitológico en folclore, también sirvió para atraer la atención sobre las reminiscencias de los mismos que aún pervivían.

Más significativo es el caso de la magia ritual. Puede que algunos hombres instruidos se acercaran a ella por curiosidad, tratando de averiguar si realmente funcionaba. Sin
embargo, no cabe ninguna duda de que por más conjuros que fueran pronunciados, las
huestes de los príncipes del averno no aparecían. Por fuerza los magos debían llegar a un
punto en que les fuera evidente la inutilidad y falsedad de sus prácticas. Si las seguían utilizando, sobre todo de cara a los poderosos, hay que poner bajo sospecha la honorabilidad
de sus propósitos. En cuanto a los crédulos a los que iban destinadas estas prácticas, podríamos pensar que, entonces como ahora, la gente creía en los efectos de lo absurdo porque asociaban selectivamente a los mismos los acontecimientos producto del natural devenir de la vida.

La Inquisición contra la hechicería: Bonifacio VIII y los templarios

Cuando desde las altas esferas del poder se juega con la credulidad general y el temor que
provoca cualquier posible relación de un individuo o de un grupo de ellos con artes o
ciencias «ocultas», magia, brujería, culto al demonio, etc., las consecuencias sociales son, evidentemente, impredecibles y sobrecogedoras, como ocurrió en la Francia de finales del siglo XIII y principios del XIV con Felipe IV el Hermoso. La Cruzada que se había desarro-

llado contra los albigenses permitió a la dinastía de los Capeto, que sólo poseía dominio efectivo sobre un exiguo territorio en torno a París, volver a tener aspiraciones para reinar sobre una Francia poderosa como la de siglos pasados. Una vez que la derrota de Pedro II en Muret terminó con las aspiraciones de los catalano-aragoneses de expandir su dominio por el sur de Francia, se hacía necesario recuperar los territorios occidentales del reino que habían pasado al dominio de la Corona inglesa como herencia de los Plantagenet.

Estas posesiones, concretamente el ducado de Guyena, convertían al monarca inglés en vasallo del rey de Francia, según el orden feudal, pero a finales del siglo XIII, el rey de Inglaterra Eduardo I, aunque había rendido vasallaje a Felipe IV el Hermoso de Francia, mantenía constantes disputas con éste por el control naval del Canal de La Mancha. En 1293 Francia se incautó el feudo de Eduardo y en 1294 los dos países se declararon la guerra. Para financiar la contienda ambos monarcas decidieron imponer a sus respectivas iglesias nacionales un canon sobre los diezmos que éstas percibían. El recientemente elegido papa Bonifacio VIII (1294-1303), convencido defensor de la *plenitudo potestatis*, se apresuró a condenar la medida emitiendo la bula *Clericis laicos*, en la que se prohibía a los poderes temporales imponer sanciones económicas al clero sin el permiso de Roma. Los ingleses, bajo la presión del arzobispo de Canterbury, Roberto de Winchesley, renunciaron a imponer canon alguno a la Iglesia de Inglaterra, pero no así Felipe el Hermoso, que estaba dispuesto a medirse con el Pontífice.

En medio de este conflicto entre el Papa y el Rey entra en escena un siniestro personaje que se convierte rápidamente en un fiel y desaprensivo servidor de un monarca ambicioso e intrigante, y en el brazo ejecutor de sus más descabelladas pretensiones que, indefectiblemente, acarrearán la ruina de cualquiera que ose cruzarse en su camino, por muy importante o poderoso que fuera.

A instancias de Nogaret, Felipe convocó en París, en marzo de 1301, a los grandes señores y obispos franceses[87] para proceder a la acusación formal contra el Papa relativa a la práctica de la magia ritual por parte de éste, denuncia gravísima a la que, sin embargo, se da crédito por parte de los convocados, que se apresuran a solicitar un concilio ecuménico de la Iglesia para juzgar al Pontífice. Como respuesta, Bonifacio VIII procedió a excomulgar al rey de Francia.

Pero la idea fundamental de Nogaret no consistía, ni mucho menos, en deshacerse de un pontífice más o menos molesto, sino de someterlo a la voluntad de Felipe IV como un poderoso instrumento al servicio de la política real. El consejero del rey planeó cuidadosamente el secuestro del Papa con la colaboración de los miembros de la poderosa familia italiana Colonna, enemigos históricos de la familia de Bonifacio, los Caetani, y en septiembre de ese mismo año apresaron al Pontífice en el castillo de Anagni. Las humillaciones a las que fue sometido el Pontífice provocaron la sublevación de

---

[87] Esta convocatoria representa la primera reunión de lo que más tarde serían los *Estados Generales* de Francia.

la población para rescatarle, pero a resultas de este episodio Bonifacio VIII murió tan sólo un mes después de su liberación. El sicario francés Nogaret, aunque herido, logró huir y pudo continuar su ignominiosa propagación de la calumnia, basada en el absurdo, como eficaz arma política.

El nuevo Papa, Benedicto XI, se apresuró a excomulgarle junto con otros quince altos dignatarios que habían sido cómplices en el suceso de Anagni. Como medida conciliadora Benedicto levantó la excomunión que pesaba sobre el rey y sobre la familia Colonna, pero no consintió en hacer lo mismo con Nogaret. Desgraciadamente el Pontífice murió en extrañas circunstancias apenas un año después de su acceso al solio pontificio. Felipe el Hermoso estaba dispuesto a llegar hasta donde hiciera falta para evitar nuevos enfrentamientos con el Pontificado y se propuso ejercer personalmente el control sobre la elección del sucesor de Benedicto XI con el apoyo, nuevamente, de los Colonna, que controlaban la curia romana. Felipe podía haberse conformado con un papa italiano servicial y dócil a su voluntad, pero quería asegurar el golpe y si ya dominaba a casi toda la jerarquía eclesiástica francesa consideró conveniente imponer, así mismo un papa decididamente partidario de la Corona. La elección recayó en Bertrando de Got, arzobispo de Burdeos. Antes de proceder a su nombramiento Felipe quiso asegurarse de la fidelidad del candidato. Reunido en secreto con Bertrando, expuso al futuro Pontífice las condiciones que exigía por garantizar su elección, entre las que figuraba la de levantar la excomunión que pesaba sobre los ministros reales que habían participado en los sucesos de Anagni, concederle el producto de las cinco décimas partes sobre la totalidad de los beneficios eclesiásticos del reino, la condena de la memoria del papa Bonifacio VIII y una última condición que con el tiempo le sería revelada.

Al aceptar las condiciones del Rey, el Papa perpetraba el delito de simonía, que tanto repugnó a sus predecesores reformadores, y que fueron el comienzo de las calamidades que la Iglesia tuvo que afrontar durante casi dos siglos. La primera consecuencia grave fue la pérdida de la ciudad de Roma como sede apostólica. El nuevo Papa, que adoptaba el nombre de Clemente V, fue coronado en Lyon en 1305 y la oposición de las ciudades italianas y del Emperador alemán impidieron que pudiera incorporarse a sus posesiones romanas, por lo que, en principio y como solución provisional, Clemente V decidió asentar la sede papal en la ciudad de Aviñón. El control de la Iglesia por el rey de Francia también le permitió utilizar en beneficio propio tanto la organización de la Inquisición existente en Francia, como las ventajas que proporcionaba el procedimiento inquisitorial.[88]

Felipe no tardó en reclamar al Pontífice el cumplimiento de las condiciones impuestas: sobre todo la de atacar decididamente la memoria de Bonifacio VIII. Si el juicio pros-

---

[88] La adopción del *procedimiento inquisitorial* por las legislaciones civiles de los Estados europeos, en sustitución del antiguo *procedimiento acusatorio*, fue fundamental en el desarrollo de los actuales sistemas legales del mundo moderno.

peraba había que declarar su pontificado ilegítimo, borrar su nombre de la lista de papas y proceder como era habitual en las condenas de herejía realizadas *post mortem:* sus restos debían ser exhumados y quemados públicamente.

Como vimos anteriormente las calumnias promovidas oficialmente contra Bonifacio VIII por Felipe el Hermoso y Nogaret comenzaron durante los últimos años de vida del Pontífice. En una segunda asamblea de los Estados Generales, celebrada en París en 1303, se presentaron declaraciones que relacionaban al Papa con la magia ritual:

> *«Posee un demonio privado, a quien pide consejo en todos los asuntos que le atañen. En una ocasión dijo que si todos los habitantes del mundo estuvieran reunidos en una región y él en otra, éstos no podrían atraparlo ya sea de hecho o de derecho; algo así sería imposible si no empleara artes demoníacas. Y esto se dice públicamente en contra de él».*[89]

Durante el juicio póstumo las acusaciones fueron reforzadas con otras muchas declaraciones testificales. En 1310 se aportaban las de testigos que juraban haber escuchado al papa hablar directamente con el Demonio, reprochándole no haber sido él el papa elegido en lugar de su antecesor, Celestino V. El Demonio se disculpaba del supuesto incumplimiento de su promesa en estos términos: *«Esta vez era imposible. Tu papado debe venir de nosotros, tú no debes ser un papa verdadero, legítimo. Ya llegará».*[90]

Las declaraciones de los testigos iban implicando cada vez en mayor medida al difunto pontífice con la magia ritual. Ante una audiencia celebrada en la ciudad de Roma en 1311 los testigos declararon haber presenciado cómo Bonifacio realizaba rituales mágicos desde muchos años antes de ser elegido papa: en el jardín del palacio que ocupaba en Viterbo, en las primeras horas de la tarde, observaban cómo su señor dibujaba en el suelo, con una espada mágica, el imprescindible círculo protector desde el que procedía a degollar un gallo y arrojaba su sangre al fuego contenido en un recipiente ritual. Después de pronunciar solemnemente los conjuros que leía en un libro, un estruendo ensordecedor anunciaba la presencia de los espíritus convocados que le imploraban participar del sacrificio ritual. Bonifacio tomaba el gallo sacrificado y lo arrojaba a los demonios diciéndoles: *«aquí está vuestra parte».* Después del ritual el supuesto mago se retiraba a sus aposentos pasando ante los estupefactos testigos sin dirigirles ninguna palabra.

No satisfechos únicamente con las acusaciones vertidas contra el Papa de practicar la magia ritual, ampliaron los cargos presentando testigos que declararon haberle visto adorar a un espíritu diabólico. Para rematar la acumulación de calumnias también se

---

89 P. Depuy: *Histoire de Différend d'entre le Pape Boniface VIII et Philippe le Bel*. Citado en Cohn, Norman. *Op. cit.*
90 Citado en Cohn, Norman. *Op. cit.*

buscaron testigos que declararon cómo el Papa había cometido apostasía con frecuencia, cuando hablaba en privado. Se le acusaba de burlarse de los principales dogmas de la Iglesia: la Trinidad, la presencia de Cristo en la Eucaristía, la Concepción Inmaculada de la Virgen o las promesas sobre el Juicio Final y la resurrección de la carne. La falsedad de todas las acusaciones era tan evidente que Clemente V, a pesar de sus promesas y de su probada fidelidad a Felipe el Hermoso, no se atrevía a pronunciar una sentencia condenatoria y procuraba aplazar en lo posible las reuniones del tribunal encargado del proceso.

La condición desconocida a la que se comprometió Clemente V no tardó en ser revelada: durante la mañana del 13 de octubre de 1307 los soldados del Rey procedieron a arrestar a cuantos caballeros templarios encontraron. Esta acción también había sido cuidadosamente preparada por Guillermo de Nogaret. Son muchas las razones que se han argumentado para justificar la decisión del rey francés de llevar a cabo un acto semejante. Desde la caída de los últimos bastiones de los cruzados en Tierra Santa, San Juan de Acre, en 1291, y de Tortosa en 1301, la Orden se había replegado a la isla de Chipre y a sus encomiendas europeas. Francia acogió a un contingente de caballeros que constituía una importante fuerza militar, dependiente únicamente de la autoridad del Papa, y susceptible de oponerse a los planes de la Corona. No obstante, la razón más poderosa parece ser de carácter económico. Felipe había procedido, en 1306, a una imprudente revaluación de la moneda que ocasionó fuertes desajustes financieros y produjo el descontento general de la población. El Temple había actuado en muchas ocasiones como prestamista de las arcas reales francesas, y las deudas acumuladas con los templarios por la Corona eran considerables. La disolución de la Orden, acusada de herejía y hechicería, proporcionaba un doble beneficio al rey: condonación de la deuda y apropiación de las riquezas que se atesoraban en la casa del Temple de París.

El 13 de octubre del año 1307, pues, se produce la detención masiva de los Hermanos del Temple y, como indica Juan Eslava Galán:

> «Llama poderosamente la atención que en la misma requisitoria de detención de los Templarios se establezcan y delimiten los delitos de los que son acusados. Es un modo indirecto de orientar los interrotagorios de los oficiales del rey, para que ellos mismos sugieran estas confesiones a sus reos quebrantados por la tortura».[91]

Las acusaciones contra los caballeros templarios, que los agentes del Rey se encargan de propagar entre la población y que son producto de la mente retorcida de No-

---

[91] *Los Templarios y otros enigmas medievales.*

garet, se refieren a delitos relacionados con la herejía y el satanismo, como que en la ceremonia de ingreso en la Orden se negaba la fe de Cristo y blasfemaban y escupían ante
el crucifijo, que durante la misa omitían las palabras de la consagración, o que adoraban
ídolos satánicos.[92] Como broche de las imputaciones figuraba también la práctica de la
sodomía.

Los caballeros templarios, temidos y admirados por amigos y enemigos, pagaron con
un precio muy alto la debilidad de una Iglesia que volvía a caer en manos del poder secular. Desde el reconocimiento de la Regla de la Orden en el Concilio de Troyes celebrado
en el año 1128, los Caballeros Templarios dependían directamente de la autoridad del Papa
y ni príncipes ni obispos podían proceder jurídicamente en su contra. El propio Clemente V trató de hacer valer este derecho de la Orden en una carta enviada al rey francés el 27
de octubre, pocos días después de la ilegal detención:

> «Muy querido hijo: ha llegado a nuestros oídos con gran dolor de nuestro corazón, que
> durante el tiempo que he permanecido alejado de ti, has alzado la mano en contra de las per-
> sonas y de los bienes de los templarios, habiéndolos encerrado en prisión. Se me ha dicho tam-
> bién que has ido todavía más lejos, añadiendo a la aflicción de la cautividad otro tipo de dolo-
> res que, por respeto a la Iglesia y a mí mismo, creo que puedo hacer que tú me entiendas, sin
> necesidad de mayores explicaciones…A pesar de todo, he de decirte que has cometido graves aten-
> tados sobre personas y bienes que se hallan bajo la dependencia inmediata mía y de la Iglesia
> romana».[93]

La pusilanimidad del requerimiento del Pontífice fue contestada con la firmeza del
Rey para llevar adelante sus propósitos con total impunidad.

La Inquisición, representada en la figura del Inquisidor General de Francia, Guillermo de París –confesor del Rey y entregado en cuerpo y alma a la causa del Monarca– no hizo valer su jurisdicción en este proceso, que fue «perpetrado» por los hombres
del Rey, sin permitir siquiera que los inquisidores estuvieran presentes en los interrogatorios. Los hombres de Nogaret emplearon la tortura con inusitada crueldad. Los
templarios apresados eran en su mayoría administradores y personal de servicio de las
encomiendas y sólo una minoría poseía el grado de caballero. La tortura aplicada contra ellos y la incomprensión de la situación en que se veían envueltos, acostumbrados
como estaban al respeto de las gentes y al apoyo de los príncipes, hicieron que se de-
rrumbaran en la soledad de las celdas en las que permanecían incomunicados. Sus esbi-
rros les comunicaban que las órdenes del rey eran tajantes: sólo serían perdonados aque-

---

[92] Los famosos *baphomets*, de los que tanto se ha especulado.
[93] Martín y Fliche. *Op. cit.*

llos que confesaran la verdad; los que no lo hicieran serían condenados a muerte. Por supuesto, la *verdad* eran las acusaciones que había preparado Nogaret para conseguir la disolución de la Orden.

A pesar de la tortura, de los 138 caballeros interrogados en las primeras sesiones, cuatro persistieron en la inocencia tanto propia como de la Orden. El resto, en mayor o menor medida, confirmaron las acusaciones. De nada sirvieron las cartas del Pontífice a Felipe el Hermoso proclamando la ilegalidad del proceso: Clemente V acabó aceptando las confesiones obtenidas bajo tortura, y se dirigió a los príncipes de los reinos en los que existían establecimientos de la Orden, para que procedieran a embargar sus bienes, como medida cautelar.

Seguro de haber conseguido sus objetivos, el rey francés consintió en poner a los Caballeros que permanecían encarcelados en manos de dos legados papales, los cardenales Berenguer Fredol y Esteban de Suisy. Como era de esperar, los templarios, al encontrarse frente a los representantes eclesiásticos negaron con rotundidad las declaraciones arrancadas bajo tortura. El Papa, ante las nuevas pruebas aportadas por sus representantes, en un alarde de dignidad, cambió su actitud acerca de las acusaciones orquestadas por Felipe y Nogaret. La respuesta no se hizo esperar. En esta ocasión la campaña de difamación fue dirigida, una vez más contra el Pontífice, al que se le atribuyeron aún más culpas que a Bonifacio VIII.

En mayo de 1308, buscando el apoyo de la sociedad francesa, el Rey convocó una reunión de los Estados Generales, que aprobaron unánimemente la culpabilidad de los templarios declarándolos reos de herejía y hechicería y, como tales, merecedores de la pena de muerte. Con el beneplácito de las clases sociales que ostentaban el poder en Francia[94] el ministro Guillermo de Plaisins, en nombre de la Corona, presentó un ultimátum al Pontífice:

> *«Santo padre, actuad con rapidez. De otra forma lo hará el rey; y si él no lo hiciera, lo harían sus barones; y si ellos no lo hicieran, lo haría el pueblo de este reino glorioso, porque nadie puede impedir que sean vengadas las injurias inferidas a Cristo… Actuad, pues, con rapidez. Porque de otra forma, utilizaremos un lenguaje muy diverso del actual».*[95]

A pesar de las amenazas el papa persistió en su postura de no pronunciar un juicio definitivo sobre la Orden.

Clemente V dispuso que se efectuaran procesos inquisitoriales según las normas canónicas, para lo que dispuso una doble inquisición episcopal y pontificia. La primera estaría bajo la dirección de los obispos, auxiliados por dos delegados diocesanos y por

---

94 La nobleza, el clero y el estado llano, representado éste último mayoritariamente por la burguesía.
95 Citado en Martín y Fliche. *Op. cit.*

inquisidores: dos dominicos y dos franciscanos, que habrían de juzgar a los caballeros individualmente. El Papa se reservó el derecho de dirigir personalmente la inquisición que juzgaría al Gran Maestre y los altos cargos de la Orden. Para emitir un juicio general sobre la Orden se eligió una comisión especial compuesta por altos dignatarios de la Iglesia. El resultado de ambas inquisiciones sería presentado ante un concilio general, a celebrar en Vienne, para dictar una sentencia definitiva que determinase el futuro de la Orden.

La aparente prudencia de la medida pontificia se vio bien pronto empañada por la realidad de la dependencia de las iglesias nacionales con respecto al poder secular. Los obispos encargados de realizar la inquisición episcopal fueron en su mayoría dóciles a los deseos del rey. Con una incauta confianza en la justicia eclesiástica los caballeros narraron la atrocidad de las torturas a que fueron sometidos y se mostraron dispuestos a defender la inocencia del Temple. Esta actitud decidida de los caballeros alarmó a sus acusadores y fueron ordenadas, desde la Corona, medidas drásticas: el 11 de mayo de 1310, en un concilio celebrado en Sens, cuarenta y cuatro templarios fueron declarados relapsos y condenados a la hoguera. Días más tarde, el 16 de mayo, otros nueve serían quemados en Senlis. Las medidas atemorizaron al resto de los caballeros y sólo algunos siguieron defendiendo con firmeza su inocencia y la de la Orden.

En el resto de los reinos europeos donde los caballeros poseían encomiendas también se celebraron juicios por orden pontificia. En Inglaterra, los concilios de Londres, de 20 de octubre de 1309, y de York, de 30 de julio de 1311, concluyeron sin que se hallaran pruebas de culpabilidad. En los reinos de la Península Ibérica se creyó y defendió con ardor su inocencia. En el reino de Aragón, el Concilio de Tarragona, de 4 de noviembre de 1312, proclamó la inocencia de los caballeros que tan valiosos servicios prestaron a la Corona catalano-aragonesa durante la cruzada peninsular de la reconquista. Castilla y Portugal también fueron unánimes en sus veredictos: en el Concilio de Salamanca, celebrado en octubre de 1310, los castellanos declararon unánimemente la inocencia de los templarios. Portugal ni siquiera procedió al arresto cautelar de los caballeros. Solamente Navarra, en la que reinaba el hijo de Felipe el Hermoso, se sumó a la condena.

Por su parte, la comisión pontificia tampoco pudo sustraerse a la influencia de Felipe el Hermoso y los obispos que la conformaron fueron impuestos por el monarca. Esta comisión se reunió por primera vez el 8 de agosto de 1309 y clausuró sus trabajos el 5 de junio de 1311. Sus protocolos, que contenían resumidas en 219 folios las declaraciones de los acusados más destacados, serían presentados ante el concilio de Vienne, convocado para el 16 de octubre de 1311. El tema estrella del concilio era el futuro de la Orden del Temple y la mayor parte de los asistentes eclesiásticos se mostraron favorables a proclamar la inocencia de los caballeros. Pero las presiones de Felipe el Hermoso sobre el papa Clemente V, al que amenazaba con volver a desempolvar el juicio de Bonifacio VIII, pesaban sobre las decisiones del Concilio.

> «*En febrero de 1312 llegaron a Vienne, Guillermo de Nogaret, Guillermo de Plaisans, Enguerrando de Marigny y algunos otros consejeros de Felipe el Hermoso, y tuvieron varias reuniones con los cardenales franceses. Volvieron junto al Rey, y a partir de ese momento fue solamente Enguerrando de Marigny quien mantuvo una mediación constante entre el Rey y el Concilio. Las conferencias duraban ya meses sin que el juicio contra los Templarios avanzara, cuando el 20 de marzo el rey de Francia se presentó con gran séquito en la catedral de Vienne. Dos días, en sesión consistorial secreta, Clemente V anuló, por la bula que comienza 'Vox in excelso' la Orden del Temple, fundando la decisión en que los Templarios habían caído en la apostasía de Cristo, en las abominaciones de los idólatras y los sodomitas y en otros errores...*».[96]

Los únicos príncipes presentes en el acto fueron el rey de Francia y su hijo, rey de Navarra. A los representantes eclesiásticos que asistían se les impuso el voto de silencio bajo pena de excomunión. De este modo, la Orden del Temple fue suspendida por vía de provisión apostólica y la Iglesia no llegó a dictar una condena judicial contra ella.[97]

Seguían pendientes las causas abiertas contra algunos miembros de la orden, entre los que se encontraba el Gran Maestre Jacques de Molay y los preceptores de Ultramar, Normandía, Aquitania y Provenza. El juicio inquisitorial, encargado a tres cardenales y controlado directamente por el Pontífice, concluyó el día 18 de marzo de 1314. El tribunal reunido en la plaza de Notre Dame pronuncia la sentencia de prisión perpetua contra los maestres de la Orden que han confesado los delitos que se les imputaban. De repente, Jacques de Molay y Godofredo Charney, preceptor de Normandía, rompen el silencio y proclaman con firmeza:

> «*Nosotros no somos culpables de los crímenes que nos imputan; nuestro gran crimen consiste en haber traicionado, por miedo de la muerte, a nuestra Orden, que es inocente y santa; todas las acusaciones son absurdas, y falsas todas las confesiones*».[98]

La reacción de Felipe el Hermoso fue fulgurante: exigió al cardenal Albano, presidente del Tribunal que procediera a dictar una condena inmediata, por la que son declara-

---

96 Vignati, Alejandro. *El enigma de los Templarios.*
97 En marzo de 2002 la medievalista italiana Bárbara Frale presentó, en un artículo publicado por la revista *Hera*, un documento, supuestamente perdido, en el que, junto al interrogatorio al que fue sometido el Gran Maestre, Jacques de Molay, aparece una sentencia de absolución de la Orden del Temple dictada por Clemente V. Verdadero o falso, en nada cambia el juicio de la Historia sobre la autoritaria y cobarde actitud del Papa, y de la Iglesia, si ocultó el documento posteriormente conocido, ya que la supuesta absolución no tuvo ningún efecto.
98 Citado en Martín y Fliche. *Op. cit.*

dos relapsos (reincidentes y contumaces), y sin ninguna oposición los altos dignatarios eclesiásticos, sumisos a la orden real, entregaron el brazo secular a los templarios, que esa misma tarde fueron quemados en una isleta del Sena, en frente del palacio real.

Como indica Dermurger, con respecto al proceso contra los Templarios y a las confesiones realizadas por muchos hermanos:

> *«Se puede ser un héroe en los muros tambaleantes de los últimos bastiones de Tierra Santa y no serlo sobre el potro de los verdugos de Nogaret. Sobre todo si, además, se tiene la vaga conciencia de que el ideal por el que se lucha se ha desmoronado».*

Aunque tanto en el proceso contra Bonifacio VIII como en el de los Templarios, en que se presentan acusaciones de herejía, hechicería y satanismo, intervinieron inquisidores, en modo alguno las condenas pueden ser atribuidas a la Inquisición como institución. En ambos casos el proceso evidencia una connivencia estrecha entre el poder civil, encarnado en el rey de Francia, los obispos de la Iglesia francesa que apoyan incondicionalmente la política de su soberano, y un papa débil que, no obstante, trató de lavar su vergüenza con esporádicas demostraciones de dignidad. Sin embargo, la Inquisición comienza ya a ser un instrumento ajeno a su finalidad primaria, la lucha contra la herejía, para convertirse en una poderosa maquinaria administrativa y policial, al servicio de los requerimientos de una Iglesia en manos de los príncipes.

De los hechiceros a las brujas

Como ya hemos visto, la proliferación de prácticas de magia ritual en el Sur de Francia llevó al papa Juan XXII a investir a la Inquisición de mayores atribuciones para perseguirlas, aunque estos temas chocaban con el carácter de los inquisidores que se fueron convirtiendo paulatinamente de teólogos en juristas. Su preocupación principal seguía siendo la persecución de la herejía que a partir de la decadencia de Europa en los siglos XIV y XV iba adquiriendo nuevas formas.

De los casos de magia ritual en los que se conoce que intervino realmente la Inquisición en el siglo XIV destaca el celebrado en París, en 1323, contra el abad cisterciense de Sarcelles y varios canónicos por requerir los servicios de un mago llamado Jean de Persant y su ayudante para encontrar un tesoro que les había sido robado. Bajo tortura declararon el ritual que habían seguido para sus propósitos: en esta ocasión el círculo mágico no se trazó con la tradicional espada ritual sino de forma mucho más macabra. El mago utilizó un gato, al que dio de comer pan impregnado con óleos consagrados para después matarlo y, una vez despellejado, obtener de su piel finas tiras que una vez unidas conformarían el círculo. Una vez en su interior, el mago invocó al demonio Berith para que le revelara la identidad del ladrón y el paradero del tesoro. En la instrucción del caso no se aclara si el ritual dio el fruto esperado, pero el mago y su ayudante acabaron en la hoguera y los clérigos condenados a prisión perpetua.

El perfeccionamiento de los procesos por inquisición se vio reforzado por la aparición de manuales para los inquisidores, inspirados en el de Raimundo de Peñafort. El inquisidor de Tolosa, Bernardo Gui, que realiza su actividad entre 1307 y 1323, es el autor del manual *Practica Inquistionis haereticae pravitatis*, aparecido en 1324. En él existe un apartado dedicado a la magia ritual bajo el título *De sortilegis et divinis et invocatoribus demonorum,* en el que se describen rituales mágicos y conjuros de invocación al demonio. Sin embargo la atención principal sigue recayendo sobre las reminiscencias de las herejías tradicionales, como el catarismo y valdismo.

Cincuenta años después, en 1376, aparece el manual de inquisidores más popular de la Edad Media, el *Directorium inquisitorum,* obra del inquisidor catalán Nicolás Eymeric. En él se distinguen tres actitudes ante los demonios convocados en la magia ritual: primero, el mago puede dar al demonio el culto de latria, es decir, considerarlo como Dios. Este culto lleva aparejada la realización de sacrificios rituales y la realización de signos de adoración, como arrodillarse, ofrecerle oraciones o quemar incienso. En segundo lugar, ofrecer a los demonios un culto de dulía, similar al que se le ofrece a los santos y a los ángeles, mezclando en las invocaciones los nombres de unos y otros. Por último, la simple invocación de la ayuda de los demonios mediante la utilización de pentáculos y figuras mágicas, espejos y anillos a los que se atribuyen poderes especiales, etc.

Eymeric aconseja a los inquisidores distinguir la actitud del mago ante la invocación: si el mago emplea términos imperativos en la invocación, como *te ordeno, te exijo,* etc., no se puede aplicar la consideración de herejía con tanta claridad como si estos términos son de sometimiento al ser invocado como en el caso de *te pido, te ruego,* etc. Como puede observarse todavía en estas fechas avanzadas del siglo XIV la acción de los inquisidores se centra en la magia ritual. Las brujas, y el mundo imaginario que se les atribuirá tiempo después no es algo que preocupe a la Iglesia en estos momentos e implique, consecuentemente, acciones de la Inquisición. Deben pues, esperar su turno para entrar en escena, que no tendrá lugar hasta el siglo XV.

La Iglesia dividida: el Cisma de Occidente

La exaltación de los nacionalismos, y el desarrollo de Iglesias nacionales que fomentaban este sentimiento entre los fieles de cada país ocasionó la mayor crisis de la Iglesia desde el nacimiento del cristianismo. Desde Clemente V los papas adoptaron Aviñón como sede apostólica. Durante más de medio siglo, desde 1309 hasta 1376, los papas, de origen francés, se dedicaron a fortalecer el sistema administrativo y fiscal de la Iglesia pero olvidaron al bajo clero que era el encargado de mantener viva la fe entre las clases más desfavorecidas. De nuevo, como en los siglos más oscuros de la Alta Edad Media los sacerdotes van a sufrir la falta de una preparación adecuada para llevar adelante su ministerio: *«Vemos que todos los clérigos apenas saben leer... No comprenden lo que dicen ni lo que rezan... Irritan al Señor con su ignorancia».*[99]

Antes de mencionar la lamentable situación que provocó en el mundo cristiano el cisma de la Iglesia, se hace necesario repasar las condiciones de penuria que sufrió Europa durante el siglo XIV. Desde los primeros años del siglo una constante sucesión de cosechas desastrosas, que algunos historiadores atribuyen a un posible cambio climático, hizo que el fantasma del hambre volviera a planear sobre Europa. Las regiones más apartadas de las rutas comerciales quedaron desabastecidas y sus habitantes, sobre todo en las ciudades, sufrieron hambrunas que afectaron a gran parte de la población.

De nuevo la idea de vivir el Apocalipsis aparecía evidente: a mediados de siglo la peste recorrió el continente segando la vida de más de una tercera parte de la población. Penetrando desde Italia, donde había llegado procedente del mar Negro a través del comercio marítimo, la peste se extendió en 1348 por los países del Mediterráneo y Francia; en 1349 se vería afectada Europa central, los Países Bajos e Inglaterra; finalmente llegaría a alcanzar, en 1359, a Escocia y la península Escandinava. Son muchas las crónicas que nos han llegado narrando tan espeluznante suceso. En ellas, junto a los horrores de la enfermedad, son relatadas las diferentes actitudes tomadas por la sociedad ante el desastre. Por un lado destaca la heroicidad de las religiosas que ayudaban a los enfermos aceptando la muerte por contagio como un servicio a Dios:

> *«Tan grande fue la mortandad en el Hospital de París, que durante mucho tiempo se estuvieron transportando a diario sobre las carretas más de quinientos muertos para enterrarlos en el cementerio de los Inocentes. Pero las santas hermanas del Hospital no temían la muerte y se entregaban por entero a su tarea con dulzura y humildad; y, en número considerable, muchas de dichas hermanas, infinidad de veces sustituidas por los claros que entre sus filas sembraba la muerte, descansan, según se cree, piadosamente, en la paz de Cristo».*[100]

Por otro, la superstición de las gentes provocó acciones contrarias a las anteriores:

> *«Se pretende que esta peste tenía como causa una infección del aire y de la aguas... La idea de que la muerte provenía de una infección del aire y de las aguas hizo que se imputara a los judíos la corrupción de los pozos, de las aguas y del aire. Las gentes se revolvieron pues, cruel-*

---

[99] De Clamange, Nicolás. *Ruina de la Iglesia.* Citado en Pietri Luce: *Op. cit.*

[100] De Venette, Jean. *Chronique latine.* Citado en Pietri Luce: *Op. cit.*

mente contra ellos, hasta el punto que en Alemania, y otros lugares donde residían los judíos, fueron muertos varios millares de ellos: asesinados en masa y quemados por los cristianos...».[101]

La incipiente medicina, que, como vimos, estaba todavía más impregnada de superstición que de ciencia, poco podía hacer para aportar remedios eficaces; se limitaba a utilizar la cal en los enterramientos y quemar los enseres que habían estado en contacto con los contagiados. Al amainar los efectos de tan devastadora epidemia, Europa se mostraba sensiblemente despoblada.

Lejos de acabar aquí las calamidades del siglo, al hambre y la peste se sumó la guerra más cruel y devastadora de la Edad Media europea: la Guerra de los Cien Años. Desde 1337 hasta 1453, con escasos períodos intermitentes de tregua, las dinastías de los Capeto y de los Plantagenet se disputaron la legitimidad para ocupar el trono de Francia. El relato, aún breve, de tan larga y compleja contienda desbordaría los propósitos de nuestra narración; bástenos reseñar que los nuevos métodos de plantear la guerra, con ejércitos profesionales compuestos mayoritariamente por mercenarios, produjeron tantas calamidades en la población como el hambre y la peste. Los capitanes de las compañías de mercenarios necesitaban la guerra para sobrevivir, por lo que donde ésta no existía la fomentaban. Asimismo, como el saqueo era el medio habitual de recompensarles, tanto el campo como las ciudades estaban sometidos a las atrocidades de tan desaprensiva casta militar. La mayoría de las veces daba lo mismo que los mercenarios defendieran la bandera propia o la del enemigo: saqueaban por igual a propios y extraños, sobre todo en tiempo de paz, en que los señores dejaban de pagarles sus soldadas. Las crónicas de este tiempo reflejan fielmente estos sucesos:

> *«Gentes de armas empezaron a aparecer en Francia por doquier, a saber: de parte del rey de Francia y los que, ordenado por él, disponían del gobierno del reino. Y lo mismo hizo con los suyos el duque de Borgoña. Por ello, el pobre pueblo, en diversas partes del reino, fue acosado y oprimido, y había muy poca gente que lo defendiese, y no había qué hacer, y no tenía otra ayuda que implorar la gracia de Dios, suplicando que por su voluntad se pusiera remedio».*[102]

Ante este panorama desolador parece lógica la decadencia de la cultura europea en todas sus manifestaciones: económica, social, cultural y religiosa. Como vimos al comienzo del capítulo, la superstición estaba muy difundida en todos los sectores de la sociedad, sobre todo en el mundo rural, y el empobrecimiento de la vida religiosa durante un siglo de penurias no haría sino agravar esta situación.

---

[101] *Ibíd.*

[102] De Monstrelet Enguerrand. *Crónica.* Citado en Pietri Luce. *Op. cit.*

La Inquisición como institución dependiente del poder centralizador de los papas de la *plenitudo potestatis*, va a sufrir directamente las consecuencias del debilitamiento de este poder desde la muerte de Bonifacio VIII. Los papas de Aviñón, todos ellos de origen francés, a pesar de sus innegables esfuerzos por ordenar la Administración de la Iglesia, estuvieron en el punto de mira de las críticas del resto de los reinos católicos. El lujo del que se rodearon los pontífices aviñonenses despertó comentarios como el del gran poeta Petrarca: *«(...) es una letrina a la cual van a parar todas las inmundicias del universo. Allí se desprecia a Dios, se adora al dinero y se pisotean las leyes divinas y humanas. Todo respira mentira: el aire, la tierra, las casas y, sobre todo, las alcobas».* [103]

El 17 de enero de 1377 el papa Gregorio XI retornaba a la ciudad de Roma. Sólo unos meses después la Silla de Pedro quedaba nuevamente vacante y el relevo del último pontífice aviñonense desató las disputas entre franceses e italianos por la sucesión. El 7 de abril de 1378 se reunió el cónclave para proceder a la elección de un nuevo pontífice bajo un clima de amenaza, incluso física, sobre los cardenales por parte del pueblo de la ciudad de Roma. Finalmente, en un acuerdo de compromiso se decidió proponer al cardenal de Bari, Bartolomeo Prignano, que aceptara la nada fácil tarea de asumir el pontificado. Prignano, que gozaba de gran prestigio como hombre virtuoso, aceptó la designación tomando el nombre de Urbano VI.

Fue precisamente la integridad del nuevo Papa lo que generaría nuevas tensiones al criticar severamente la ostentosa forma de vida de los cardenales franceses que habían viajado a Roma desde Aviñón. Con el tiempo, la actitud del Pontífice hacia ellos se fue haciendo cada vez más violenta, hasta provocar el que éstos abandonaran Roma y plantearan la nulidad de la elección de Urbano alegando las presiones a que se vieron sometidos durante el cónclave. Los cardenales franceses, procediendo unilateralmente, declararon la nulidad de la elección romana y, el 20 de septiembre de 1378, procedieron a nombrar papa al cardenal Roberto de Ginebra que adoptaría el nombre de Clemente VII. El nuevo Pontífice trasladó nuevamente la sede apostólica a la ciudad de Aviñón desde donde comenzó a reivindicar su legitimidad y la nulidad del pontificado de Urbano VI: la Iglesia católica se había dividido. El proceso que desencadenó la situación de la Iglesia provocó el desconcierto en el mundo católico. Al sucesor de Felipe IV el Hermoso en el trono de Francia, Carlos V, ante la debilidad creciente del poder de los pontífices se le atribuye el haberse regocijado de la situación proclamando: *«Ahora el Papa soy yo».*

Toda la cristiandad católica se vio obligada a tomar partido. Los príncipes optaron según las relaciones políticas que mantenían en el conflicto que enfrentaba en la Guerra de los Cien años a Francia e Inglaterra: junto a Francia reconocieron al Papa aviño-

---

[103] Citado en Pietri Luce. *Op. cit.*

nense Navarra, Castilla, Aragón, Portugal y Escocia; el Papa romano fue reconocido por la casi totalidad de las ciudades-estado italianas, el Imperio Alemán, Polonia, Hungría e Inglaterra. Los efectos del cisma fueron más graves para los creyentes que tenían que elegir en conciencia cuál de los papas era el legítimo representante de la autoridad espiritual que suponía el pontificado. La búsqueda de soluciones a través de concilios duró hasta comienzos del siglo XV y llegaron a coincidir en la Silla de Pedro hasta tres papas. Finalmente, le elección de Martín V por el Concilio de Constanza, en 1417, abrió el camino para que la Iglesia volviera a la unificación.

Las consecuencias del cisma fueron determinantes para el futuro del poder de la Iglesia con respecto a los príncipes. El cisma originó el fortalecimiento de las Iglesias nacionales que mantuvieron desde entonces una fuerte independencia con respecto al poder pontificio. En el nacionalismo las Iglesias buscaban protegerse del favoritismo que podía dispensar un determinado papa al poder temporal de un país en detrimento de otro. Esta tendencia autonómica se vio favorecida por los príncipes que así podían ejercer su control sobre el clero de su estado y los bienes eclesiásticos sin la interferencia de los pontífices.

La más grave consecuencia de las Iglesias nacionales fue el abrir el camino al cisma definitivo que supuso la Reforma Luterana. La llamada a una nueva reforma de la Iglesia que le devolviera su pureza evangélica partió con fuerza de las Iglesias nacionales y de las universidades. Los dogmas de la Iglesia fueron cuestionados y surgieron movimientos reformadores que fueron declarados heréticos. En Inglaterra, John Wyclif, un universitario de Oxford, defendió la autoridad del Rey sobre los bienes de la Iglesia. Durante el cisma propugnó la existencia de una Iglesia sin papa. En el movimiento de seguidores que originó, los sacerdotes debían ocuparse únicamente de la predicación y la vida religiosa debía estar presidida por la lectura de la Biblia. A la muerte del jefe espiritual, sus seguidores, conocidos como lollardos, siguieron su obra propugnando la creación de una Iglesia nacional en Inglaterra. Su enfrentamiento con el poder civil hizo que el Parlamento y la Corona les persiguiera, llevando a la hoguera a sus principales líderes.

De mayor trascendencia fue el movimiento reformador surgido en Bohemia, a finales del siglo XIV, encabezado por Juan Hus. Hus defendía, al igual que Wyclif, la vuelta a la pureza evangélica. Sin embargo su mayor enfrentamiento con la Iglesia fue por cuestionar la autoridad del Papa, sobre todo en lo referente al poder temporal; en una de las proposiciones presentadas ante los representantes del Concilio Ecuménico de Constanza, proclamaba:

> *«No hay ninguna evidencia de que sea necesario un jefe único para regir la Iglesia desde el punto de vista espiritual. La prueba es el hecho de que la Iglesia se mantiene desde*

hace un tiempo considerable sin papa, como es el caso desde la condenación de Juan XXIII».[104]

Juan Hus se presentó ante el Concilio de Constanza protegido por un salvoconducto imperial. El concilio condenó sus doctrinas y le presentó un documento con 59 tesis de las que debía abjurar. Tal vez confiado en la protección de su salvoconducto se atrevió a proclamar:

> «*No me han faltado consejeros bien intencionados que han querido persuadirme de que puedo y debo abjurar lícitamente, sometiendo mi voluntad a la Santa Iglesia representada en el Concilio. Pero yo pregunto: ¿cómo se puede quedar en paz con su propia conciencia confesando falsamente haber cometido una herejía que nunca se ha aceptado?*».[105]

La negativa a abjurar fue considerado una afirmación de sus tesis heréticas. El día 6 de julio de 1415 sería ejecutado en la hoguera junto a su amigo Jerónimo de Praga. La muerte de los dos reformadores desató una verdadera revolución en toda Bohemia que acabó reforzando el carácter nacionalista de la Iglesia checa. El Concilio de Basilea aceptó algunas de las tesis husitas y concedió a la Iglesia checa practicar la comunión bajo las dos especies —utraquismo— de forma habitual en la celebración de la misa.

El cisma desvirtuó totalmente la organización de la Inquisición como institución dependiente de forma directa de la Santa Sede. Los tribunales inquisitoriales fueron perdiendo su finalidad y se moderó su actividad. Con el desarrollo de las Iglesias nacionales su organización y sus eficaces métodos se sometieron al control episcopal y actuaron, a menudo, como un arma de represión al servicio de los príncipes.

Las brujas

Como ya vimos anteriormente, en el siglo XV Europa entra en escena dividida por dos bandos enfrentados en una guerra interminable y una cristiandad escindida en la obediencia a tres papas que reivindican la legitimidad de su magisterio. La Edad Media está dando sus últimos estertores de muerte y los hombres del siglo se debaten entre la supervivencia de la superstición y la luz nueva que abre camino a la razón en un *renacer* de la cultura clá-

---

[104] Hus se refiere al papa elegido por el Concilio de Constanza en 1410. El Concilio le eligió como papa legítimo en contra de los otros dos existentes: Benedicto XIII, en Aviñón, y Gregorio XII, en Roma. Los desórdenes de su vida privada llevaron al Concilio a destituirle en 1415 y condenarle a prisión. Su nombre no consta en la lista de papas y por ello, en 1958, el cardenal Roncalli asumió el pontificado con el mismo nombre y ordinal, Juan XXIII.

[105] Citado en Martín y Fliche. *Op. cit.*

sica, después de mil años de olvido. Aquellos bárbaros del siglo V han levantado catedrales, abierto decenas de universidades y creado estructuras políticas y administrativas que son el preludio de los grandes Estados de la Edad Moderna. Sin embargo, los *demonios familiares de Europa*, como los denomina Norman Cohn, persisten con inusitados bríos: demonios, magos, brujas, adivinos... se mezclan formando un cóctel que genera un estereotipo del absurdo, asumido de forma generalizada por la sociedad, que muy pocos se atreven a cuestionar.

Durante el siglo XIV la persecución inquisitorial de la magia ritual rescató la figura del Demonio y sus príncipes. Unos y otros, perseguidos y perseguidores, acabaron desarrollando una verdadera demonolatría que perduró hasta el racionalista siglo XVIII. Los ritos asociados a la adoración al Demonio se difundieron ampliamente en todos los sectores de la sociedad a través de las predicaciones inquisitoriales contenidas en los Edictos de Fe.[106] Además de las tradicionales prácticas atribuidas a las herejías tradicionales como el catarismo y valdismo, que también acabaron siendo asociados al satanismo, el creyente debía espiar y denunciar cualquier acto sospechoso de adoración al Demonio, bajo amenaza de ser considerado encubridor si no lo hacía:

> «*Todos los que sepan algo de las cosas mencionadas en el presente edicto, o de otras herejías, y no se presente a denunciar y declarar las mismas quedan por la presente excomulgados y no pueden ser absueltos por sus confesores*».[107]

En el estereotipo del brujo, más tarde generalizado en la figura femenina de la bruja, coincidieron viejas creencias con otras desarrolladas en el siglo precedente. Primero hay que citar la idea del *maleficium,* que siguió vigente desde la Antigüedad. Las desgracias de todo tipo siguieron siendo atribuidas a personas; pero si en principio el culpable denunciado podía ser el vecino envidioso, ahora se buscaba como chivo expiatorio a una persona que recibiera el poder de hacer el mal directamente del Demonio. En segundo lugar, sobre los restos de las sectas heréticas cátara y valdense, refugiadas en los escondidos valles del Pirineo y los Alpes, recayeron las más terribles acusaciones de comportamiento antisocial: apostasía de la verdadera fe; crímenes y canibalismo de niños de corta edad, cuando no recién nacidos; y promiscuidad sexual, incluido el incesto.

La figura tradicional del mago que, como vimos, amparado en la parafernalia de la magia ritual sometía a los demonios a su voluntad, se transformó en la relación contraria: el brujo se sometía a la voluntad del Demonio a través de un pacto, reconociéndole como señor después de haber abjurado de la fe de Cristo a través de un acto solem-

---

106 Ver significado en el capítulo referente al *Procedimiento.*
107 *Item* que se leía al final de los Edictos de Fe.

ne de apostasía. En el caso de la mujer, la bruja se convertía, además, en esclava sexual de los demonios.

También se rescató, sobre todo en las áreas en las que sobrevivieron restos de las antiguas religiones celta y germánica, la antigua idea de asistir volando a la convocatoria de una deidad de la naturaleza que los romanos identificaron con Diana y a la que los germanos denominaban Holda. El cristianismo se enfrentó a estas creencias desde que tuvo conocimiento de ellas, condenándolas como productos de la imaginación inspiradas por el Demonio. El famoso *canon Episcopi*, atribuido al Concilio de Ancyra de 314, que tuvo una gran difusión a partir del siglo XI, castigaba con penas severas el sólo hecho de creer en ello:

> «¿*Crees que hay alguna mujer que, semejante a la que la locura del vulgo llama Holda, cabalgue durante la noche sobre ciertas bestias, en compañía de demonios transformados en mujeres, cosa que afirman algunas personas engañadas por el diablo? Si participaste de aquella creencia debes hacer penitencia durante un año en los días señalados».*[108]

En el siglo XV, algunos inquisidores reflejaron las declaraciones de ciertas mujeres, que afirmaban asistir volando a las reuniones satánicas, y aceptaron como realidad lo que siglos antes se consideraba ilusión.

La materia prima para crear el estereotipo fue convenientemente amalgamada y finalmente la imagen del brujo, y sobre todo la de la bruja, respondía a un modelo muy bien delimitado: un individuo que había apostatado de la fe cristiana, que asistía volando a reuniones convocadas por el Demonio los viernes y algunas festividades señaladas, como la noche de difuntos o la de san Juan. Estas reuniones recibieron el nombre de *sabbats* o aquelarres[109]; en todas ellas además de mostrar adoración al Príncipe de las Tinieblas, que solía presidir la reunión bajo formas diversas (sobre todo la representación del macho cabrío), se procedía a celebrar la liturgia satánica, en la que se invertían los símbolos cristianos, y la Eucaristía era sustituida por el sacrificio ritual de un niño para devorar su carne y beber su sangre. Después de la celebración de la liturgia satánica, la noche derivaba en una orgía frenética, en la que nadie podía rechazar la solicitud de actos carnales por cualquiera de los asistentes, en los que participaban activamente los demonios, y el incesto era habitual. Por último, las brujas daban cuenta al Demonio de los males producidos por sus maleficios y recibían instrucciones concretas sobre otros a realizar.

---

[108] Citado en Julio Caro Baroja. *Las brujas y su mundo*. Alianza-Ediciones del Prado, Madrid, 1993.

[109] La palabra *sabbat* hace referencia a la celebración judía; en castellano ha prevalecido el término aquelarre, derivado de la lengua euskera, en la que tiene el significado de «prado del macho cabrío».

Durante los primeros años del siglo XV, este estereotipo acabó imponiéndose, aunque con múltiples variantes según los países de Europa y aun en ellos según las regiones. Los inquisidores tuvieron dificultades para homogeneizar las variantes regionales de estos ritos y los nombres con los que se designaba a la bruja: *atrega,* en Italia; *faitturiere,* en Francia, etc. para terminar adoptando el término común de *maléfica.* Hay que significar, en cuanto a la complicidad de los inquisidores en los temas de brujería, que en la persecución de los presuntos culpables de este delito no existió, ni mucho menos, el celo policial que consiguió exterminar a los temidos cátaros. La mayor parte de las veces los servicios de los inquisidores eran requeridos por la autoridad civil, abrumada por las denuncias de los ciudadanos. En ocasiones comunidades enteras vertían sus frustraciones sobre familias marginales, a las que se les atribuía la práctica de un *maleficium* como causa de un desastre natural o una mala cosecha.

Como ya comentamos en el caso de las *meigas* gallegas, el curanderismo daba pie a las denuncias de aquellos que no obtenían remedio a sus males; la situación se empeoraba si el resultado final del tratamiento era la muerte del paciente. Si la bruja curandera también era experta en filtros de amor corría el riesgo de ser acusada como responsable de producir la impotencia en los varones y la esterilidad en las hembras.

La imaginación popular consideraba los preparados mágicos de las brujas como una mezcla nauseabunda de toda clase de ingredientes. Shakespeare supo darle forma poética al ritual del caldero de las brujas en uno de los fragmentos de Machbeth:

> *Colmillos de lobo, fauces de dragón,*
> *humores de momia, hiel de tiburón,*
> *sacrílegas manos de infame judío,*
> *infectas entrañas de macho cabrío,*
> *raíz de cicuta, de noche cogida*
> *—que en la extraña mezcla será bienvenida—;*
> *abeto tronchado con luna eclipsada;*
> *de tártaro, labios; de turco, quijada;*
> *los dedos de un niño ahogado al nacer*
> *y echado en un pozo por mala mujer.*
> *Con todo esto el caldo comience a cocer.*
> *Y para pujanza del filtro hechicero,*
> *añádanse tripas de tigre al caldero.*

De lo que sí puede culparse a los inquisidores es de propagar el estereotipo antes descrito, reforzado en los interrogatorios bajo tortura de los acusados. Especial gravedad tenía el aceptar como hechos ciertos, fantásticos aquelarres y brujas transportadas hasta ellos en vuelos nocturnos, utilizando como vehículo palos de escoba o animales. La tortura trataba de sonsacar la confesión acerca de otras personas que hubiesen concurrido junto al enjuiciado: las delaciones produjeron a veces reacciones en cadena involucrando a centenares de miembros de una localidad, e incluso de una región entera, en las que aparecían las más altas dignidades civiles y eclesiásticas, lo que dio lugar a estados de gran confusión colectiva. El más famoso de estos procesos se produjo en Arras y comenzó en 1459. La primera víctima fue un ermitaño acusado de brujo y de acudir a los aquelarres; durante las sesiones de tortura, y antes de ser quemado, le hicieron confesar los nombres de otras personas que participaron también en las reuniones satánicas. El torturado implicó únicamente a dos supuestos cómplices, una prostituta y un poeta. Las nuevas posibilidades del caso atrajeron el interés de dos dominicos: el jurista Jacques du Boys y Jean, obispo de Beirut. Nuevamente la tortura amplió el número de acusados de formar parte de la secta brujeril que acudía a los aquelarres. La reacción en cadena que produjeron los interrogatorios bajo tortura implicó a un número considerable de personas de la ciudad. Los dos dominicos, en su necedad, preconizaban que la tercera parte de los supuestos cristianos eran realmente adoradores del diablo y por tanto, cualquier acto de defensa o apoyo a los denunciados constituía una evidencia clara de complicidad. Los primeros infelices que confesaron bajo tortura, y engañados con la promesa del perdón si confesaban todos los cargos que se les imputaban, corroboraron su participación en un aquelarre con todos los ingredientes del estereotipo, incluidos los vuelos nocturnos. Su confesión no los libró de ser quemados desoyendo los gritos con que proclamaban su inocencia entre las llamas. La cadena de acusaciones alcanzó finalmente a algunos ciudadanos de abolengo que decidieron recurrir a su señor, el duque de Borgoña, para elevar quejas sobre la irregularidad del proceso. Como medida cautelar el Duque envió a un emisario para que controlara la legalidad de los interrogatorios. La intervención del Duque paralizó las detenciones; a pesar de ello los dos dominicos siguieron presionando a los inquisidores para continuar con el proceso. La actitud de la Inquisición fue negarse en redondo a continuar y muchos inquisidores mostraron su postura contraria a creer en las fantasías de los aquelarres. El caso de Arras terminó muchos años después, en 1491, cuando ya muchos de los implicados habían fallecido. Fue el parlamento francés, al que se recurrió también en el proceso, quien emitió finalmente la sentencia que reivindicaba la memoria de las víctimas y castigaba a los jueces que continuaban con vida.

Los papas siguieron reforzando las atribuciones de los inquisidores para perseguir la brujería, aunque la mayoría de las veces eran requeridos por la autoridad civil. Entre las bulas pontificias promulgadas para luchar contra la brujería destaca la que emitió Inocencio VIII, en 1484, bajo el título de *Summis desiderantes affectibus*, dirigida a los obispos alemanes. En ella el Papa describe los actos brujeriles con total convencimiento sobre su veracidad:

> *«Recientemente ha venido a nuestro cierto conocimiento, no sin que hayamos pasado por un gran dolor, que en algunas partes de la Alta Alemania, en las provincias, villas, territorios,*

localidades y diócesis de Mayenza, Colonia, Treves, Salzburgo y Brema, cierto número de personas del uno y otro sexo, olvidando su propia salud y apartándose de la fe católica, se dan a los demonios íncubos y súcubos, y por sus encantos, hechizos, conjuros, sortilegios, crímenes y actos infames, destruyen y matan el fruto en el vientre de las mujeres, ganados y otros animales de especies diferentes; destruyen las cosechas, las vides, los huertos, los prados y pastos, los trigos, los granos y otras plantas y legumbres de la tierra; afligen y atormentan con dolores y males atroces, tanto interiores como exteriores, a estos mismos hombres, mujeres y bestias, rebaños y animales, e impiden que los hombres puedan engendrar y las mujeres concebir y que los maridos cumplan el deber conyugal con sus mujeres y las mujeres con sus maridos; con boca sacrílega reniegan de la fe que han recibido en el Santo Bautismo; no temen cometer y perpetrar, a instigación del enemigo del género humano, otros muchos excesos y crímenes abominables con peligro de sus almas, desprecio de la Divina Majestad y peligroso escándalo de muchos».[110]

Esta actitud de credulidad no era compartida por todos los teólogos. Fueron muchos los que se negaron a creer en las fantasías sobre los aquelarres; sobre todo en regiones donde las reminiscencias de la tradición celta o germánica eran más débiles, como es el caso de los reinos de la Península Ibérica. Los inquisidores castellanos de la meseta y el sur mantuvieron siempre una postura ecléctica sobre el tema de las brujas y se resistieron a ser influenciados por corrientes persecutorias que penetraban desde el sur de Francia.

Para mejor proceder en la persecución de las brujas algunos autores desarrollaron manuales similares a los de Gui o Eymeric. Uno de los más célebres es el *Formicarius*, escrito por el teólogo Juan Nider entre 1435 y 1437. El libro se plantea como un diálogo entre un teólogo, experto en temas de brujería, y Piger, un hombre simple que representaba el lado más extremo de la superstición popular. Piger asociaba hasta los elementos más cotidianos con lo sobrenatural; su maestro le desdice de sus simplezas haciéndole ver, sin embargo, las graves acciones de los brujos según el modelo más difundido sobre el *maleficium* y los aquelarres.

Mucha mayor incidencia que el *Formicarius*, aunque a veces fueron publicados juntos, tuvo el *Malleus maleficarum*. A consecuencia de la bula de Inocencio VIII, dos inquisidores, Enrique Institor y Jacobo Sprenguer, fueron enviados a Alemania para proceder sobre las alarmantes noticias acerca de la acción de las brujas. De sus inquisiciones sacaron consecuencias que confirmaban todas las acciones contenidas en la bula papal y en el estereotipo ya generalizado en todo el mundo católico. Todo ello se desarrolla a lo largo de su obra, en la que también se da cuenta del alcance del poder de las brujas y cómo puede contrarrestarse y combatirse.

En el *Malleus* los dos inquisidores mantienen que todos los brujos y brujas actúan en consuno como miembros de una secta universal al servicio del Demonio. El libro narra

---

[110] Citada en Julio Caro Baroja. *Op. cit.*

también la forma en que el diablo atrae a sus partidarios y la forma en que estos participan en los aquelarres. De gran interés es el planteamiento de cómo deben realizarse las inquisiciones: aunque una persona particular puede poner una denuncia si se siente perjudicada particularmente, o si puede aportar alguna de las pruebas que son mencionadas en los edictos de fe, lo normal es que sea la autoridad civil quien requiera los servicios de los inquisidores ante estados de alarma de la población. El juez inquisidor asume plenos poderes, pudiendo elegir la forma en que pueden organizar su defensa los acusados. En la utilización de la tortura se aconseja desconfiar de la resistencia del reo, que puede estar utilizando su poder o la ayuda del Demonio para soportar el dolor.

Como se ve, la aplicación del perfeccionado sistema procesal inquisitorial que se desarrolló durante el siglo XIV se fue convirtiendo en una farsa en la que toda esperanza de justicia dependía de la prudencia del inquisidor. Afortunadamente los inquisidores prudentes existieron y en algunos procesos aparecían sentencias que aconsejaban: «*es preferible absolver a un culpable que condenar a un inocente*».

El hecho de que se gestara una teoría del absurdo en torno a la brujería no significa que éstas no existieran: hubo realmente personas que se consideraban a sí mismas detentadoras de poderes para provocar el *melaficium* y hacían de esta creencia su forma de vida. Más complejo es el mundo de la adoración al demonio practicada por grupos más o menos organizados. Aunque a las reuniones satánicas no se fuera volando en escobas, ni apareciera en modo alguno el diablo, salvo bajo los efectos de alucinógenos, como sucede en las manifestaciones rituales de religiones afrocubanas que se realizan todavía en la actualidad, en ocasiones fue cierto que la alarma social por la desaparición de niños no se debió a fenómenos de histeria colectiva. En el célebre juicio de Zugarramurdi,[111] que afectaba a los valles pirenaicos del noroeste de Navarra, quedó demostrada la culpabilidad de los acusados en la desaparición de niños, que fueron sacrificados en las reuniones satánicas. La Inquisición Española actuó ante el requerimiento de la autoridad civil y las sentencias por estos crímenes fueron más benévolas de las que aplicaba la justicia secular.

La gran caza de brujas duró hasta finales del siglo XVII, y tuvo una desigual incidencia según las regiones. A pesar de que ésta existió tanto en el ámbito protestante como en el católico, las cifras nos hablan de una enorme desproporción entre ambos. En Alemania, sobre todo a partir de la implantación del protestantismo en siglo XVI, se calcula en torno a las 25.000 las ejecuciones de brujas en la hoguera; y de 10.000 en la Suiza calvinista. Frente a ellas, en España la cifra sólo alcanza las 300 ejecuciones, y de ellas 35 se deben a condenas dictadas por la Inquisición. En Portugal sólo habrían sido 7 las víctimas; y sólo una se produjo por sentencia inquisitorial.

---

111 Ver en Julio Caro Baroja. *Op. cit.,* capítulos 13 y 14.

La Inquisición

en España

España en la segunda mitad del siglo XV. Los Reyes Católicos

El matrimonio celebrado el 19 de Octubre de 1469 entre los entonces príncipes Isabel –hija de Juan II de Castilla y de su segunda esposa Isabel de Portugal– y Fernando –hijo de Juan II de Aragón y de Juana Henríquez– supone el establecimiento de la unión dinástica de las coronas de Castilla y Aragón, que dará paso a la historia moderna en España con las características propias de la configuración del Estado moderno, esto es, la consolidación de la autoridad real y la consiguiente centralización del poder económico y político.

De las graves crisis económicas que sacudieron Europa durante los siglos XIV y primera mitad del XV, originadas por enfrentamientos dinásticos y nobiliarios y agravadas por pestes y epidemias, no se libró la Península Ibérica. Es a mediados del siglo XV cuando en el occidente europeo la crisis va tocando fondo y comienza el engrandecimiento de las monarquías, que evolucionarán hacia el absolutismo, y que hará que las de algunos países lleguen a gobernar dominios en los que «nunca se ponía el sol». Así, pues, Castilla, a mediados del siglo XV y con aproximadamente dos tercios del territorio y las tres cuartas partes de la población, continúa su expansión hacia el sur contra el reino de Granada, único reducto de los moros en territorio peninsular tras el largo proceso de la Reconquista y que, absolutamente debilitado por las constantes luchas internas, acabará sometido a Castilla; dominando la costa atlántica, el reino de Portugal, en plena expansión conquistadora de nuevas tierras propiciada por el infante Enrique el Navegante; el reino de Navarra con una inestabilidad interna que le mantiene en dependencia constante de Francia o Aragón, según los aires que soplen y, por último, mirando hacia el Mediterráneo, el reino de Aragón, que comprendía, además, las provincias de Cataluña y Valencia.

...abel como reina de Castilla el 13 de diciembre de 1474,
...e su hermanastro Enrique IV −el Impotente−, desem-
...oyos internacionales en ambos bandos−[112] en la que
...o a su sobrina Juana La Beltraneja −de la que se de-
...Cueva, Duque de Alburquerque, y no del difunto
...en un principio había quedado resuelta en 1468 con
...os Toros de Guisando por el que Isabel era designada heredera,
...el matrimonio de ésta con Fernando de Aragón, que enfureció a Enri-
...IV y a parte de la nobleza que la había apoyado, y Juana la Beltraneja fue proclamada nueva heredera del reino de Castilla.

Concluida la guerra, Castilla y Portugal firman el 26 de septiembre de 1479 el Tratado del Alcaçovas −ratificado en Toledo en marzo de 1480 y confirmado por Sixto IV en
la bula *Aeternis Regis,* promulgada en 1481−, con el reconocimiento de Isabel como sobe-
rana de Castilla y un firme propósito de evitar futuras disputas entre ambos reinos. En este
sentido, se concierta el matrimonio de Isabel, la primogénita de los reyes, con el príncipe
Alfonso, heredero del trono portugués, y se trazan las líneas de demarcación de la expansión territorial de ambos reinos que, en síntesis, supone para Portugal la adjudicación de todas las tierras descubiertas y cuantas se hallasen en lo sucesivo a partir de las islas Canarias
hacia abajo, así como el reconocimiento de la supremacía portuguesa en África, mientras
que para Castilla, la soberanía sobre las referidas islas Canarias y el compromiso de no enviar expediciones hacia las zonas de influencia portuguesa sin el consentimiento de los reyes de Portugal −tras el descubrimiento de América en 1492 hubo que llegar a otro pacto
en Tordesillas, pues el monarca portugués Juan II, en virtud de estos acuerdos, reclamaba
para sí las tierras descubiertas.

Los Reyes Católicos comienzan, pues, su reinado con la urgente tarea de pacificar sus
territorios y la no menos urgente de organizar las finanzas −harto escasas para la Corona
tras la guerra− y con todo el poder económico en manos del clero y la nobleza.

A este respecto Henry Kamen escribe:

«Se ha calculado que de los nueve millones de habitantes de Castilla y Aragón en 1482,
el 0,8% estaba constituido por la alta nobleza y un 0,85% lo constituía la aristocracia urba-
na, dando este total aproximadamente el 1,65% de nobles respecto al resto de la población. Sin
embargo esta pequeña proporción de individuos era propietaria directa o indirectamente del 97%
del suelo. Y para demostrarlo sólo debemos recordar que la gran provincia de Andalucía era vir-

---

[112] Juana estuvo apoyada por su esposo Alfonso V de Portugal −con quien se casó en 1475−, Luis XI de Francia y los
Lancaster ingleses, mientras que al frente de la causa de Isabel estaba su esposo Fernando, arropado por Juan II
de Aragón, el rey de Borgoña y los York ingleses. La nobleza castellana estaba dividida entre ambos bandos.

tualmente toda ella propiedad de las casas nobiliarias y del arzobispado de Toledo. Además de esta preponderancia territorial en una época en que la tierra era el principal medio de producción y subsistencia, las casas nobiliarias podían contar con rentas de fantásticas proporciones. Al principio del reinado, el marqués de Villena alardeaba de unos ingresos de 100.000 ducados anuales cuando un ducado era equivalente al salario de ocho días de un obrero de primera. En términos modernos esto significaría unos ingresos anuales de más de 167 millones de pesetas, algo fantástico a cualquier nivel, pero sorprendente para el nivel de vida de la España del siglo xv. El alto clero figuraba en la misma categoría. La Iglesia española gozaba de una renta anual de más de 6.000.000 de ducados, y sólo el arzobispo de Toledo recibía unas rentas anuales de unos 80.000 ducados».

Isabel viajó por todos sus reinos para que su presencia contribuyera al restablecimiento del orden, castigó a la nobleza disidente y recompensó a los leales con la asignación de los puestos principales en los Consejos de Estado que los reyes instituyeron para centralizar los sistemas financieros y administrativos.

Isabel y Fernando gobernaron siempre que les fue posible en conjunto y ambos decidían sobre la política que convenía aplicar a cada reino —Aragón, que poseía tres parlamentos separados y fueros locales conservaba cierto grado de autonomía, mientras que en Castilla la Corona gozaba de mayores poderes—; y hasta tal punto ponían empeño en la referencia que obligatoriamente debía hacerse a ambos monarcas ante cualquier decreto o simple disposición que, a modo de broma y según las crónicas, el nacimiento de la primogénita fue comunicado a los leales súbditos de los monarcas anunciando el feliz acontecimiento de que el Rey y la Reina habían dado a luz una niña.

Por otra parte, la tradicional pacífica convivencia entre judíos, moros y cristianos que, con más o menos altibajos, fue mantenida mientras duró el equilibrio militar y político entre las tres comunidades, se había ido deteriorando a medida que los cristianos ganaban territorio. La desahogada posición económica que en medio de cualquier crisis conseguían consolidar lo judíos, amén de consideraciones religiosas, fueron alimentando un profundo antisemitismo que se tradujo en un constante rosario de revueltas populares y matanzas de judíos. En el año 1391 había tenido lugar un brutal levantamiento que comenzó en Sevilla y se fue extendiendo hacia el norte por todas las principales ciudades de Castilla y Aragón. El saldo: un elevado número de judíos asesinados, destruidas las juderías de Sevilla, Toledo, Valencia y Barcelona y *«diezmadas o atacadas con mayor o menor intensidad —y enumera el Marqués de Lozoya— las de Alcalá de Guadaira, Écija, Carmona, Cazalla (en Sevilla), Córdoba, Santa Olalla (Huelva), en Jaén la de la capital y las de Úbeda y Baeza, Ciudad Real, Ocaña (Toledo), Cuenca, Fregenal de la Sierra (Badajoz), Burgos, Logroño, Gerona, Cervera, Lérida y Palma de Mallorca».*

Muchos judíos fueron obligados a bautizarse y otros muchos consideraron el bautismo como fórmula eficaz para preservar sus vidas, con lo que del problema judío surge otro más y aún más grave: el problema de los conversos, o cristianos nuevos, contra los que ahora dirigen su odio, no sólo los empobrecidos cristianos viejos, que sospechan acerca de la autenticidad de su conversión, sino también sus antiguos correligionarios judíos, que les consideran traidores a su raza y a su fe.

Realmente los judeo-conversos constituían un grupo muy heterogéneo en el que podían encontrarse desde auténticos cristianos hasta aquellos que, lógicamente, conservaban el recuerdo de la antigua fe y volvían a ella, si bien con una práctica muy *sui generis* obligados como estaban a hacerlo en secreto y sin la referencia de los rabinos; también había escépticos, e incluso vacilantes entre una y otra religión, como debió de ser el caso de un tal Alfonso Ferrandes Semuel, que vivió en la corte de Juan II, y en cuyo testamento legaba a la Iglesia unas cuantas monedas; pero cien maravedíes a los judíos para que no tuvieran que trabajar en sábado; su sombrero al sirviente de la sinagoga para que le rezara el *Pentateuco* y cantara a su alma *pyzmonin* –himnos–; su asno a los sepultureros a fin de que tratasen bien su cadáver y no lo arrastraran –como hacían con los herejes– y pedía, en fin, que a los pies de su cadáver colocasen una cruz, el *Corán* en su pecho y la *Torá* a su cabecera.

Algunos autores califican la religión de los conversos como judaísmo subterráneo, ya que la mayor parte de los que recibieron el bautismo, incluidos los que lo hicieron voluntariamente, conservaba las costumbres y ritos judíos adquiridos durante generaciones como parte de su cultura y en mayor o menor grado contaminados por las recién adquiridas costumbres y ritos cristianos. Sus ocupaciones siguieron siendo las mismas, esto es, el comercio, la artesanía, la medicina «científica» –los grandes médicos eran todos judíos o de origen judío–, banqueros, y se puede decir que las grandes empresas que llevaron a efecto los Reyes, como la guerra de Granada o el descubrimiento del continente americano, fueron financiadas por judíos y conversos.

Durante el siglo XV la «clase» de los conversos había aumentado considerablemente y se puede decir que en casi todas las familias nobles había sangre judía, y sirva como ejemplo la de los Henríquez, de los que descendía el propio don Fernando por línea materna, o la del que fuera primer Inquisidor General de Castilla y Aragón, fray Tomás de Torquemada. Así mismo, cargos importantes de las cortes castellana y aragonesa, incluso del alto clero, eran ocupados por conversos.[113]

El resentimiento hacia los conversos siguió creciendo hasta tal punto que, como puntualiza Kamen, el *«en apariencia insignificante problema de los conversos había llegado a ser una amenaza a todo el orden social».*

---

[113] Mencionemos a este respecto el famoso *Libro Verde de Aragón,* un libelo que circuló a principios del siglo XVI a modo de árbol genealógico de la nobleza aragonesa «contaminada» por sangre judía, así como el correspondiente castellano *Tizón de la Nobleza de España* –escrito por el cardenal Mendoza y Bobadilla en 1560 ofendido por un episodio en el que se aludía al origen de su familia, y que recoge en una especie de memorandum los orígenes judíos de la nobleza española.

La Inquisición fue creada, pues, para dar solución al conflicto relativo al régimen religioso de los conversos. Los judíos quedaban fuera de su jurisdicción.

El problema de los conversos y la institucionalización del Consejo de la Suprema y General Inquisición en España

«Doloroso es, después de haber contemplado por tanto tiempo los importantes beneficios que a Castilla resultaran de la sabia política de doña Isabel, verse ahora en la precisión de examinar la parte sombría del cuadro y presentar a esta ilustre señora acomodándose al espíritu tan poco liberal en que vivió, hasta el punto de sancionar uno de los mayores abusos que hayan deshonrado jamás a la humanidad.»

Así comienza Prescott, uno de los biógrafos que más admiración han manifestado por la figura política de los Reyes Católicos, el controvertido capítulo del establecimiento en Castilla y Aragón de la moderna Inquisición.

Hemos esbozado en la introducción a este capítulo la crispada situación social que hacia finales del siglo XV planteaba la convivencia entre cristianos viejos, judíos –constreñidos en sus juderías– y conversos, con los consiguientes episodios de intolerancia que surgían de cuando en cuando.

En 1481 el arzobispo de Toledo, Alonso Carrillo, disolvió los gremios de dicha ciudad organizados siguiendo criterios de linaje entre «viejos» o «nuevos» cristianos, prohibiendo en todas las ciudades y villas de su arzobispado las asociaciones raciales así diseñadas, bajo pena de excomunión y advirtiendo del peligro de cisma.

Pero la brecha que separaba a unos y otros era demasiado profunda como para que las disposiciones de un prudente prelado pudiera colmarla. Por otra parte, las historias que corrían de boca en boca soliviantando al populacho, más que con el cisma tenían que ver con la apostasía de aquellos que, después de bautizados, en secreto renegaban de Jesucristo y continuaban con las prácticas de su antigua religión, llegando incluso al crimen ritual para conseguir el triunfo del judaísmo a la par que la destrucción de los verdaderos cristianos. En esencia, así podemos referirnos al informe entregado a los Reyes, con el respaldo del Arzobispo de Sevilla y Primado de las Españas, Pedro González de Mendoza, hijo del Marqués de Santillana y Consejero de Isabel, y de fray Tomás de Torquemada, prior del convento dominico de Santa Cruz de Segovia, sobre la situación, no sólo de Andalucía –donde la reina había permanecido desde julio de 1477 a octubre de 1478 y a la que fray Alonso de Ojeda[114] había presionado para convencerla de la nece-

---

[114] Prior del convento dominico de san Pablo de Sevilla.

sidad de actuar contra judíos y conversos–, sino de la práctica totalidad de los reinos castellanos.

Es precisamente durante esta estancia en Andalucía cuando Isabel toma conciencia de
la auténtica dimensión del problema. La reina conocía bien las juderías de Castilla la Vieja,
donde la tendencia hacia la integración venía ya de antiguo, y muchos de los judíos que
quedaban sin convertir habían aprovechado los sangrientos episodios de 1391 –que en
Castilla fueron menos violentos que hacia el sur– para dar el paso definitivo. En la zona
centro –Toledo-Tajo–, las cosas no estaban tan tranquilas como hacia el norte ni tan tiran-
tes como en el sur. Y es que en Andalucía la situación era distinta porque también lo era la
situación política, mucho más anárquica aquí –no olvidemos la frontera con el reino moro
de Granada y las actividades poco leales hacia la corona del Duque de Medina-Sidonia con
muchos amigos judeo-conversos cuyo grado de integración era evidentemente menor que
en Castilla y cuya arrogancia un tanto mayor de la conveniente: la práctica del ritual judío,
al que habían vuelto muchos de ellos, se hacía abiertamente y sin tapujos, por lo que el
odio concentrado hacia este grupo, no sólo por parte del pueblo llano, sino también por el
estamento eclesiástico, era grande. Andrés Bernáldez –*El Cura de Los Palacios*–, cura párroco de la villa de los Palacios, nos ofrece a continuación una muestra del enardecimiento del
clero andaluz en este asunto:

> «*Esta raza maldita se negaba a llevar a sus hijos a bautizar, y si lo hacía, les limpiaba de
> aquella mancha luego que volvían a casa; aderezaban sus viandas y manjares con aceite, en vez
> de manteca fresca, se abstenían de carne de puerco; observaban la Pascua; comían carne en la
> Cuaresma y enviaban aceite para llenar las lámparas de la sinagoga, con otros muchos abomi-
> nables ritos de su religión. No tenían respeto alguno a la vida monástica y frecuentemente pro-
> fanaban el santuario de las casas religiosas violando o seduciendo a las vírgenes que las ocupa-
> ban: eran gentes en extremo sagaces y ambiciosas que se apoderaban de los cargos municipales
> más lucrativos; preferían adquirirse el sustento por medio del comercio, en el cual lograban exor-
> bitantes ganancias más bien que por el trabajo manual o las artes mecánicas y amontonando, fi-
> nalmente, grandes riquezas, conseguían emparentar por casamiento con nobles familias*».
>
> «*Sólo después que la reina sufrió las referidas importunaciones del clero, y especialmente
> de aquellas reverendas personas en quienes más confianza tenía, apoyadas por los razonamien-
> tos de Don Fernando –justifica Prescott– fue cuando consintió solicitar del Papa una bula
> para la introducción del Santo Oficio en Castilla.*»

Parece que Isabel tenía perfectamente clara la dimensión estrictamente religiosa del
Tribunal, mientras que Fernando entendió enseguida las posibilidades políticas que ofrecía
semejante institución, por no citar las económicas acerca de las cuales no perdió ocasión
en tentarle el nuncio pontificio Niccolo Franco.

El papa Sixto IV –Francesco de la Róvere, un franciscano inteligente y ambicioso– no dudó un instante en satisfacer la petición –sin duda previendo los ingresos que podían proporcionar los ricos judíos españoles– y el primero de noviembre de 1478 es promulgada la bula «*Exigit sinceras devotionis affectus*» que autoriza a los monarcas españoles

> «*para elegir dos o tres obispos, arzobispos u otros varones próvidos y honestos, presbíteros seculares o regulares, mayores de 40 años de edad, de buena vida y costumbres, maestros o bachilleres en teología, doctores o licenciados en cánones, en virtud de examen riguroso, para que así nombrados inquieriesen en todos los reinos y señoríos de dichos monarcas contra los herejes, apóstatas y fautores, a cuyo fin desde entonces daba Su Santidad a los elegidos la jurisdicción necesaria para proceder conforme a derecho y costumbre, autorizando a los reyes para revocar los nombramientos y poner otras personas en lugar de los primeros nombrados, y esperando que esta bula no pudiera ser revocada sin mención especial de su contenido*».[115]

Sin embargo, los escrúpulos de Isabel mantienen en suspenso la ejecución del decreto y exhorta al cardenal Mendoza, arzobispo de Sevilla, para que realice en todas sus diócesis –las más conflictivas del reino– una campaña de catequización que restituyese pacíficamente a los judaizantes al seno de la Iglesia. Se prepara, pues, un catecismo en el que se explica la doctrina católica y se ordena al clero todo el esfuerzo posible para la labor encomendada por la Reina.

Pero en 1480 aparece un libro –presuntamente escrito por un judío– reprobando las providencias de los reyes y atacando al cristianismo[116] que, unido a los informes que al efecto le proporcionaron a Isabel Diego Alonso de Solís, obispo de Cádiz, Diego de Merlo, asistente y Gobernador de Sevilla, y fray Alonso de Ojeda, acaban por convencer a la reina de la inutilidad de cualquier medida benigna, y así, en septiembre de 1480, encontrándose los reyes en Medina del Campo, designaron inquisidores a los dominicos fray Miguel Morillo y fray Juan de San Martín, fiscal a Juan López del Barco –capellán de la Reina–, y como asesor al doctor Juan Ruiz de Medina, consejero de Isabel.

El 9 de octubre libraron real cédula por la que ordenaban a los gobernadores de las provincias por las que iba a pasar la comitiva inquisitorial en su camino hacia Sevilla –lugar donde se establecería este primer Tribunal– para que se les proporcionase alojamiento y toda la ayuda que fuese menester.

La instauración de la inquisición no fue bien recibida en Castilla, y hasta tal punto contrarió a unos y otros, que los inquisidores no pudieron dar comienzo al ejercicio de sus

---

[115] Llorente, Juan Antonio. *Op. cit.*

[116] Este libro fue contestado por fray Hernando de Talavera –jerónimo de tendencia moderada que fue confesor de la Reina y uno de los pocos que intentó que la maquinaria inquisitorial no se pusiera en marcha–, en su *Católica impugnación del herético libelo que el año pasado de 1480 fue divulgado en la ciudad de Sevilla*.

funciones por falta de auxilio, por lo que fue necesaria una nueva orden de los soberanos fechada el 27 de diciembre.

El 2 de enero de 1481 el Tribunal se instaló, finalmente, en el sevillano convento de San Pablo para comenzar el ejercicio de su ministerio, coincidiendo con la fuga de la ciudad de muchos cristianos nuevos[117] que buscaron refugio en los señoríos del duque de Medina-Sidonia, del marqués de Cádiz, del conde de Arcos y otros, ya que, en un principio, se interpretó el mandato real de forma restrictiva, y en el sentido de que la Inquisición sólo poseía jurisdicción en los pueblos realengos, es decir, aquellos pueblos que no pertenecían a ningún señorío, ya fuera nobiliario o eclesiástico. Tras la confirmación por los Reyes de la jurisdicción del Tribunal en cualquier lugar del reino, gran número de conversos fueron hechos prisioneros por considerar su huida como confesión del crimen de herejía judaica y delito de fuga de la vigilancia de la Inquisición.

Otros, en cambio, decidieron hacerse fuertes, armándose y organizándose para acabar, si era preciso, con sus perseguidores, como hicieron Diego Susán y otros conversos de los más ricos y poderosos de Sevilla. Este Diego Susán tenía una hija muy hermosa, a la que llamaban la *fermosa fembra*, que tenía un amante «cristiano viejo». Esta mujer, ante el cariz que iban tomando los acontecimientos y temiendo por la vida de su amado, denunció a los conspiradores, que fueron prendidos. Diego Susán y otros cinco conjurados fueron quemados el 6 de febrero de 1481 en el sevillano Campo de Tablada durante la celebración del primer auto de fe —cuyo sermón estuvo a cargo del converso Alonso de Ojeda que, dicho sea de paso, moriría poco después víctima de la virulenta epidemia de peste que asoló Sevilla.

En lo concerniente a la *fermosa fembra*, y según las crónicas, su vida no fue muy halagüeña, pues murió en la más absoluta pobreza llena de remordimientos y vergüenza.

Diecisiete convictos fueron ejecutados en marzo y un número aún mayor el mes siguiente, de modo que para el 4 de noviembre del mismo año —según Prescott— se habían sacrificado en los Autos de fe de Sevilla doscientas noventa y ocho víctimas. Hernando del Pulgar nos habla de dos mil personas quemadas y quince mil reconciliadas hacia el año 1490, esto es, en nueve años de funcionamiento del Tribunal. Las cifras varían según los estudiosos, pero lo que sí parece cierto es que

> «*Las prisiones fueron tantas inmediatamente* —indica Llorente— *que por no bastar el convento de San Pablo se asignó a la Inquisición casa propia en el Castillo de Triana, lo que dio motivo a que, para testimonio eterno del mal gusto en literatura de los inquisidores, se pusiera después del algún tiempo en dicho castillo la inscripción bárbaro-latina siguiente:*
> *Sanctum Inquisitionis officium contra hereticorum pravitatem in hispanis regnis initiarum est Hispali, anno MCCCCLXXXI, sedente in trono apostolico Sixto IV, a quo fuit conces-*

---

[117] Se ha calculado que huyeron aproximadamente cuatro mil familias de conversos, unas dieciséis mil personas.

sum, et regnantibus in Hispania Ferdinando V, et Elisabet, a quibur fuit imprecatum. Generalis inquisitor primus fuit frates Thomas de Torquemada, prior conventus Sanctae Crucis segoviensis, ordinis predicatorum. Faxit Desus ut, in fidei tutelam et augmentum, in finem usque saeculi permaneat, etc. –Exurge, Domine, judica causam tuam. –Capite novis vullpes.

El Santo Oficio de la Inquisición contra iniquidad de los herejes, comenzó en Sevilla en el año 1481, siendo Sumo Pontífice romano Sixto IV, que concedió su institución, y reinando en España Fernando V e Isabel, que se lo suplicaron. El primer Inquisidor General fue fray Tomás de Torquemada, prior del convento de Santa Cruz de Segovia, de la Orden de predicadores. Quiera Dios que dure hasta el fin del mundo, para protección y aumento de la fe. –Levántate, Señor, y juzga tu propia causa. –Cogednos las zorras».

Las confiscaciones de bienes de los convictos continuaron llenando las arcas de la Corona –ciertamente necesitadas para financiar la guerra de Granada–. Se establecieron nuevos tribunales, que se instalaron en ciudades como Córdoba, Jaén y Ciudad Real, pero también empezaron a oírse voces de protesta entre la gente culta perteneciente a las clases media y alta –entre las que había muchos conversos– mostrando su rechazo ante las actuaciones de la Inquisición considerando que anteponía a las cuestiones estrictamente religiosas la persecución indiscriminada de una raza, pues el sólo hecho del origen converso de un individuo le convertía en sospechoso. Un hombre como Hernando del Pulgar, secretario real y de origen converso, argumentaba en sus escritos que la pena capital era excesiva teniendo en cuenta que la mayor parte de los convictos de herejía lo eran por ignorancia, al no haber recibido ni siquiera la instrucción elemental en materia de doctrina católica, y con la circunstancia añadida de que muchos de ellos habían sido bautizados a la fuerza, sin tiempo de haber procedido previamente a la evangelización que manda la Santa Madre Iglesia. Abogaba por los niños, que no conocían sino lo que sus padres les habían enseñado y, por tanto, quemarlos «sería cosa crudelissima y aun dificile de hazer».

Otras muchas voces elevaban sus quejas contra los fundamentos mismos de la Inquisición, por no pormenorizar las relativas a detalles del procedimiento, y contra la falta de caridad cristiana, virtud tan olvidada en estos tiempos que, incluso un siglo después, aún haría exclamar a fray José de Sigüenza, de la orden de San Jerónimo, que «si hubiera muchos perlados que caminaran por este camino, ni en España hubiera almas perdidas y ciegas en la secta de Moysen y de Mahoma, ni en las naciones extranjeras tantos herejes».

Este descontento llegó hasta Roma provocando un «conflicto» entre la Santa Sede y la Corona, pues Sixto IV escribió a los Reyes en enero de 1482 haciéndose eco de las quejas recibidas acerca de los procedimientos empleados por fray Miguel Morillo y fray Juan de San Martín no ajustados a derecho y que declaraban por herejes a quienes no lo eran; advirtiendo que no los privaba de oficio en atención a SS.AA. que los habían nombrado. No obstante lo anterior, las presiones de los gobernantes españoles hicieron que se retirase la bula y, un año después, en 1483 y a raíz de la petición de Isabel al Papa acerca de la conveniencia de instituir en España un Tribunal estable y, así mismo, competente en la resolución de quejas y recursos, éste promulga dos breves de fechas 2 de Agosto y 17 de Octubre, mediante los que se crea, en su forma de tribunal colegiado permanente, el Consejo de la Suprema y General Inquisición –y se añade esta corporación a los cuatro Consejos Administrativos de la Corona (Castilla, Hacienda, Estado y Aragón), cuya existencia había sido confirmada en las Cortes de Toledo de 1480– y se nombra Inquisidor General de Castilla y Aragón a fray Tomás de Torquemada que con este nombramiento se convierte en el único hombre con poderes en ambos reinos.

El Inquisidor-Legislador Tomás de Torquemada

Aunque el Inquisidor General se nominaba como tal *«Por la gracia de Dios y de la Santa Sede Apostólica»*, en realidad era nombrado por los Reyes. Esta aparente contradicción entre las jurisdicciones eclesiástica y temporal en que se mueve el máximo responsable del Santo Oficio se extiende también a la propia institución, a la que parece suponérsele una jurisdicción mixta eclesiástico-temporal. Sobre la naturaleza jurídica de la Inquisición Española ha existido una amplia polémica, sobre todo a partir del siglo XVII, en la que han participado expertos y estudiosos del Santo Oficio y que, según Gonzalo Martínez Díez:[118]

> *«Esta polémica tuvo algún sentido cuando los estudios inquisitoriales se encontraban aún en sus balbuceos y no se había publicado el conjunto de bulas y breves pontificios que creaban, extendían, regulaban y aprobaban los nombramientos de la Inquisición española; hoy, con todo este conjunto documental disponible, creemos sinceramente que no cabe ni plantear la duda sobre la naturaleza eclesiástica de nuestra institución».*

Pero una vez hecha esta advertencia, no cabe duda de que en ciertas actuaciones se pone de manifiesto una aparente indeterminación en la jurisdicción que provoca continuos conflictos de competencias durante todo el tiempo que dura su actividad y que genera un gran número de dictados arbitrales que los resuelvan. Unas veces reclaman jurisdicción, frente a actuaciones del Santo Oficio, obispos, canónigos e incluso el mismo Papa, y otras veces es la jurisdicción temporal o civil la que lo hace, como ocurrió en el momento mismo de la instauración del Tribunal con los Consejos y los Reinos. Éstos, amparados en sus Fueros, argumentaban que aunque el Rey hubiese otorgado al Tribunal dicha jurisdicción

---

[118] Walker, Joseph Martín. «La Estructura del Procedimiento Inquisitorial Naturaliza y Fundamentos Jurídicos» en *Historia de la Inquisición en España y América,* vol. II. Edimat Libros, Madrid, 2001.

temporal, los Fueros eran instituciones del Reino con las que había que contar para que la pretendida jurisdicción inquisitorial fuera efectiva. Pero, evidentemente, el Santo Oficio estaba concebido como una organización de carácter supranacional.

Creada, pues, la institución y nombrado su superior –el Inquisidor General y Presidente del Consejo–, sólo faltaba un cuerpo legal de referencia que estableciera los criterios de actuación del Tribunal. A tal efecto Torquemada encarga a sus dos asesores, don Juan Gutiérrez de Chaves y Tristán de Medina, jurisconsultos, «formar constituciones generales de la Inquisición», para lo que cuentan con la ayuda del Directorium Inquisitorum, un vademecum escrito por Nicolás Eymerico, dominico que fue Inquisidor en Tarragona hacia la segunda mitad del siglo XIV, en el que se ofrecen consejos prácticos respecto a la forma de detectar, interrogar, torturar y ejecutar herejes, y probablemente también con el Practica Officii Inquisitionis Heretice Pravitatis, manual que para los inquisidores escribió el también dominico e inquisidor de Tolosa en 1306 Bernard Gui, donde se recomienda el uso de una serie de procedimientos astutos para obligar al acusado a confesar su culpa. Pero, sobre todo, cuentan con los dictados claros y precisos del Inquisidor General.

Torquemada convoca en Sevilla una Junta General a la que asisten los 26 inquisidores de los cuatro tribunales permanentes creados, Sevilla, Córdoba, Jaén y Villarreal (Ciudad Real) –esta última sede fue de carácter temporal y, hacia 1485, trasladada permanentemente a Toledo–, sus dos asesores y los consejeros reales don Alonso Carrillo, obispo electo de Mazzara de Sicilia, Sancho Velázquez de Cuéllar y Poncio de Valencia, doctores en derecho, y en noviembre de 1484 se promulgan las primeras normas de la Inquisición española denominadas Instrucciones, destinadas específicamente a regular el funcionamiento del Tribunal y que sucesivamente ampliará en los años 1485, 1488 y 1498.

Signifiquemos que de los 28 artículos de que constan estas Instrucciones, en las que se formaliza el procedimiento a seguir por el Tribunal, se determinan las causas o comportamientos susceptibles de herejía y se señalan las penas a aplicar a los convictos, únicamente los cuatro últimos se refieren a los miembros del Santo Oficio para, por un lado, fijar las correspondientes jerarquías en el seno del mismo y, por otro, precisar la conducta que deben seguir en el ejercicio de sus respectivas funciones, así como el castigo al que se verían expuestos en el caso de infracción; y así, el artículo vigésimo quinto prohíbe a los inquisidores y a todos los integrantes del Tribunal recibir regalos, con penas que van desde la restitución de lo recibido y una multa por valor del doble del valor del regalo, a la pérdida del oficio o la excomunión mayor; en el vigésimo sexto se exhorta a los inquisidores a vivir en paz y armonía entre ellos y resuelve que, si existiese disputa entre dos inquisidores por mantener distinto parecer, en secreto lo pongan en conocimiento del Inquisidor General para que sea éste quien decida; el vigésimo séptimo encarga a los inquisidores la vigilancia de sus subalternos en el cumplimiento de las obligaciones que tengan establecidas y, por último, el artículo vigésimo octavo otorga al prudente arbitrio de los inquisidores la decisión de cuanto no estuviese contemplado en los artículos anteriores.

En los artículos primero al tercero se indica la obligación del Tribunal de poner en conocimiento de las autoridades locales y del pueblo la misión que les ha llevado allí, y la de publicar el edicto de gracia –fijando el período del mismo entre treinta y cuarenta días.

En el resto de los artículos, del cuarto al vigésimo cuarto, se establece la jurisdicción del Tribunal, que incluye las tierras de señorío y realengo, se advierte a los inquisidores de la imposibilidad de otorgar al hereje la absolución a través del sacramento de la penitencia –salvo en los casos en que la herejía sea absolutamente secreta y no exista riesgo de contaminación para el resto de los fieles cristianos–, y se regulan las actuaciones de los inquisidores para con los reos: con los que se presentan ante el Tribunal durante el período de gracia, con los que no comparecen por sí mismos, sino como consecuencia de las oportunas delaciones, e incluso para con los reos ausentes o difuntos. Evidentemente el trato y las penitencias de aquellos que se presentan durante el período de gracia y confiesan sus culpas es absolutamente benigno en relación con el resto de los encausados que, dependiendo de si realizan o no la confesión, o de si ésta tiene lugar antes o después de la aplicación del tormento, de si son reincidentes, de si consienten o no en abjurar de la herejía, etc., pueden llegar hasta la hoguera, y aun en ella, haber tenido un tránsito benigno con la aplicación previa del garrote. Asimismo se fija el momento en que el inculpado podía solicitar la asistencia de abogado y procurador, cuyos salarios se pagarían de los propios bienes del reo –y si éste fuera pobre de otros bienes confiscados–, y se recomendaba la no publicación de los nombres de los testigos, previamente examinados y validados por los inquisidores, como medida protectora frente a la venganza que en ellos o en sus bienes pudieran cobrar los herejes.

Un mes después el Inquisidor Torquemada promulga catorce artículos más de *Instrucciones,* aunque como tales nunca fueron impresas, llamadas ahora *Capitulaciones* por el carácter eminentemente económico que presentaban y cuya competencia pertenecía exclusivamente a los Reyes:

> «*Por mandado de los serenísimos Rey y Reina, nuestros señores, yo, el prior de Santa Cruz, confesor de sus altezas, inquisidor general por autoridad apostólica en los reinos de Castilla y Aragón, ordenamos los artículos siguientes cerca de algunas cosas tocantes a la sancta Inquisición e a sus ministros e oficiales, los cuales dichos capítulos mandan Sus Altezas que se guarden e cumplan e yo de la parte de sus altezas e por autoridad susodicha lo mando*».

Venían a completar las anteriores, y versaban sobre la composición y dotación de los tribunales subalternos, la designación de un letrado permanente en Roma para atender los asuntos de la Inquisición ante la Santa Sede –lo que evidencia el gran número de recursos que debieron interponerse ante el Papa–, la fijación de penas para quienes diesen asilo a los fugitivos del Tribunal, así como para los que falsificasen contratos en relación con los bienes poseídos. La otra mitad de los artículos regulaban las finanzas del Santo Oficio en relación con la forma de proceder por parte de los funcionarios implicados en la confiscación de los bienes de los reos: los *notarios* deberían asentar en los libros de registro los bienes procesados y los *receptores* cuidarían de los bienes correspondientes a su Tribunal, procediendo a la venta de los bienes embargados cuya conservación perjudicara; se abstendrían de efectuar ningún secuestro de bienes sin orden concreta de un inquisidor, y aun así, deberían ir acompañados de un alguacil y depositar los mismos con el inventario correspondiente. Igualmente, y por disposición de los reyes, los *receptores* pagarían con el producto de los bienes confiscados los sueldos adelantados por tercios a los inquisidores y demás empleados del Tribunal para que así pudiesen comer y se evitase el recibo de dádivas.

El 27 de octubre de 1488 se promulgan nuevas *Instrucciones,* elaboradas en Valladolid en presencia de inquisidores y consultores de todos los tribunales instalados.

En primer lugar se da un toque de atención a los inquisidores aragoneses para que se conduzcan de conformidad con la normativa actual en materia de procedimiento, absteniéndose de utilizar el medieval, ya que la falta de uniformidad en las actuaciones originaba serios inconvenientes. De igual forma se recomendaba mayor brevedad en los procesos, a fin de ahorrar quejas y recursos, máxime teniendo en cuenta que las causas cerradas por falta de pruebas podían reabrirse con la obtención de las mismas, tal era la naturaleza del delito de herejía que no prescribía jamás. Mandaban también tener precaución a la hora de dictar sentencia, por lo que en los tribunales donde no se dispusiera de letrados debería remitirse copia del proceso al Inquisidor General para que los letrados del Consejo emitieran la sentencia conforme a derecho.

Volvía a incidirse en el riguroso secreto que había de seguirse durante el proceso, por lo que se ordenaba la custodia bajo llave de los archivos inquisitoriales y, que prevaleciera sobre cualquier otra cosa el aislamiento de los presos en las cárceles, autorizados exclusivamente a recibir la visita de un sacerdote cada 15 días y siempre que el Inquisidor lo considerase pertinente. Se recordaba a los inquisidores el celo que debían mostrar en la vigilancia del cumplimiento de la inhabilitación de los descendientes de los convictos y, a falta de cárceles propias, se regula la pena de prisión perpetua en el domicilio del condenado.

Las últimas *Instrucciones* del período del Inquisidor General Torquemada ya no las preparó él, sino la congregación de expertos que le asistía, entre los que estaban sus coadjutores Martín Ponce y Alfonso de Fuentesanz, que las compusieron en Toledo en 1497. La promulgación se llevó a cabo el 25 de mayo de 1498 en el convento de Santo Tomás de Ávila, donde residía Torquemada, y se ocuparon, fundamentalmente, como indica Francisco Bethencourt:

«de la estructura de los tribunales de distrito (con dos inquisidores, uno jurista y el otro teólogo, o, si no, ambos juristas) y de la ética profesional de los oficiales de la Inquisición. Así mismo se abordó la forma de decidir las detenciones y de proceder con los muertos, la conmutación de las penas (reservándose al Inquisidor General la exención en el uso del sambenito y la habilitación de los descendientes de los condenados) y el castigo de los falsos testigos. Por último, estas instrucciones establecían la prohibición de emplear en los tribunales a parientes y criados, el horario de trabajo y el modo de elevar las consultas al Consejo».

Aunque más adelante veremos de forma pormenorizada el procedimiento inquisitorial, señalaremos, en relación con las *Instrucciones* a las que acabamos de referirnos, las consideraciones siguientes:

En primer lugar, la angustiosa sensación de indefensión a la que se ve sometido el acusado, que en ningún momento del proceso va a tener conocimiento ni de las circunstancias bajo las que se le imputa determinada acción herética ni de las declaraciones-delaciones de los testigos que le inculpan.

Esta medida, que psicológicamente anula al individuo al no poder organizar racional y ordenadamente su defensa, desde el punto de vista jurídico puede resultar retrógrada si tenemos en cuenta que, durante toda la Edad Media y hasta bien entrado el siglo XIV, en las causas criminales impera la llamada *forma acusatoria* –proveniente del Derecho romano– que, en general, favorecía al acusado. Basada en lo que hoy denominaríamos «presunción de inocencia», era el acusador quien debía probar, fehacientemente y por sus propios medios, la culpabilidad del acusado. En esta forma de procedimiento medieval la disputa no se establecía entre la *sociedad* y el acusado, sino entre éste y un individuo que le imputaba cierto crimen, y si las pruebas que el denunciante aportaba no eran lo suficientemente contundentes, éste sería condenado por el juez a la misma pena que le habría correspondido al acusado de haber quedado probado su delito. Ni más ni menos que la Ley del Talión.

Para los inquisidores medievales, como Bernardo Gui, la particularidad del procedimiento inquisitorial estriba en que el inquisidor no se encuentra sometido a jurisdicción alguna al constituir él mismo una *jurisdicción de excepción,* por lo que no puede cuestionarse que los inquisidores eludan normas vigentes de procedimiento y gocen de gran poder discrecional, como negar al reo la asistencia de un abogado defensor o, como señala Eymerich, la no admisión de recursos dilatorios o la negativa a mostrar al detenido el acta acusatoria.

El jesuita Juan de Mariana (siglo XVI), defensor de la institución inquisitorial aunque admite que la dureza de sus medidas era una desviación de los procedimientos caritativos de la Iglesia, recoge en el siguiente texto el parecer de autores como Hernando del Pulgar y otros muchos ante los procedimientos seguidos por una Inquisición recién instaurada:

«Lo que sobre todo extrañaban era que los hijos pagasen por los delitos de los padres; que no se supiese ni manifestase el que acusaba, ni le confrontasen con el reo, ni hubiese publicación de testigos: todo contrario a lo que de antiguo se acostumbraba en los otros tribunales. Demás desto les parecía cosa nueva que semejantes pecados se castigasen con penas de muerte. Y lo más grave, que por aquellas pesquisas secretas les quitaban la libertad de oír y hablar entre sí, por tener en las ciudades, pueblos y aldeas personal a propósito para dar aviso de lo que pasaba».

Thomas Lower también hace hincapié en el tema del *secreto, en cuyo vientre* –afirma– *se engendra el terror,* cuando escribe:

«Lo que espantaba esencialmente –más aún que el mismo Tribunal, y eso que la sola vista del juez era capaz de helar la sangre en las venas al más inocente de los espectadores– era el secreto del procedimiento. Un hombre, muchas veces, desaparecía de la noche a la mañana sin dejar rastro. Su familia, sus amigos no volvían a saber nada de él durante seis meses, o un año, dos quizás… Sin embargo, todos sabían lo suficiente como para no intentar indagar ni remover tratando de encontrarlo. Repentinamente aparecía con ocasión de un auto de fe que se había anunciado; surgía el pobre hombre demacrado, reflejado en su rostro el sufrimiento encajado durante el tiempo de ausencia de la vida social de la ciudad, con un cirio en la mano, cubierto con el sambenito y con la mitra de cartón en la cabeza, camino del suplicio o, en el mejor de los casos, de la separación de la sociedad, sometido a las mayores humillaciones, azotado en público; probablemente ante la presencia de su angustiada esposa o de sus impresionados hijos. Pero hasta ese momento todo había sido hecho a puerta cerrada: los interrogatorios, la tortura, todo. Sin que nada trascendiera».

En segundo lugar, la determinación de las conductas heréticas más tenía que ver con las costumbres y hábitos culturales de los *cristianos nuevos* que con fundamentos doctrinales al margen de la ortodoxia.

Si analizamos, por ejemplo, el ritual del *shabbat* judío, en relación con cuyo cumplimiento encontró la Inquisición tantos indicios de apostasía en los conversos, nos haremos una idea de las características constitutivas de las delaciones con las que se iniciaron un gran número de procesos.

El sábado, para un judío, es la única fiesta directamente prescrita en la revelación del Sinaí y conmemora el descanso divino tras la creación del mundo. La prohibición de cualquier trabajo es total, salvo el imprescindible en caso de peligro de muerte, pues está concebido como un día dedicado a la oración en común, a la familia, al descanso del cuerpo y al alivio del espíritu. Cuanto se requiere para condimentar la comida se prepara la víspera, por lo que antes del ocaso del viernes se pone la mesa según el ceremonial y se colocan en ella dos panes enteros y vino puro de uva. La esposa del cabeza de familia enciende la

luz del sábado recitando una bendición y posteriormente toda la familia se traslada a la sinagoga donde, hombres y mujeres separados, entonan, junto con el oficiante, el himno de
recepción del *shabbat,* y las oraciones correspondientes:

> «*Bendito tú, Señor, Dios nuestro, Rey del universo, que terminó la obra de la creación al
> acercase el séptimo día, y lo consagró con el nombre de sábado, de noche a noche, y lo entregó
> como descanso a su pueblo Israel en su santidad*»,

De regreso a casa todos los miembros de la familia se reúnen alrededor de la mesa
preparada y se inicia el *Kiddush, la santificación.* El cabeza de familia, mientras todos permanecen en pie, alza a la altura del pecho un vaso de vino de uva pura y recita las oraciones correspondientes al son de una melodía tradicional, anteponiendo los primeros
capítulos del *Génesis* en recuerdo del primer sábado de la creación del mundo «*En el
sexto día ya habían sido creados el cielo y la tierra...*». A continuación bebe un sorbo de vino
y ofrece el resto a los comensales, uno a uno; más tarde vendrán oraciones y bendicio-
nes matutinas, y después las vespertinas, y así un sábado y otro... ¿Cómo alguien, por
muy sinceramente que haya abrazado el cristianismo, puede dejar de condimentar las
comidas como lo ha hecho siempre, cambiar los hábitos de aseo, o evitar una expresión
procedente de su «antigua» fe?

Ciertamente la sola pretensión de querer cortar de raíz con ciertas costumbres o
conductas adquiridas durante años de práctica y estricto cumplimiento de un determinado ritual que se repite, como el del *shabbat*, cada siete días y que, como es el caso, so-
brepasa el ámbito del templo para continuar en la familia y enraizar en el cuerpo social
pues, indudablemente, genera hábitos sociales, resulta de una simpleza extraordinaria,
por más que se quiera alegar que la idea o la fe del practicante de los mismos hubiera
mudado.

El 1 de diciembre de 1483 leemos en el acta acusatoria dirigida contra un judaizante por el promotor fiscal de la ciudad de Toledo (actualizamos del castellano antiguo de
Aguilera Barchet recogido en la *Historia de la Inquisición en España y América*):

> «*Yo, Ferrand Rodríguez del Varco, capellán del Rey nuestro señor, promotor fiscal de
> la Santa Inquisición, comparezco ante Vuestra Merced y Reverencia y acuso a Juan Gon-
> zález Daza, vecino de Ciudad Real y contando el caso digo que estando en posesión de
> nombre cristiano y así llamado y nombrado, gozando de las prerrogativas del cristiano de
> cualquier calidad, y una vez promulgadas las penas tanto perpetuas como temporales que de-
> bía esperar se le aplicaran por practicar y seguir la ley de Moisés, Juan Daza judaizó y co-
> metió herejía según las ceremonias de la referida ley mosaica en lo siguiente:*
>
> *Primeramente, que guardó los sábados conforme el ceremonial.*

Yten que encendió y consintió encender candiles en su casa el viernes en la noche.

Yten que consintió guisar viandas en su casa el viernes para el sábado y las comió como establece el ceremonial.

Yten que fue a oír oraciones judías el viernes por la noche con otros conversos y conversas a casa de Álvaro, leçero, que actuaba como rabino y portaba los distintivos y atributos de rabino.

Yten que comía carne en Cuaresma y en los días que la Santa Madre Iglesia tenía establecido el ayuno...».

Y en eso se quedan los inquisidores, en los «signos» que pueden delatar al hereje: cierta lámpara encendida en sábado iluminando determinado rincón de una habitación; bellas y ricas vestiduras o manteles limpios durante el sábado..., etc., pero que también pueden consistir en simples hábitos que únicamente trascienden esta dimensión si el creyente que los realiza los dota de la significación y contenido espirituales que conllevan.

Por último, las penas impuestas por el Tribunal, dependiendo de la gradación de la culpa, llevaban siempre implícita una parte pecuniaria que, salvo en penitencias menores, llegaban habitualmente a la confiscación de los bienes del convicto o, para ser más precisos, del simple sospechoso de herejía, por entenderse que dichos bienes pertenecían al fisco regio desde el momento en que fue cometido el delito.

El terror que llegó a inspirar la Inquisición desde sus comienzos en todos los ámbitos sociales estaba más que justificado por el poder casi absoluto que poseía –aunque en última instancia dependía del Papa, no debemos olvidar la probada corrupción de la curia romana– y cualquier individuo que pasara por sus cárceles sabía que, si conseguía librarse de la hoguera, la pobreza y la infamia constituirían el único patrimonio que podría legar o compartir con su familia.

Al margen de razonamientos, justificaciones y reflexiones que puedan hacerse en pro y en contra de esta Institución, es preciso reconocer, como indica el marqués de Lozoya, que la Inquisición

«fue un error indefendible de los reyes, de sus consejeros y del pueblo español. Lo que es preciso es dar a este error sus debidas proporciones, depurándolo de las enormes exageraciones de nacionales y extranjeros, situándolo dentro del clima de Europa en su siglo».

La Virgen de los Reyes Católicos

Vamos a detenernos un momento en esta significativa tabla anónima del siglo XV, encargada por Torquemada para el convento dominico de Santo Tomás de Ávila y actualmente entre las colecciones del Museo del Prado, no sólo porque ilustra magníficamente por medio de los personajes en ella representados el esquema de poder de la época que nos ocupa, sino porque, además, y por esa razón, aparece en ella la figura del personaje objeto del presente capí-

tulo fray Tomás de Torquemada, por entonces probablemente Inquisidor General –la datación de la obra varía según los investigadores aunque generalmente la sitúan hacia 1490.

Decimos que en la tabla están representados los poderes que dominan en la sociedad del siglo XV: la Iglesia Católica y la nobleza; la primera, en las figuras de santos y clérigos relacionados con la orden de los dominicos –no olvidemos que se trataba de un encargo para esta orden monástica–, mientras que la segunda, la nobleza, a través de su máxima representación, esto es, los monarcas.[119] Aunque la jerarquía de los personajes es muy diferente, el autor de la tabla resuelve la necesidad de encontrar un equilibrio entre la representación del poder religioso y del poder real utilizando la misma escala en la definición de las figuras.

En la parte superior central de la tabla vemos a la Virgen sentada en un trono con el Niño en brazos, y a ambos lados, ya en un plano inferior, se encuentran dispuestos el resto de los personajes: de pie están representados Santo Domingo de Guzmán, fundador de la Orden, y Santo Tomás de Aquino, bajo cuya advocación se encuentra el monasterio abulense; de rodillas y en la misma disposición vemos a Isabel y Fernando acompañados por dos de sus hijos, los príncipes Juan[120] (heredero de los Reyes y muerto repentinamente en plena adolescencia) e Isabel,[121] la primogénita. En un segundo plano aparecen, detrás de la reina, el cronista Pedro Mártir de Anglería en la figura de San Pedro Mártir de Verona, inquisidor dominico asesinado en 1252 por los adversarios de la Inquisición y proclamado patrón de la misma, y detrás de don Fernando, el Inquisidor General de Castilla y Aragón, «*martillo de herejes, luz de España y salvador de su orden*», así calificado por Sebastián de Olmedo en su *Chronican Magistrorum Generalium Ordinis Praedicatorum*; «*castrado mental, demente en potencia*» –para Thomas Lower– que insiste en que «*sólo un enfermo puede llevar a cabo la labor antihumana y perniciosa que él desarrolló*»; entre ambas, un completo arco iris de opiniones que recorren todo el espectro de color para referirse a fray Tomás de Torquemada, un hombre que adquiere protagonismo en el último cuarto del siglo XV como figura clave en la instauración de la moderna Inquisición en España, diseñada por él y puesta al servicio del proyecto de unidad política de los Reyes Católicos.

Fray Tomás de Torquemada, hijo de don Pedro Fernández de Torquemada y de doña Mencía Ortega, una distinguida familia de origen converso de la pequeña localidad de Torquemada (Palencia), nace en 1420. A edad muy temprana entró en la orden fundada por San-

---

[119] Muchos autores consideran que la política de los Reyes Católicos frente a la nobleza fue de sometimiento y reducción de su influencia y poder. Así, las Cortes celebradas en Toledo en 1480 exigen de los nobles la devolución en favor del Tesoro Real de las mercedes concedidas desde 1464. Pero, como bien señala Kamen, esta medida implica, así mismo, la confirmación de las otorgadas con anterioridad a esa fecha, con lo que la parte más sustanciosa de los ingresos y propiedades de la nobleza se mantiene intacta. En realidad dicha política es el resultado de una alianza implícita entre ambos ya que Isabel y Fernando están más interesados en pacificar sus territorios que en emprender profundas reformas.

[120] Se dijo que el Príncipe había sido envenenado por el médico real, que era judío. Está enterrado, precisamente, en el Monasterio de Santo Tomás, bajo un soberbio mausoleo de alabastro obra de Domenico di Alessandro Fancelli.

[121] Isabel contrajo matrimonio en 1490 con el príncipe Alfonso, heredero del reino portugués, que falleció a los pocos meses. En 1495 muere el rey Juan II y le sucede en el trono su primo Manuel, que se empeña en casar con Isabel. Ésta, convencida de que la muerte de su primer esposo había sido un castigo de Dios por haber amparado a los judíos y conversos españoles que se habían refugiado en Portugal, exigió su expulsión de los territorios portugueses como condición para el nuevo matrimonio, que se celebró en 1497. Al año siguiente fallece Isabel, reina de Portugal, después de que las Cortes de Castilla la hubieran reconocido heredera de la corona castellana.

to Domingo de Guzmán y ya con 35 años gobernaba como prior el convento dominico de la Santa Cruz de Segovia.

«Alto y delgado, de impresionante personalidad física, de mirada incluso piadosa, pero que se tornaba llameante en el transcurso de cualquier discusión, e incluso durante la exposición monóloga de cualquiera de sus convicciones que él solía defender apasionadamente, siempre de forma subjetiva, con la convicción de que nadie tenía tanta facultad como él para decir lo que era bueno o malo, cubierto siempre con el negro vestuario del egoísmo y de la ambición desmedida. Ambición de ser, de nombre, de prestigio, como correspondía al fanatismo que se elevaba en él por encima del ansia lucrativa»…

Es el retrato físico y el apunte moral que de fray Tomás de Torquemada nos ofrece Tomas Lower y que, al margen de las aportaciones subjetivas del autor, nos sugiere al hombre apasionado hasta el fanatismo en su idea de combatir la herejía, con una fijación especial hacia el judaísmo en el que veía, como si de la mismísima espada de Damocles se tratara, la amenaza que pendía sobre la Unidad de los cristianos, algún día agrupados alrededor de una sólida Iglesia Universal; pero al tiempo se insinúa el hombre frío y paciente en la lucha diaria, que con constancia y prudencia irá caminando hacia la consecución de tal fin, porque hay individuos en los que el sentimiento religioso es tan dominante que toda la personalidad queda influida y determinada por él. Estos rasgos de carácter destacados por muchos autores les llevan a poner de manifiesto el acierto que tuvieron los Reyes Católicos en el nombramiento de Torquemada como Primer Inquisidor General.

Si en la estricta observancia de la regla dominica buscaba la fortaleza espiritual, llevando hasta la exageración el cumplimiento de sus deberes monásticos y procurándose disciplinas cotidianas –se dice que nunca comía carne y que dormía sobre una tabla–, en san Agustín encontró las bases teóricas necesarias para el desempeño de su ministerio. Bachiller en teología, fray Tomás se topó, hurgando entre las proposiciones y reflexiones de este Santo Padre Latino de la Iglesia y responsable de la introducción en el pensamiento y tradición cristianas de las teorías platónicas, se topó, decimos, con la tesis acerca de la bondad de la apelación al poder civil para extirpar la herejía, expuesta a raíz de la querella desencadenada por el cisma donatista de la iglesia de Cartago. Ya antes, en el tormentoso Concilio de Nicea –primer concilio ecuménico de la cristiandad convocado en el año 325 por el emperador Constantino–, los representantes de todas las iglesias allí reunidos, entre disputas y decretos contradictorios que llenaron de confusión e inquietud el mundo cristiano, mostraron cierto entendimiento a la hora de legitimar el castigo con penas civiles y la aplicación de tormentos corporales a aquellos que se obstinaran en mantener errores religiosos, una vez amonestados por quienes ostentaran criterio de autoridad –único válido en cuestiones de fe y de doctrina.

Pero mientras que en san Agustín, convertido al cristianismo a la edad de 33 años, la fundamentación teológica en contra de cualquier tesis herética —escribió también contra el maniqueísmo y el pelagianismo— mantiene siempre el hilo conductor de la caridad como vínculo del *amor Dei*, «*non intratur in veritatem nisi per caritatem (no se entra en la verdad sino por el amor)*, en fray Tomás —de origen converso, insistimos— lo único que se evidencia es el encarnizamiento que manifiesta hacia el hereje como justificación y prueba pública de la fe propia.

Lea le reprocha su severidad y crueldad, pero subraya su honestidad, inteligencia y capacidad de trabajo, que sin duda necesitó para desarrollar la ingente tarea de organizar territorialmente el Santo Oficio en Castilla y Aragón; en la una, para crear las divisiones necesarias y en Aragón para trasformar las existentes, que a veces resulta más dificultoso que empezar de cero.

Y muchos requisitos se necesitaban para constituir un Tribunal: Inquisidores y personal subalterno, que a veces no se encontraba porque era preciso que cumplieran una larga serie de condiciones; que los inquisidores dispusieran de facultades suficientes para dictar una sentencia definitiva ya que, en caso contrario, debería hacerse a través de los letrados del Consejo, lo que retrasaría el proceso; y un ámbito territorial claramente delimitado para evitar actos inválidos, dudosos o polémicos. Una vez constituidos los Tribunales había que nombrar inquisidores delegados, llevar un seguimiento y control, puesto que jerárquica y administrativamente estaban sujetos a la autoridad del Inquisidor General.

Ya hemos hablado de las *Instrucciones* promulgadas por fray Tomás de Torquemada, en las que se dictan las normas de actuación que deben seguir los tribunales; pues bien, como legislador se destaca del Inquisidor General el cuidado que puso en buscar el punto de equilibrio entre la vigilancia y defensa de la fe y el intento de no perjudicar al reo. Otra cosa es que en la ejecución de dicha normativa se estuviera o no a la altura de lo que en la misma se especificaba.

De este gran desconocido —pese a ser uno de los hombres más poderosos de su época— se dice que rechazó muchos honores concentrado como estaba en su cruzada contra la herejía —como por ejemplo el arzobispado de Sevilla— y que manifestaba un absoluto desprecio por el dinero, que sí utilizó, no obstante, para reconstruir el convento dominico de Segovia y levantar la iglesia y el monasterio de Santo Tomás de Ávila «*ad mayorem gloriam dei*».Y es en este monasterio de Santo Tomás donde pasó los últimos años de su vida (había fijado en él su residencia) obteniendo del papa Alejandro VI un estatuto —más adelante denominado de limpieza de sangre— según el cual se prohibía dar el hábito a candidatos que en tres generaciones de ascendientes tuvieran algún convicto de herejía o religión distinta de la cristiana (temía ser asesinado por algún converso que tomara el hábito dominico para tal fin).

Parece ser que en los últimos años sufrió de algún tipo de manía persecutoria, por lo que siempre se hacía acompañar de la guardia que por derecho le correspondía, del mismo modo que en sus desplazamientos era acompañado por una escolta de cincuenta familiares del Santo Oficio y doscientos peones bien armados, aunque no más que lo estipulado para su rango.

Rondando los 80 años, muere el 16 de septiembre de 1498 en el referido convento de Santo Tomás de Ávila.

Dificultades para implantar la moderna Inquisición en la Corona de Aragón

Ya hemos apuntado anteriormente la clara voluntad de los Reyes Católicos de desarrollar una política común en los dos reinos a través de las correspondientes instituciones de gobierno que fueron creando, por lo que, una vez instalado el Tribunal de la Inquisición en Castilla, Fernando se propone quitar el polvo al Tribunal medieval que había funcionado en Aragón desde el siglo XIII y cuya actividad en aquellos momentos era prácticamente nula, para que, bajo la tutela de la corona de Aragón, se emparejase en el orden político-religioso y social con Castilla.

Pero el nuevo régimen jurídico que dio el rey Católico a este Tribunal no gustó en absoluto a sus súbditos, especialmente a los conversos que se encontraban en su punto de mira y, finalmente, también disgustó al Papa, pues Sixto IV entendió perfectamente la maniobra del Rey para adueñarse de una institución que hasta entonces había sido papal: Fernando había nombrado inquisidores y corría con los gastos y salarios de los tribunales que habían empezado a funcionar en Zaragoza, Valencia y Barcelona, por lo que el 18 de abril de 1482 se promulgó una bula que venía a poner las cosas en su sitio. Sixto IV encomendaba a los funcionarios episcopales el control de los inquisidores, a quienes deberían acompañar en todas sus actuaciones, prescribía la reclusión de los reos en las cárceles episcopales y ordenaba el antiguo régimen procesal frente a las innovaciones que regían en el moderno Tribunal, y así, al reo se le permitiría conocer el nombre y los testimonios de sus acusadores, asegurándole un «juicio honesto y una justicia recta» y, evidentemente, la apelación de Roma.

Fernando el Católico se sintió, cuanto menos, ultrajado por una bula de tan extraordinarias características y dureza, dando comienzo a una intensa labor diplomática que viene a resolverse con la suspensión de la misma y el dictado de las otras dos bulas por las que se constituye, como vimos anteriormente, la moderna Inquisición en España y se nombra al primer Inquisidor General de Castilla y Aragón en la figura de fray Tomás de Torquemada.

Pero las instituciones aragonesas, muchos de cuyos representantes eran conversos, presentaron dura batalla a la implantación de un tribunal que venía a saltarse sin contemplaciones las libertades constitucionales de los reinos, erigiéndose, al mismo tiempo, con una autoridad capaz de abrogar el derecho canónico y el civil a su antojo. Y no era de extrañar tal indignación en unos súbditos cuya fórmula de fidelidad al rey era la siguiente: «*Nos, que*

cada uno valemos tanto como vos, y que juntos podemos más que vos, os ofrecemos obediencia si man-
tenéis nuestros fueros y libertades, y si no, no».

A principios de 1484 Fernando el Católico convoca Cortes en Tarazona con el objetivo de proceder a la aprobación de la nueva Inquisición, y es allí donde se escuchan las protestas de los representantes reclamando sus respectivos fueros. Los catalanes se negaron a asistir por ser convocadas fuera del principado de Cataluña, cuestión ésta que, según sus principios, era ilegal, a la vez que alegaban tener ya nombrado por el Papa un Inquisidor propio, con lo que no aceptaban la autoridad de ningún Inquisidor General. Hasta junio de 1487, es decir, tres años más tarde, no consiguió Fernando introducir en Barcelona a Alonso de Espina, representante de Torquemada, pero hubo de fallecer, entre tanto, Sixto IV y el nuevo Papa, Inocencio VIII, revocar todos los antiguos nombramientos establecidos por su antecesor para el reino de Aragón y aprobar los propuestos por el Rey.

En Valencia fue necesario que el Rey diera poderes al Tribunal nombrado para encarcelar, por alta que fuera su posición social, a todo aquel que entorpeciera sus tareas inquisitoriales, tal era la resistencia que presentaba (noviembre de 1484).

Y fue en Aragón donde los acontecimientos tomaron derroteros más comprometidos y graves. Un gran porcentaje de la alta nobleza aragonesa estaba constituida por conversos –ya indicamos anteriormente que la madre del propio rey Fernando, Juana Henríquez, era de origen converso–, y de origen converso quienes ocupaban los principales cargos públicos –entre ellos el Vicecanciller del reino–, y conversos también quienes ostentaban el poder financiero del reino aragonés. Viendo éstos el peligro que suponía la instauración de un Tribunal de las características que presentaba éste, decidieron mandar embajadas de protesta al Rey y al Papa, a las que se adhirieron cristianos viejos y otros nobles que no estaban dispuestos a perder sus libertades y su hacienda en manos de «extranjeros» todopoderosos.

Los inquisidores nombrados por Torquemada en mayo de 1484, Gaspar Yunglar y Pedro Arbués de Epila, se dedicaron a tomar nota de los que protestaban, al mismo tiempo que ponían en marcha la maquinaria inquisitorial, realizando los primeros arrestos y confiscaciones.

El Rey contestó la embajada diciendo que no habría causa o razón, por grande y firme que ésta fuera, capaz de hacerle desistir de la implantación de la Inquisición en sus reinos.

Mientras tanto ya había tenido lugar en Zaragoza el primer auto de fe, con los primeros «herejes» quemados en la hoguera, y se estaba preparando el segundo. La detención de un rico y respetado converso aragonés sumió en el terror a los que habían firmado las protestas enviadas al Rey y, desesperados al comprender que éste no daría marcha atrás, decidieron actuar contundente y arriesgadamente, organizándose un complot para asesinar a los dos inquisidores nombrados por Torquemada.

Con el fin de que todos los cristianos nuevos quedaran comprometidos en tal acción, se impuso el abono de una contribución económica voluntaria para pagar a los que ejecutaran el proyecto, siendo designados a tal fin: Juan de Abadía, noble aragonés descendiente de judíos por vía materna, que sería el encargado de dirigir el grupo, Juan de Esperaindeo, Vidal de Uranso, francés de la Gacuña, Mateo Ran, Tristán de Leonis, Antonio Gran y Bernardo Leofanto.

Varias fueron las intentonas fallidas, unas veces por faltar alguno de los dos inquisidores, otras por la presencia de testigos, el caso es que Pedro Arbués acabó sospechando algo y decidió proteger su persona con una cota de malla de hierro, inadvertible con la sotana clerical, y un casquete también de hierro en la cabeza, oculto tras un gorro.

Finalmente acordaron dar el golpe en la iglesia catedral de Zaragoza cuando ambos inquisidores acudieran a maitines –hacia las 2 de la madrugada–, momento en que la iglesia estaría mal iluminada, y fijaron la fecha para el 15 de septiembre del año 1485.

Pero esa noche únicamente acudió Pedro Arbués a la catedral. Consta en el sumario abierto tras el asesinato que cuando le mataron se encontraba de rodillas con un farol a su lado y una cachiporra apoyada en una de las columnas del templo del lado de la epístola. Nos cuenta Llorente que:

> «Juan de Esperaindeo le dio una fuerte cuchillada en el brazo izquierdo, Vidal de Uranso, prevenido por Juan de Abadía de dar golpes en el cuello, mediante hallarse noticioso del defensivo de la cerbellera (casquete), le dio por detrás uno tan fuerte que hizo saltar al suelo las barrillas de hierro de la cerbellera, y la herida hecha en la cabeza fue tan grande, que de ella (y no de otras que también recibió Arbués) resultó la muerte pasadas veinte y cuatro horas, el 17 del citado setiembre».

La noticia se extendió al día siguiente como la pólvora por toda la ciudad. Los conjurados habían contado con que los aragoneses se sintiesen liberados de la opresión de la Inquisición, pero no tuvieron en cuenta que el asesinato de un sacerdote a los ojos del pueblo era un crimen horrendo, y ejecutado nada menos que en la catedral era aún peor. Los ánimos se crisparon definitivamente cuando se corrió la noticia de que la autoría del crimen era cosa de conversos, organizándose tropeles que los buscaban para asesinarlos, y hubiera acabado muy mal el día si el joven arzobispo de 17 años, Alfonso de Aragón, bastardo del rey Fernando, no hubiera recorrido a caballo toda la ciudad para disolverlos, comprometiéndose a hacer justicia.

Torquemada se puso inmediatamente en marcha para no desaprovechar la ocasión favorable que le procuraban los ánimos encendidos de la gente y asentar su autoridad en Zaragoza, a donde envió a fray Juan de Colvera, fray Pedro de Monterrubio y al doctor Alonso de Alarcón, con plenos poderes para constituirse en Tribunal y desde la sede del antiguo castillo moro, buscar a los culpables y someterlos al castigo de que se habían hecho merecedores. Muchos de los conspiradores huyeron de la ciudad, pero otros permanecieron en ella. Los inquisidores no tardaron en detener al gascón Vidal de Uranso, al que, según cuenta Lower:

«no se detuvieron en someterle a interrogatorio prolongado, sino que lo sometieron a tortura, a una tortura capaz de hacer confesar a un inocente, y que por lógica, Vidal, que era culpable, no pudo soportar, viéndose obligado a confesar todo lo sucedido en la catedral zaragozana. Quedan los nombres de los conjurados y se inició un regateo. La Inquisición sabía que Vidal podía descubrírselos. Vidal intentó aprovechar la circunstancia para solicitar el perdón a cambio de su traición. Inmediatamente fueron detenidos Abadía y Esperandeo. Sánchez había huido. En total se efectuaron doscientas detenciones».

Torquemada quiso impresionar a los aragoneses organizando un «espectáculo» que no olvidasen en mucho tiempo.

Sperandeo fue arrastrado por toda la ciudad encima de un cañizo, cortada una mano, ahorcado...; posteriormente descuartizado mediante la fuerza desarrollada por cuatro caballos que tiraban en cuatro direcciones distintas de las extremidades del muerto y sus restos expuestos en los caminos. Vidal de Urano reclamó el perdón prometido y el Tribunal le aseguró la absolución que le proporcionaba la gracia de la vida eterna, siguiendo la misma suerte que el anterior, aunque no le cortaron la mano hasta después de muerto, y su cadáver fue troceado. El resto de los conspiradores y otros convictos por colaboración fueron quemados vivos, a excepción de Sánchez, que consiguió huir y fue quemado en efigie y de Juan de Abadía, que se había suicidado en la cárcel comiendo los pedazos de cristal de una lámpara, por lo que fue quemado su cadáver.

Durante años fueron cayendo en manos de la Inquisición los miembros de las familias más influyentes y nobles del reino aragonés implicados, por acción u omisión en la conspiración, quedando prácticamente anulada para siempre la influencia social de los conversos en Aragón. Según concluye Kamen:

«no era la primera vez que una causa triunfaba gracias a un único y útil martirio. Para los conversos un asesinato barato, logrado a un coste total de 600 florines de oro (incluyendo el salario de los asesinos), resultó ser un acto de suicidio en masa que aniquiló toda oposición a la Inquisición por varios siglos».

Y como nunca viene mal un mártir para la causa, los Reyes Católicos costearon un magnífico sepulcro con una estatua de piedra representando al inquisidor asesinado, y en el cual, según Juan Antonio Llorente, se leía:

«Reverendus magister Petrus de Epila, hujus sedis canonicus, dum in haereticos ex officio constanter inquirit, hic ab eisdem confussus est ubi tumulatus, anno domini 1485, die 15 semptembris —Ex imperio Fedinandi et Elisabeth in utraque Hispania regnantium». («El reverendo maestro Pedro de Epila, canónigo de esta Santa Iglesia, ejerciendo con constancia el ofi-

cio de inquisidor contra los herejes, fue muerto por ellos mismos en este propio sitio de su sepulcro el día 15 de septiembre del año del Señor de 1485. Este monumento se ha hecho por orden de Fernando e Isabel, reyes de las dos Españas.»).

El 17 de abril de 1664 Pedro Arbués de Epila fue declarado mártir y beatificado por el papa Alejandro VII, casi dos siglos después de ocurridos los terribles acontecimientos que truncaron el propósito de conseguir que el reino de Aragón se viera libre de tan impopular y retrógrada institución.

Con la Inquisición instaurada y funcionando en los dos reinos, los Reyes Católicos, Castilla, se centra en la guerra de Granada.

La expulsión de los judíos

Mientras tanto, Torquemada va tomando conciencia de las dificultades que plantea en sí misma la lucha contra la herejía, máxime si se ve agravada por circunstancias añadidas, como la evidente fragilidad de las convicciones religiosas de muchos judíos que recibieron las aguas del bautismo movidos por el temor a las persecuciones y matanzas de las que venían siendo objeto. De sus antiguos correligionarios recibirían, sin ninguna duda, el reproche cierto del que manifiesta la entereza y fidelidad a la ley de sus antepasados y, en estas condiciones, resultaba realmente difícil profundizar en la nueva fe sin incurrir en error, desviación y apostasía.

Las cosas, lejos de solucionarse, se iban complicando con el transcurso del tiempo. La propia actuación del Santo Oficio contribuía a crispar los ánimos de unos y otros, dando lugar a episodios —reales o ficticios— que mantenían un ambiente de gran tensión social con acusaciones mutuas de hechos sacrílegos imputados ora a cristianos ora a judíos.

En el año 1488 provocó un gran impacto entre la población una historia ocurrida en el llamado *Puerto del Gamo*, en el obispado de Coria, entre las villas del Casar y Granadilla, y que, como sucede en todo este tipo de historias, iba siendo adornada, corregida y aumentada a medida que circulaba de boca en boca.

Parece ser que el día de Jueves Santo de dicho año, mientras los cristianos del Casar celebraban en la Iglesia la liturgia correspondiente al día en que Jesús había celebrado la última cena, lavado humildemente los pies a sus discípulos y orado en el huerto de Getsemaní preparándose para la Pasión, un grupo de judíos se encontraba reunido en una apartada arboleda, comiendo y bebiendo alegremente en lo que debía de ser una comida campestre, cuando deberían estar encerrados en sus casas como les exigía la ley en los días de duelo, y éste lo era.

Aconteció que muy cerca de dicha arboleda pasaba de regreso al pueblo un vecino del Casar, Juan Caletrido, quien escuchando el «jolgorio» del grupo y horrorizado por la ofensa que se estaba haciendo a toda la cristiandad se dirigió corriendo a la Iglesia para dar cuenta a los allí reunidos de la fiesta que hacía el pueblo «deicida» para conmemorar la pasión de Nuestro Señor.

Inmediatamente todos los cristianos de la villa del Casar se dirigieron al lugar indicado por Juan Caletrido, en donde se entabló una tremenda pelea, al final de la cual los judíos prometieron cobrar venganza por las continuas afrentas e insultos a que se veían sometidos.

Y dicho y hecho. Al día siguiente, Viernes Santo, un grupo de judíos se desplaza hasta el citado *Puerto del Gamo* donde existía una cruz de madera que había sido levantada para protección de los caminantes, y llenos de ira la arrancaron y pisotearon por representar el símbolo de los odiados cristianos.

Otro vecino, Germán Bravo, es testigo de la horrible escena, da la voz de alarma y nuevamente se organiza otra batalla campal, más grave aún que la anterior, pues arroja un saldo de dos muertos y heridos graves, todos judíos. Posteriormente prenden al rabino, que es arrastrado hasta la sede de la Inquisición, en donde es sometido a tales tormentos que muere sin haberlos podido soportar –irregularidad gravísima en la normativa inquisitorial, que regula severamente la aplicación del tormento para que en ningún caso corra peligro la vida del reo, (la Iglesia carece de legitimación para arrancar la vida de nadie –recordemos que las penas de muerte las ejecutaba el poder civil)–. No obstante, y como resultado del proceso abierto, únicamente hubo culpables en el bando judío, que fueron condenados y confiscados sus bienes. La cruz sometida a vejación fue colocada en la Iglesia en un lugar de honor...

Pero si esta historia conmocionó a la inquieta sociedad de finales del siglo XV de los reinos de SS. AA. Católicas, a los unos por el execrable sacrilegio cometido precisamente durante la Semana Santa, y a los otros por el asfixiante cerco en el que se desenvolvían sus vidas, siempre bajo la amenaza de una muerte vil, los sucesos acaecidos al año siguiente provocaron una singular agitación, teniendo en cuenta que reunían una serie de ingredientes altamente perturbadores: brujería, profanación de la sagrada forma y la crucifixión de un niño de cuatro años –al que se le denominó *el Santo Niño de La Guardia*– por ser La Guardia el pueblo de la provincia de Toledo en donde ocurrieron los hechos.

Todo comenzó con la necesidad que tenían ciertos judíos de procurarse una hostia consagrada y el corazón de un niño cristiano para realizar un conjuro que les permitiría estar a salvo de las persecuciones de los cristianos y que además provocaría la muerte de los inquisidores del lugar (innegablemente debía de ser angustiosa la situación de amenaza constante en la que transcurría la vida de las comunidades judías en esos tiempos). Para conseguir el corazón del niño cristiano no tuvieron mejor idea que ofrecer una gran suma de dinero a una familia pobre, pero el padre se negó horrorizado. La madre, en un aparte, accedió, pero en vez del corazón de su hijo les hizo entrega del corazón de un cerdo. Por causa del engaño de esta mujer el conjuro, evidentemente, no surte efecto, y entonces deciden procurarse ellos mismos el corazón que necesitan, así no quedarían expuestos a sufrir ningún engaño. Resuelven, pues, robar un niño y comprarle las hostias consagradas a un sacristán depravado. Thomas Lower nos relata el grueso de esta historia como sigue:

> *«En esta historia se mezcla todo; es una historia en la que la Inquisición aparece con todo su espíritu procesalista y minucioso, pero en la que, al mismo tiempo, también los judíos y judaizantes aparecen como gente crédula, supersticiosa y hasta cruel. Cristianos y judíos creen igualmente en brujerías y en la magia, en encantamientos en los que se encuentra mezclado incluso un médico judío. Hay un sombrío espíritu, casi demoníaco, en ambas partes. Pero estos actos no aparecen como una provocación al poder religioso y evocan más bien una atmósfera de guerra civil entre dos religiones, o mejor dicho, entre dos comunidades nacionales.*
>
> *He aquí los hechos.*
>
> *Un día, un trajinante judío, Benito García, es detenido en un albergue porque unos ladrones o bromistas habían registrado su saco y descubrieron en él una hostia consagrada (así lo creían ellos). El hombre habló de un asunto de brujería y paso a paso fue complicando a otras gentes hasta un total de once, contándose él mismo. Todos eran pobre gente, salvo el médico que se encargaba de la operación mágica y, desde luego, judíos todos. El médico y otros dos morirán durante el proceso, aunque los tres se encontrarán, en efigie, el 18 de noviembre de 1491, con ocho de los acusados, en la hoguera de la plaza del mercado de Ávila.*
>
> *Estos hombres habían cometido, en principio, un crimen: procurarse, comprándoselas a un sacristán, una hostia consagrada a fin de realizar una ceremonia mágica. Pero el médico para el que trabajaban necesitaba una segunda hostia y un corazón de un niño cristiano. Uno de ellos robó, pues, a un niño a la entrada de la catedral, ofreciéndole una golosina, lo llevó al sótano de su casa y luego a una caverna aislada cuya entrada taparon él y su compañero, con unas telas.*
>
> *Allí los hombres en cuestión, entre ellos el médico, que se encargaba de presidir la ceremonia, celebraron una misa negra, con el médico de celebrante. Clavaron al niño a una cruz hecha con un varal y un eje de carreta, lo azotaron y lo coronaron de espinas, haciendo odiosa burla de Cristo y de la Pasión. Luego, vertieron su sangre haciéndole una incisión en una vena del brazo. Y después uno de ellos le arrancó el corazón y se lo entregó al médico.*
>
> *El proceso fue largo y respetuoso con las reglas, con interrogatorios complicados y llenos de argucias, vigilancia de las conversaciones sostenidas entre los acusados, intervención de un falso rabino llamado por uno de los acusados, Yucé Franco, para que le atendiera y que era en realidad un dominico disfrazado. La detención del portador de la hostia consagrada, Benito García, databa de mayo-junio de 1490, y la ejecución tuvo lugar el 18 de noviembre de 1491.*
>
> *La instrucción del proceso prosiguió en Toledo, puesto que el delito había sido cometido dentro de los límites de la diócesis del cardenal de España; pero muy pronto Torquemada se hizo transferir a Ávila a los acusados a fin de tenerlos a mano, porque concedía al asunto una importancia excepcional».*

Digamos, para finalizar, que lo curioso en este proceso fue que nadie reclamó o echó en falta a ningún niño de esa edad, y que en el lugar donde los culpables confesaron –bajo tormento– haber enterrado el cuerpo del niño, ni en ningún otro lugar, fueron hallados sus restos.

Historias como las referidas fueron proliferando por doquier a lo largo de todos estos años hasta 1492, poniendo de manifiesto la inconciliable relación de judíos y cristianos, fruto de la simpleza y credulidad de un pueblo analfabeto y encogido, hábilmente manejado por quienes vislumbraban en la convivencia pacífica de ambas comunidades una amenaza real a su predominio en el Estado, y por la propia Inquisición, a cuya autoridad le estaba vedada la esfera judía, y esto era algo que no podía consentir, pues estorbaba su propósito de control absoluto sobre el conjunto de personas e instituciones que conformaban «la realidad nacional».

Poco a poco la idea de la expulsión –que ya había sido meditada con anterioridad– va tomando consistencia y, finalmente, concluida la guerra de Granada, el Edicto de Expulsión de los Judíos, surgido de la pluma del Inquisidor General, descansa en la mesa de trabajo de Isabel y Fernando pendiente de la firma de ambos monarcas.

> *«Torquemada no había quedado satisfecho tras el triunfo de los ejércitos cristianos el 2 de enero de 1492 –escribe Lower–. La toma de Granada le pareció una gracia divina de la que los reyes y el pueblo español tendrían que hacerse dignos, y la única manera de conseguir esta dignidad, según él, era expulsando a los judíos, ahora que España estaba liberada, si no de los moros (que aún seguían en el reino aunque despojados y sumisos), sí al menos de la dominación mora. Los judíos constituían un cuerpo extraño que no podía ser bautizado ni nacionalizado. Todo judío que se convertía al cristianismo pasaba a ser considerado al instante como un hipócrita –aunque se diera el caso, frecuente, de que fuese realmente sincero–, siéndoles muy difícil sustraerse a la presión de la Inquisición e incluso de sus propios hermanos que aún seguían dentro del judaísmo».*

Mucho se ha especulado sobre las razones últimas de los Reyes para tomar una decisión tan extrema, máxime teniendo en cuenta que los soberanos *«se valían de los judíos, que eran los únicos que entendían del cobro y de la administración de las rentas públicas. Don Abraham Senior era almojarife*[122] *mayor de Castilla. Don Gaón, contador mayor, es asesinado en Vitoria y le sucede otro judío: Ben Arroyo. El factor mayor era un judío portugués: Isaac ben Yudah Ababanel –otros escriben Abravanel, y aún Abarvanel– padre del famoso León Hebreo.*[123] *En la guerra de Granada los judíos ayudaron eficazmente a la instauración de la complicada máquina del aprovisionamiento de las tropas y de la administración militar»* –escribe el marqués de Lozoya.

---

[122] Ministro real que recaudaba las rentas y derechos del rey y guardaba el producto de ellos como tesorero.
[123] Fue médico del Gran Capitán y del Virrey de Nápoles.

Motivos como el de la aspiración a una unidad religiosa nacional –ciertamente dentro de la Iglesia Católica– son muy concebibles en la reina, amén de participar en las tesis de Torquemada de que dicha medida facilitaría la integración de los conversos en la sociedad cristiana, toda vez que pudieran profundizar en la nueva fe sin la referencia constante de sus antiguos correligionarios: *«Es sabido que en nuestros dominios existen algunos malos cristianos que han judaizado y cometido apostasía contra la santa fe católica, la mayor parte de las veces a causa de la convivencia entre judíos y cristianos»* –se dice en el Edicto–. A los móviles religiosos habría que añadir finalidades o presupuestos políticos encaminados a lograr una monarquía más firme, para lo que necesitaban conseguir una auténtica cohesión social en sus territorios, constantemente resquebrajada por desórdenes antijudíos.

Las crónicas refieren que la comunidad judía, enterada del proyecto de expulsión, comisionó a un grupo de entre los más relevantes de ellos para que hablase con los monarcas haciéndoles desistir de tan terrible medida con súbditos leales, e incluso que les ofrecieran un donativo –treinta mil ducados– para poder emprender nuevos proyectos en sus reinos. El Inquisidor General Torquemada, siempre al acecho –y aquí se dibuja otro rasgo que evidencia su singular carácter– entró repentinamente en la cámara donde se celebraba la reunión y sacando de entre los hábitos un crucifijo lo alzó sobre los asistentes y señalándolo con el dedo exclamó con voz potente: *«Judas Iscariote vendió a su maestro por treinta monedas de plata. Vuestras Altezas van a venderlo ahora por treinta mil: aquí lo tenéis. ¡Vendedlo!* y arrojando el crucifijo sobre la mesa salió de la misma forma que había entrado. Y cuenta Prescott:

> *«los soberanos, en vez de castigar tan temerario atrevimiento, o de despreciarlo como un mero arrebato de locura, quedáronse sobrecogidos al presenciarlo, porque ni don Fernando ni doña Isabel hubieran vacilado un momento en negar su sanción, si se les hubiera dejado seguir los naturales impulsos de su buen juicio, a una medida tan impolítica, en la que iba envuelta la pérdida de la parte más activa e industriosa de su pueblo».*

El caso es que el 31 de marzo de 1492 los reyes firmaron el Edicto de Expulsión, –cuyo texto se incluye al final del presente capítulo–, publicándose el 29 de abril de dicho año. A partir de esta fecha lo judíos disponían de un plazo de tres meses, es decir, hasta finales de julio, para abandonar los reinos hispánicos, salvo que decidieran integrarse en la Iglesia Católica bautizándose como cristianos –posibilidad que aunque en el texto del edicto no se hacía mención expresa quedaba sobreentendida–. El cronista de la época Diego Colmenares escribe al respecto de los integrantes de la judería de Segovia:

> *«A los principios de agosto, dejando sus casas se salieron a los campos del Hosario, nombrado así por tener allí sus sepulcros, y el valle de los Tenerios, llenos de aquella miserable gen-*

te, albergándose en los sepulcros de sus mismos difuntos y en las cavernas de aquellas peñas. Algunas personas de nuestra ciudad, religiosas y seculares, celosas de la salvación de aquellas almas, aprovechando tan buena ocasión, salieron a predicarles su conversión y advertirles su ciega incredulidad contra la luz de tantas evidencias en tan dilatados siglos y calamidades. Algunos se convirtieron y bautizaron, dando nombre al lugar que hasta hoy se nombra Prado Santo por este suceso».

La alternativa de la conversión no era *«en cualquier caso, una decisión fácil, porque si el exilio significaba el desarraigo de la tierra, la conversión suponía también profundos desgarros personales, sentidos en lo más íntimo de la mentalidad y la conciencia»*, escribe Jaime Contreras.[124]

Varios judíos de los más notables de los reinos se convirtieron al cristianismo: el *rabí*[125] Abraham, el rabino mayor de las aljamas y almojarife real Abraham Seneor, así como su yerno el rabino Mayr, recibiendo el bautismo en Guadalupe y siendo apadrinados por el Nuncio y el Gran Cardenal de España, el primero, y por los propios reyes los otros dos, que recibieron los nombres de Fernando Pérez Coronel y Fernando Núñez Coronel. Isaac ben Yudah Abravanel, otro de los judíos más importantes de la comunidad hispánica, consejero de los Reyes, que había intentado varias veces detener la ejecución del decreto, permanece fiel a su religión, poniéndose a la cabeza de su pueblo en la nueva diáspora que debía emprender:

> *«Y hablé por tres veces al monarca, como pude, y le imploré diciendo: ¡Favor, oh rey! ¿Por qué obras de este modo con tus súbditos? Imponnos fuertes gravámenes, regalos de oro o plata y cuanto posee un hombre de la casa de Israel lo dará por su tierra natal. Imploré a mis amigos, que gozaban de favor real para que intercediesen por mi pueblo, y los principales celebraron consulta para hablar al soberano con todas sus fuerzas que retirara las órdenes de cólera y furor y abandonara su proyecto de exterminio de los judíos. También la reina, que estaba a su derecha para corromperlo, le inclinó poderosa y persuasiva a ejecutar su obra empezada y acabarla».*

Respecto al número de judíos que abandonaron España Jaime Contreras opina lo siguiente:

> *«no podemos dar cifras fiables, porque tampoco tenemos recuentos precisos, pero la historiografía más moderna y las técnicas depuradas de la demografía histórica han llegado a perfilar algunas cifras que hablan de 50.000 individuos judíos en la corona de Castilla y de unos 20.000 en la Corona de Aragón. Unos sumandos claramente diferenciados que elevan la can-*

---

124 Catedrático de Historia Moderna de la Universidad de Alcalá de Henares.
125 Título con que los judíos honran a los sabios de su ley.

tidad de judíos en los reinos hispánicos en torno a los 70.000, cifra que debe retocarse al alza debido a varios factores, pero en cualquier caso jamás puede ascender a 90.000».

Otros historiadores españoles redondean el número hasta los 100.000, mientras que los historiadores hebreos consideran que los judíos expulsados rondaban los 170.000 individuos.

Durante el plazo fijado en el edicto podían vender sus posesiones y llevarse su fortuna *«con excepción del oro, la plata, moneda de curso legal u otros artículos prohibidos por las leyes del reino»*, como por ejemplo armas y caballos. La única manera posible que quedaba era a través de letras de cambio, que se harían efectivas fuera de España, y de cuyas operaciones se hicieron cargo los banqueros italianos, especialmente los genoveses, gravándolas con fortísimos intereses. Ni qué decir tiene que la práctica totalidad de los judíos malvendieron sus haciendas y bienes. *«Daban una casa por un asno y una viña por un poco de paño o lienzo»*, nos refiere Andrés Bernáldez.

En algunos lugares se prohibió a los cristianos comprar los bienes de los judíos y en otros las aljamas fueron cercadas para que no pudiesen salir de ellas hasta el día de su marcha, y esto pese a que expresamente los reyes prescribían en el edicto que:

«para que dichos judíos y judías puedan mejor disponer de sus bienes y hacienda en el plazo estipulado, por el presente edicto quedan bajo nuestra real protección mientras proceden a la venta, cambio y enajenación de sus bienes muebles y raíces, y ordenamos que puedan disponer libremente de ellos sin que nadie pueda hacerles ningún mal, ni en sus personas ni en sus dichos bienes, advirtiendo que a los que quebranten esta disposición se les aplicará el castigo que establezcan las leyes».

Cumplido, pues, el plazo establecido, los judíos salieron de sus casas alejándose de los amados lugares donde habían permanecido afincados durante muchas generaciones, dejando atrás la tierra que era su patria y que en adelante únicamente cobijaría los restos de sus antepasados difuntos. Los cronistas de la época nos han dejado muestras de las tristes escenas que tuvieron lugar en el momento de la despedida y durante el largo trayecto hacia la frontera y hacia los destinos elegidos en donde encauzarían nuevamente sus vidas –aunque, ciertamente, muchos fueron los que la perdieron en el camino.

Nuevamente es Bernáldez quien nos refiere:

«Salieron de las tierras de sus nacimientos, chicos y grandes, viejos y niños, a pie y caballeros en asnos y otras bestias y en carretas, y continuaron sus viajes, cada uno a los puertos que habían de ir, e iban por los caminos y campos por donde iban con muchos trabajos y fortunas, unos cayendo, otros levantando, otros muriendo, otros naciendo, otros enfermando, que no había cristiano que no hubiese dolor de ellos, y siempre por do iban los convidaban al baptismo y algunos, con la cuita, se con-

vertían y quedaban, pero muy pocos, y los rabíes los iban esforzando y hacían cantar a las mujeres y mancebos y tañer panderos y adufos para alegrar la gente, y así salieron de Castilla».

La mayor parte de los judíos castellanos se dirigieron a Portugal, para desde allí poner rumbo a las costas de África, en donde se encontraron con los que llegaron directamente desde España dispersándose por diferentes puntos de Marruecos. Los destinos de los judíos del reino de Aragón fueron Italia –en Génova y Nápoles se afincaron muchos– Turquía, los Balcanes, y Oriente Próximo y Medio.

Otros acabaron en Francia, Inglaterra, Países Bajos y Alemania, simulando ser cristianos, pero absolutamente todos sufrieron los rigores del trato fiero que les dispensaron unos y otros aprovechándose de su infortunio: salteadores de caminos, armadores, e incluso las autoridades y los propios soldados que los custodiaban, les robaron, extorsionaron y asesinaron.

> *«He ahí que por todas partes encontraron aflicciones, extensas y sombrías tinieblas, graves tribulaciones, rapacidad, quebranto, hambre y peste. Parte de ellos se metieron en el mar, buscando en las olas un sendero, y también allí se mostró contraria la mano del Señor para confundirlo y exterminarlos, pues muchos de los desterrados fueron vendidos por siervos y criados en todas las regiones de los pueblos y no pocos se sumergieron en el mar, hundiéndose al fin, como plomo.»* [126]

Algunos de ellos, abatidos por tantos sufrimientos, regresaron a sus hogares para recibir el bautismo y se les permitió recuperar los bienes vendidos por el mismo precio que habían conseguido de la venta. El Cura de los Palacios bautizó a muchos de los que volvían *«desnudos, descalzos y llenos de piojos, muertos de hambre y muy mal aventurados, que era dolor de los ver».*

> *«He aquí –se queja Llorente– una multitud de muertes, ofensas a Dios y otras calamidades que resultaron del fanatismo de Torquemada, de la codicia y superstición del rey Fernando y de las ideas erróneas y celo indiscreto que hicieron adoptar a la reina Isabel, aunque ella tuviese buen corazón y un entendimiento ilustrado».*

Los descendientes de aquellos judíos de Sefarad (el sonoro nombre con que en su lengua denominaban a España), los judíos sefarditas, siguen conservando aún un pintoresco castellano del siglo XV, así como costumbres y tradiciones de sus antepasados: canciones, romances. Incluso algunos conservan, como un tesoro legado de generación en generación, las llaves de aquellas casas que sus familias tuvieron que abandonar allá en España.

La Constitución de 1869 abrogó el Decreto de Expulsión de los Judíos del año 1492 que a continuación reproducimos en castellano antiguo adaptado y en castellano actual.

---

[126] Salomón ben Verga, de su crónica *Sebet Yehuda*.

TEXTO DEL DECRETO DE EXPULSIÓN DE LOS JUDÍOS

Don fernando é doña ysabel, por la graçia de dios Rey é Reina de castilla, de león, de aragón, de seçilia, de granada, de toledo, de valencia, de galizia, de mallorcas, de sevilla, de çerdeña, de çordova, de córcega, de murçia, de jahén, del algarbe, de algesira, de gibraltar é de las yslas de Canaria, conde e condesa de barçelona, é Señores de viscaya é de molina, duques de atenas é de neopatria, condes de Rosillón é de çerdania, marqueses de oristán é de goçiano, al príncipe don Juan nuestro muy caro é muy amado hijo, é á los ynfantes, perlados, duques, marqueses, condes, maestres de las hórdenes, priores, Ricos omes, comendadores, alcaydes de los castillos é casas fuertes de los nuestros Reynos é Señoríos, é á los conçejos, corregidores, aldaldes, alguaçiles, merinos cavalleros, escuderos, ofiçiales é omes buenos de la muy noble é leal çibdad de Ávila é de las otras çibdades é villas é lugares de los dichos nuestros Reynos é señoríos, é a las Aljamas de los judíos de la dicha çibdad de ávila, é de todas las dichas çibdades é villas é lugares de su obispado é de todas las otras çibdades é villas é lugares de los dichos nuestros Reynos é señoríos, é á todos los Judíos é personas singulares dellos así varones commo mugeres de qualquier hedad que sean, é á todas las otras personas de qualquier estado, dignidad, preminençia, condición que sean é á quien lo de yuso, en esta nuestra Carta contenido atañe, ó atañer puede en cualquier manera, salud é graçia.

Sabedes é devedes saber que, porque nos fuemmos ynformados que en estos nuestros Reynos avía algunos malos christianos, que judaysavan é apostatavan de nuestra Sancta fe católica, de lo cual era mucha cabsa la comunicación de los Judíos con christianos, en las cortes que hesimos en la çibdad de toledo el año pasado de mill é quatroçientos é ochenta mandamos apartar é los dichos Judíos en todas las çibdades, villas é lu-

Los Reyes Fernando e Isabel, por la gracia de Dios, Reyes de Castilla, León, Aragón, Sicilia, Granada, Toledo, Valencia, Galicia, Mallorca, Sevilla, Cerdeña, Córdoba, Córcega, Murcia, Jaén, el Algarbe, Alceciras, Gibraltar y de las islas Canarias, Conde y Condesa de Barcelona, Señores de Vizaya y de Molina, Duques de Atenas y de Neopatria, Condes del Rosellón y de Cerdaña, Marqueses de Oristán y de Gociano, al príncipe don Juan, nuestro muy caro y amado hijo, y a los infantes, prelados, duques, marqueses, condes, maestres de las órdenes, priores, comendadores, alcaides de los castillos y fortalezas de nuestros reinos y señoríos, y a los Consejos, corregidores, alcaldes, alguaciles, caballeros, escuderos, oficiales y hombres de la muy noble ciudad de Ávila y de las otras ciudades, villas y lugares de nuestros reinos y señoríos, y a las Aljamas de los judíos de la referida ciudad de Ávila y del resto de ciudades y lugares de su obispado y del resto de nuestros reinos y señoríos, y a todos los judíos, en general, y en particular de cada uno de ellos, tanto varones como mujeres de cualquier edad, y al resto de personas de cualquier estado, dignidad, preeminencia o condición, y a quienquiera esta carta le concierna, ¡salud y gracia!

Es sabido que en nuestros dominios existen algunos malos cristianos que han judaizado y cometido apostasía contra la santa fe católica, la mayor parte de las veces a causa de la convivencia entre judíos y cristianos. Es por ello que en el año 1480 ordenamos que en todas las ciudades y provincias de nuestros dominios se confinase a los judíos en juderías y otros sectores, esperando que con

gares de los nuestros Reynos é señoríos, é dalles juderías é lugares apartados, donde biviesen esperando que
con su apartamiento so remediaría; é otrosí ovimos procurando é dando horden como se hiziese ynquisición en
los dichos nuestros Reynos é Señoríos; la cual, como
sabeys, ha más de dose años que se ha fecho é fase, é
por ella han fallado muchos culpantes, segund es noto-
rio, é segund somos ynformados de los ynquisidores é
de otras muchas personas Religiosas é eclesiásticas é seglares; consta é paresçe el grand daño que á los christianos se ha seguido y sigue de la partiçipación, conversación, comunicación que han tenido é tienen con los
judíos, los quales se pruevan que procuran siempre, por
quantas vías é maneras pueden de subertir é subtraer
de nuestra Santa fe católica a los fieles christianos, é los
apartar della, é atraer é pervertir á su dañada creencia
é opinión, ynstruyéndolos en las çeremonias é observancias de su ley, hasiendo ayuntamiento donde les
leen é enseñan lo que han de creer é guardar segund su
ley, procurando de çircunçidar á ellos é á sus fijos dándoles libros por donde rezasen sus oraçiones, é decla-
rándoles los ayunos que han de ayunar, é juntándose
con ellos á leer é enseñarles las estorias de su ley, noti-
ficándoles las pascuas antes que vengan, avisándoles de
lo que en ella han de guardar é haser, dándoles é le-
vándoles de su casa el pan çençeño é carnes muertas con
çeremonias, ynstruyéndoles de las cosas de que se han
de apartar, así en los comeres commo en las otras cosas
por observancia de su ley, é peruadiéndoles en quanto
pueden á que tengan é guarden la ley de moysén, ha-
ziéndoles entender que non hay otra ley nin verdad,
salvo aquella; lo qual consta por muchos dichos é con-
fisiones, así de los mismos judíos, commo de los que
fueron pervertidos y engañados por ellos; lo qual ha redundado en gran daño é detrimento é obprobio de
nuestra sancta fe católica. Y commo quier que de mucha
parte desto fuemmos ynformados antes de agora, y co-
nocimos quel Remedio verdadero de todos estos daños

esta medida la situación existente sería remediada.
*Así mismo ordenamos el establecimiento de la In-
quisición, que ha funcionado durante doce años encontrando a muchas personas culpables. Pero estamos informados por la Inquisición y por otras
muchas personas religiosas y seglares de que el gran
daño que se pretendía evitar seguirá persistiendo
mientras los cristianos y los judíos sigan relacio-
nándose, ya que éstos tratan, por cuantas vías y
maneras pueden, de subvertir y sustraer de nuestra
santa fe católica a los fieles cristianos, e incluso a
apartarlos de ella para acercarlos a sus creencias. Y
así, estos judíos han instruido a esos cristianos en
las ceremonias y creencias de su ley, procurando que
ellos y sus hijos sean circuncidados, dándoles libros
para sus rezos, enseñándoles los días en que deben
ayunar, reuniéndoles para contarles las historias de
sus leyes, avisándoles de la Pascua y de lo que en
ella deben guardar y hacer, dándoles y llevando de
sus casas el pan ácimo y las carnes preparadas según establece el ritual, instruyéndoles en las cosas
de las que deben abstenerse, tanto en lo relativo a
los alimentos como al resto de las cosas que establece la ley de Moisés y haciéndoles ver que no existe
otra ley ni verdad salvo ésta. Y así queda probado en
muchas confesiones, tanto de los propios judíos
como de los que por ellos fueron pervertidos y engañados, lo que ha redundado en gran daño, detrimento y oprobio hacia nuestra santa fe católica. Y
como quiera que en su momento fuimos informados
y sabíamos que el único remedio para terminar con
todos estos daños e inconvenientes consistía en hacer salir a los judíos de todos nuestros reinos, dispu-
simos que salieran de todas las ciudades, villas y lugares de Andalucía, donde parecía que habían hecho
mayor daño, creyendo que esto bastaría para que los
del resto de nuestros reinos cesasen en todo lo mencionado. Y porque hemos sido informados que ni la*

é ynconvenientes estava en apartar del todo la comunicación de los dichos judíos con los christianos é echarlos de todos nuestros Reynos, quesímonos contentar con mandarlos salir de todas las çibdades é villas é lugares del andaluzia, donde parescía que avían fecho mayor daño, creyendo que aquello bastaría para que los de las otras cibdades é villas é lugares de los nuestros Reynos é Señoríos cesasen de hazer é cometer lo susodicho; é porque somos ynformados de aquello, ni las justiçias que se han fecho en algunos de los dichos judíos que se han fallado muy culpantes de los dichos crímines é delitos contra nuestra Sancta fe católica, non basta para entero remedio; para obviar é remediar commo çese tan grand obprobio é ofensa á nuestra Sancta fe é Religión christiana, porque cada día se halla é paresce que los dichos judíos creçen en continuar su malo é dañado propósito, á donde biven é conversan; y porque non haya lugar de más ofender a nuestra Sancta fe, así en los que hasta aquí dios ha querido guardar commo en los que cayeron, se enmendaron é reduzieron á la santa madre yglesia, lo qual segund la flequeza de nuestra humanidad é abstuzia é subgestión diabólica, que contino nos guerrea, ligeramente podría acaescer si la cabsa prinçipal desto non se quita, que es echar los dichos judíos de nuestros Reynos: porque quando algund grave é detestable crimen es cometido por algunos de algund colegio é universidad, es razón que el tal colegio é universidad sean disolvidos é anichilados, e los menores por los mayores é los unos por los otros pugnidos, é que aquellos que pervierten el buen é honesto bevir de las çibdades é villas, é por contagio que puede dañar a los otros, sean espelidos de los pueblos, é aun por otras más leves cabsas que sean en daño de la República ¿quánto más por el mayor de los crímines é más peligroso é contagioso, commo lo es este?.

Por ende, nos con consejo é paresçer de algunos perlados é grandes é cavalleros de nuestros Reynos, é de otras personas de çiencia é conçiencia de nuestro consejo,

justicia que se ha aplicado a algunos judíos hallados culpables de los dichos crímenes y delitos contra nuestra santa fe católica basta como remedio para poner término a tan gran oprobio y ofensa hacia nuestra santa fe y religión cristiana, es más, cada día los judíos ponen mayor empeño en su malvado propósito allá donde viven, parece que para que no haya ocasión de seguir ofendiendo nuestra fe, tanto por parte de los que hasta ahora Dios ha querido preservar como por los que cayeron y se enmendaron regresando a la Santa Madre Iglesia, lo que fácilmente podría ocurrir debido a la flaqueza de nuestra condición humana y a la tentación a la que continuamente estamos expuestos, es necesario que se erradique la causa principal, esto es, que hagamos salir a los judíos de nuestros reinos: porque cuando algún grave y detestable crimen es cometido por ciertos miembros de algún grupo o sociedad es razonable que tal grupo o sociedad sea disuelto y aniquilado y, los inocentes por los culpables, sean todos castigados, de la misma manera aquellos que pervierten el buen y honesto vivir en pueblos y ciudades causando daño a los demás deberán ser expulsados, aun incluso por causas menores, ¡cuanto más por el mayor y más peligroso de los crímenes, como es éste!

Por todo esto, oído el parecer y consejo de prelados, notables y caballeros de nuestros reinos, así como el de otras personas de nuestro Consejo y *aviendo avido sobre ellos mucha deliberación, acordamos de mandar salir todos los dichos judíos é judías de nuestros Reynos, é que jamás tornen ni buelvan á ellos, ni á algunos dellos; y sobre ello mandamos dar esta nuestra carta, por la qual mandamos a todos los judíos é judías de qualquier hedad que sean, que biven é moran é están en los dichos nuestros Reynos é señoríos, así los naturales dellos, commo os non naturales que en qualquier manera por qualquier cabsa ayan venido é estén en ellos, que fasta el fin del mes de Jullio primero que viene deste presente año salgan de todos los dichos nuestros Reynos é Señoríos con sus fijos é fijas é criados é criadas é familiares judíos, así grandes commo pequeños, de qualquier hedad que sean; é non sean osados de tornar á ellos ni estar en ellos ni en parte alguna dellos de bibienda, ni de paso, ni en otra manera alguna; so pena que, si lo non fizieren é cumplieren así, é fueren hallados vesinar en los dichos nuestros Reynos é señoríos ó venir á ellos en qualquier manera, incurran en pena de muerte é confiscación de todos sus bienes para la nuestra cámara é fisco; en las quales penas incurran por ese mismo fecho é derecho sin otro proçeso, sentençia ni declaración. E mandamos é defendemos, que ningunas nin algunas personas de los dichos nuestros Reynos, de qualquier estado, condiçión, dignidad que sean, non sean osados de reçebeir, reçebtar, ni recoger, ni defender, nin aver pública nin secretamente judío nin judía, pasado el dicho término de fin de Jullio en adelante para siempre jamás en sus tierras, ni en sus casas, ni en otra parte alguna de los dichos nuestros Reynos é Señoríos, so pena de perdimiento de todos sus bienes vasallos é fortalesas é otros heredamientos; é otrosí de perder qualesquiera mercedes, que de nos tengan, para la nuestra cámara é fisco.*

E por que los dichos judíos é judías puedan durante el dicho tiempo fasta el fin del dicho mes de Jullio mejor disponer de sí é de sus bienes é hasienda, por la presente los tomamos é reçebimos so nuestro seguro é amparo é defen-

tras mucha y larga deliberación hemos llegado a la conclusión de que era necesario mandar salir de nuestros reinos a todos los judíos, hombres y mujeres y que no regresen nunca más a ellos. Mandamos, pues, promulgar este edicto por el que ordenamos que todos los judíos de cualquier edad, hombres y mujeres, que viven en nuestros reinos y señoríos, tanto los naturales de ellos como los que por cualquier causa hubieren venido y que permanecieran en ellos, que dispongan para abandonarlos hasta el último día del próximo mes de Julio de presente año, con sus hijos e hijas, criados y criadas y demás familiares judíos, y que no regresen más, ni de paso ni de forma alguna, y que si no cumplieran estas disposiciones y fueran hallados en los dichos nuestros Reinos y señoríos, o hubieran venido a ellos por cualquier causa, incurrirán en pena de muerte y confiscación de todos sus bienes a favor de la Corona, sin necesidad de ningún otro proceso, sentencia o declaración. Y ordenamos, así mismo, que ninguna persona de nuestros reinos, de cualquier estado, condición o dignidad, acoja o defienda pública o secretamente a ningún judío o judía una vez terminado el plazo establecido, ni en su casa, ni en sus tierras ni en parte alguna de nuestros reinos y señoríos, bajo pena de perder todos sus bienes, vasallos, fortalezas, heredades y cualesquiera otras mercedes, que tuvieran concedidas por la Corona, que pasarían al tesoro real.

Y para que los referidos judíos y judías puedan mejor disponer de sus bienes y hacienda en el plazo estipulado, por el presente edicto quedan, tanto ellos como sus bienes, bajo nuestra real protección mientras proceden a la venta, cambio y enajenación dimiento Real, é los aseguramos á ellos é á sus bienes para que durante el dicho tiempo para el dia final del dicho mes de Jullio puedan andar é estar seguros, é puedan entrar, é vender, é trocar, é enagenar todos ss bienes muebles é rayses, é disponer dellos libremente á su voluntad, é que durante el dicho tiempo non les sea fecho mal ni daño ni desaguisado alguno en sus personas, ni en sus bienes, contra justiçia so las penas en que cahen é yncurren los que quebrantan nuestro Seguro Real. E asimismo damos liçencia é facultad á facultad á los dichos judíos é judías que puedan sacar fuera de todos los dichos nuestros Reynos é señoríos sus bienes é haçienda por mar é por tierra; con tanto que non saquen oro, ni plata, ni moneda amonedada, ni las otras cosas vedadas por las leyes de nuestros Reynos, salvo en mercaderías é que non sean cosas vedadas é en canbios.

É otrosí mandamos é todos los concejos, justicias, Regidores, cavalleros, escuderos, ofiçiales é omes buenos de la cicha cibdad de ávila é de las otras cibdades é villas é lugares de los nuestros Reynos é Señoríos, é á todos nuestros vasallos, súbditos é naturales, que guarden é cumplan, é fagan guardar é cumplir esta carta é todo lo que en ella contenido, é den é fagan dar todo el favor é ayuda que para ello fuere menester, so pena de la nuestra merçed, é confiscaçión de todos sus bienes para la nuestra cámara é fisco.

É por que esto pueda venir é noticia de todos é ninguno pueda pretender ygnorançia, mandamos que esta nuestra carta sea apregonada por las plaças é lugares acostumbrados desa dicha cibdad é de las principales cibdades é villas é lugares de su obispado, por pregonero é ante escrivano público. É los unos nin los otros non faga-

de sus bienes muebles y raíces, y ordenamos que puedan disponer libremente de ellos sin que nadie pueda hacerles ningún mal, ni en sus personas ni en sus dichos bienes, advirtiendo que a los que quebranten esta disposición se les aplicará el castigo que establezcan las leyes por el incumplimiento de este nuestro Seguro Real. Y así mismo damos, pues, licencia a estos judíos y judías para que puedan sacar fuera de nuestros reinos y señoríos sus bienes y hacienda, tanto por tierra como por mar, con excepción del oro, la plata, moneda acuñada u otros artículos prohibidos por las leyes de nuestros reinos, salvo mercancías que no estén expresamente vedadas.

De modo que ordenamos a todos los concejos, magistrados, regidores, caballeros, escuderos, oficiales y hombres sencillos de todas las ciudades, villas y lugares de nuestros reinos y señoríos y a todos nuestros vasallos y súbditos naturales que cumplan y hagan cumplir este edicto y todo lo que en él está contenido y den y proporcionen toda la ayuda que para ello fuere menester, bajo pena por nosotros decretada de confiscación de todos sus bienes para nuestra cámara y hacienda.

Y para que lo aquí establecido sea de general conocimiento y nadie pretenda ignorarlo ordenamos que sea pregonado por plazas y lugares concurridos de las principales ciudades y villas de todas las diócesis, levantando acta pública, y si alguno no lo cumpliera, será privado de su oficio y le serán confiscados todos sus bienes. Y así mismo ordenamos a des ni fagan ende al por alguna manera, so pena de la nuestra merced é de privación de los ofiçios é confiscaçión de los bienes á cada uno de los que lo contrario fisieren. E demás mandamos al ome, que les esta nuestra carta mostrare, que les enplase que parescan ante nos en la nuestra corte, do quier que nos seamos, de día que les enplasare fasta quinse días primeros siguientes so la dicha pena, con la qual mandamos á qualquier escrivano público, que para esto fuere llemado, que dé ende al que se la mostrare testimonio sygnado con su sygno, por que nos sepamos commo se cumple nuestro mandado.

Dada en la nuestra cibdad de granada, á XXXI días del mes de março año del Naçimiento de nuestro Señor ihesu christo de mill é quatrocientos é noventa é dos años.

Yo el Rey. Yo la Reyna.

los encargados de hacer llegar este edicto que comparezcan en la corte, allá donde estemos, durante los quince días siguientes al cumplimiento del encargo con acta notarial debidamente firmada que testimonie que nuestra orden ha sido cumplida para que sepamos cómo se ha cumplido lo que hemos estipulado.

Dado en la ciudad de Granada el treinta y uno de marzo del año del nacimiento de nuestro señor Jesucristo de mil cuatrocientos noventa y dos.

Firmado por los Reyes y por Juan de la Colonia, Secretario que lo escribió por orden suya.

Balance de la primera etapa de la moderna Inquisición en España

La instauración de la moderna Inquisición en España tuvo lugar en un contexto histórico en el que la Iglesia Católica, en momentos de auténtica crisis moral con papas como Sixto IV, Inocencio VIII, los Borgia (de origen español), Julio II o León X, sigue tratando de extender su influencia y proteger o aumentar sus derechos y prerrogativas ante una Europa que ha ido abandonando las estructuras organizativas y sociales de la Edad Media para sentar las bases de lo que será el Estado Moderno, cuya configuración, reforzada con la aparición del fenómeno de la nacionalidad, ha permanecido en lo esencial hasta nuestros días. La unificación territorial y política emprendida en España por los Reyes Católicos o por Enrique VII en Inglaterra inspira a Nicolás Maquiavelo (1469-1527) la concepción de dicho modelo de estado, fuerte e independiente de la Iglesia, en el que prevalezca la *razón de Estado* frente a otro tipo de consideraciones menores y gobernado por un *príncipe* realista e inflexible capaz de imponerla.

El *Humanismo*, que florece en Italia y se extiende por el resto de Europa, va a devolver al hombre moderno el legado cultural grecorromano a través del estudio de las lenguas clásicas, resucitando el idealismo platónico frente al aristotelismo escolástico y permitiendo el desarrollo científico (Copérnico, Kepler, Galileo, Servet) y nuevas formas de expresión artística;

va a suponer, en definitiva, el abandono del teocentrismo medieval para que dicho lugar vuelva a ser ocupado por el hombre, concebido como la medida y el fin de todas las cosas.

La Iglesia Católica se ve desbordada por la corriente de heterodoxia que trae consigo el libre pensamiento humanista, muchos de cuyos representantes han surgido de su propio seno, y a la que dirigen constantes críticas tanto en materia de doctrina como de moral. En 1508 el sacerdote Erasmo de Rotterdam publica su *Elogio de la Locura,* en el que se discute mordazmente el planteamiento pedagógico y religioso y se formula, por primera vez, una crítica al tema de las famosas «indulgencias», anuncio de la Reforma que se avecina –llevada a cabo por el agustino Martín Lutero y cuyo teorizador y sistematizador fue Felipe Melanchton–, y dando lugar al nacimiento de la Iglesia Protestante (en Inglaterra se produce, en principio, el cisma de la iglesia anglicana, ya que la separación no fue motivada por cuestiones de dogma, sino por la negativa de la Iglesia de Roma a conceder el divorcio que pretendía Enrique VIII de Catalina, hija de los Reyes Católicos).

A lo largo del siglo XVI y principios del XVII Europa se va a ver devastada por las llamadas *guerras de religión*, motivadas no tanto por la rivalidad entre protestantismo y catolicismo como por los intereses políticos que se ponen en juego.

Mientras tanto en la España de los Reyes Católicos los vientos de la «modernidad» condujeron a los monarcas hacia una apuesta por la unificación y engrandecimiento de sus territorios –fallaron sus planes respecto a Portugal–, pero en su concepción de Estado, tal vez por las peculiaridades que presentaban sus reinos, reservaron un papel a desempeñar, y en absoluto raquítico, a la Iglesia Católica, con la que establecieron una alianza enormemente fructífera para ambos. Esta alianza se materializa en una institución como el Santo Oficio desde la cual la Iglesia Católica, ayudada por el brazo secular, impondrá la ortodoxia de Roma en todos los territorios que con el tiempo conformarán uno de los mayores imperios, llevando y extendiendo el catolicismo por el nuevo continente, al mismo tiempo que la monarquía española se beneficiará de la estabilidad social que proporciona el consenso y la uniformidad en la práctica religiosa y su contribución a la permanencia de las instituciones políticas establecidas.

En este sentido la *razón de Estado* obliga a los Reyes Católicos a una política dura contra las minorías –primero los judíos y luego los moriscos– apoyados por la firmeza de un hombre totalmente entregado a la causa como fue fray Tomás de Torquemada.

El humanismo español, en este contexto, no va a romper por completo con la tradición medieval. La ola renacentista coincide, pues, con la introducción de la moderna Inquisición y con la Contrarreforma y sus posibilidades críticas se ven así muy mermadas, aunque el erasmismo llega a calar entre figuras de la Iglesia, clero regular e intelectuales, influyendo en el movimiento de los *alumbrados*. Escribe Sánchez Albornoz:

> *«No cabe negar el daño tremendo producido por el temor a la Inquisición en la devoción de los hispanos al saber. Impidió con rigor el libre desarrollo de las meditaciones filosóficas o de*

las especulaciones que de algún modo pudieran topar con las vidriosas cuestiones de la fe. Contribuyó indirectamente a sangrar el caudaloso potencial intelectual que el humanismo y los descubrimientos habían creado en los peninsulares... El Santo Oficio no pudo incidir a las claras en el desarrollo de las matemáticas, la cosmografía... Pero por vía indirecta contrarió su avance al debilitar el entusiasmo por la captación de nuevas verdades, la confianza en las fuerzas cognoscitivas del hombre y su ansia de bucear en el misterio de la vida y de la naturaleza. La inquietud que suscitaba el temor al posible desviarse del camino real de la ortodoxia hubo de frustrar vocaciones y de apagar entusiasmos. Y no dejó de contribuir al aislamiento cultural de los españoles, que fosilizó la vida intelectual del país; y a la rápida declinación de las universidades peninsulares, que llegaron a ser parodias de las que había conocido la época humanista».

En cuanto al trabajo desarrollado por el Santo Oficio en esta primera etapa digamos que es ingente, como corresponde a toda fase de constitución: se crean tribunales y la infraestructura necesaria para su funcionamiento, dotándolos del numeroso y variado personal que necesitan, se promulga el correspondiente cuerpo legal y se establece el procedimiento de actuación. Respecto al número de procesos hay que decir que se carece de datos completos y fiables. La información disponible la proporcionan los cronistas de la época, siendo ésta muy escasa y, en general, con cifras muy engrosadas. Bernáldez cuantifica los quemados y penitenciados en los 8 primeros años de funcionamiento del Tribunal de Sevilla en 700 y 5.000, respectivamente, mientras que Hernando del Pulgar apunta que hacia 1490, es decir, unos cuatro años más, la cifra de quemados es de 2.000 y la de reconciliados de 15.000.

- En el Tribunal de Ciudad Real, durante el período comprendido entre 1483 y 1485 se habla de 52 relajados vivos y 220 en efigie –no se ofrecen datos de los reconciliados.
- En Valladolid, en el Auto de Fe celebrado el viernes 19 de junio de 1489 se menciona que fueron quemadas vivas 18 personas, de las que dos eran mujeres, y a 4 difuntos.
  El 5 de enero de 1492 murieron en la hoguera otras 32 personas.
- En el Tribunal de Guadalupe (Cáceres) el 44% de los conversos juzgados acabaron en la hoguera.
- En Ávila el porcentaje es del 41% entre el período comprendido entre 1490 y 1500.
- El Tribunal de Toledo arroja un saldo de 250 ejecutados vivos, 500 en efigie y 5.400 penitenciados entre 1485 y 1501.
- En Barcelona, el 10 de junio de 1491 se quema a 3 conversos vivos y a 139 en efigie.
- En Mallorca en un Auto de Fe se ejecuta a 3 vivos y 47 en efigie.

Juan Antonio Llorente hace un recuento aproximado de procesados por el Santo Oficio partiendo de datos conocidos y extrapolando el resto. Desde el año que empezó a funcionar el primer tribunal en Sevilla y llegando hasta el año 1498 –coincidiendo con el período de fray Tomás de Torquemada–, los datos que ofrece son los que aparecen en el cuadro de la página siguiente.

AÑO	TRIBUNAL	Vivos	En Estatua	Penitenciados
1481	Sevilla	2.000	2.000	17.000
1482	Sevilla	88	44	625
1483	Sevilla, Córdoba, Jaén y Toledo	688	644	5.725
1484	Sevilla, Córdoba, Jaén y Toledo	220	110	561
1485	Sevilla, Córdoba, Jaén, Toledo, Valladolid, Extremadura, Calahorra, Murcia, Cuenca, Zaragoza y Valencia	528	264	3.745
1486	Sevilla, Córdoba, Jaén Toledo, Valladolid, Extremadura, Calahorra, Murcia, Cuenca, Zaragoza y Valencia,	528	264	3.745
1487	Sevilla, Córdoba, Jaén Toledo, Valladolid, Extremadura, Calahorra, Murcia, Cuenca, Zaragoza, Valencia, Barcelona y Mallorca	928	664	7.145
1488	Sevilla, Córdoba, Jaén, Toledo, Valladolid, Extremadura, Calahorra, Murcia, Cuenca, Zaragoza, Valencia, Barcelona y Mallorca	616	308	4.379
1489	Sevilla, Córdoba, Jaén Toledo, Valladolid, Extremadura, Calahorra, Murcia, Cuenca, Zaragoza, Valencia, Barcelona y Mallorca	616	308	4.379
1490	Sevilla, Córdoba, Jaén, Toledo, Valladolid, Extremadura, Calahorra, Murcia, Cuenca, Zaragoza, Valencia, Barcelona y Mallorca	324	112	4.369
1491 a 1498	Sevilla, Córdoba, Jaén, Toledo, Valladolid, Extremadura, Calahorra, Murcia, Cuenca, Zaragoza, Valencia, Barcelona y Mallorca	324x8= 2.592	112x8= 896	4.369x8= 34.952

La institucionalización jurídica del Santo Oficio

El procedimiento en la Inquisición española

El procedimiento inquisitorial, es decir, todos los actos que el Santo Oficio realizaba formalmente desde que un Tribunal, una vez constituido, llegaba o se instalaba en una localidad hasta que dictaba sentencia, conforman un complejo sistema de trámites, diligencias y actuaciones en el que conviven manifestaciones de indulgencia –como el período de Gracia durante el cual los herejes confesos podían esperar un trato clemente– junto con otras de máxima severidad, como la aplicación del tormento en el caso de que se apreciase en el reo ocultación de verdad o silencio en hechos y crímenes declarados por testigos.

Cuando allá por 1130 se encuentra un texto de las célebres *Digesta sive Pandectas iuris*, compilación en 50 libros de textos provenientes de tratados de derecho de Roma, dictámenes y comentarios de jurisconsultas y otras fuentes que el emperador Justiniano encargó a una comisión de expertos, empieza a tomar cuerpo el derecho canónico y consistencia la «prueba legal» frente a las pruebas milagrosas propias de las Ordalías o Juicios de Dios.

Con la Decretal de Lucio III, *Ad Abolendam* (1184) se inicia lo que con el tiempo será el procedimiento inquisitorial, pasando por las disposiciones de los Concilios de Letrán (IV Concilio de 1215) y Toulousse (1229) relativas a la lucha contra la herejía, que confluirán en lo que podemos llamar primeras «constituciones» *Excommunicamus et anathematizamus»* dictada por Gregorio IX en 1231, en donde se recogen sistemáticamente todas las resoluciones y preceptos anteriores y en donde se establece claramente la exclusiva competencia eclesiástica en dicha materia a la vez que se especifica la actuación de la jurisdicción civil como mera ejecutora de las condenas de muerte.

Por otra parte la Iglesia es consciente de su responsabilidad a la hora de establecer los criterios de doctrina del mundo católico –y ahí está el dogma de la infalibilidad del Papa– por lo que, indefectiblemente, también es responsable, primero, de que todos los fieles cristianos conozcan y defiendan esas «verdades» establecidas con el fin de evitar lo que decía Hilario, obispo de Poitiers, en un célebre texto relativo al Concilio de Nicea:

> «Es cosa igualmente deplorable y peligrosa que haya tantos credos como opiniones entre los hombres, tantas doctrinas como inclinaciones y tantas fuentes de blasfemia como faltas entre nosotros, porque hacemos credos arbitrariamente y los explicamos con igual arbitrariedad. Cada año, cada luna, hacemos nuevos credos para describir misterios invisibles; nos arrepentimos de lo que hemos hecho y defendemos a los que se arrepienten; anatemizamos a los que defendimos; condenamos, ya las doctrinas de otros en nosotros mismos, ya las nuestras en otros, y destrozándonos unos a otros, hemos sido causa de nuestra propia ruina»;

y en segundo término la Iglesia se hace igualmente responsable de extirpar las desviaciones de doctrina allá donde surjan. Las nuevas órdenes monásticas fundadas por Domingo de Guzmán y Francisco de Asís recogen esa doble misión de predicar la ortodoxia católica por los más recónditos lugares, al tiempo que se les otorgan facultades para proceder contra los herejes –fundamentalmente a los dominicos, firmemente ligados al Papa y con mejor base teológica.

Desde el siglo XIII, pues, con la primera Inquisición instaurada en España –la Inquisición Medieval– se recurre, como primera medida en la lucha contra la herejía, a la predicación y al intento de conducir al hereje hacia el arrepentimiento sincero, así como a todos aquellos que mantenían o habían mantenido cualquier tipo de relación con ellos y que pudieran ser considerados *fautores* de herejía, con la correspondiente amenaza de excomunión sobre sus cabezas. El retorno al seno de la ortodoxia cristiana se resolvía mediante penitencia, practicándose seguidamente la absolución. Estas recomendaciones previas para combatir las corrientes heréticas que amenazaban con extenderse por los reinos de España venían recogidas en la bula a la que anteriormente nos hemos referido del papa Gregorio IX y que un año más tarde de su promulgación trasladó a los poderes eclesiásticos de la Corona de Aragón. Igualmente en 1478, recién expedida por Sixto IV la bula papal que dio nacimiento a la Inquisición moderna en España, la reina Isabel proyecta el combate contra la herejía «judaizante» mediante una campaña de catequización para hacer llegar la doctrina cristiana a los conversos. Para ello, y como ya hemos indicado, no sólo insta al arzobispo de Sevilla, cardenal Mendoza, a trasladar de una manera clara y sencilla los principios dogmáticos de la Santa Madre Iglesia Católica a los fieles recién llegados al cristianismo, sino que decide suspender temporalmente la aplicación de la bula papal de instauración de la Inquisición en la seguridad de que los casos que llegaban a sus oídos a través de los clérigos de la Corte debían ser abordados previamente lejos de un tribunal inquisitorial.

Así pues, inicialmente las actuaciones de la Inquisición iban encaminadas a convencer a los herejes de sus errores doctrinales, exhortándolos para que formalizaran el reconocimiento de sus delitos bajo el pretexto de un trato más favorable, que incluía, entre otras cosas, librarse de la confiscación de bienes. Hay que destacar el carácter *autoacusatorio* que se le exigía a todo aquel que desease renegar de la herejía. Muchos autores han incidido sobre este concepto que se contrapone y distingue del de *confesión*, no tanto en su carácter de reconocimiento de culpa, que ambos lo poseían, como en cuanto a las consecuencias que uno y otro comportaban para el penitente. El sello jurídico que desde un primer momento se le asignó a los Tribunales inquisitoriales obligaba a la apertura y desarrollo de todo un proceso que acababa, indefectiblemente, con el dictado de una sentencia –de inocencia o de culpabilidad –y en este último caso acompañada de la fijación del correspondiente castigo. La *confesión sacramental,* en cambio, supone un acto voluntario en el que un cristiano que ha pecado contra la ley de Dios toma conciencia de su culpa, siente dolor de haber faltado a su compromiso de fidelidad y, por medio del confesor –representante de Dios ante el que se acusa– obtiene el perdón que solicita tras cumplir la penitencia. Su carácter es secreto, no público, por lo que impedía la actuación de los tribunales inquisitoriales.

Fase Previa. Edicto de Fe. Período de Gracia. Edicto de Anatema

Esta primera fase del procedimiento inquisitorial agrupa toda una serie de actos protocolarios cuya función primordial consistía en ir llevando el ánimo de las gentes hacia la colaboración con un Tribunal que había sido investido con la máxima autoridad por los Reyes y el propio Papa, convenciéndolas, además, de que era la medida más razonable y conveniente que podían adoptar los buenos cristianos. Destaquemos, igualmente, el carácter *público* de estas actuaciones previas del ritual del Santo Oficio, pues una vez concluidas, el *secreto* va a tomar carta de naturaleza en lo que será el procedimiento estrictamente considerado.

Por tanto, la llegada de la Inquisición a una región, localidad o plaza determinada traía consigo un largo acontecer de ceremonias que se fueron repitiendo una y otra vez durante los siglos que esta institución se mantuvo activa, y que comenzaba con la presentación del Tribunal ante las autoridades civiles, solicitando su cooperación y asistencia en la tarea que tenía encomendada, y con un acto público, consistente en la celebración de una misa solemne que se pregonaba el día anterior para general conocimiento y que contaba con la presencia del obispo y demás autoridades religiosas y civiles del distrito. Después del Evangelio e introducido por una homilía preparatoria del oficiante, se leía el denominado *Sermón General,* dedicado a la fe, a su significación y defensa, mediante el cual se pedía a los asistentes, de forma benévola, que cooperasen en la lucha contra la herejía delatando ante el Tribunal conductas heréticas, propias o ajenas, y aquellas otras que pudieran ser sospechosas; se señalaba un período de *gracia* o *misericordia*, que podía variar entre una semana y cuarenta días, durante el que se facilitaría el perdón a quienes desistiesen y se arrepintieran de sus errores, prometiéndose indulgencias para los delatores y la excomunión para quienes callaran u ocultaran hechos, personas, datos u otras evidencias.

Como medida legal complementaria, al final de la misa se fijaba el texto de estas «admoniciones» —o Edicto— a la puerta del templo para que todos pudieran leerlo.

De entre la abundantísima documentación procesal del Santo Oficio, estudiada y comentada por investigadores y estudiosos de múltiples disciplinas, resulta interesante entresacar la estructura[127] que presenta este Edicto General de Fe, con el que necesariamente comienza su actuación formal el Tribunal inquisitorial y que vamos a ver a continuación.

El Edicto General de Fe comienza con un *protocolo inicial* en el que el Tribunal se presenta y fija su jurisdicción territorial:

> «*Nos, los Inquisidores contra la herética pravedad y apostasía en la Ciudad de...........*
> *y Reino de...» etc.*;

acto seguido se indica quiénes son los destinatarios del edicto:

> «*a todos los vecinos y moradores estantes y residentes en todas las ciudades y villas, y lugares de este nuestro distrito, de cualquier estado, condición, preeminencia o dignidad que sean, exemptos y no exemptos, y a cada uno y qualquier de vos a cuya noticia viniere lo contenido en esta nuestra carta en cualquier manera...»*

e inmediatamente después la salutación:

> «*Salud en nuestro señor Iesu Christo, que es verdadera salud, y a los nuestros mandamientos que más verdaderamente son dichos apostólicos... etc.»*.

La formulación de este protocolo inicial, así como la empleada en la parte final del mismo, es idéntica en todos los Edictos de Fe, variando, evidentemente, las alusiones a la jurisdicción territorial del Tribunal.

A continuación se desarrolla el texto del Edicto en el que, a través de largos párrafos, se exponen las razones por las que el Tribunal se ha instalado o desplazado a dicho lugar —por haber llegado a oídos del mismo alguna cuestión concreta, o haber tenido conocimiento de ciertos delitos, etc.— haciéndose una llamada para que

---

[127] Villa Calleja, Ignacio. «La oportunidad previa al procedimiento: Los Edictos de Fe (siglos XV-XIX)», en *Historia de la Inquisición en España y América. Las Estructuras del Santo Oficio*, vol. II. Biblioteca de Autores Cristianos, Centro de Estudios Inquisitoriales, Madrid, 1993.

*«si cada uno de vos supieredes o entendieredes o hubieredes visto, o oydo decir que algu-
na o algunas personas, vivas, presentes o ausentes, o difuntos ayan hecho o dicho, o creído algunas opiniones o palabras heréticas, sospechosas, erróneas o temerarias contra nuestra santa fe catholica y contra lo que esta ordenado y establecido por la sagrada scriptura y ley evangélica y por
los sacros concicilios y doctrina común de los santos y contra lo que tiene y enseña la sancta Iglesia Catholica Romana (...)».*

Y prosigue con una parte dispositiva en la que se enumeraban ritos y costumbres en relación con el tipo de herejía que se venía a perseguir: judía, mahometana, protestante, etc., incluso en determinadas ocasiones no se realizaba una persuasión orientada a descubrir sospechosos de cualquier modo de herejía, sino que se concretaba ésta teniendo en cuenta, por ejemplo, la influencia que cierto grupo de conversos pudiera tener en la zona visitada por el Inquisidor, o bien por la fama −cierta, exagerada o ficticia− adquirida por un enclave puntual en relación con prácticas heréticas singulares que hubieran llegado a oídos del Tribunal inquisitorial.

El *protocolo final* del Edicto consistía en una apreciación que hacía hincapié en uno de los objetivos fundamentales del mismo, esto es, el conocimiento público del texto, que se expresaba con la fórmula:

*«Y para que lo susodicho venga a noticia de todos, y dello ninguno pretenda ignorancia,
se manda publicar».*

Terminaba con la fecha y la firma del Presidente del Tribunal y dos miembros más que actuaban como testigos.

A continuación transcribimos el Edicto General de Fe leído el 29 de enero de 1570 en Perú por el Inquisidor Cerezuela, con el Virrey y el Cabildo en pleno presentes en la ceremonia, como representantes de la máxima jerarquía y gobierno del poder civil en tierra de Indias:

TEXTO	**Protocolo Inicial**	«Nos los Inquisidores contra la herética pravedad y apostasía en la ciudad de los Reyes y su Arzobispado, con los Obispados de Panamá, Quito, el Cuzco, los Charcas, Río de la Plata, Tucumán, Concepción y Santiago de Chile y de todos los Reynos, estados y señoríos de las Provincias del Perú y su vireynado y gobernación y distrito de las audiencias Reales que en las dichas ciudades, Reynos, Provincias y estado residen por autoridad apostólica,
	Destinatarios	A todos los vecinos y moradores estantes y residentes en todas las ciudades, villas y lugares de los dichos Arzobispado, Obispados y distrito, de qualquier estado, condición preminencia o dignidad que sean, exemptos y no exemptos, y a cada uno y cualquier de vos a cuya noticia viniere lo contenido en esta nuestra carta en cualquier manera,
	Salutación	salud en nuestro señor Jesuchristo, que es verdadera salud y a los nuestros mandamientos que más verdaderamente son dichos Apostólicos firmemente obedecer, guardar y cumplir.
	Exposición de motivos	Sabed que el ilustrísimo señor cardenal Don Diego de Spinoza, Presidente del consejo de su Magestad, Inquisidor Apostólico general en todos sus Reynos y señoríos con el celo que tiene al servicio de Dios nuestro Señor y su Magestad y con acuerdo de los señores del Consejo de la santa general Inquisicion y consultado con su Magestad, entendiendo ser muy necesario y conveniente para el augmento y conservación de nuestra santa fé cathólica Religion cristiana el uso y exercicio del santo oficio de la Inquisicion, ha ordenado e proveydo que Nos por su poder y comision, lo usemos y exerzamos, e ahora por parte del Promotor Fiscal de este Santo Oficio nos ha sido hecha relacion diziendo que por no se haber publicado carta de edicto ni hecho visita general por el santo oficio de la Inquisicion en esta ciudad y su Arzobispado y distrito no habria venido a nuestra noticia muchos delitos que se habrán cometido y perpetrado contra nuestra santa fe catholica y ley evangélica y estaban por punir y castigar y que dello se seguia de servicio a nuestro Señor y gran daño y perjuicio a la Religion Christiana. Por ende que nos pedía mandásemos hacer e hiciésemos la dicha Inquisicion y visita general leyendo para ello edictos públicos y castigando a los que se hallasen culpados, de manera que nuestra santa fe catholica siempre fuese ensalzada y augmentada, y por nos visto ser justo su pedimento y queriendo proveer y remediar cerca dello lo que conviene al servicio de nuestro Señor mandamos dar y dimos la presente para cada uno de vos en la dicha razon por la qual os exortamos y requerimos
	Respecto a doctrina	que si alguno de vos supiéredes, oviéredes visto o oydo decir que alguno o algunas personas vivos, presentes o ausentes, o defunctos hayan fecho o dicho alguna cosa que sea contra nuestra santa fee catholica y contra lo que está ordenado y establecido por la sagrada scriptura y ley evangélica y por los sacros concilios y doctrina comun de los sanctos y contra lo que tiene y enseña la sancta Iglesia Catholica Romana usos y cerimonias de ella, specialmente los que hubieren hecho o dicho alguna cosa que sea contra los articulos de la fe mandamientos de la ley y de la Iglesia y de los sanctos sacramentos, o si alguno hubiere hecho o dicho alguna cosa en favor de la ley muerta de Moysen de los judíos o hecho cerimonias de ella o de malvada secta de Mahoma o de la secta de Martin Lutero y sus sequaces y de los otro hereges condenadas por la Iglesia, y si saben que alguna o algunas personas hayan tenido y tengan libros de la secta y opiniones del dicho Martin Lutero y sus sequaces o el alcoran y otros libros de la secta de Mahoma o biblias en romance o otros qualesquiera libros de los reprobados por las censuras y catálogos dados y publicados por el santo oficio de la Inquisicion, y si saben que algunas personas no cumpliendo lo que son obligados han dejado de decir y manifestar lo que Respecto a la doctrina saben o que hayan dicho y persuadido a otras personas que no viniesen a decir y manifestar lo que sabian tocante al santo ofi-

TEXTO	**Respecto a doctrina**	cio o que hayan sobornado testigos para tachar falsamente los que han depuesto en el santo oficio o si algunas personas hubiesen depuesto falsamente contra otras por hacerles daños y macular su honra o que hayan encubierto receptado o favorecido algunos herejes dándoles favor o ayuda ocultando o encubriendo sus personas o sus bienes o que hayan impedido o puesto impedimentos por sí o por otros a la libre administracion del sancto oficio de la Inquisicion para efectos que los tales hereges no pudiesen ser havidos ni castigados o hayan dicho palabras en desacato del santo oficio o oficiales o ministros dél, o que hayan quitado o hecho quitar algunos sambenitos donde estaban puestos por el santo oficio, o que los que han sido reconciliados y peni-
	Respecto al cumplimiento de Penitencia	tenciados por el santo oficio no han guardado ni cumplido las carcelerias y penitencias que les fueron impuestas o si han dejado de traer publicamente el hábito de reconciliacion sobre sus vestiduras o si se lo han quitado o dejado de traer, o si saben que alguno de los reconciliados ó penitenciados haya dicho pública y secretamente que lo que confesó en el santo oficio así de sí como de otras personas no fuesse verdad, ni lo habia hecho ni cometido y que lo dixo por temor a otros respectos, o que hayan descubierto el secreto que les fue encomendado o si saben que alguno haya dicho que los relaxados por el santo oficio fueron condenados sin culpa y que murieron mártires o si saben que algunos que hayan sido reconciliados o hijos o nietos de condenados, que por el crimen de la heregía hayan usado de las cosas que les son prohibidas por derecho comun, leyes y pragmáticas de estos reynos y instrucciones de este Santo Oficio ansi como si han sido corregidores, alcaldes, jueces, notarios, regidores, jurados, mayordomos, alcaydes, maestresalas, fieles públicos, mercaderes, escribanos, abogados, procuradores, secretarios, contadores, cancilleres, thesoreros, médicos, cirujanos, sangradores, boticarios, corredores, cambiadores, cogedores, arrendadores de rentas algunas, o hayan usado de otros oficios públicos o de honra por si o por interpósitas personas que hayan hecho clérigos o que tengan alguna dignidad eclesiástica o seglar, o insignias de ella, o hayan traido armas, seda, oro, plata, corales, perlas, chamelote, paño fino o cabalgado a caballo, o si alguno tubiere habilitación para poder usar de los dichos oficios o dé las cosas prohibidas, las traiga y presente hante nos en el término aquí contenido.–Ansimismo mandamos a qualesquier scribanos o notarios ante quien hayan pasado o esten qualesquier provanzas, dichos de testigos, autos y procesos de algunos de los dichos crimenes y delitos en esta nueva carta referidos, o de otro alguno tocante a heregía, lo traygan, exhiban y presenten ante nos originalmente y a las personas que supieren o hubiéren oydo decir, en cuyo poder están los tales procesos o de-
	Prohibición sacramento penitencia y secreto en delaciones	nunciaciones, lo vengan a decir y manifestar ante nos.–Y por la presente, prohibimos y mandamos a todos los confesores y clérigos, presbíteros, religiosos y seglares, no absuelvan a las personas que algunas cosas de las que lo en esta carta contenido supieren sino antes lo remitan ante nos, por quanto la absolucion de los que ansi hubieren incurrido, nos está reservada, y ansi la reservamos, lo qual, los unos y los otros, ansi hagan y cumplan, so pena de descomunion, y mandamos que para que mejor se sepa la verdad y se guarde el secreto, los que alguna cosa supiéredes o entendiéredes y hayáis visto, entendido o oydo o en cualquier manera sabido de lo que en esta nuestra carta contenido, no lo comuniquéis con persona alguna eclesiástica ni seglar, sino solamente lo vengáis diciendo y manifestando ante nos con todo el secreto que ser puede y por el mejor modo que os pareciere, porque cuando lo dixéredes y manifestáredes, se verá y acordará si es caso que el Santo Oficio deba conoscer.
	Fijación del Período de Gracia	Por ende, por el tenor de la presente, vos mandamos en virtud de la sancta obediencia y sopena de descomunion trina, canonica monitione praemisa, que dentro de seis días primeros siguientes despues que esta nuestra carta fuere leyda y publicada, y de ella supiéredes en cualquier manera, los quales, vos mandamos y asignamos por tres plazos y término cada dos dias por un término, y todos seis dias por tres términos y último peremptorio, vengáis o parezcáis ante nos personalmente en la sala de nuestra audiencia, a decir y manifestar lo que supiéredes, hubiéredes hecho, visto hacer o decir cerca de las cosas arriba dichas o declaradas o otras qualesquiera cosas de culquier cualidad que sean tocantes a nuestra santa fe catholica al Santo Oficio, ansi de vivos, presentes, ausentes, como de difuntos, por manera que la verdad se sepa y los malos sean castigados, y los buenos y fieles cistianos conocidos y honrados, y nuestra santa fe catholica augmentada y ensalzada,
	Protocolo final	y para que lo susodicho venga a noticias de todos y de ninguno de ellos pueda pretender ignorancia, se manda publicar. Dada. etc.»

A partir de la publicación del Edicto de Fe comenzaba a contar el *Tiempo de Gracia*, por lo que el Inquisidor se disponía a escuchar delaciones y arrepentimientos.

La delación, que podía ser anónima o respaldada por una declaración jurada, consistía en poner en conocimiento del Tribunal el tipo de conductas heréticas que se habían divulgado a través del Edicto de Fe y que se habían observado en amigos, vecinos o familiares.

Juan Antonio Llorente, secretario de la Inquisición en la Corte de Madrid durante los años 1789, 1790 y 1791, detalla en su libro *Historia crítica de la Inquisición en España* muchos de los artículos incluidos en los Edictos de fe referidos a conductas que deberían ser denunciadas como *apostasías judaica* –que se relacionan seguidamente– y que, a su juicio, no pasaban de meras costumbres adquiridas en la infancia de los cristianos nuevos:

> «1.º *Si esperaban al Mesías, o decían que no había venido y que vendría para redimirlos del cautiverio en que estaban y llevarlos a la tierra de promisión.*
>
> 2.º *Si alguno, después de bautizado, ha vuelto a profesar de nuevo la religión judaica expresamente.*
>
> 3.º *Si ha dicho que la ley de Moisés es ahora tan buena como la de Jesucristo para salvarse.*
>
> 4.º *Si ha guardado la fiesta de sábado por honra de la ley de Moisés, de lo cual será prueba haber usado camisa limpia y vestido más decente que los otros días, y manteles limpios en su mesa, y haberse abstenido de hacer lumbre en su casa y de todo trabajo desde la tarde del viernes precedente.*
>
> 5.º *Si ha quitado de la carne que ha de comer el sebo o grasa, y la ha purificado en agua desangrándola, o ha sacado la landre o landrecilla, que hoy se llama glándula o glandulilla, de la pierna del carnero de otro cualquier animal muerto para comer.*
>
> 6.º *Si ha degollado a éste o a las aves que haya de comer reconociendo antes el cuchillo en la uña para ver si tiene mella, cubriendo con tierra la sangre, diciendo ciertas palabras que acostumbran los judíos.*
>
> 7.º *Si ha comido carne en los días de cuaresma y otros prohibidos por la santa madre Iglesia, sin tener necesidad de comerla, creyendo que podía practicarlo sin pecar.*
>
> 8.º *Si ha ayunado el ayuno mayor de los judíos, conocido con los diferentes nombres de ayuno del perdón, de las expiaciones y del chiphurim o del quipur, que en el décimo mes hebreo se llama Tisri, de lo cual será prueba el haber andado descalzo en el tiempo de dicho ayuno, porque así lo acostumbran los judíos, o rezando las oraciones de éstos, o pedídose perdón los unos a los otros por la noche, o puesto los padres la mano sobre la cabeza de sus hijos, sin hacer la señal de la cruz ni decirles palabra, o diciéndoles: de Dios y de mí seas bendecido, pues todo esto es conforme a las ceremonias de la ley de Moisés.*

9.º *Si ha ayunado el ayuno de la Reina Ester, que es el que observan los judíos en el mes de adar, en memoria e imitación del que hacían los hebreos en su cautividad en el reinado de Asuero.*

10.º *Si ha ayunado el ayuno de rebeaso, que llaman de la pérdida de la casa santa, el cual es día noveno del mes de Ab, en memorias y sentimiento de las destrucciones del templo de Jerusalén, una en tiempo del rey Nabucodonosor, y otra en el del emperador Tito.*

11.º *Si ha ayunado otros ayunos que acostumbraban los judíos entre semana, como por ejemplo, lunes y jueves, de lo cual será prueba no comer aquellos días hasta después de salir la primera estrella de la noche: haberse abstenido de carne, haberse lavado el día precedente o cortádose la uñas, o puntas de los cabellos, guardándolas o quemándolas, y rezado ciertas oraciones judaicas, alzando y bajando la cabeza, con el rostro vuelto hacia la pared, después de haberse lavado las manos con agua o con tierra, vestídose de sarga, estameña o lienzo, y atádose los vestidos con cuerdas de hilo o tiras de cuero.*

12.º *Si ha celebrado la pascua de los ácimos, de los cual será prueba comenzar a comer aquellos días con apio, lechugas o distintas hortalizas o verduras.*

13.º *Si ha observado la pascua de las cabañas, que otros dicen de los tabernáculos, la cual comienza día diez del mes de Tisri, y será prueba que hayan puesto ramos verdes y convidádose a comer, o enviado manjares de regalo unos a otros aquellos días.*

14.º *Si ha celebrado la fiesta de las candelas, que acostumbraban los judíos desde el día veinticinco del mes Caslen, en memoria de la restauración del templo en tiempos de los Macabeos, y de ello será prueba que hayan encendido candelas desde una hasta diez en dichos días y apagándolas después con ciertas oraciones que acostumbraban los judíos.*

15.º *Si se ha bendecido la mesa en la forma que lo suelen hacer los que profesan la ley de Moisés.*

16.º *Si se ha bebido vino caser, cuya palabra proviene de la hebrea caxer, que significa legal, y se reputaba vino legal entre los judíos el que haya sido hecho por personas que profesaban la ley de Moisés.*

17.º *Si ha hecho la baraha, cuya palabra se deriva de la hebrea baracha, que significa bendición, y de ello será prueba tomar el vaso de vino en la mano, diciendo ciertas palabras sobre él, y dando a cada uno de los circunstantes un trago. Los judíos entienden por beracha o bendición todo género de oraciones instituidas en hacimiento de gracias a Dios o en alabanza suya. Concluida la celebridad del sábado con ciertas preces que se recitan en las sinagogas, se retiran a sus casa, y luego se sientan a la mesa, sobre la que ponen un salero con sal, dos panes cubiertos con el mantel, y un vaso lleno de vino. El padre de familia toma el vaso en la mano, y dicha cierta ora-*

ción gusta un poco de vino, y después, pasando el vaso de unos a otros, cada uno bebe un sorbo.

18.º *Si ha comido carne degollada por mano de judíos.*

19.º *Si ha comido los manjares que acostumbraban los judíos, y en una misma mesa con ellos.*

20.º *Si ha rezado los salmos de David sin decir al fin del salmo el versículo Gloria Patri et Filio et Spiritu Sancto.*

21.º *Si alguna mujer se abstiene de concurrir al templo cuarenta días después de haber parido, por reverencia de la ley de Moisés.*

22.º *Si alguno ha circuncidado o hecho circuncidar a su hijo.*

23.º *Si le ha puesto nombre hebreo de los que acostumbran usar los que profesan la ley de Moisés.*

24.º *Si después de haber hecho bautizar a sus hijos les hiciesen rasurar o lavar la cabeza en la parte donde se le había puesto el óleo o el crisma.*

25.º *Si alguno ha hecho lavar a sus hijos el séptimo día de su nacimiento en una bacía en que además del agua se pusieran oro, plata, aljófar, trigo, cebada y otras cosas, diciendo ciertas palabras que acostumbran los judíos.*

26.º *Si ha hecho hadas a sus hijos. Hacer hadas equivale a los que decimos ahora la buenaventura, esto es, pronosticar la suerte futura del recién nacido por el estudio de los hados, superstición de los fatalistas.*

27.º *Si alguno está casado con las ceremonias judaicas.*

28.º *Si alguno ha hecho el ruaya. Los judíos españoles decían hacer el ruaya a convidar a sus amigos y parientes a comer el día precedente a un viaje largo, al cual convite nombraban cena de separación.*

29.º *Si alguno ha traído consigo nóminas judaicas. Esto es, una cosa semejante a lo que muchos cristianos hacen llevando y haciendo que sus hijos lleven consigo la regla de san Benito, y otras cosas por este término.*

30.º *Si alguno, al tiempo de amasar pan, sacó la hada y la quemó por vía del sacrificio. La palabra hada es derivada de la hebrea challad, que significa torta. Los judíos acostumbraban a quemar en holocausto una torta o parte de masa como quien paga primicias a Dios.*

31.º *Si alguno, estando en el artículo de la muerte, se ha vuelto, u otro le ha hecho volver la cabeza hacia la pared, para morir en esta postura.*

32.º *Si alguno ha dispuesto que el cadáver de un hombre recién muerto sea lavado con agua caliente: se le hayan rasurado los pelos de la barba, los de debajo del brazo y los de otras partes de su cuerpo; se le haya amortajado con lienzo nuevo, o puesto calzones, camisa y capa doblada por encima; se le haya puesto por cabecera una almohada con tierra virgen, o en la boca una moneda, aljófar u otra cosa.*

33.° Si alguno ha endechado al difunto. Endechar significa en sentido literal decir ende-
chas o versos sueltos tristes.

34.° Si alguno ha derramado agua de los cántaros o tinajas en la casa del difunto y en
las otras del barrio por ceremonia judaica.

35.° Si alguno ha comido en el suelo detrás de puertas pescado y aceitunas, y no carne,
para hacer duelo del difunto.

36.° Si alguno se mantiene encerrado en su casa todo el año inmediato a la muerte de un
pariente, para hacer duelo.

37.° Si alguno ha enterrado al difunto en tierra virgen o en el cementerio de los judíos».

Otra de las maneras de ponerse en contacto con el Tribunal inquisitorial era a través de la *acusación,* pero, a diferencia de la delación, ésta constituía un acto procesal formal que necesitaba un «registro» de la misma y la advertencia por parte del Inquisidor de que el acusador estaba sujeto a la ley del Talión, que ya vimos anteriormente al hablar de la «forma acusatoria» medieval. Pero este procedimiento, que además implicaba para el denunciante el riesgo de incurrir en error, con el tiempo fue cayendo en desuso e imponiéndose la delación.

Del mismo modo, los procedimientos iniciados a través de *inquisitio,* esto es, de indagación o averiguación desarrollada por el propio Tribunal sin que mediara denuncia alguna y que determinó el nombre de esta Corte eclesiástica, quedaron relegados a un segundo plano ante la cantidad de información que las gentes suministraban, movidas, sin duda, por el temor de que sobre sí recayeran las penas proclamadas en los edictos. No obstante, y debido a que el silencio también podía ser interpretado como complicidad con la herejía, muchas de las noticias y hechos que llegaban al Tribunal fundamentados como prácticas heréticas no eran sino inocentes e ingenuas manifestaciones que no podían ser tenidas en cuenta más que como información suplementaria, si bien, en multitud de ocasiones, podía servir como indicio para dirigir una investigación por otras vías.

Henry Kamen, en su libro *La Inquisición española* afirma que las denuncias más mezquinas constituyeron la regla y no la excepción y describe varios casos que avalan esta consideración. Así, cuenta cómo en 1530 una mujer, Aldonça de Vargas, fue delatada en las islas Canarias por haber sonreído cuando se mencionó a la Virgen María y cita también el caso de un hombre octogenario que en 1635 fue denunciado por un amigo por comer inadvertidamente tocino y cebolla en un día de abstinencia. Claro está que gran parte de estos episodios fueron inspirados por la propia Inquisición a propósito de la información simplista que proporcionaba acerca de las costumbres y prácticas de los herejes, la cual arraigaba en el pueblo ignorante y amedrentado, como la semilla en tierra fértil.

Una vez finalizado este período de gracia, con los archivos del Tribunal llenos de documentación en vías de ser ordenada, se procedía a la lectura y publicación del Edicto de

Anatema, pero ya el tono de este decreto había cambiado con respecto al Edicto General de Fe. El promotor fiscal pedía a los inquisidores la aplicación de medidas drásticas y un castigo ejemplar para los que no habían acudido al Tribunal por falta de arrepentimiento.

El Edicto de Anatema se pregonaba igualmente la víspera de su lectura en la Santa Misa pero, a diferencia de aquél, el carácter que se imponía a la ceremonia era realmente sobrecogedor, no en vano se pretendía conseguir el remordimiento y el temor de los asistentes. La lectura del Edicto, realizada tras el Evangelio, se acompañaba de una puesta en escena en la que no faltaba la procesión de clérigos con hachones encendidos y el crucifijo cubierto con un paño negro (como en el Viernes Santo), campanas en toque de duelo y cánticos funerarios significando la muerte para la Iglesia Católica del alma pecadora, perdida irremisiblemente en el Infierno.

Para la publicación del Edicto de Anatema regían las mismas normas y disposiciones que en el Edicto General de Fe y desde su promulgación se disponía de tres días para decidirse a acudir al Tribunal; en caso contrario, se haría efectiva la excomunión sobre los culpables.

Los primeros años de actuación de la Inquisición en España crearon entre la población un ambiente de gran recelo y miedo. El clima dominante de la vida española durante los años en que esta institución mantuvo su esplendor fue de inquietud y opresión, estados éstos que terminaron extendiéndose a toda la población en general y no sólo a los verdaderos herejes. La vida cotidiana quedó afectada hasta el punto de perderse la libertad y espontaneidad en el habla y el quehacer diario; la gente se sintió espiada y su temor provenía no sólo de la posibilidad de ser víctima de alguna delación por cualquier menudencia, envidia u odios labrados en el pasado, sino también por la posibilidad de ser testigo de conversaciones o gestos que no pudieran silenciarse, so pena de caer en la condenación eterna. Una de las figuras claves del humanismo europeo, el valenciano Luis Vives —varios de cuyos familiares fueron quemados en la hoguera por la Inquisición convictos de herejía judaica— escribía en una carta al gran teólogo Erasmo de Rotterdam: «*Estamos pasando por tiempos difíciles en que no se puede hablar ni callar sin peligro*».

Fases indiciaria. Sumario y calificación

Concluido el «período de gracia» y los tres días de plazo fijados en el Edicto de Anatema para que los cristianos finalmente arrepentidos de ocultar delitos o sospechas de herejía optaran por la comunicación de los mismos al Tribunal, comienza la fase en la que se procede al estudio de toda la documentación informativa recogida para valorar y completar los indicios presentados contra los sospechosos.

Es entonces cuando se confecciona el *sumario,* en el que se recogen las declaraciones efectuadas por los testigos sugeridos o citados por el denunciante y los motivos aducidos por éste para formular los cargos contra el acusado. Particular importancia cobra el carácter secreto de todas estas actuaciones, y muchas veces testigos propuestos por el delator contestaban a lo solicitado por los inquisidores sin conocer el nombre del sospechoso. Se les preguntaba en términos generales sobre cosas o detalles que *fuesen o pareciesen ser contra la fe católica,* lo que provocaba en muchos casos referencias testimoniales en las que aparecían otros vecinos y que terminaban convirtiéndose en nuevas delaciones, incorporadas como tales a la instrucción de otra causa; incluso llegó a establecerse una fluida relación entre los distintos Tribunales intercambiando información mediante la *revista de registros*: cuando se iniciaba la confección de un sumario se solicitaba de sus archivos todo aquello que guardara relación con el acusado y que pudiera incorporarse al mismo, reforzando o incrementando los delitos propuestos en principio.

A pesar de que el Tribunal inquisitorial confeccionara un expediente sumario y que, a su entender, se dieran sobradas razones para confirmar la comisión de un delito de herejía, era obligado trasladar dicho expediente a los *calificadores*. La figura de los *calificadores* surge en el siglo XIV con el fin de revestir jurídicamente las decisiones de los inquisidores y valorar las manifestaciones recogidas en las diligencias. Eran ellos, por lo tanto, los encargados de declarar como herejía, o bien «sospechosos de herejía», los hechos o dichos atribuidos a un acusado. De esta «calificación» dependía la suerte del reo. Los calificadores formaban parte del clero, siendo en su mayoría de la misma orden que el inquisidor, y podían considerarse como empleados al servicio del Tribunal. Formalmente, eran los encargados de emitir *censura teológica* sobre los hechos presentados a su dictamen. Sin embargo, su papel estuvo influido notablemente por el carácter parcial y secreto de los sumarios remitidos por los inquisidores, con la excusa de acentuar la imparcialidad de sus calificaciones si desconocían al acusado, acusadores y testigos, así como por su limitado conocimiento de la teología, algo que Llorente criticó con acidez:

> «(...) *los calificadores son unos frailes teólogos escolásticos, ignorantes de la verdadera teología dogmática, imbuidos de falsas ideas, y muchos de ellos fanáticos y supersticiosos hasta lo sumo, que ven herejías o peligro de ellas en todo lo que ignoran, por lo que infinitas veces han dado censura teológica a proposiciones que se hallan en los Santos Padres de los primeros y más puros siglos de la religión cristiana».*

A partir de las *Instrucciones* de Torquemada y a medida que va transcurriendo el tiempo, esta fase de instrucción de sumario y calificación tiende a convertirse casi en un procedimiento en sí misma, y conforme nos acercamos al final del período inquisitorial, muchas causas se cerraban antes de formalizar la apertura del proceso estrictamente considerado, es decir, concluían en esta *fase sumaria.*

Medidas cautelares. Encarcelamiento. Secuestro de Bienes

Cuando la calificación ratificaba los actos expuestos como actos heréticos se procedía, según la gravedad de dicha calificación, bien a citar al presunto hereje, en el caso de no estimar necesaria la privación de libertad, bien, cautelarmente, a su encarcelamiento y secuestro de bienes. Cabe entender que hasta ese momento el reo gozaba de libertad, e incluso podía llegar a ignorar la instrucción de un sumario en el que su nombre era protagonista.

No obstante, y con el transcurrir del tiempo, el procedimiento se va volviendo más cauteloso en este sentido, y para decretar el encarcelamiento de un reo, sobre todo si es persona de vida íntegra, hombre de letras, religioso, noble o ilustre, sólo se hará si se teme que huya o si las pruebas de las que se dispone lo convierten en hereje manifiesto, ya que si no es así debe elevarse consulta al Consejo para que éste provea lo conveniente.

El encarcelamiento se efectuaba a través de una orden de arresto cursada por el promotor fiscal y dirigida al «alguacil» para que éste procediera al prendimiento del reo y a su depósito en las cárceles del Santo Oficio.

Los acusados de herejía o aquellos en los que confluían indicios de herejía, eran remitidos a las llamadas por el vulgo *cárceles secretas*. La Inquisición contaba con diferentes tipos de cárceles, según los delitos que le correspondía juzgar. No todos eran delitos contra la fe, pues también disponía de potestad para entender de crímenes cometidos por miembros pertenecientes al estamento inquisitorial en el ejercicio de sus funciones y por delitos comunes que nada tuvieran que ver con la herejía. En estos casos los reos eran destinados a las llamadas *cárceles medias*. Las *cárceles públicas* o *comunes* estaban destinadas, igualmente, a procesos ajenos a la herejía y que el Santo Oficio juzgaba al haberle sido concedida tal prerrogativa por los reyes de España. Tanto en las *cárceles medias* como en las *públicas* o *comunes*, la comunicación con el exterior y entre los presos estaba consentida, permitiéndose ciertas actividades que las hacían menos rigurosas que las *secretas*, y signifiquemos que esta denominación no se debía al maltrato físico de los allí recluidos, o a las inhóspitas condiciones de las estancias, sino a la incomunicación extrema a la que se sometía al preso allí recluido que, salvo en el caso de ser reclamado por el Tribunal para alguna cuestión, no mantenía contacto con persona alguna durante todo su confinamiento, a excepción del Inquisidor o persona por él delegada. Esta situación produjo no pocos quebrantos en el ánimo de muchos acusados, incapaces de soportar un aislamiento tan prolongado. Si a esto sumamos la obligación, al abandonar la prisión, de jurar no contar nada de lo visto y experimentado allí dentro, las *cárceles secretas* inspiraron muy pronto todo tipo de leyendas sobre los horrores vividos por los encarcelados.

Evidentemente no todos los reos recluidos en estas cárceles secretas recibían el mismo trato. Dependiendo —fundamentalmente— de la gravedad de los delitos y de la calidad de las personas, se adjudicaban celdas más tenebrosas e incómodas o más saludables y luminosas. Se procuraba, así mismo, que cada reo dispusiera de una celda, pero podía darse el caso de que dos reclusos ocupasen un mismo aposento, e incluso que éstos fueran marido y mujer –aunque hombres y mujeres estaban separados, a los esposos se les permitía estar juntos por hallarse santificados por el sacramento del matrimonio–. La visita de los inquisidores a los presos era obligada al menos dos veces al mes y durante las mismas, además de interesarse por el trato que recibían, les animaban a confesar libremente sus culpas y, en todo caso, estaba prohibido tratar temas ajenos al proceso en el que unos y otros se encontraban inmersos. Los inquisidores iban siempre acompañados, bien por un compañero, bien por el notario u otro funcionario inquisitorial, y era preceptivo levantar acta de cuanto se dijera y ocurriera durante la visita. Al final de la misma se daba lectura de lo allí recogido por si el preso quería incorporar o enmendar algo.

En cuanto al secuestro de bienes, reglamentado en 1485 por Torquemada a través de las *Capitulaciones,* se procedía previamente a la realización de un inventario de los mismos, muebles e inmuebles, que quedaban depositados –insistimos en que de forma cautelar– en manos de una *persona fiable* hasta que se produjera la correspondiente sentencia –excepción hecha de aquellos bienes de naturaleza perecedera, que eran vendidos en «pública almoneda»–. A partir de 1504, siendo Inquisidor General Diego de Deza, se crean las figuras del *Juez de Bienes,* el *Escribano de Secuestros* y el *Notario de audiencias del Juzgado de Bienes,* a fin de establecer un control más riguroso de los bienes secuestrados, velando por los intereses del Santo Oficio, del Fisco y del propio reo, por si procedía la restitución de los mismos en el caso de que resultase inocente.

A este respecto hay que advertir, no obstante, que a diferencia de la regulación de los procesos judiciales actuales, en los que el Estado se hace cargo del mantenimiento del preso, la obligación de correr con los gastos de aquellos que ingresaban en prisión, tanto si eran convictos como si estaban en prisión cautelarmente, no era norma en los años de la implantación y auge de la moderna Inquisición en España, y únicamente el Tribunal disponía los medios para la supervivencia de un acusado en el caso de que éste careciese de bienes. Pero si el detenido era una persona influyente o socialmente bien asentada, se procedía, como hemos visto, a la confiscación de todos sus bienes, ya fueran éstos propiedades o enseres, y subastados públicamente de tiempo en tiempo, habrían de servir para sustentar al preso mientras permaneciera encarcelado, así como a las personas que convivían con él o que mantenían alguna relación de trabajo o servicio, porque la ruina personal que traía consigo el estar inmerso en un proceso inquisitorial se hacía extensible también a estos últimos, que pasaban, de la noche a la mañana, a verse privados de hogar o empleo, o ambas cosas a la vez. Fue a partir de las *Instrucciones* emitidas en 1561 cuando se generalizó el modo de atender el mantenimiento, no sólo del preso, sino también de sus familiares, empleados y servidores, en el caso de tenerlos, pues fue práctica habitual en los primeros tiempos de actuación de la Inquisición relegar del «disfrute» de los bienes confiscados a todos aquellos que no fueran el propio preso, lo que precipitó a la pobreza y la mendicidad a multitud de ciudadanos que hasta entonces podían ser considerados socialmente prósperos.

La calidad del preso también determinaba el modo de vida en la cárcel. Si el Tribunal que lo encarcelaba disponía de suficiente dinero de los bienes incautados, se transigía en el suministro de mejores alimentos o de efectos personales, como mantas o sábanas, que otros reos no podían permitirse poseer. El encarcelado sin bienes penaba en la prisión con lo que los propios tribunales aportaban para su sustento.

La cárcel, con todo, no suponía en sí misma el castigo para la gran mayoría de los encausados. La permanencia en los calabozos del Santo Oficio durante un tiempo más o menos largo formaba parte del procedimiento y servía para mantener aislado al reo y ponerle día tras día en trance de realizar la *confesión*. De no ser así, y salvo que la condena supusiera la prisión a perpetuidad, únicamente saldría de allí una vez dictada sentencia.

Apertura del Proceso. Interrogatorios

El Santo Oficio estableció en sus normas de procedimiento fases intermedias entre la detención y la sentencia, como es la de requerir al preso hasta tres veces durante los primeros días de estancia en la prisión para conseguir la *confesión,* pieza clave en las causas de herejía y alrededor de la cual giran el resto de las actuaciones que constituyen el procedimiento. Las llamadas *audiencias de monición* estaban pensadas para dar la oportunidad al reo, antes de pasar a la fase acusatoria, de decir todo lo que supiera, tanto sobre sus propios delitos de herejía, como sobre los concernientes a terceras personas por él conocidas. Las *moniciones* llevaban consigo la «gracia» de la piedad y la benignidad de la pena en el caso de que el tribunal se sintiera satisfecho con la declaración efectuada por el acusado. Así sucedía cuando el resultado de la confesión era coincidente con los hechos aportados en el sumario. Sin embargo resultaba difícil tal coincidencia ya que nunca se exponían los cargos existentes contra su persona ni lo declarado por testigos, de manera que, como dice Llorente:

> «*Algunos confesaban con afecto lo mismo que constaba en la sumaria; otros más, otros menos, y el mayor número responde que no les remuerde nada su conciencia en este punto; pero que si les leen lo que conste de las declaraciones de testigos, recorrerán su memoria y contestarán confesando lo que sea cierto*».

Las tres audiencias concedidas al acusado no eran el único modo de arrancar una autoinculpación o el reconocimiento de haber cometido delitos de herejía. Podía suceder que el fiscal nombrado al efecto no considerara suficientes las confesiones llevadas a cabo por el preso, en cuyo caso, designándolo *confitente diminuto,* precisaba para él la necesidad de que se le aplicase tormento con el fin de doblegar su resistencia a revelar la verdad, aunque en este punto del procedimiento el tormento no era habitual.

La negativa de un reo a reconocer culpas o delitos que no había cometido llevaba finalmente a la confección por parte del fiscal de un pliego de acusaciones o cargos.

Fase acusatoria

Con ella comienza, estrictamente considerado, el procedimiento inquisitorial. Citado el reo a una Sala de Audiencias y en presencia del fiscal, de los jueces y del Secretario del tribunal, éste leía lo que formalmente se consideraban pruebas acusatorias y que por primera vez, desde su detención, eran oídas por el propio acusado. Después de la lectura de cada una de ellas, se le preguntaba si tenía algo que alegar, añadir o desdecir a lo expuesto, debiendo dar contestación en ese mismo momento y tomándose nota de todo lo que pudiera manifestar. Era a partir de entonces cuando el preso podía solicitar la asistencia de letrado y procurador para su defensa.

La figura del abogado aparece por primera vez como *necesaria* en las Instrucciones de 1484. Cuando el reo negaba los cargos imputados por el promotor fiscal en el acta acusatoria y el interrogatorio resultaba infructuoso, indicando que el proceso seguía adelante, el reo tenía derecho a pedir asistencia letrada, y en el caso de no hacerlo, era el propio Tribunal el que lo hacía de oficio. Pensada originalmente para que los acusados optaran libremente por los abogados que más confianza les suscitaran, el paso del tiempo fue constriñendo esta facultad de forma que finalmente quedó a cargo de los propios abogados que proporcionaba el Santo Oficio y que no eran sino meros funcionarios inquisitoriales.

La defensa de un encausado por delito de herejía resultaba, cuanto menos, dificultosa, teniendo en cuenta el procedimiento inquisitorial; así, el abogado conocía las declaraciones efectuadas por los testigos pero no le eran facilitados sus nombres, lo que imposibilitaba ratificar o poner en duda lo manifestado. Fundamentalmente, el abogado buscaba, como mejor manera de defensa, la recusación de los testigos. Teniendo en cuenta que los nombres de éstos no eran conocidos por la parte denunciada, al acusado se le pedía que confeccionara una relación de las personas con las que mantenía, o había mantenido, enemistad manifiesta. Solamente si el tribunal apreciaba coincidencia entre algunos de los nombres aportados por el reo y la lista de testigos del sumario, se permitía la recusación. Correspondía a los jueces, no obstante, la ratificación de la declaración de los testigos, y al Tribunal, nuevamente en la Sala de Audiencias, la lectura ante el preso y su abogado de lo dicho por éstos. Al igual que sucedía cuando se comunicaban los cargos, se le requería al acusado que desmintiera o asintiera las testificaciones.

También la defensa encontraba dificultades en la búsqueda y presentación de testigos dispuestos a declarar a favor de su defendido por la reticencia de muchos ciudadanos a mostrarse como valedores de acusados de herejía ante la eventualidad de que sus propias declaraciones les pudieran llevar a prisión Hubo, además, procesos donde se acometía la defensa solicitando la recusación de los jueces del tribunal por existir, igualmente, motivos fundados de enemistad entre alguno de ellos, y el inculpado.

Contestación a la acusación

En un plazo de nueve días el abogado contestaba por escrito a la acusación, generalmente negando los cargos imputados, aunque algunas veces pretendía encarar la defensa del reo admitiendo alguno de los cargos menores para presentarlos de forma que modificara la calificación de la falta rebajándola –de «herejía» a «blasfemia», por ejemplo–, pero la mayor parte de las veces en esta primera intervención del letrado se pedía el sobreseimiento de la causa, la libertad del reo y la restitución tanto de los bienes embargados como de la fama perdida.

Es entonces cuando el promotor fiscal solicita del Tribunal la apertura del período probatorio.

Fase probatoria

La propia naturaleza del procedimiento inquisitorial reduce prácticamente la fase probatoria a la prueba testifical, ya que la otra posibilidad, es decir, la confesión del reo, que por otra parte puede producirse en cualquier momento del proceso, llevaría directamente al dictado de sentencia.

Primero actúan los testigos de la acusación, cuya identidad permanece secreta, interrogados por el Inquisidor acerca de lo recogido en el acta acusatoria y que ya han ratificado con posterioridad a la denuncia. Lo mismo hace con los testigos presentados por la defensa. Y será en este momento cuando tenga lugar la *publicación de testigos*.

En los primeros procesos de la Inquisición española el acto procesal de la *publicación de testigos*, realizado de oficio por los inquisidores o a petición de parte, tenía por objeto dar a conocer, tanto a la defensa como a la acusación el contenido de sus respectivas pruebas, bien entendido que con una serie de limitaciones: Se trataba de un documento en el que se estractaban de forma incompleta las declaraciones de los testigos, omitiendo lo que se hubiera declarado a favor del reo y todo aquello que pudiera servir como indicio para adivinar la identidad del declarante.

A partir de Torquemada esta publicación adquiere una dimensión nueva, quedando referida exclusivamente a la prueba fiscal y verificándose la misma a instancia de parte, generalmente del fiscal y aceptada por la defensa, con la advertencia previa de que el reo aún podía confesar sus faltas con «efectos atenuantes sobre el veredicto», es decir, aún estaba a tiempo de realizar una confesión que propiciaría una sentencia menos severa.

Después tienen lugar diversas audiencias para precisar, enmendar y aportar nuevas pruebas, en las que el notario va levantando acta de cuanto se dice y decide por abogado, fiscal e inquisidores, además de incluir las aportaciones del encausado respondiendo a las preguntas que le han ido formulando tras las lecturas de lo declarado por testigos y de lo recogido en los términos de la denuncia.

En el supuesto de que la prueba testifical y el resto de las diligencias que ponen fin a la fase probatoria no hayan sido concluyentes ni a favor ni en contra del reo, se somete a éste a tormento.

La tortura como técnica procesal

Dentro del procedimiento inquisitorial, la historia ha reservado a la tortura un papel permanentemente unido a los métodos del Santo Oficio, junto con la hoguera y los Autos de fe, recreados por los mejores artistas en un gran número de cuadros y grabados. Sin embargo la aplicación del tormento no fue una práctica exclusiva de los tribunales eclesiásticos. Era común, desde mucho tiempo atrás, que éste se aplicase en los tribunales seculares, costumbre que se mantuvo durante los siglos XV, XVI y XVII y que coincidió con el apogeo de la Inquisición en España.

El celo en la tarea de erradicar la herejía llevó desde muy temprano a los poderes eclesiásticos a promulgar mandamientos expresos «legalizando» el empleo de estos métodos para conseguir confesiones y denuncias de los reos. Tal es el caso de Inocencio IV, máximo representante de la Iglesia entre 1243 y 1254, y su bula *Ad extirpanda*, donde insta a «*obligar por la fuerza* –únicas limitaciones que pone a la aplicación del tormento– *a todos los herejes presos, a que confiesen con la máxima claridad sus errores y denuncien a otros herejes por ellos conocidos*». Esta bula fue confirmada posteriormente por otros papas, como Alejandro IV, en 1260, o Clemente V, en 1265. Desde entonces los mandatos de la Iglesia en este sentido no se oponen a la utilización de la tortura, aunque van reflejando la preocupación de sus responsables por el abuso que de ella se fue haciendo en los distintos tribunales comarcales o provinciales.

El inquisidor Bernardo Gui, en su *Práctica* se muestra más partidario del encarcelamiento prolongado del reo para propiciar la confesión que del sometimiento de éste a «la cuestión» –como se referían eufemísticamente al tormento–, aunque no lo descartaba como última y extraordinaria medida. Sin duda tenía presentes los abusos y exageraciones llevados a cabo por los inquisidores en su lucha contra la herejía albigense. Eymerich, así mismo, aconseja su uso únicamente después de que hayan fallado otro tipo de medidas de «presión», como las visitas de la familia, la exhortación de amigos o religiosos, o las incomodidades de la cárcel. Aún así su empleo –advierte– debe ser moderado, gradual y, en todo caso, sin derramamiento de sangre. Esta tendencia continúa hasta el fin de la Edad Media y en los primeros procesos de la Inquisición Española apenas existen actas en las que figure algún acusado sometido a tormento.

Será a partir de las Instrucciones de Torquemada cuando en el procedimiento por herejía vuelve a considerarse la validez del tormento como instrumento procesal, sustentado sobre el principio de que la confesión del reo es pieza esencial en la fundamentación de su condena o absolución. No obstante la confesión bajo la aplicación de tormento no era considerada válida, siendo necesaria, posteriormente, su ratificación en juicio.

Las *Instrucciones* de 1561 insisten en no condenar ni relegar su uso y, en cambio, sí se detienen en transmitir la necesidad de que la utilización de medios violentos para arrancar confesiones o autoinculpaciones, debe estar plenamente justificada y basada en indicios recogidos en el sumario, apelando en este punto a la «conciencia y arbitrio» de los jueces del Tribunal, en una clara referencia a multitud de quejas y denuncias hechas llegar a la Suprema relativas a una aplicación arbitraria y desproporcionada de este medio.

Hemos indicado anteriormente que la aplicación del tormento a un encausado se realizaba habitualmente una vez concluida la fase probatoria sin que ésta fuera concluyente respecto a su inocencia o culpabilidad y, evidentemente, sin que tampoco se hubiera producido la confesión; pero de forma extraordinaria podía también aplicarse en algún otro momento del procedimiento si se advertían contradicciones en su declaración o si se negaba a denunciar a otros cómplices o herejes conocidos. Se denominaba *tormentum in caput proprium* cuando se deseaba arrancar una autoinculpación; el *tormentum in caput alienum* pretendía una confesión referida a terceros. Presentes en la sala donde se sometía a tortura estaban los inquisidores, un representante del obispo, un secretario encargado de levantar acta de cuanto allí se dijese por parte de la víctima y un médico de presos cuyo cometido era, por un lado, confirmar que el reo estaba en disposición de soportar la tortura y, por otro, verificar su estado durante todo el proceso para evitar que éste pudiera morir o se le causasen lesiones que estuvieran «prohibidas» en las diferentes disposiciones dadas a los tribunales. Una de éstas establecía la obligatoriedad de aplicar una sola sesión de tormento, regla que solía ser burlada por los inquisidores estableciendo lo que denominaron *suspensión* de una sesión, de forma que una segunda o tercera sesiones de tortura no eran interpretadas sino como una continuación de la primera y, en teoría, única.

En el caso de que el reo se negara a ratificar la confesión obtenida bajo tormento y puesto que éste no podía vovérsele a aplicar, era obligado a abjurar públicamente de los hechos de los que, siendo sospechoso, no habían quedado probados satisfactoriamente a lo largo del proceso. Inevitablemente era sometido a una condena, en este caso leve, y a partir de entonces cuidar mucho de no volver a incurrir en sospechas semejantes pues, tras un nuevo proceso, sería entregado al brazo secular por relapso.

La Inquisición no usó como medio de tormento ningún otro que no se estuviera aplicando ya en los tribunales seculares y los encargados de llevarlos a cabo provenían de estos últimos, por lo que no contaba con empleados propios para estos fines ni introdujo sofisticados sistemas para arrancar las confesiones de los condenados. Cinco eran los tipos de tortura que podían aplicar los verdugos: *garrucha, toca, potro, horca* y *brasa.*

Los más usados fueron los tres primeros y a partir del siglo XVI fue más frecuente la utilización del *potro.* Éste consistía en una bastidor en el cual era atada la víctima. Alrededor de muñecas y tobillos se le ataban unas cuerdas que eran tensadas por el verdugo paulatinamente mediante vueltas hasta que penetraban y cortaban la carne. En la *garrucha* el reo era colgado por las muñecas por medio de una cuerda que pendía de una polea sujeta al techo. Se le ponían unos pesos en los pies y se le izaba hasta una altura determinada. Posteriormente se le dejaba caer de golpe y se frenaba su caída en seco. La *toca* fue también llamada tortura del agua: sujeto el preso en un bastidor, se le introducía por la boca un paño o toca, vertiendo agua lentamente y obligándole a tragar hasta que confesara.

En algunas ocasiones se recurrió a torturas más «benignas» basadas en la utilización del látigo o simplemente sometiendo al encausado a largos períodos sin comida o bebida. Recordemos que, aunque no se encontraba en la relación de tormentos, el paso por las prisiones secretas ya suponía de por sí un castigo que en muchos casos forzó la confesión de los que la padecieron.

El tormento se aplicó sin distinción de edad, sexo o condición social y fue cayendo en desuso con el paso del tiempo, aunque a los acusados se les seguía amenazando con tal posibilidad. En el año 1616 se prohibió su utilización en todos los tribunales oficiados por la Inquisición.

Conclusión del procedimiento

El procedimiento entra en la vía trascendental de sentencia cuando el fiscal y el defensor solicitan la emisión del veredicto. Pero los inquisidores no procedían inmediatamente a dictar sentencia, sino que remitían toda la documentación procesal a la Junta de Asesores, encargada de revisar si las actuaciones habían sido correctas desde el punto de vista jurídico —y aquí las Instrucciones de Torquemada son claras y terminantes respecto a la imposibilidad de eludir este paso debido a las consecuencias derivadas de una impugnación y posible anulación de la causa por errores o defectos a lo largo de su instrucción—. Y hasta tal punto esto era así que muchas veces acaban siendo los miembros de dicha Junta de Asesores los que finalmente dictan sentencia, quedando para los inquisidores el papel de meros instructores y conductores del procedimiento, por un lado y, por otro, encargados de vigilar la ejecución de la pena.

Pero incluso a estas alturas del proceso podía darse la circunstancia de que la Junta de Asesores no contase con fundamentos suficientes para emitir un veredicto, por considerar no estar el delito suficientemente probado aunque se considerase al acusado «vehementemente sospechoso». Entonces podía recurrirse a la *compurgación*.

En los procesos de la Inquisición Española aparece, pues, la *compurgación* como una alternativa al tormento y, al menos en su origen, tiene un carácter de veredicto provisional encaminado a aclarar definitivamente la inocencia o culpabilidad del acusado, a cuyo efecto se emiten dos posibles sentencias.

La *compurgación* o *purgación canónica*, institución de origen germánico al igual que las ordalías y los Juicios de Dios (*purgationi vulgaris*) —rechazados absolutamente por la Iglesia— parte del principio de que el acusado debe probar su inocencia rechazando bajo juramento los cargos que se le imputan. Además debe encontrar a una serie de personas —*compurgadores*— cuyo número previamente determinará el Tribunal, las cuales, también bajo juramento, testimoniarán acerca de la credibilidad del reo. Si el juramento de los testigos es favorable, se entiende que el presunto hereje ha pasado positivamente la compurgación y se le impondrá la condena más leve de las propuestas por la Junta de Revisión; pero, en cambio, si no lograra reunir el número de compurgadores exigido por el Tribunal, o si el balance de los juramentos era desfavorable para el reo, el delito se tenía por probado y el juez pronunciaría la sentencia condenatoria sin recurrir a otro tipo de prueba.

Sentencia

La Sentencia es la única parte del proceso a la que se daba publicidad abierta, por lo que presenta un carácter marcadamente formal tendiendo a recoger, uno por uno, todos los trámites procesales seguidos para concluir con el fallo «motivado». La unanimidad en la deliberación elevaba la sentencia a definitiva. Sin embargo, se daban casos de discrepancia entre sus miembros, lo que se resolvía elevando al Consejo de la Suprema las distintas tesis mantenidas al respecto para que éste decidiera.

En el caso de que el voto de los asesores inquisitoriales resultase condenatorio y se dictaminara pena de muerte, los inquisidores citaban al acusado para leer el veredicto en su presencia e ir preparando al reo; si era absolutaria, podía leerse privadamente o en acto público solemne por el notario inquisitorial.

Evidentemente podía darse la circunstancia de que el acusado fuera declarado inocente de los cargos y hechos que se le imputaban, en cuyo caso se le ponía en libertad. Pero hay que decir que no eran habituales este tipo de pronunciamientos absolutamente favorables a los detenidos –salvo en el caso de quedar probado el *falso testimonio*[128] levantado contra ellos– pues, como hemos visto anteriormente, si no existiesen indicios suficientes de sospecha de herejía hacia un determinado sujeto no se hubiera producido la apertura del procedimiento, archivándose las diligencias llevadas a efecto hasta entonces (recordemos que si con el tiempo se hallaban nuevas declaraciones o confesiones que le incriminaran en algún acto herético el caso podía ser abierto nuevamente).

Un veredicto de culpabilidad incluía diferentes grados, según la importancia de las faltas cometidas: un acusado podía ser condenado como sospechoso de herejía o ser declarado hereje en toda regla. A su vez, un sospechoso de herejía podía serlo «leve» o «vehemente», y dependiendo de esta calificación variaba la pena que se le imponía.

Las penas

El *levi suspectus haeresis* o sospechoso leve de herejía, era obligado a abjurar de la misma y condenado a una penitencia.

La abjuración consistía en un juramento solemne por el que el condenado rechazaba la herejía *«con explícita afirmación de la verdad católica»*. En las Instrucciones de Torquemada se insiste a los inquisidores en que, en penas distintas al relajamiento del condenado al brazo secular, se obligue a éstos a abjurar, a veces incluso antes de la publicación del veredicto. Una modalidad especial de abjuración es la *retractación,* en la que solamente una serie de proposiciones de las que participa el condenado han sido juzgadas heréticas por los inquisidores.

El *vehementer suspectus haeresis* veía recaer en él una pena corporal o económica, o ambas al mismo tiempo y, al igual que el sospechoso leve, debía proceder a la abjuración, tras la cual su nueva situación en el seno de la Iglesia Católica era la de *reconciliado* aunque con «antecedentes», circunstancia singular que lo podía convertir con el tiempo en *relapso* (reincidente) si resultaba convicto de haber caído nuevamente en la herejía de la que habían abjurado. En ese caso era entregado al brazo secular.

---

128 El *falso testimonio* demostrado es uno de los peores crímenes según el derecho canónico.

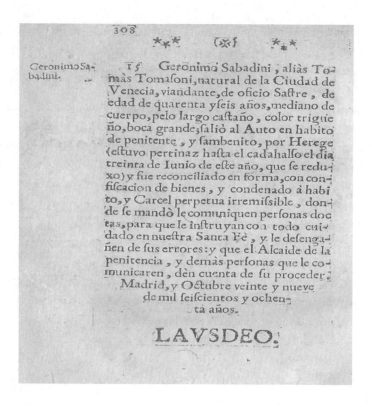

Ejemplo de condena de un Auto de fe celebrado en Madrid en 1680.

La pena más grave para un condenado por herejía era la *relajación* o pena de muerte. La palabra *relajación* proviene de la obligación que la Inquisición tenía de «entregar» a sus prisioneros condenados a la máxima pena a las autoridades civiles para que ejecutaran la sentencia, pues esta institución no podía, de ninguna manera, ejecutar a ningún condenado. Un factor determinante para que un hereje fuera condenado a muerte era la persistencia de éste en el error y su negativa a proceder a la abjuración del mismo. La pena de relajación al brazo secular era solicitada por el promotor fiscal a los inquisidores, únicos legitimados para dictaminarla, y que en la *Practica...* de Bernardo Gui podía ser conmutada por la de prisión perpetua si había arrepentimiento *in extremis*.

En el *Directorium* de Eymerich leemos qué herejes deben ser entregados al brazo secular:

1. Los convictos de herejía que habiendo confesado su delito, abjurado y hecho la penitencia impuesta vuelven a recaer en la misma (penitentes relapsos). Para ellos

ofrece la polibilidad de que puedan recibir los sacramentos en el último momento si los solicita.

2. Los confesos de los hechos que se les imputan pero que se niegan a abjurar por no considerarlos constitutivos de herejía *(impenitentes no relapsos)*. Y aquí Eymerich recomienda a inquisidores y obispo que les sometan a una incomunicación absoluta, para que no corrompan la fe de los creyentes, y que procedan a adoctrinarles convenientemente en la fe católica. Si al final del mismo muestran su arrepentimiento y abjuran puede conmutarse la pena por la de prisión perpetua.

3. Los *impenitentes relapsos*. Confesos de los hechos que se les imputan y que han recaído nuevamente en la herejía de la que han abjurado. Únicamente si *in extremis* se arrepienten podrán recibir los sacramentos antes de morir.

Eymerich muestra prevención y advierte a los inquisidores respecto a los *convictos inconfesos*, es decir, hacia aquellos reos que las pruebas y los hechos los muestran manifiestamente herejes, pero que no confiesan el crimen. Aconseja en ese caso se presione a los testigos e insistan en los detalles por si hubieran declarado en falso. No obstante, si el reo confesase en el último momento y se mostrase arrepentido se le perdonaría la vida confinándole en prisión a perpetuidad.

Las *Instrucciones* también advierten sobre las condenas que no descansen en la confesión del reo y piden cautela. A partir de Torquemada la pena de muerte sólo se sentencia en casos excepcionales.

Por último señalemos que la hoguera era reservada para los herejes no arrepentidos y para los relapsos, mientras que el garrote quedó circunscrito al resto de casos de pena de muerte.

El Santo Oficio juzgaba y condenaba, igualmente, a huidos y difuntos. En el caso de personas ya fallecidas, si se conocía el lugar de su enterramiento, se exhumaba el cuerpo y los restos se quemaban en la hoguera como si se tratara de un vivo. Cuando el condenado no era localizado por haber escapado de prisión o huido antes de su detención se le quemaba en efigie, e igual modo de proceder se utilizaba cuando teniendo certeza de la muerte de un sentenciado se desconocía el lugar de su sepultura. Las consecuencias de estas ejecuciones recaían, una vez más, en los familiares de las víctimas, condenados a la deshonra que llevaba aparejada el estar emparentados con un sentenciado, y a la pobreza en la que les sumía la confiscación de los bienes heredados del difunto o del huido. En este sentido el procedimiento era el mismo que el que se aplicaba en las condenas a muerte de un vivo, que siempre iban acompañadas de excomunión mayor, confiscación de bienes y, casi siempre, de la inhabilitación de los hijos y descendientes hasta el primer grado inclusive, para el ejercicio de cargo público.

Entre la absolución y la relajación los tribunales imponían penas intermedias, según las conclusiones establecidas por la Junta de Asesores y plasmadas posteriormente en el veredicto. Así, se podía sancionar con penas de prisión *murus strictus* (encadenado de pies y manos) o *murus largus*, menos rigurosas, durante un tiempo determinado o a perpetuidad, con los únicos sustentos del *«pan del dolor y el agua de la tribulación»*. Muchas de las penas incorporaban castigos como latigazos o galeras y era frecuente la imposición de multas o el destierro de los condenados.

A petición del reo, la *conmutación* de las penas impuestas estaba prevista también en el procedimiento inquisitorial, existiendo en la sentencia una cláusula relativa a la facultad de que disponían los jueces para aumentar, mitigar, acortar o conmutar las penas a los reos que hubieran sido admitidos a reconciliación. Para el resto de los condenados era preciso contar con un dictamen favorable de la Suprema.

A partir de Torquemada también se incluye en el procedimiento la posibilidad de la *apelación* en cualquier fase del proceso mediante escrito dirigido a los inquisidores exponiendo motivos y solicitando la admisión del recurso. De ser rechazado éste podía interponerse otro ante la Suprema que, de ser negativo igualmente, quedaba un último al Papa.

El Auto de fe

Pese a que para mucha gente el Auto de fe de fe ha llegado a identificarse con la ceremonia de ejecución de la pena de muerte a los condenados a relajación, éste consistía en todo un ritual a través del cual el Tribunal de la Inquisición daba cuenta públicamente y a modo ejemplarizante de su actuación como defensor de la fe cristiana. A a tal efecto se pronunciaba un sermón apologético en el que, además, quedaba patente la intención de la Iglesia de no transigir con los delitos de herejía y presentaba ante la concurrencia a los criminales que le eran propios para proceder a su castigo, una vez leídas las sentencias y proclamadas las penas impuestas.

Es Llorente, de nuevo, quien define de manera precisa y a la vez ilustrativa lo que pretendía ser un Auto de fe:

> *«(...) la lectura pública y solemne de los sumarios de los procesos del Santo Oficio, y de las sentencias que los inquisidores pronuncian estando presentes los reos o efigies que lo representen concurriendo todas las autoridades y corporaciones respetables del pueblo particularmente el juez real ordinario a quien se entregan allí mismo las personas y las estatuas condenadas a relajación, para que luego pronuncie sentencia de muerte y fuego, conforme a las leyes del reino, contra los herejes, y enseguida las haga ejecutar, teniendo a este fin preparados el quemadero, la leña, los suplicios de garrote y verdugos necesarios a cuyo fin se le anticipan avisos oportunos por parte de los inquisidores».*

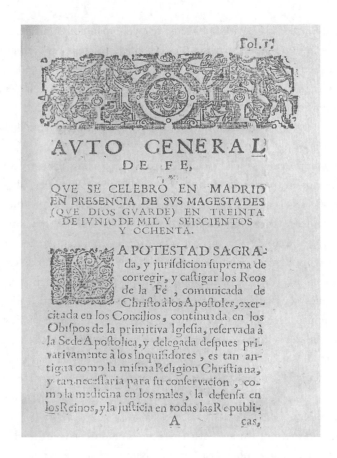

Página del Auto de fe de 1680 en la que se justifica la acción
inquisitorial, considerándola una potestad dada por Jesucristo a la Iglesia.

Pero la ceremonia del Auto de Fe fue cambiando con el transcurso del tiempo ajustándose a las circunstancias políticas y sociales del momento, desde la decretal de 1298 de Bonifacio VIII, en la que simplemente aconsejaba a los inquisidores *«convocar al clero y al pueblo de las ciudades, fortalezas y de los demás lugares, según viéseis conveniente al dicho negocio de la fe»*, hasta convertirse *«en una más de las fiestas públicas teatralmente ejemplares que se organizaron en la España barroca. Sobrecogedora ceremonia de masas, puntualmente realizadas para estimular la adhesión de éstas al credo católico y al orden político del Absolutismo».*[129]

---

[129] Monteserrín, Miguel Jiménez. «Modalidades y Sentido Histórico del Auto de Fe», en *Historia de la Inquisición en España y América*. Biblioteca de Autores Cristianos, Centro de Estudios Inquisitoriales, Madrid, 1993.

Los Autos de Fe en la Baja Edad Media se celebraban con la misma solemnidad con que se anunciaban el período de gracia o el Edicto de Anatema, si bien el inevitable sermón en torno al cual se sustentaba el resto de la ceremonia se recomendaba fuese breve y preciso, teniendo en cuenta lo dilatado del acto. Su celebración tenía lugar, a elección del Inquisidor y confiando en su buen juicio, en la Iglesia, en la explanada o plaza que hubiera delante de ella, dependiendo del número de personas que congregara dicho acto y la capacidad del lugar.

Con carácter previo a la celebración del Auto, y antes de considerar formalmente cerrados los procesos instruidos, los inquisidores establecían «consulta» al respecto con el Obispo de la diócesis en que había actuado el Tribunal –consulta estrictamente protocolaria en la que raramente se señalaban discrepancias–. A continuación, y acompañados de notario y testigos, los inquisidores se dirigían a las cárceles en las que se encontraban depositados los reos para poner en conocimiento de los mismos el resultado de las causas abiertas contra ellos, leyéndose a cada uno la sentencia correspondiente en latín, primero, y en lengua vulgar después (y de igual manera sería leída públicamente ante los asistentes al Auto).

La ceremonia comenzaba muy temprano –el día anterior se había fijado estrictamente el protocolo de la misma– y se abría con el Sermón, en el que se anunciaban las indulgencias de las que se hacían merecedores los concurrentes (de veinte a cuarenta días) y, brevemente, se recordaba la obligación de cada cristiano de velar por la pureza de la doctrina establecida por la Santa Madre Iglesia Católica, misión para la cual los inquisidores habían sido expresamente encomendados por el Papa.

Acto seguido se tomaba juramento a los representantes de la jurisdicción temporal de proporcionar toda la ayuda que el Tribunal precisara para la defensa de la fe, bajo pena de excomunión y pérdida de sus cargos, para pasar sin más dilación a la lectura de los delitos y sentencias tocantes, primero, a los reos difuntos, luego a los ausentes y por último las de los reos presentes en el Auto, por orden de gravedad en los crímenes cometidos y de menor a mayor.

A medida que avanzaba la ceremonia la tensión inherente al acto iba incrementándose. Los convictos de herejía procedían a la abjuración de la misma de rodillas y con una mano sobre los evangelios mientras se entonaba el *Miserere*. El Auto de Fe acababa con la entrega de los relapsos a las autoridades civiles para que éstas ejecutaran la pena de muerte.

A partir de 1484, y hasta que se abolió el Santo Oficio, el Auto de Fe fue convirtiéndose en un acto popular, normalmente dispuesto en un día festivo para que pudiera acudir la mayor cantidad de gente posible. No obstante, no todos los Autos de Fe fueron públicos, reservándose esta modalidad para aquellos que congregaban condenados con penas más graves, ya que de lo contrario se practicaba un *Auto de fe particular* en la misma Iglesia o en la sede del Tribunal que podían afectar a una sola persona o a un número reducido de ellas, pasando a denominarse *autillos* a los que se realizaban a puerta cerrada para un solo condenado.

Un Auto de Fe general o público se realizaba al menos una vez al año y podía llegar a reunir un número elevado de sentenciados. Así, el celebrado en Toledo en 1486 dio sentencia y penas a 750 judaizantes. Tribunales más importantes, como el de Sevilla, podían organizar varios Autos al cabo del año, aunque debido a su elevado coste se procuraba agrupar al máximo el número de reos sentenciados.

El día y lugar del Auto de Fe se hacía llegar a la población con treinta días de antelación. Posteriormente, estando ya cerca el momento señalado, se preparaba todo lo necesario: un tablado, un altar, asientos y palcos para las autoridades... En un lugar apartado de la plaza donde se iba a realizar la ceremonia, se instalaba el quemadero. Allí eran llevados los condenados a muerte después de serles leída la pena, de manera que su ejecución resultaba un acto menos multitudinario. Las principales calles de la ciudad quedaban engalanadas para la ocasión y se invitaba a la gente a presenciar todo el cortejo de los días previos. La noche anterior a la ceremonia se realizaba una procesión en la que miembros de la Inquisición llevaban la cruz del Santo Oficio hasta la plaza elegida para tan solemne ocasión.

Si bien las penas impuestas en las sentencias no eran dadas a conocer hasta el momento de su lectura pública, el caso de los condenados a muerte requería que fueran advertidos previamente para que pudieran preparar la salvación de su alma, si así lo deseaban. Por la mañana temprano, y antes de salir camino de la plaza, los reos eran afeitados, y adecentados, se les proporcionaba ropa limpia y se les daba de desayunar adecuadamente. El siguiente paso era conducirlos hasta la catedral, desde donde se formaría una procesión que recorría las principales calles de la ciudad, engalanada y repleta de hombres y mujeres que, bien insultaban a los reos, bien los animaban a reconciliarse con la Iglesia si aún no la habían hecho.

La comitiva iba encabezada por personas que ocupaban puestos importantes en la ciudad y marchaban junto a la bandera del Santo Oficio. Había estandartes de diversas congregaciones portados por sus cofrades. Una de estas asociaciones, la de San Pedro Mártir, era la encargada de construir el cadalso y otros elementos necesarios para el Auto de fe. El final de la procesión era reservado a los miembros de la Inquisición, entre los que se incluían los calificadores, consultores, «familiares», fiscales y jueces. Entre unos y otros marchaban los presos ataviados con diferentes símbolos que delataban su condición de herejes: en la cabeza, un sombrero de cartón en forma de cono o cucurucho, una cuerda al cuello y una vela de cera verde entre las manos. El cuerpo estaba cubierto por un sambenito o saco con diversas figuras dependiendo del tipo de pena a la que había sido condenado: una aspa entera sobre un sambenito amarillo representaba al hereje que había confesado su culpa y reconciliado con la fe católica; en el caso de haber sido declarado sospechoso retractándose de su herejía, exhibía media aspa; un sambenito solamente amarillo pero sin aspa correspondía a los reos declarados levemente sospechosos. Todos ellos, por tanto, habían quedado fuera de la pena de muerte.

Entre los condenados a la pena capital se distinguía entre aquellos que habían proclamado arrepentimiento antes de que se dictase la sentencia, los que su arrepentimiento se producía después de haberse decretado el veredicto pero antes de producirse el Auto de Fe y los llamados impenitentes, por haber mantenido su inocencia hasta el final, negándose a una reconciliación que no creían necesaria o no deseaban. En el primero de los casos se le imponía un sambenito amarillo con aspas rojas sin llamas y un gorro con las mismas aspas rojas. La ausencia de llamas ilustraba su condición de reo que iba a ser ajusticiado a garrote, librándose de la hoguera. Para los segundos, el sambenito y el gorro se pintaba con llamas vueltas hacia abajo, señalando así haber sido librado de ser ajusticiado en el quemadero. Para los terceros, impenitentes, el sambenito llevaba pintado una figura sobre ascuas y llamas y tanto esta vestimenta como el gorro estaban repletas de llamas hacia arriba, prueba inequívoca de su destino final.

La procesión finalizaba en la misma plaza o lugar elegido para la celebración del Auto propiamente dicho. Allí se hacía sentar a los condenados en los *bancos de infamia,* construidos sobre el tablado y cerca de los asientos reservados a las autoridades. A continuación se celebraba una misa de difuntos donde ocupaba un lugar importante el sermón pronunciado por el inquisidor. Por último se leían las sentencias y lo recogido en los sumarios de cada uno de los condenados.

El ceremonial barroco de los Autos de Fe, descritos en las famosas *Relaciones* –auténtico género literario a modo de crónica de lo acontecido en los mismos–, destaca por la gran teatralidad de su puesta en escena y la desmesurada ostentación de poder de la que se hace alarde, con la asistencia de la propia familia real, la nobleza y las máximas autoridades locales. Todo está cuidadosamente estudiado y diseñado, incluido el desenlace final del acto, marcado, evidentemente, por el secreto que prevalece en el procedimiento del Santo Oficio.

«(...) La hipérbole literaria de los redactores de las Relaciones *da cuenta de la expectación, buscada desde luego por sus organizadores, que los pregones de convocatoria del Auto de fe creaban entre el pueblo. Un tiempo singular se iniciaba a partir de tales preludios, cuando todo el mundo asumía el papel escénico que subrayaba ostentosamente su particular instalación social, y se creaba la impresión de que la omnipotencia de «ambas Majestades» resultaba tangible en aquel remedo del Juicio Universal contra los enemigos de dios, cuyos preparativos y desarrollo buscaban causar el estupor suspenso de los espectadores, así como un saludable ejemplo a los adversarios ausentes, empleando a tal efecto un generoso despliegue de medios escenográficos»,* escribe nuevamente Miguel Jiménez Monteserrín en esta serie de fragmentos que reproducimos para conocer al detalle el ceremonial del Auto de Fe.

El sitio escogido para instalar el tablado solía ser la plaza más céntrica e importante de la ciudad (...).

(...) A ambos lados del plano principal estaban las gradas, donde, bien visibles, eran acomodados los presos, bajo la custodia de los familiares del Santo Oficio. En el centro, además del altar donde había sido colocada la Cruz verde y en el que se celebraría la misa durante el Auto de fe, en lugar destacado había dos púlpitos desde donde se predicaba el sermón de la fe y eran leídas las sentencias, y en medio de ambos la plataforma, donde, a la vista de todo el concurso de asistentes, cada preso escuchaba la suya. Sobre el ordenado conjunto dominaba el solio del tribunal local, con su repostero heráldico, sus sillas y su bufete. Desde él organizaría el inquisidor presidente la ceremonia a golpe de campanilla, atento a un riguroso guión pespunteado sobre el ritual, tanto más prolijo cuanto mayor fuera el número de reos...

(...) El día del Auto de fe, y una vez sonado el especial tañido que para la ocasión hacían las campanas de la catedral o de la principal Iglesia de la ciudad, partía la procesión, encabezada por la cruz alzada de la parroquia a la que pertenecía el tribunal, cubierta de un velo negro, acompañada del clero revestido de sobrepellices[130] y con luces en las manos. Seguían, porteadas sobre hastiles e identificadas cada una por un rótuel en el que se leía su nombre y delito, las estatuas de los ausentes o difuntos —la de éstos, además, llevaba una caja con sus huesos— condenados a ser relajados, las cuales intentaban reproducir con la mayor fidelidad posible su aspecto real, empleándose para ello caretas pintadas a propósito, pelucas. Venían a continuación los reos, organizados en sentido inverso a la magnitud de sus delitos. Primero los penitenciados por blasfemos —a cuerpo y descubiertos— y los bígamos, luego los hechiceros, después los reconciliados y por último los relajados».

Tribunales de distrito. Organización

La expansión del Santo Oficio desde su creación en 1478 fue rápida y ambiciosa, alcanzándose en apenas diez años un control más que significativo de los territorios en que fue instaurado. No era suficiente una organización centralizada a través del Consejo de la Suprema y General Inquisición, creada en 1483 cuando ya funcionaban los tribunales de Valencia, Sevilla, Córdoba y Zaragoza, sino que era necesaria una presencia real en cada una de las provincias de los reinos de la Corona. La exigencia provenía del interés por unificar la acción inquisitorial evitando la discriminación regional, en consonancia con la política surgida tras la fusión de las monarquías castellana y aragonesa.

Es así como van conformándose los diferentes distritos de actuación del Santo Oficio que aprovechan inicialmente los límites territoriales establecidos por los obispados,

---

[130] Vestidura blanca sobre la sotana.

aunque no como regla inamovible, para crear espacios jurisdiccionales propios y de gran autonomía. Cada distrito va a estar gobernado por un tribunal cuya estructura adquirió, durante la segunda mitad del siglo XVI, rasgos burocráticos bien definidos y constantes en contraposición a las peculiaridades y características de su época itinerante. En el siglo XVII, se contabilizaban quince distritos que abarcaban extensiones bien diferentes, a pesar de que la tendencia se orientaba a crear espacios más o menos homogéneos con las excepciones de Valladolid, por un lado, y los territorios insulares, en el extremo opuesto. Su distribución y superficie, en kilómetros cuadrados, era la siguiente:

Valladolid	89.873	Galicia	29.819
Toledo	48.151	Valencia	29.413
Zaragoza	43.071	Sevilla	29.203
Llerena	42.266	Granada	28.485
Murcia	33.738	Córdoba	27.258
Cuenca	33.078	Canarias	7.253
Calahorra	31.999	Baleares	5.014
Barcelona	30.634		

Las últimas *Instrucciones* de Torquemada dictadas en 1498 establecieron el personal que debía formar parte de cada tribunal, de tal manera que fueran dos inquisidores, uno teólogo y otro un jurista, o dos juristas, y contara con la presencia de un fiscal, asesores, alguaciles, etc. Posteriormente, el desarrollo de las funciones inquisitoriales haría variar, fundamentalmente, el número de inquisidores, secretarios y familiares. Así, conservaron el número inicial de dos inquisidores los tribunales de Murcia, Llerena, Cuenca o Canarias; sin embargo, pasaron a tener tres, Toledo, Valladolid, Sevilla, Valencia o Granada. En cuanto a los secretarios, a territorios como los de Indias y Canarias se les asignaron dos por tribunal, tres en el caso de Cuenca, Llerena y Barcelona y cuatro para los de Toledo, Sevilla, Valladolid, Granada, Córdoba, Logroño, Valencia, Zaragoza y Murcia. Algo similar vino a ocurrir con el resto de cargos, produciéndose una inflacción burocrática que terminó influyendo notablemente en el devenir cotidiano de cada tribunal e hizo necesarios no sólo grandes ingresos para su mantenimiento, sino un ajustado engrase para mover adecuadamente toda su maquinaria funcionarial.

Éstos eran, a grandes rasgos, los cargos y oficios que componían un tribunal de distrito:

Inquisidores. Eran nombrados por el Inquisidor General y el Consejo de la Suprema y General Inquisición. Como ya se ha dicho, se estableció inicialmente que fueran dos por cada tribunal —uno teólogo y el otro jurista, o bien los dos juristas—. También se contemplaba la posibilidad de que fuera uno sólo el inquisidor, en cuyo caso debía ir acompañado de un asesor sin ninguna atribución como juez. Los inquisidores tenían bajo su cargo

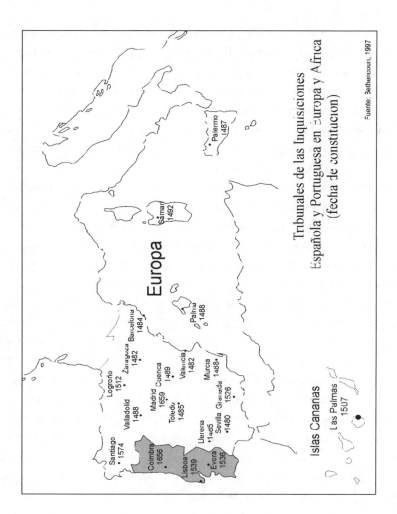

todo el personal que componía la nómina del tribunal y su misión consistía en decretar inquisición en los territorios de su circunscripción e iniciar y desarrollar los procesos derivados de las delaciones o denuncias, con especial atención al estricto cumplimiento del procedimiento para ello establecido.

Fiscal. Encargado de la acusación, debía proceder al interrogatorio de los testigos y del propio reo para determinar la existencia de herejía en los hechos denunciados y puestos a su disposición. De su investigación dependía la formalización o no de los cargos, que en caso de confirmarse quedaban incorporados a la causa.

Calificadores. Según la definición de Llorente, *calificadores* son los teólogos que censuran los hechos y dichos, expresando la opinión que forman sobre la creencia interior del autor de los mismos. Su papel comenzaba cuando había terminado la fase sumarial y a ellos correspondía manifestarse sobre la existencia o no de herejía, o sospecha de herejía, en los testimonios presentados a su criterio. Por lo general, eran nombrados para estos cargos teólogos de prestigio y, a partir de 1627, a su condición necesaria de eclesiástico se unió la de contar, al menos, con una edad de cuarenta y un años. Solían ser miembros de órdenes religiosas, donde formaban parte de su jerarquía. García Cárcel sitúa hacia 1520 la incorporación de los calificadores a los tribunales inquisitoriales.

Consultores. Antes de que los inquisidores adquirieran conocimientos jurídicos, los consultores eran escogidos entre jueces y especialistas en leyes. Entre sus funciones figuraba la de emitir opinión jurídica respecto a las diversas fases del procedimiento e, incluso, sobre las penas atribuibles a los condenados. Junto con los calificadores pueden ser considerados como colaboradores procesales y al igual que aquéllos, eran nombrados por el Inquisidor General y el Consejo de la Suprema y General Inquisición. Su función, normalmente, no se remuneraba y poseían voto consultivo en las causas de fe en cuanto a aspectos como detención, tortura o sentencia.

Ordinarios. Jueces eclesiásticos designados por los obispos, tenían voto decisivo en las causas de fe y formaban parte, junto con calificadores y consultores, del grupo de colaboradores de los inquisidores en los asuntos procesales. Al ser representantes de la Iglesia, su participación se centraba en los procesos a miembros del clero. Aunque el ordinario estuviese en minoría con respecto a los consultores, su voto, en cambio, gozaba de gran valor, siendo suficiente para imponerse a éstos cuando el mismo era coincidente con el de los inquisidores.

Secretarios del Secreto. Tenían como misión levantar acta de todos los actos oficiales del tribunal, tales como sesiones, declaraciones, lectura de sentencias, edictos de gracia, etc. En su poder estaba una de las llaves del archivo donde se guardaba la documentación relativa a los procesos que el tribunal tenía a su cargo. Dicho archivo, denominado *Secreto,* da nombre al secretario del tribunal encargado del mismo y servía para diferenciarlo de otros secretarios, como por ejemplo el de secuestros. Cada tribunal disponía de tres secretarios y actuaban tanto dentro de la sede inquisitorial como en el territorio asignado al mismo.

Secretarios de Secuestros. Llevaba un control preciso de todos los bienes y propiedades secuestradas y confiscadas. Al mismo tiempo, estaba encargado de levantar acta de los embargos por incumplimiento en el pago de rentas pertenecientes al Tribunal como era el caso de los censos.

Alguacil Mayor. Procedía al arresto de las personas indicadas por los inquisidores y a la persecución de los fugados. Como consecuencia de tales funciones su ausencia solía ser frecuente y prolongada, puesto que se desplazaba por todo el distrito inquisitorial acompañado por personas designadas por el Tribunal, entre familiares, receptores y comisarios de secuestros, aunque a veces lo hacía en solitario reclamando de las autoridades civiles la ayuda necesaria para cumplir su cometido. Al estar también a cargo de los detenidos y de su mantenimiento, el alejamiento temporal de la sede le obligaba a pagar, de su asignación económica, un sustituto. Posteriormente se creará el cargo de carcelero, lo que provocaría un cierto conflicto de competencias que rebajará, finalmente, la categoría del Alguacil.

Receptor. Era nombrado por el rey, aunque dependía de los inquisidores hasta el punto de no tener autorizada acción alguna sin su consentimiento. Puede ser considerado como el administrador de la hacienda bajo poder o tutela del tribunal y era el encargado de efectuar los secuestros, debiendo de estar presentes junto a él, el alguacil y el notario de secuestros. Con los bienes secuestrados procedía a su transferencia inmediata, no quedando bajo su posesión más que el tiempo estrictamente necesario. De los bienes confiscados el receptor debía de dar cuenta según una reglamentación estricta, de forma que se hacía difícil la malversación. Junto al receptor de bienes figuraba el llamado receptor de penitencias.

Contador. Realizaba el balance de las cuentas del tribunal y lo hacía de manera periódica. El análisis económico se basaba en los libros presentados por el receptor, donde se anotaban las penitencias, conmutaciones, composiciones y confiscaciones. También aparecían en los libros de receptoría las inversiones de los Tribunales en juros y censos. En realidad, el contador solicitaba del receptor una *«relación verdadera jurada y firmada del cargo de lo que hubiere cobrado y entrado en su poder»*. Con este informe se reunían el receptor, contador y notario de secuestros, elevando un balance al fiscal del tribunal. Éste, posteriormente, lo elevaba, a su vez, al contador del Consejo de la Suprema y General Inquisición.[131]

Abogado del Fisco. Su misión consistía en representar a los tribunales inquisitoriales en los conflictos planteados con sus bienes y propiedades. Dada la existencia de un procurador del fisco, el abogado se encargaba de elaborar los soportes legislativos de la línea a seguir en la defensa de los intereses del tribunal.

Juez de bienes confiscados. Atendía las reclamaciones de hijos y herederos de reos y condenados en relación con los bienes confiscados. Los litigios generales se resolvían en la sede del tribunal, para lo cual el juez contaba con un escribano y un determinado número de oficiales. Era un cargo de gran prestigio y muy ambicionado por el grupo de letrados del tribunal, formado por comisarios, calificadores seculares y consultores.

Escribano del Juez de bienes. Encargado de llevar todo lo relacionado con el juzgado de bienes; tenía un salario estipulado, algo que se hacía extensivo a los oficiales que, junto con él y el juez, dirimían los pleitos por causas de confiscación u otras de carácter civil.

Procurador del Fisco. Estaba entre sus funciones la tramitación de los litigios relacionados con las propiedades y bienes del tribunal, entendiéndose que era el encargado de la elaboración y presentación de documentación, escritos, informes, etc.

Nuncio. El mensajero. Se encargaba de llevar los mensajes de los inquisidores en todas las direcciones posibles: dentro del propio distrito, de un tribunal a otro o al mismo Con-

---

131 Martínez Millán, José. «Estructura de la hacienda de la Inquisición».

sejo de la Suprema y General Inquisición. Su número dentro de cada tribunal de distrito fue incrementándose con el tiempo. Si primeramente se estableció una sola persona para dichas funciones, a mediados del siglo XV eran cinco los encargados de difundir las distintas correspondencias.

Portero. Controlaba el acceso a la sede del tribunal. Su natural progresión de ascenso fue hacia el cargo de nuncio. En momentos de gran escasez de recursos, como los provocados por la instauración de un tribunal, ambos puestos eran desempeñados por la misma persona. Así sucedió, por ejemplo, en el de Cartagena de Indias cuya fundación se hizo en momentos de penuria y falta de personal.

Alcaide. Se hacía cargo de los presos entregados por el alguacil y sus funciones podrían equipararse a las de un carcelero. No sólo atendía el estado de la prisión sino que cuidaba de la situación del reo, de su vestimenta y alimentación. Anotaba en un libro las incidencias en cuanto a provisiones y objetos que recibían los detenidos y se ocupaba de que su incomunicación fuera efectiva. También era el encargado de su traslado a la Audiencia para que éste prestara declaración, escuchara los cargos o asistiera a la resolución del proceso.

Comisarios. De gran importancia en la estructura de los tribunales de distrito, se puede decir que ejercían las funciones de los inquisidores en aquellos lugares alejados de la sede y que no podían ser visitados regularmente. Comisarios y familiares son dos figuras que van prácticamente unidas, estando la primera de ellas jerárquicamente por encima de la segunda. Los excesos y abusos protagonizados por éstos fueron constantes y muy criticados en estancias superiores. La figura del comisario data de 1530 y figuran como funcionarios sin sueldo, pese a lo cual fue una actividad muy demandada, ya que transmitía gran prestigio y resultaba un perfecto trampolín para el acceso a puestos de mayor influencia en la escala del tribunal. Formaron parte de la red desplegada por el Santo Oficio para impedir la entrada de judeoconversos portugueses y ejercían funciones de similares características en puertos y pasos fronterizos. Ante la ausencia del inquisidor los comisarios tenían potestad para iniciar el procedimiento inquisitorial según reglas que les eran establecidas, de forma que eran receptores de denuncias y delaciones e interrogaban testigos. Con todo ello, creaban un informe que era enviado a los inquisidores para que comunicaran la manera de proceder en cada caso. También estaban facultados para ejercer funciones de carácter interno, como publicación de edictos o contratación de personal para los diferentes puestos del tribunal. Los comisarios, por su papel de enlace entre familiares e inquisidores, solían ser elegidos entre los clérigos locales y debían de cumplir, aparte de los preceptivos informes sobre su genealogía o limpieza de sangre, ciertas condiciones alusivas a su capacidad y ascendencia social. Esto último fue extremándose con el paso del tiempo hasta componer una clase de marcado carácter elitista.

Despensero de los presos. Su misión era la de servir la comida a los reos en función de lo que le fuera estipulado para cada uno de ellos. Esta diferenciación venía establecida por los aportes que familiares y amigos hacían para el sustento del preso o por los bienes que le habían sido incautados cautelarmente y de los cuales se valía para su alimentación y manutención. Como su propio nombre indica, tenía a su cuidado la despensa de las cárceles.

Médico. Tenía un papel de máxima importancia, principalmente en el caso de decretarse tortura, pues era el encargado de vigilar la salud del preso de manera que no sufriera *quebranto de huesos o daños en los miembros.* Si consideraba en peligro la vida del reo, tenía facultades para solicitar la paralización de la tortura. Además, cuidaba de la salud general de los encarcelados. También se le denominaba Físico.

Barbero o sangrador. Ayudante del médico. Se ocupaba por igual de la salud de los reos y de los inquisidores y oficiales del Tribunal.

Personas honestas. Su obligación era proceder a la ratificación de las declaraciones de los testigos en causas de fe, aunque también hacían lo propio con aquellos que comparecían en los casos sobre limpieza de sangre para el acceso a los tribunales inquisitoriales. Su número variaba entre dos y cuatro por cada sede y solían ser religiosos dominicos o franciscanos. Donde no llegaban las personas honestas, las ratificaciones corrían a cargo de los comisarios.

Familiares. Eran oficiales permanentes de los tribunales de distrito aunque sin salario, como ocurría con los comisarios. También eran cargos muy solicitados que permitían, después de un tiempo de su desempeño, acceder a puestos de mayor relevancia. Ejercían sus funciones, principalmente, en regiones distantes de la sede del tribunal y fueron informadores o espías que en determinados momentos y lugares tuvieron autorización para portar armas. Se buscaba para el acceso a la familiatura personas *«buenas, abonadas, de buena vida, fama, conversación y no bulliciosa ni escandalosa».* No estaban sujetos a la jurisdicción civil y en los primeros años de su funcionamiento, quizás por una selección poco rigurosa, fueron protagonistas de escándalos y excesos que llevaron al cardenal Cisneros a establecer normas muy severas para el acceso a esta condición. Así, éstos debían de ser hombres casados, viudos o clérigos, de buena conducta y residentes en el lugar donde ejercieran. No serían admitidos extranjeros y se les proporcionaría un documento que acreditase el cargo de familiar de la Inquisición. Igualmente, se les pedía compostura en el vestir y la obligación de identificarse si por algún motivo se veían envueltos en la comisión de un delito. En caso de no hacerlo, perdían el beneficio del fuero al que estaban sujetos.

Su participación no se limitaba a labores informativas, sino que podían ser usados en misiones de persecución y detención de herejes o sospechosos de herejía. Su número creció vertiginosamente a pesar de las indicaciones en sentido contrario, llegando a ser motivo de preocupación de Consejo de la Inquisición. Si en un principio la procedencia de los familiares recayó en las clases populares −labradores y artesanos− la tendencia fue, al igual que en el caso de los comisarios, hacia un incremento de la nobleza en dichos puestos, principalmente por la consideración social de la que gozaban y las ventajas inherentes a su desempeño.

Notario. Ejercían las funciones de secretarios en los lugares administrados por los comisarios por lo que levantaban actas de cuantas diligencias eran llevadas a cabo.

La Inquisición
y los moriscos

La actividad inquisitorial contra los moriscos sigue prácticamente el mismo desarrollo que la empleada contra los judeoconversos, ya que en uno y otro casos el detonante fue el mismo: una religión fuertemente asentada entre una población que fundamenta la esencia de sus costumbres y señas de identidad en dicha práctica religiosa y que de forma repentina pretende ser erradicada mediante una política represora que no ofrece más alternativa que la «conversión» a un nuevo credo: el cristianismo. Y una vez más se olvida el principio de la predicación como único procedimiento evangélico de actuación que puede llegar a ser realmente eficaz.

> «Tomad el yelmo de la salvación y la espada del espíritu, que es la palabra de Dios, con toda suerte de oraciones... para que, al abrir mi boca, se me conceda la Palabra para dar a conocer con franqueza el misterio del Evangelio... y hablar de él como conviene.»[132]

Y así, la historia se repite. Hubo musulmanes que optaron por abandonar los territorios que les habían arrebatado los cristianos antes de consentir que les arrebatasen, también, su religión y su fe; pero los más abrazaron formalmente el cristianismo y continuaron a escondidas con la práctica de sus convicciones religiosas más profundas.

De nuevo Juan Antonio Lloreste recoge, de entre los Edictos de Fe publicados por la Inquisición, aquellos indicios relativos a la apostasía de los moriscos, muestras, a veces folclóricas, del proceder de estos conversos en su vida cotidiana. Reunidas en veinticinco manifestaciones, algunas de carácter meramente verbal, Llorente nos las muestra una a una, no sin antes advertir que «... hay muchas indiferentes y capaces de hacerlas y decirlas al católico más firme ...».

---

[132] San Pablo (*Ef.*, 6, 17-20).

– Hablar bien de la secta de Mahoma.

– Decir que no hay otra para llegar al paraíso.

– Decir que Jesucristo era profeta y no Dios.

– Negar la virginidad de la madre de Jesús.

– Guardar el viernes como día de fiesta, comiendo carne y vistiéndose con camisas limpias y vestidos mejores que otros días.

– Degollar aves o ganado atravesando el cuchillo, dejando la nuez en la cabeza, volviendo la cara hacia el oriente y diciendo *vizmiley* al tiempo de atar los pies a las reses.

– Negarse a comer carne de ganado no degollado o degollado por una mujer.

– Practicar la circuncisión a sus hijos y ponerles nombres moros.

– Decir siempre que la única fe es la que hay que tener en Dios y en Mahoma, que es su profeta.

– Jurar por todos los juramentos del *Corán*.

– Guardar el r*amadán* ayunando, dando limosnas y sin comer ni beber hasta después de ver la primera estrella.

– Hacer el *zohor*, levantándose a comer antes de que amanezca, lavándose la boca y volviéndose a la cama.

– Practicar el *guado*, lavándose los brazos de las manos a los codos y la cara, boca, narices, oídos, piernas y partes pudendas.

– Hacer el *zala*, volviendo el rostro al oriente, poniéndose sobre una estera, alzando y bajando la cabeza y rezando oraciones de mahometanos como el *anduliley*, el *col* o el *alaguhad*.

– Guardar la fiesta del canero, matándolo después de hacer el *guado*.

– Casarse por el rito mahometano.

– Cantar cantares de moros o hacer *zambras* y *leilas*.

– Guardar los cinco mandamientos de Mahoma.

– Poner sobre sus hijos una mano con los dedos extendidos en memoria de los cinco mandamientos.

– Lavar a los difuntos, amortajarlos con sábanas nuevas, enterrarlos en tierras vírgenes o sepulturas huecas, ponerlos de lado con una piedra a la cabeza y dejar en la sepultura ramos verdes, miel, leche y otros alimentos.

– Invocar a Mahoma en sus necesidades.

– Decir que no se bautizaron creyendo en la fe católica y que benditos sus padres y abuelos por haber muerto moros.

– Decir que el moro se salva en su secta y el judío en su ley.

– Haber pasado a Berbería y apostatado del cristianismo.

– Hacer o decir cualquier otra cosa que es propia del mahometismo.

Granada: el último reducto musulmán

Granada fue la chispa que desencadenó la masiva conversión de mudéjares, primero en el propio reino granadino, entre 1501 y 1510, y posteriormente, en 1520 y 1526, en Valencia y Aragón. Las comunidades árabes estaban asentadas prácticamente a lo largo y ancho de toda la Península Ibérica aunque con una concentración demográfica desigual. La reconquista de los territorios peninsulares efectuada por los cristianos durante los siglos precedentes no trajo consigo la expulsión de los habitantes musulmanes que los ocupaban (los mudéjares), en parte porque hubiera supuesto la despoblación de las ciudades y el abandono de las tierras de cultivo. Los impuestos que les fueron aplicados contribuyeron a la economía de los reinos cristianos, de forma que se rentabilizó enormemente en los mismos la presencia del «vencido». Por su parte el pueblo árabe, una vez superado el trauma de la pérdida de su hegemonía, no encontró motivos suficientes para abandonar sus casas y haciendas, ya que se le permitió mantener su vida en las morerías y conservar todo aquello que le proporcionaba su identidad como musulmán: mezquitas, vestimenta, idioma, costumbres...

A mediados del siglo XV quedaba Granada como único reino moro por conquistar. Era evidente el deseo de los Reyes Católicos por incorporarlo a Castilla, pero no era menos cierto que la multitud de problemas de carácter interno a la que los reyes debían prestar atención desaconsejaban una empresa en ese sentido: era preciso atender a la pacificación de Castilla tras la guerra civil desatada entre los partidarios de Isabel y los de Juana la Beltraneja y organizar económica y administrativamente el reino. Sin embargo, en 1481 el sultán Muley Hacén atacó por sorpresa la fortaleza de Zahara, rompiendo la tregua que mantenía con Castilla. La reacción de los castellanos fue la toma de Alhama a cargo del marqués de Cádiz.

Estos dos episodios marcan el inicio de una larga guerra que desde 1481 hasta 1492, con la toma de Granada, va anunciando la caída del último reducto del imperio musulmán en la Península. Alhama resistió los sucesivos embites de Muley Hacén mientras que Fernando el Católico se empeñaba en la conquista de Loja sin conseguirlo. A este fracaso se une, más tarde, la derrota de los españoles en el barranco de la Aljarquía en 1482. Sin embargo, Lucena fue testigo en 1483 de la incapacidad mora para derrotar a un ejército como el castellano que, aunque organizado de manera improvisada, se batió con tal coraje que el enemigo salió huyendo. Comandando las tropas árabes se encontraba el mismísimo Boabdil, hijo de Muley Hacén y por entonces rey del sultanato tras conseguir escapar de la torre donde su padre le tenía prisionero y de haber protagonizado los motines internos que acabaron con la huida del propio Muley Hacén al castillo de Mondújar. Boabdil fue apresado por Martín Hurtado, regidor de Lucena. La captura del Rey Chico sirvió para diseñar toda una estrategia basada en la conveniencia de debilitar la maltrecha unidad interna del sultanato, optándose para ello por dejar en libertad al rey Boabdil bajo un buen número de condiciones que, sin cuestionar su soberanía sobre Granada, anunciaban su pronta desaparición: en primer lugar, Boabdil pasaba a ser aliado de los Reyes Católicos en la guerra contra su padre Muley Hacén y su tío el Zagal; Castilla recobraría el tributo de vasallaje, cifrado en doce mil doblas de oro al año, Granada pondría en libertad a cuatrocientos prisioneros cristianos sin rescate alguno y permitiría a las tropas españolas el paso por sus territorios, procurándoles los víveres necesarios, cuando éstas tuvieran que combatir contra sus enemigos. Para responder de todo lo pactado los españoles tomaron como rehenes a los hijos de Boabdil y de dos de sus más fieles ministros.

Con el reino de Granada en descomposición y destruyéndose lentamente a causa de los continuos enfrentamientos entre facciones rivales, el marqués de Cádiz recupera en 1483 la plaza de Zahara sin apenas resistencia. El objetivo siguiente se fijó en dirección a la provincia de Málaga, que se encontraba bajo el dominio de Muley Hacén y de su hermano el Zagal, cayendo bajo el dominio castellano las plazas de Alora y Setenil entre los meses de junio y septiembre de 1484, y un año más tarde la estratégica villa de Ronda. Paralelamente al avance cristiano, el conflictivo entramado del poder musulmán siguió deteriorándose sin que se vislumbraran posibilidades de una unidad entre los moros, fundamental a la hora de plantearse una defensa firme y eficaz frente al ejército cristiano. Boabdil es destronado nuevamente por su tío Abu Abdallah Muhammad ibs Saad, el Zagal, dejando de lado a Muley Hacén. Los partidarios del nuevo rey asesinan en Almería a Yusuf, hermano de Boabdil, y los Reyes Católicos, a cuyos fines les favorece indiscutiblemente la guerra civil, toman nuevamente la decisión de ayudar con su ejército al rey Chico para que éste reconquiste sus posiciones. Toda esta maraña de intereses desemboca en un nuevo y obligado entendimiento entre los abencerrajes (seguidores de Boabdil) y zegríes (partidarios de el Zagal) que proceden al reparto del reino granadino. La Alhambra, Almería, Málaga, Vélez Málaga y las Alpujarras quedan bajo dominio de los zegríes. Boabdil adquiría el control del Albaicín y del resto de las provincias y ciudades, entre las que se encontraba Loja, destacada plaza que había resistido años antes el empuje de Fernando el Católico. Pero esta vez no podría contener el asalto real y el 28 de mayo de 1486 presenta su rendición y con ella la del propio Boabdil a quien, por la traición y deslealtad cometida, los Reyes le retiran el título de rey de Granada aunque le permiten adquirir los de duque y marqués de Guadix.

A continuación el ejército cristiano constituye un frente occidental de avance que va axfisiando los emplazamientos más orientales de los territorios que aún permanecen en poder de los moros mientras caen ciudades como Mochín, Montefrío o Coín. En el año 1487 se rinden los emplazamientos de Vélez Málaga y Málaga —esta última después de tres meses de asedio y ante el acoso de un fabuloso ejército de más de setenta mil hombres—, y en 1488 pasan a ser dominio castellano Vélez Rubio, Huerecal, Vera y Mojácar. El Zagal, cada vez más acorralado en sus mermados dominios y falto de moral, entrega Baza a través de su cuñado Yahya Alnayar el 4 de diciembre de 1489 y el 23 de diciembre Almería, obteniendo a cambio los señoríos de Decrín y Andara en las Alpujarras, una renta de cuatro millones de maravedíes y conservando, a su vez, el título de rey.

Por su parte Boabdil rompe los acuerdos establecidos en las capitulaciones de Loja, y se niega a entregar la ciudad de Granada. Aduce como justificación los ánimos exaltados de la ciudadanía, mientras espera la llegada de refuerzos desde el norte de África y el desgaste de las tropas cristianas. Los Reyes Católicos ponen cerco a la capital del reino árabe –estamos en el año 1491– y establecen en sus cercanías un auténtico poblado –Santa Fe– que haga patente su intención de mantener un asedio todo lo prolongado que fuera necesario hasta conseguir el objetivo propuesto. Por fin el 2 de enero de 1492 Boabdil entregaba la ciudad después de firmar unas capitulaciones que, entre otras garantías, aseguraba a los granadinos el libre ejercicio de su religión, lengua, leyes y costumbres, similares a las estipuladas para los habitantes de las otras plazas ya rendidas. Como novedad aparecía la concesión al Rey Chico y su familia del señorío de la Alpujarra. En 1493, Boabdil abandona España y se instala en Fez, donde muere en 1527.

Capitulaciones y Mahometismo

El concierto elaborado para establecer las bases de la rendición incluía la ciudad de Granada, el barrio del Albaicín y sus arrabales y se extendía hasta las Alpujarras incorporando villas y fortalezas, así como a toda su población bajo la denominación genérica de «... el común ...» que después precisaba «chicos y grandes, así hombres como mujeres, vecinos de ...», y de la cual, en principio, había extraído lo más selecto, citando expresamente a sus máximos dignatarios y autoridad: «... el rey moro y los alcaides y alfaquís,[133] cadís,[134] muftís,[135] alguaciles y sabios y los caudillos y hombres buenos ...». La salvaguarda de las condiciones impuestas en la capitulación mientras éstas se hacían efectivas se realizaba con la toma de rehenes que «... darán al alguacil Jucef Aben Comixa, con quinientas personas hijos y hermanos de los principales de la ciudad y del Albaicín y arrabales para que estén en poder de sus altezas diez días, mientras se entregan y aseguran las fortalezas (...) en el cual tiempo se les dará todo lo que hubieren menester para su sustento; y entregadas, los pondrán en libertad».

El vasallaje de los vencidos a los Reyes Católicos les asegura, en efecto, el amparo real y la garantía de que conservarán sus bienes y propiedades: «(...) y los dejarán en sus casas, ha-

---

[133] Doctores o maestros de la ley.
[134] Juez que entiende en las causas civiles.
[135] Jurisconsulto musulmán cuyas decisiones tienen fuerza de ley.

ciendas y heredades, entonces y en todo tiempo y para siempre jamás, y no les consentirán hacer mal ni daño sin intervenir en ello justicia y haber causa, ni les quitarán sus bienes ni sus haciendas ni parte dello; antes serán acatados, honrados y respetados de sus súbditos y vasallos, como lo son todos los que viven debajo de su gobierno y mando». Obtenían, igualmente, respeto a su religión, leyes y costumbres:

«Que sus altezas y sus sucesores para siempre jamás dejarán vivir al rey y a sus alcaides … y a todo el común, chicos y grandes, en su ley y no les consentirán quitar sus mezquitas ni sus torres ni los almuedanes,[136] ni les tocarán en los habices y rentas que tienen para ellas, ni les perturbarán los usos y costumbres en que están».
(…)
«Que los moros sean juzgados en sus leyes y causas por el derecho del xara[137] que tienen costumbre de guardar, con parecer de sus cadís y jueces.»

En relación con la situación creada tras la toma de Granada, los monarcas son conscientes, a pesar de las condiciones favorables que conlleva la rendición, de que en el ánimo de muchos mudéjares está el abandono de sus tierras y la búsqueda de una nueva vida en otros estados musulmanes, por lo que disponen:

« (…) que quienes quisieren irse a vivir a Berbería o a otras partes donde les pareciere, puedan vender sus haciendas, muebles y raíces, de cualquier manera que sean, a quien y como les pareciere, y que sus altezas ni sus sucesores en ningún tiempo las quitarán ni consentirán quitar a los que las hubieren comprado (…)».

No obstante, esta y otras cláusulas del mismo tono delatan, en el fondo, una decidida política de alivio demográfico del territorio, estableciendo puentes para el paso de los vencidos al continente africano:

«Que a los moros que se quisieren ir a Berbería o a otras partes les darán sus altezas pasaje libre y seguro con sus familias, bienes muebles, mercaderías, joyas, oro, plata … ; y para los que quisieran pasar luego, les darán diez navíos gruesos que por tiempo de setenta días asistan en los puertos donde los pidieren, y los lleven libres y seguros a los puertos de Berbería …Y demás desto, todos los que en término de tres años se quisieren ir, lo puedan hacer, y sus altezas les mandarán dar navíos donde los pidieren, en que pasen seguros, con que avisen cincuenta días antes, y no les llevarán fletes ni otra cosa alguna por ello».

---

[136] Torre de la mezquita o alminar desde donde se convoca al pueblo para que acuda a la oración.
[137] Le ley de los mahometanos derivada del *Corán*.

«*Que pasados los dichos tres años, todas las veces que se quisieren pasar a Berbería lo puedan hacer, y se les dará licencia para ello pagando a sus altezas un ducado por cabeza y el flete de los navíos en que pasaren*».

Otros términos del acuerdo ofrecían un indulto generalizado y la promesa de no perseguir a los moros que hubieran cometido delitos contra los cristianos. Granada, además, se convertía en una ciudad franca bajo el arco protector de las capitulaciones, prometiendo libertad a los cautivos que, habiendo huido de sus dueños cristianos, llegasen a la ciudad, advirtiendo que no podrían ser reclamados ni tan siquiera por los jueces, salvo si eran «canarios o negros de Gelofe o de las islas». Y si al antiguo reino se le dotaba de ciertos privilegios, no eran menos sus ciudadanos a los que se les eximía del pago de *portazgos*[138] «*(...) y otros derechos que los cristianos acostumbran a pagar*» si marchaban a Castilla o Andalucía a comprar o vender productos y mercancías.

El respeto de culto incluía también el de sus templos:

«*Que no consentirán que los cristianos entren en las mezquitas de los moros donde hacen su zalá*[139] *sin licencia de los* alfaquís, *y el que de otra manera entrare será castigado por ello*»

y se imponía la justicia de manera directa a los condenados:

«*Que ningún juez pueda juzgar ni apremiará ningún moro por delito que otro hubiere cometido, ni el padre sea preso por el hijo, ni el hijo por el padre, ni hermano contra hermano, ni pariente por pariente, sino que el que hiciere el mal aquel lo pague*».

No quedó tampoco fuera de las consideraciones de sus leyes lo relacionado con las aguas de Granada:

«*Que sus altezas mandarán guardar las ordenanzas de las aguas de fuentes y acequias que entran en Granada, y no las consentirán mudar, ni tomar cosa ni parte dellas; y si alguna persona lo hiciere, o echare alguna inmundicia dentro, será castigado por ello*»,

ni los temas de herencia, que mandan se mantengan actuando como jueces los cadís.

---

[138] Derechos que se pagan por pasar por un sitio.
[139] Oración.

Por último, afronta el tema de las conversiones: «*Que ningún moro ni mora serán apremiados a ser cristianos contra su voluntad ...*» y en cuanto a las que ya se habían producido añade:

> «*Que no se permitirá que ninguna persona maltrate de obra ni de palabra a los cristianos o cristianas que antes destas capitulaciones se hubieran vuelto moros; y que si algún moro tuviere alguna renegada por mujer, no será apremiada a ser cristiana contra su voluntad ..., y lo mesmo se entenderá con los niños y niñas nacidos de cristiana y moro».*

Los primeros incumplimientos: revueltas y conversiones forzosas en Castilla

La toma de Granada, en conclusión, pone fin a siete siglos de reconquista de los territorios peninsulares ocupados por el islam en su época de esplendor y supone un paso más en el proyecto de los Reyes Católicos de unificación política (y, necesariamente, religiosa) de los reinos de Castilla –que ahora incluye Granada– y Aragón. A partir de entonces los mudéjares se ven envueltos, primero, en una política de estímulo a la emigración, algo que se calcula practicó un tercio de la población musulmana del reino de Granada. Posteriormente, en el año 1500, vendría el hostigamiento y el incumplimiento de lo acordado en las capitulaciones y, como consecuencia, los primeros brotes de insurrección entre los moradores del Albaicín, que se ven obligados a convertirse al cristianismo si no quieren verse expuestos a abandonar el reino. La responsabilidad, ciertamente, de estos hechos fue de los Reyes Católicos, quienes consintieron la dureza de las actuaciones de fray Francisco Jiménez de Cisneros, sucesor de fray Hernando de Talavera como arzobispo de Granada. Cisneros implantó una política de persecución del mahometismo nada acorde con la llevada a cabo por su predecesor Talavera. Es muy conocido el episodio de la plaza de Bibarrambla, donde Cisneros mandó quemar los ejemplares del *Corán* confiscados a los granadinos y la consiguiente indignación del pueblo, especialmente de sus doctores religiosos o alfaquíes. Será, por tanto, a principios del siglo XVI cuando surja el problema de los moriscos, tras una conversión no solamente forzosa, sino además descuidada y exenta de fundamentos, lo que va a provocar, a la postre, una vuelta a las raíces religiosas musulmanas.

Las provocaciones de Cisneros acabaron con la esperanza de los árabes granadinos de mantener su autonomía e independencia dentro del vasallaje pactado con los reyes cristianos. Muchos se negaron a aceptar las alternativas propuestas por los monarcas y decidieron refugiarse en las sierras de las Alpujarras, Ronda o Sierra Bermeja, donde estallaron violentos levantamientos que fueron duramente sofocados y que sirvieron para alimentar los argumentos de aquellos que se manifestaban contrarios a la convivencia con los mahometanos y al mantenimiento de dicha religión. Esto sucedía en 1501. Un año después se hace extensiva al resto de Castilla y León la obligación de la conversión forzosa al cristianismo, iniciada en Granada a través de una Pragmática de 12 de febrero, en la que únicamente cabía como alternativa a la expulsión la mudanza religiosa.

Las primeras conversiones enriquecen la «nomenclatura» aplicada a los vecinos musulmanes, y así, el término *moro* venía a definir de forma genérica a todos aquellos individuos de raza árabe y confesión mahometana que no estaban sujetos a otra condición o estatuto que no fueran los derivados de su propio linaje y religión y que, en un principio, habitaban territorios propios, es decir, que no estaban incorporados a la cristiandad. El término *mudéjar* surge para designar a los musulmanes que son reconocidos oficialmente como tales en sociedades y ámbitos cristianos, constituyendo minorías comúnmente aceptadas y toleradas. A los mudéjares también se les conocía como «musulmanes hispanos». Y reciben el nombre de *moriscos* aquellos mudéjares que eligen permanecer en unos territorios en los que ha sido prohibida la religión mahometana, por lo que han debido renegar de su religión y abrazar el cristianismo.

En siglos anteriores la conquista de las plazas y territorios árabes hacía imprescindible la presencia mudéjar en los mismos, evitando así la despoblación y contribuyendo, indudablemente, a la mejora de la economía de los reinos cristianos. Pero en estas fechas las circunstancias eran otras. La larga guerra que concluyó con la toma de Granada había movilizado a numerosos nobles a los que se quiso compensar con tierras en las productivas vegas andaluzas, algo que determinó las campañas de emigración inmediatas a la caída de la capital. No obstante, en el conjunto del reino de Castilla la comunidad árabe, aunque muy diseminada, desarrollaba en el campo labores agrícolas muy bien consideradas por los dueños de las tierras, y en las ciudades, toda clase de oficios, por lo que de haberse hecho efectivo un destierro masivo de musulmanes habría ocasionado un importante quebranto.

Los sucesos del Albaicín y las Alpujarras (1501) tienen lugar un tiempo después de varios intentos fallidos de instauración de un Tribunal de la Inquisición en Granada.[140] El 2 de marzo de 1492, la designación por el tribunal inquisitorial de Córdoba de Andrés de Medina como «*receptor de bienes confiscados por el delito de herejía*» para el arzobispado de Granada, revela la intención de que las causas granadinas quedaran comprendidas dentro del distrito cordobés. Pero hasta el 7 de septiembre de 1499 no se producirá el nombramiento de Diego Rodríguez Lucero como inquisidor de Granada, lo que indica la existencia en esta ciudad de un tribunal propio. En cualquier caso, en febrero del año 1500 parece suprimido este nuevo tribunal con apenas cinco meses de existencia, pasando a depender del de Jaén aunque hasta 1526, fecha de la instalación definitiva de un tribunal permanente en Granada, los asuntos relativos a este distrito parecen ser tratados a veces de manera autónoma y otras, como en 1502 o 1507, por los instituidos en Jaén y Córdoba, respctivamente. La concordancia temporal entre las primeras conversiones, las revueltas de moriscos tras

---

140 Contreras, J. y Dedieu, J.P. *Historia de la Inquisición en España y América*. Vol. II. *Op. cit.*

las capitulaciones en el Albaicín, Huerja y las Alpujarras y las pretensiones de llevar a los inquisidores hasta las mismas puertas de la Alhambra, hacen pensar que son algo más que sucesos casuales y predisponen a una interpretación que reservaría a la Inquisición un papel influyente en la disposición levantisca de los mudéjares no bautizados.

Los moriscos granadinos y castellanos fueron aconsejados por sus *muftí* sobre la forma de mantener las apariencias de cristianos mientras cumplían de manera escondida o disimulada los preceptos islámicos. Así, en la conocida *fatwa*[141] de Al Magrawi, de principios del siglo XVI, se describe la forma de compaginar las obligaciones de un mahometano con el cumplimiento de los deberes cristianos que se resumían en «negar con el corazón» todo aquello que pudiera afirmarse con palabras o hechos, vaciando de sentido los gestos y ceremonias para quedar todo reducido a lo que los musulmanes llaman *niyya* o intención interior:

> «*Si os obligan al logro o usura, hacedlo, purificando la intención y pidiendo perdón a Dios. Y si os dicen que denostéis a Mahoma, denostadlo de palabra y amadlo a la vez con el corazón, atribuyendo lo malo a Satanás o a Mahoma el judío. Para cumplir con la purificación os bañaréis en el mar o en el río, y si esto os fuese prohibido, hacedlo de noche, y os servirá como si fuese de día*».

Así va desgranando el modo de practicar la oración, el *atayamum* o ablución sin agua y recorre conductas como las de beber vino o las de comer cerdo, prohibidas por el islam. Aunque desde esta perspectiva, la visión del problema se ve afrontada de una manera realista lo cierto es que predominaron las *fatwa* aconsejando el abandono del país y el asentamiento de las familias mudéjares en territorios musulmanes.

Mudéjares en Aragón. Las Germanías como detonante de la política represora en Valencia

El ejemplo seguido en Castilla no fue aplicado de inmediato en Aragón como podría llegar a pensarse. El venticinco por ciento de su población era musulmana y, fundamentalmente, se ocupaban de las labores agrícolas, siendo muy apreciados por sus técnicas de labranza, su disposición al trabajo y su obediencia. Por sus manos pasaban las tareas de explotación de las grandes haciendas y resultaban imprescindibles en la economía aragonesa. La idea de una despoblación de la comunidad mudéjar presionada por la política de conversiones era rechazada abiertamente por los terratenientes, una clase formada en su mayoría por nobles con gran influencia y poder en las altas instancias. A esto habría que añadir el poder de las Cortes, que ya había expresado en repetidas ocasiones su discon-

---

[141] Una *fatwa* es la respuesta jurídico-teológica a una consulta.

formidad con el proceder de la Inquisición en los casos seguidos contra los judeoconversos y que culminaron, en 1512, con la presentación de veinticinco artículos acordados con el Rey tendentes a limitar los excesos del Santo Oficio en sus actuaciones. Además, Aragón gozaba de fueros y leyes propias que las Cortes defendían convenientemente. Fernando el Católico tuvo que atender las razones del gobierno y la nobleza renunciando a la adopción de medidas como las contenidas en la Pragmática promulgada para Castilla. Esta toma de posición en su política le llevó a solicitar a los tribunales del Santo Oficio aragoneses (Valencia, Barcelona, Zaragoza, Lérida y Las Palmas) una ralentización en las tareas inquisitoriales y la contención en las campañas de conversiones forzosas.

Esta voluntad de no beligerancia en el tratamiento del problema mudéjar se ratificó en 1510 en las Cortes celebradas en Monzón. A la muerte de Fernando el Católico (1516), Carlos V mantuvo la misma política al respecto, según se acordó en las Cortes celebradas en Zaragoza en el año 1519.

Diferente panorama se comenzó a divisar a partir de ese mismo año con la sublevación en Valencia de las llamadas *germanías* o hermandades. La presencia en la costas levantinas de piratas turcos y berberiscos hizo temer un inminente ataque corsario aprovachando, además, una situación de cierto desconcierto interno a causa de una epidemia que asolaba las tierras valencianas. Los gremios exigieron del rey la provisión de armas en virtud de un privilegio acordado con Fernando el Católico años antes. Agrupados en germanías, derivaron el conflicto hacia un enfrentamiento con la aristocracia terrateniente, detentadora del poder local, solicitando del monarca su inclusión en el gobierno de la ciudad. En 1520, atendiendo a sus reivindicaciones, obtienen dos de los seis puestos del Consejo municipal. La sublevación, lejos de replegarse por los éxitos conseguidos, se extiende hacia las zonas rurales y compromete al campesinado de huertas y tierras de realengo en su lucha contra nobles y hacendados. Estos explotaban sus propiedades gracias al trabajo de los mudéjares, que se vieron de pronto en el centro de la disputa. Su bautismo era un arma de gran valor contra los terratenientes pues los excluía del pago de las rentas establecidas para los moros, mayores que las que satisfacían los cristianos. La conversión se impuso de forma masiva alcanzando, según Llorente, a dieciséis mil mudéjares a los que no dieron ninguna opción salvo la de morir a manos de los agermanados. El conflicto logró extenderse por toda Valencia y mantenerse durante un período de dos años, en los cuales se libraron duros combates entre los sublevados y las tropas reales comandadas por Hurtado de Mendoza, el duque de Segorbe y el marqués de los Vélez. En 1522 es derrotado y apresado Vicent Peris, uno de los líderes del movimiento rebelde y procedente del gremio de los alpargateros, entrando las fuerzas del emperador en Valencia y dando por concluido el conflicto en la capital. El punto y final a las germanías valencianas se produce en 1523 con la victoria sobre la facción de El Encubierto, que muere asesinado en Burjasot ese mismo año después de que fuera puesto precio a su cabeza.

La represión de los agermanados tras la victoria de las tropas reales fue contundente, decretándose numerosas penas de muerte y la pérdida de propiedades y bienes. El temor a que las persecuciones se propagasen a los recién convertidos produce una primera oleada de exiliados entre los moriscos, que dejan tierras y hogares para viajar a Marruecos, Túnez, Argelia o Libia, mientras que otros tantos eligen zonas de la Península menos acosadas para mudarse. De hecho, se produce un acomodo demográfico iniciado ya tímidamente en Castilla a consecuencia de la Pragmática de conversión de 1502. Entonces, y a pesar de que la cifra de mudéjares que decide abandonar el país es relativamente baja si la comparamos con la producida en el antiguo reino de Granada y de que, como ya se ha dicho, no se eligió el modelo de incentivar el destierro, se va fomentando desde la Corona el traslado de cristianos viejos a los asentamientos que van quedando despoblados; un fenómeno que se repetirá durante todo el tiempo que dura la política de hostigamiento a los moriscos. La consecuencia directa es la transformación de las morerías o aljamas, que pasan de ser reductos exclusivos de las comunidades árabes a cobijar una mezcla racial y confesional que no terminó nunca de entenderse y que, muy al contrario, generó multitud de desavenencias y conflictos.

Las germanías cambian por completo los planteamientos de Carlos V con respecto a los mudéjares. A partir de entonces los verá como un elemento perturbador en sí mismo, además de por la facilidad con que podían ser instrumentalizados para fines contrarios a los intereses de la Corona. Teniendo como referencia las soluciones adoptadas por su abuelo materno, decide extender al reino de Valencia la política de conversiones llevada a cabo con granadinos y castellanos planteando de nuevo el dilema de bautismo o expulsión. Y así se hizo el 31 de enero de 1526 después de que el 25 de noviembre de ese mismo año se diera un último plazo de treinta días para formalizar la conversión.

Antes, Carlos V tuvo que sortear los problemas que se le plantearon por su juramento de adhesión, en las Cortes de Zaragoza de 1519, a los postulados que solicitaban protección para los moros de las provincias aragonesas. Además, había que resolver la duda sobre la legitimidad de los bautismos llevados a cabo por los agermanados, ya que si se demostraba que habían sido conversiones forzadas, sin el consentimiento de los interesados, debían de ser consideradas como nulas de pleno derecho. Este último problema fue dirimido, entre febrero y marzo de 1525, por una Junta convocada por Carlos V que reunió, entre otros, al Inquisidor General Alonso Manrique de Lara y a miembros del Consejo de Castilla, de Aragón, del Consejo de Indias y de la Inquisición, admitiendo como válido el sacramento administrado por los agermanados en virtud de un único argumento: el consentimiento de los moros para evitar un mal mayor se manifestaba en la ausencia de una oposición efectiva al bautismo lo que expresaba la voluntad de recibirlo.

Una difícil asimilación

La conversión masiva propiciada por circunstancias adversas y sustentada exclusivamente en la necesidad no podía terminar cuajando en una comunidad de convencidos creyentes. Así lo vieron muchos religiosos que pronosticaron el fracaso de estas asimilaciones, pese a lo cual se pidió a los inquisidores que consideraran a estos nuevos conversos como creyentes en todos sus términos y procedieran contra ellos si manifestaban conductas de carácter herético.

En cuanto a los acuerdos que surgieron de las Cortes de Zaragoza celebradas en 1519, Carlos V quedó eximido de los mismos por el Papa el 12 de marzo de 1524, lo que abría las puertas al aniquilamiento del mahometismo en la Corona de Aragón y acercaba a España a una unidad religiosa largamente perseguida. A partir de entonces, los esfuerzos en Valencia se orientaron hacia los moros aún no convertidos, ordenando su bautismo en septiembre de 1525 y prometiéndoles igual trato que a los cristianos.

En definitiva, el frente abierto con la decisión de acabar con las comunidades moras se había escindido tras quedar patentes las dificultades para conseguir una abjuración sincera del mahometismo y un abandono definitivo de sus ritos y ceremonias. Por un lado, se intentaba atraer al bautismo a los mudéjares que todavía resistían apegados a su religión y por otro, se tomaban medidas para evitar la reincidencia de los moriscos. Los meses previos a la orden de salida de los no convertidos fueron prolijos en mandamientos a los nuevos cristianos. En mayo se les advertía públicamente de que la vuelta a los preceptos de Mahoma llevaría aparejada la pena de muerte y la confiscación de bienes; en octubre, se les prohíbe la venta de sus pertenencias y en noviembre se hace público un edicto de la Inquisición animando a denunciar a todos aquellos que fueran sorprendidos en actitudes que demostraban una vuelta a su anterior confesión.

Por entonces, a los moros, según cuenta Llorente, se les obligó a llevar un distintivo en el sombrero de color azul y forma de media luna y les fueron requisadas todas sus armas. También se les prohibió cualquier manifestación pública de su religión y fueron cerradas todas sus mezquitas.

Los templos mahometanos ya habían sido objeto de atención de la Santa Sede en 1524, aconsejando que a medida que los moros se fueran convirtiendo a la fe católica, las mezquitas se fueran adaptando y consagrando como templos cristianos. Una iniciativa similar había tenido lugar en Castilla en 1505. La conversión de los habitantes del valle murciano de Ricote por propia iniciativa promueve un pacto con Fernando el Católico relativo a las condiciones de su asimilación. Debido a que su pobreza les impedía proceder a la construcción inmediata de iglesias, el monarca solicitó del papa Julio II autorización para acometer la labor de transformación de sus mezquitas, permiso que fue otorgado mediante bula de 23 de septiembre de ese mismo año.

La pretensión de que estas conversiones no supusieran exclusivamente un mero cambio confesional, sino que trajeran consigo la equiparación de los nuevos cristianos con los viejos se entendía a todos los niveles: a la vestimenta, al idioma, al trato fiscal, a la organización de las villas e incluso a los apellidos.

Algunas de estas modificaciones no llegaron a materializarse de forma efectiva, al menos en ciertas regiones del país en las que los nobles no aceptaban una rebaja en las rentas que percibían de sus vasallos moros por el mero hecho de haberse convertido en cristianos, lo que provocó las quejas de la comunidad morisca reclamando igualdad en el pago de tributos y exponiendo la forma en que los señores de los lugares donde vivían les demandaban «*los derechos que solían pagar en tiempos de moros en forma de diezmos, almaguanas, cabezajes, alquilates, dulas, alfarras, leña, paja y gallinas*». Los *cabezajes*, por ejemplo, consistían en el pago de 18 maravedíes por cada persona mayor de 15 años –para los menores de dicha edad se abonaba el derecho de *hornos*, estipulado en 2 maravedíes–. La *alfarra* estaba ajustada en un celemín de cebada por cada persona, fuera ésta mayor o menor de edad, mientras que el *alquilate* se pagaba por la venta de propiedades y frutos y la *alfama* era el diezmo de trigo y cebada obtenido en los campos de cultivo. En el caso de aquellos que tenían obligaciones con los comendadores, a estas contribuciones se añadían dos gallinas y cuatro cargas de leña y dos días de trabajo allí donde fuera necesario.

La forma en el vestir fue tratada con condescendencia, otorgándose plazos para que se sustituyeran los tradicionales atuendos moros por los nuevos ropajes cristianos. La antigua convivencia entre las diversas comunidades que poblaron los reinos de la Península no había conseguido una forma de vida homogénea en estos aspectos, entre otras razones porque tanto las morerías como las juderías persistieron a lo largo de los siglos como núcleos cerrados con escasa relación con los otros vecinos, precisamente para mejor conservar sus rasgos de identidad. El embajador de Venecia en visita a España en 1525 relataba así la forma de vestir de una mujer morisca:

«*Todas las mujeres visten a la morisca, que es un traje muy fantástico: llevan la camisa que apenas les cubre el ombligo, y sus zaragüelles, que son unas bragas de tela pintada, en las que basta que entre un poco la camisa, las calzas que se ponen encima de las bragas, sean de tela o de paño, son tan plegadas y hechas de tal suerte que las piernas parecen extraordinariamente gruesas; en los pies no usan pantuflas sino escarpines pequeños y ajustados; pónense sobre la camisa un jubón pequeño con las mangas ajustadas, que parece una casaca morisca, los más de dos colores; y se cubren con un paño blanco que llega hasta los pies (...); llevan en la cabeza un tocado redondo, que cuando se ponen el manto encima toma éste su forma (...)*».

También tuvieron que efectuarse modificaciones en la estructura de los gobiernos locales. La jerarquización instaurada en las aljamas dio paso a los concejos, eligiéndose alcaldes y alguaciles. De más difícil solución fue la adaptación de las costumbres moriscas de celebrar matrimonios entre primos o hermanos, algo permitido en las leyes islámicas pero que fue prohibido en el momento de su cristianización aunque se respetaron los que ya existían.

El último intento de la comunidad árabe valenciana para obtener garantías del poder real que minimizaran el impacto de la conversión se produjo en el mes de enero de 1526, poco antes de la fecha acordada para la expulsión de aquellos que no aceptasen el bautismo. Reunida una delegación de mudéjares con el Inquisidor General Alonso Manrique, éste intercedió ante el Emperador obteniendo algunas modificaciones en las pretensiones iniciales de la Corona. Así, por ejemplo, se acordó un plazo de diez años para que los nuevos cristianos pudieran adaptarse al cambio de vestimenta y de lengua. Frente a la solicitud de igualdad en el trato fiscal, el Monarca se remitía a los contratos que tuvieran suscritos con los señores, no permitiendo mayor carga que la que sufrían los cristianos viejos. Se accedió también a establecer un plazo expreso de cuarenta años durante el cual no actuaría la Inquisición contra los recién convertidos. Éstas y otras cuestiones de parecida índole zanjaron la problemática de la cristianización, de tal manera que la gran mayoría de moros existentes en el reino de Valencia, aproximadamente 160.000 a principios del siglo XVI, se acomodaron a la nueva religión. Un reducido número determinó huir a las montañas, donde permanecieron un tiempo hasta quedar definitivamente sometidos por los ejércitos del Rey y ser obligados a aceptar el bautismo.

Desaparecida oficialmente la religión musulmana de Castilla, Granada y Valencia, sólo la provincia de Aragón mantenía en sus tierras y ciudades grupos aún no convertidos. Con una población mudéjar de aproximadamente 50.000 habitantes hacia 1495, se encontraban repartidos a lo largo de las zonas de regadío cercanas al Ebro y a sus afluentes de la margen derecha Jalón, Huerva y Jiloca, constituyendo importantes morerías en Zaragoza, Teruel, Albarracín y Calatayud. Los acuerdos alcanzados en 1526 en el reino de Valencia se hacen extensivos ese mismo año a los mudéjares aragoneses, aunque el Emperador recibe las quejas reiteradas de los gobernantes del reino, que le advierten de la inutilidad de una medida tan forzada cuando sería más provechoso permitir el contacto con la comunidad cristiana y esperar que el tiempo los fuera convirtiendo.

La unidad confesional española y la problemática morisca

Pero una cosa era que oficialmente en los reinos españoles existiera una unidad confesional tras siglos de convivencia entre judíos, musulmanes y cristianos, y otra muy distinta que la misma fuese cierta. El problema morisco adopta una serie de particularidades específicas ya se trate de Castilla, Andalucía, Valencia o Aragón, que mucho tiene que ver con la forma desigual en que fueron llevadas a cabo las conversiones y otras circunstancias sociales y políticas, pero que en el fondo participan de la misma realidad: la religión musulmana sigue vigente en la vida y costumbres de los moriscos, y así lo testimonian muchos viajeros que, de paso por España, referían el trato otorgado por los españoles a esta comunidad, a la vez que constataban la casi inexistencia de arraigo cristiano después de casi treinta años de conversión:

> «(...) son cristianos medio por fuerza y están poco instruidos en las cosas de la fe, pues se pone en esto poca diligencia porque es más provechoso a los clérigos que estén así y no de otra manera; por esto en secreto o son tan moros como antes, o no tienen ninguna fe; son además muy enemigos de los españoles, de los cuales no son en verdad muy bien tratados».

Málaga, especialmente, sufría las condiciones más severas por su negativa a pactar la entrega de la ciudad en 1487, lo que impuso a sus habitantes un singular estado de esclavitud y sojuzgamiento. El incumplimiento casi inmediato de las capitulaciones acordadas tras la toma de Granada, mantenían al antiguo reino musulmán en un estado de inquietud que se sumaba a los desmanes que los cristianos habían comenzado a provocar entre los moriscos, después de ocupar las haciendas y casas de los desterrados.

La estancia de Carlos V en Granada durante 1526 sirvió para que le fueran expuestas las quejas de la población morisca al trato recibido tanto por los cristianos viejos como por clérigos, jueces y alguaciles. El Emperador es visitado por los regidores moriscos Fernando Venegas, Diego López Banajara y Miguel de Aragón, que le dan cuenta de los excesos que aprecian en relación con su comunidad. Para corroborar las denuncias son enviados como visitadores el obispo de Guadix, Gaspar de Avalos, fray Antonio de Guevara, el doctor Quintana, el doctor Utiel y el canónigo Pedro López.[142] Las conclusiones a las que llegan no pueden ser más desalentadoras: confirman la existencia de multitud de injusticias y afrentas pero además transmiten al emperador el fracaso de las inciativas de conversión y, según relata fray Prudencio de Sandoval, «(...) veintisiete años había que fueron bautizados, y no hallaron veintisiete dellos que fueran cristianos, ni aun siete(...)». La situación, por tanto, exigía una respuesta calibrada y reflexiva, razón por la que se convoca una Junta de características similares a la que entre febrero y marzo de 1525 analizó los bautismos llevados a cabo por los agermanados en Valencia. La Congregación de la Capilla Real, como se conoce a esta reunión de notables que presidió el Inquisidor General Alonso Manrique de Lara, proyecta toda una serie de medidas encaminadas a posibilitar la absoluta inserción de los moriscos en la religión cristiana y endurece el control sobre las costumbres que éstos

---

142 Benítez Sánchez Blanco, R. «Carlos V y los moriscos granadinos» en *Historia de la Inquisición en España y América*, vol. I. *Op. cit.*

habían mantenido hasta entonces. Entre sus conclusiones cabe destacar la instauración del Santo Oficio en Granada de manera definitiva y la obligación de mudar el traje morisco por el de los cristianos, cuestión ésta que posteriormente Carlos V, atendiendo las razones de los principales dirigentes de la comunidad, deja en suspenso a cambio de una suma cifrada en 80.000 ducados. Con esta cantidad de dinero también se consigue evitar la confiscación de bienes por parte de la Inquisición en los casos constatados de reincidencia, así como el ejercicio de la censura sobre otras cuestiones de manera moderada.

Hay que recordar en este punto que la idea de una aculturación progresiva de la nueva comunidad de cristianos –los moriscos– nació poco tiempo después de la conquista de Granada y tuvo su exponente más significativo en la persona de fray Hernando de Talavera, primer arzobispo granadino. Este prelado era de la opinión de que para llevar a cabo una auténtica conversión de los mudéjares era preciso partir de un conocimiento profundo de sus leyes, costumbres e idioma para, a partir de ahí, orientar la evangelización buscando la persuasión y el convencimiento antes que una imposición forzada e injuriosa de la doctrina cristiana. Pero tras fray Hernando de Talavera se impuso la «línea dura» de Cisneros, que lleva a cabo, más que un proceso de cristianización, la ejecución de una política tan intransigente como exenta de comprensión. Y así, los moriscos debían proceder a una transformación absoluta que les obligaba a desarraigarse de su cultura para imbuirse plenamente en otra. Era preciso, pues, aprender una nueva lengua, vestir de manera diferente, comer y beber lo mismo que los cristianos, rezar las mismas oraciones, casar de igual manera, etc. Así, en las *Amonestaciones* que Talavera dirige a los habitantes del Albaicín en 1499, se van repasando todos los preceptos que deben de ser observados para ser «buenos cristianos», incluyendo entre los meramente religiosos otros que hacen mención a comportamientos sociales, como el afeitado de la barba, el calzado o la matanza de reses. Respecto a las obligaciones cristianas, Talavera se refería, entre otras, al culto a las imágenes, al ayuno durante la Cuaresma y todos los viernes del año, a las oraciones diarias o a la santificación de los domingos y de las fiestas de los santos establecidas por la Santa Iglesia Católica. En la seguridad de que un cambio como el que se les demandaba habría de suscitar cierto rechazo y oposición, Talavera no descartaba la adopción de medidas ajenas a las meramente espirituales, por lo que admite la intervención de la Inquisición aunque lo haga mediante una referencia a las penas que los soberanos puedan imponer en los casos de manifestaciones contrarias a la fe católica.

Aragón siguió apoyando a los moriscos aun después de 1526, incluyéndolos en su particular lucha contra el Santo Oficio y contra ciertas decisiones del Soberano que chocaban con los fueros y leyes propias del reino. Insistiendo en culpar a la escasa instrucción recibida por los moriscos los casos de irreligión cada vez más frecuentes entre los convertidos, se formula a Carlos V en las Cortes de Monzón de 1528, una moratoria que permita a la Inquisición absolver del delito de herejía a los moriscos hasta tener plena seguridad de su evangelización. Esta propuesta no sólo es aceptada por el monarca sino que, además, obtiene del Papa una bula, dictada en diciembre de 1530, donde abunda en las consideraciones expuestas por los aragoneses.

Castilla, por último, cumplido el primer cuarto del siglo XVI, contaba con una población morisca algo inferior a los 200.000 habitantes, que suponían un porcentaje sobre el total de almas que poblaban el reino de un 2,8 por ciento. Las comunidades urbanas estaban asentadas principalmente en Toledo, Ciudad Real, Córdoba y Murcia aunque, como en el resto de las provincias, sus funciones principales estaban relacionadas con las labores agrícolas. Muchos de estos núcleos pactaron las condiciones de su adaptación al cristianismo, que no diferían de las que posteriormente se aplicaron en Aragón.

El fracaso de la integración. La aculturación

Hasta 1556, año en que accedió al trono Felipe II, toda la problemática morisca puede ser definida como elástica, en razón de las continuas proyecciones y repliegues a que estuvo sometida. De un lado, la tirantez provenía de los cristianos viejos, que consideraban a los conversos musulmanes como una subclase y, como tal, les manifestaban el más absoluto desprecio; de otro, los nobles y aristócratas pretendían resarcirse de los perjuicios que les ocasionaba la cristianización de sus vasallos; por último, la Inquisición, que interpretó a su modo las disposiciones que venían de la Corona, el caso es que, motivadas por el agobio que toda esta presión provocaba en los nuevos cristianos, las quejas de sus regidores y valedores eran contestadas desde la Corte y desde Roma, mediante *breves* y *bulas*, que volvían a poner de manifiesto la condición de cristianos y la necesaria permisividad de la que debían disponer mientras se les instruía en la doctrina católica. En 1531 el Inquisidor General Alonso Manrique tiene que intervenir, a instancia del Papa, para dar solución al trato discriminatorio de que eran objeto moriscos aragoneses en relación con diezmos y tributos. Ese mismo año, en cambio, el tribunal de Valencia contempló 58 sumarios por herejía, cifra que llegó a ser de 441 en el período comprendido entre 1532 y 1540,[143] lo que denota una clara actividad dirigida hacia los conversos árabes, mientras que han experimentado un notable descenso los procesos por judaísmo. En 1534, Carlos V intercede ante el Tribunal de la Inquisición valenciana para evitar que la confiscación de bienes por condenas de herejía a moriscos se hagan efectivas, aduciendo el derecho de los herederos a disfrutarlos.

La rigidez con la que el Santo Oficio enjuició los delitos y crímenes cometidos por los judeoconversos y la línea de firmeza mantenida por la Corona ante dicho grupo, se torna en magnanimidad e indulgencia al afrontar las conductas de los moriscos, hasta el punto de que en julio de 1545 se consiente el regreso a España de moriscos huidos con pro-

---

[143] Kamen, Henry. *La Inquisición española*. Editorial Crítica, Barcelona, 1992.

cesos inquisitoriales a sus espaldas sin que, producida su reconciliación, sufran confiscación de bienes. En 1546 es el propio papa Paulo III el que interviene a favor de los moriscos granadinos convictos de herejía para que puedan retornar a sus tierras, incluso los reincidentes, y dictaminando un período mínimo de diez años durante los cuales no podrán serles incautados sus bienes.

A la muerte de Alonso Manrique, su sucesor, Fernando Valdés, atiende en nuevas *Instrucciones* la regulación de la problemática suscitada a raíz de los matrimonios entre cristianos «nuevos» y «viejos» en relación con la dote aportada a los mismos y su posible pérdida motivada por la confiscación en los delitos de herejía. Valdés determinará la inobservancia de esta norma.

Mientras tanto, el mahometismo es examinado por la Inquisición a través de las manifestaciones más llamativas y fáciles de detectar, algo que, por otro lado, abundaba en la comunidad morisca y que reiteradamente era motivo de queja por parte de clérigos y religiosos.

Tantos años de tímida tolerancia e intentos vanos de evangelización alternados con fases coercitivas que reforzaran el papel de la Corona en su política de conversiones, no cuajaron en la mentalidad obstinada y firme de los moriscos que mantuvieron, muchas veces sin recato, sus costumbres y ceremonias. La sensación de fracaso se apodera de instancias eclesiásticas y de la propia Inquisición, que argumenta la falta de consistencia en los castigos de las conductas heréticas y de cómo la clemencia y el perdón constante otorgados por la Santa Sede o la Corona provocaban atrevimiento más que sumisión. Se produce, pues, un nuevo giro en la manera de abordar el problema influido, además, por una coyuntura política delicada: las cada vez más frecuentes incursiones de corsarios de Berbería en las costas mediterráneas, a las que se añade la amenaza turca, convierten a la comunidad morisca en un virtual enemigo interno dispuesto a servir de puente a la invasión de la Península por los Estados musulmanes.

Y es a partir de este momento cuando, ante el entramado de latentes amenazas por parte de la población mora, comienza el acoso sistemático de las corrientes mahometanas, alcanzando su punto culminante en enero de 1567 con la publicación en Granada de un edicto que prohíbe cualquier exteriorización de la cultura y confesión islámicas. A las ya clásicas medidas contra el uso de la vestimenta morisca —expresamente se prohibía el uso del velo para tapar el rostro— o de las costumbres propias de su religión, se sumaban esta vez severos controles sobre el proceder de los conversos, hasta el punto de ordenarse que sus casas permaneciesen constantemente abiertas con el fin de que las autoridades pudieran comprobar, en cualquier momento, el acatamiento a lo decretado. De igual manera se prohibió el idioma y la escritura propias de las aljamas, fijándose un plazo para el aprendizaje del castellano. Las prohibiciones alcanzaron incluso al uso de los nombres y apellidos musulmanes, que debían cambiarse por otros cristianos.

El viraje dado al enfoque del problema morisco supuso para la Inquisición la vuelta a la normalidad y el retorno a su tradicional manera de proceder contra la herejía, a pesar de que aún se intentó en 1564 un nuevo adoctrinamiento de la minoría árabe en la Junta presidida por el Inquisidor General Fernando Valdés, aprobándose otras propuestas del inquisidor Miranda relativas a la integración de los moriscos mediante la ocupación de cargos dentro de los tribunales inquisitoriales, como por ejermplo el de *familiares* y la total equiparación entre cristianos «nuevos» y «viejos». Dos años más tarde, constatado el fracaso de los proyectos evangelizadores y pastorales, se daba por hecho que la única alternativa posible consistía en desempolvar el procedimiento inquisitorial.

La iniciativa tomada en Granada responde, por tanto, a la decisión de dar por zanjada la larga fase de paulatina integración de la población morisca y proceder a la aculturación a través de enérgicas medidas en las que mucho tuvieron que ver los arzobispos de Valencia y Granada, Martín de Ayala y Pedro Guerrero, respectivamente, y que provoca un levantamiento morisco que se inicia en el Albaicín y se extiende por las Alpujarras en diciembre de 1568. Su líder será Aben Humeya, cuyo nombre cristiano correspondía a Fernando de Cádiz y Valor, junto al que estará Ben Farax y, más tarde, El Zaguer. El nombramiento de Aben Humeya como rey de Granada y Andalucía dejaba bien claras las intenciones de los granadinos: no se trataba únicamente de una protesta por las condiciones impuestas un año antes —ya se habían quejado del edicto por el cauce reglamentario sin que se hubiera conseguido nada—, sino de la proclamación de Granada como reino musulmán y el retorno a la independencia y autonomía disfrutada en siglos anteriores.

La sublevación adquirió gran resonancia dentro del territorio andaluz y en poco tiempo se sumaron a ella moriscos de Málaga y Almería, alcanzando incluso a la fronteriza provincia de Murcia. Aben Humeya envía misiones diplomáticas a Argel y Constantinopla, encabezadas por su hermano Abdallah, con el fin de obtener apoyo a su causa, consiguiendo únicamente la simpatía de los Estados musulmanes hacia la sublevación, el envío de voluntarios y una pequeña cantidad de armamento.

La primera respuesta al alzamiento se produce a cargo del marqués de Mondéjar, que toma las localidades de Órjiva, Poqueira y Juviles. Más tarde, el marqués de Vélez tiene que reducir la resistencia de Almería, Baza y Guadix. Los rebeldes son desalojados de la Sierra de Gador, donde se habían refugiado huyendo del empuje militar cristiano. En junio de 1569 se decreta el desalojo de los barrios del Albaicín, la Alcazaba y de la ciudad de Granada, obligando al destierro a todos los moriscos de edades comprendidas entre los diez y sesenta años y procediéndose a su dispersión por las comarcas limítrofes con las provincias andaluzas.

El desarrollo de la revuelta morisca encuentra en la muerte de Aben Humeya un elemento de reactivación. Humeya es asesinado por los principales líderes moriscos ante lo que interpretan una traición cuando negociaba con los cristianos la libertad de su padre y hermano prisioneros. Abdallah Ben Aboo es nombrado nuevo rey y emprende una reorganización del ejército que le lleva a conseguir algunas victorias, como la de la fortaleza de Serón, en Almería, que devolverán la esperanza a los sublevados. Pero el nuevo rey pronto se convenció de que sin ayuda exterior nunca podría recuperar los territorios ya sometidos ni debilitar el poder de las tropas reales, por lo que decide llegar a un acuerdo con la Corona. Sin embargo la represión empleada por los cristianos contra la comunidad morisca que había quedado al margen del conflicto le hace dar marcha atrás, renunciando a la firma de las capitulaciones y obligando a los ejércitos del rey a la toma de las Alpujarras, llevada a cabo por el Comendador Mayor Recasens en septiembre de 1570. Toda la población morisca parte al exilio, tanto los involucrados en la revuelta como los denominados *de paz,* a tierras de Castilla, Extremadura y Galicia. En Sevilla acabaron los procedentes de Almería y sus costas.

La incidencia de la revuelta de las Alpujarras fue sorprendentemente escasa en el reino de Aragón. La gran concentración de población morisca en Valencia y en Aragón hubiera supuesto un serio problema en el caso de haber apoyado activamente el movimiento granadino, por lo que Felipe II no cede ante las presiones inquisitoriales y continúa, en 1571, la política de pactos de años anteriores con un acuerdo que exonera a los moriscos de la incautación de bienes y penas pecuniarias a cambio de una importante cantidad de dinero para gastos del Santo Oficio. En interpretación de Llorente, la mediación real se produce para evitar la emigración de la población ante las presiones de la Inquisición, que llegaba hasta el extremo de no hacer públicos los *breves* pontificios donde se concedía el perdón a los reincidentes y herejes que manifestaran públicamente su arrepentimiento. Este secretismo mantenía ignorantes a los confesores sobre los deseos del Papa y del propio Monarca, de quien partía la indicación, no pudiendo absolver a quienes así lo pedían.

En la década que sigue a la sublevación de las Alpujarras se incrementan las iniciativas inquisitoriales contra los moriscos y se debilitan las posturas protectoras hacia las comunidades afincadas, principalmente, en Aragón, Valencia y Andalucía. Consecuencia de esta línea recelosa es la prohibición a los conversos de estas zonas de residir cerca de la costa, ante el temor de un entendimiento con los piratas berberiscos, o los procesos llevados a cabo por la Inquisición contra nobles aragoneses acusados de proteger a los moriscos de sus actuaciones. En 1573, se deniega expresamente el acceso al sacerdocio de todos aquellos que porten sangre mora y en 1575, se decreta la confiscación de armas a los moriscos de Aragón, medida ésta que ya había intentado ponerse en práctica en 1519.

El 7 de octubre de 1571 había tenido lugar la batalla de Lepanto donde las fuerzas cristianas, al mando de Juan de Austria, derrotaron a los turcos liderados por Alí Bajá. Pero Lepanto no enterró de manera definitiva las pretensiones expansionistas turcas y su posterior rehabilitación se hizo sentir en las decisiones sobre la problemática de los conversos. Ciertamente en las aguas del mar Mediterráneo se enfrentan «*dos formas de organización de entidades supranacionales*» que buscan sus elementos de cohesión, una, en la unidad de credo religioso, y la otra en el sometimiento a un gobernante: el imperio otomano del siglo XVI es un imperio multinacional y pluricultural que acoge a

> «súbditos que practican el Islam sumí o chiíta, el cristiano ortodoxo, armenio, católico, protestante, monofisita o copto, o judíos romoniotas, esquenazis, caroítas y sefardíes que habitan en los actuales países ribereños del Mediterráneo, Argelia, Túnez, Libia, Egipto, Líbano, Israel, Siria, Turquía, Grecia, Albania, Serbia, Bosnia y Croacia».[144]

La expulsión: una decisión controvertida

A partir de 1580 comienzan a escucharse voces que apuntan hacia una solución drástica, vista la imposibilidad de conseguir una auténtica conversión de los moriscos ni con medidas coercitivas, ni con moratorias. Kamen añade como causa fundamental que impidió el éxito de la asimilación al cristianismo de la población morisca el interés de los nobles por mantenerlos sometidos y sin posibilidad de acceso a la riqueza y a la consideración social, y sólo así se explicaría el rechazo de los miembros de la familia Abenamir a la propuesta del inquisidor Miranda de ser nombrados *familiares* de la Inquisición, es decir, sometiéndose a las indicaciones de su señor, el duque de Segorbe, quien manifestó ser suficiente con la protección que él mismo les suministraba.

Juan de Ribera, arzobispo de Valencia, fue el primero en manifestarse a favor de la expulsión como única vía posible para resolver el problema morisco y lo hizo en una Junta de prelados de Valencia, Aragón y Granada.[145] La medida, explicada con gran lujo de detalles y que apuntaba a Valencia como el primer lugar donde llevarse a cabo, no pudo hacerse efectiva por falta de consenso entre los distintos obispados, pero la idea ya había sido puesta encima de la mesa. Por otra parte la situación política española no dejaba de ser delicada en aquellos momentos en los que había varios frentes abiertos: la guerra contra los rebeldes holandeses; el enfrentamiento con Inglaterra, que provocaría la derrota de la Armada Invencible en 1588; los ataques de corsarios a Cádiz; la conquista de Portugal en 1580. El aumento demográfico de los moriscos suscitaba, así mismo, un nuevo elemento para la reflexión. Lejos de ser una comunidad en retroceso, el crecimiento de la población morisca se manifestó con claridad en Valencia donde entre 1563 y 1609 se pasó de 64.075 familias a 96.731.[146]

La evolución demográfica estuvo ligada a los constantes vaivenes de la política en torno a los moriscos. A principios del siglo XVII, y antes de que se dictara la orden de ex-

---

[144] «Las sociedades ibéricas y el mar», en *Exposición de Lisboa'98*.
[145] García Cárcel, R. «La inquisición y los moriscos» en *Historia de la Inquisición en España y América*, vol. I. *Op. cit.*
[146] Kamen, Henry. *Op. cit.*

pulsión, las tierras peninsulares e insulares de la Corona acogían alrededor de 300.000 árabes. Atrás quedaban los censos que contabilizaban alrededor de 935.000 personas a finales del siglo XV. Después de 1502, la salida del país de 300.000 granadinos dejaba la población en 635.000 almas, que en el transcurso del siglo XVI fue acusando las iniciativas de cristianización forzosa, optando muchos por el abandono de sus propiedades para emprender viaje al norte de África, principalmente. Esto explica que regiones como Cataluña pasaran de 10.000 a 5.000 musulmanes en apenas un siglo, lo que equivalía a reducir a la mitad su población árabe, y Castilla pasó de los 200.000 a 45.000. A pesar del impacto inicial de las persecuciones, progresivamente se produce una recuperación de la población, lo que hace que todas las miradas se dirijan nuevamente hacia dicha comunidad, empezando a verla como una amenaza irreconciliable con los proyectos políticos de la Corona.

Al mismo tiempo que el arzobispo de Valencia informaba al Rey sobre la evolución de la cristianización entre la población morisca, manifestando estar en punto muerto –cuando no en franco retroceso–, se hace público un edicto de gracia con nuevas pretensiones reconciliadoras, ofreciendo el perdón a todos los incursos en causas de herejía por mahometismo. Era el 16 de julio de 1599 y meses antes se habían mandado poner en práctica algunas de las medidas acordadas en 1564 en la Junta de Prelados, inspiradas en su mayoría por Martín de Ayala, predecesor de Ribera en el arzobispado de Valencia. En este caso se trataba de la edición de un catecismo que serviría para la instrucción de niños y niñas recién convertidos. Este proceder se enmarcaba en una corriente de oposición a las drásticas propuestas de Ribera que ya obtuvieron contestación en su momento por parte del obispo de Orihuela y de Segorbe y que ayudaron a paralizar los primeros intentos de exclusión. En contra también se alineaban las Cortes de Aragón, cuya defensa de los mudéjares, primero, y de los moriscos, más tarde, no había mudado durante los cien años de política de conversiones y destierros. Castilla tampoco demostró interés en apoyar las ideas del arzobispo Ribera, quien tuvo hasta el último momento detractores en las más altas instancias.

Poco a poco la expulsión de los moriscos fue madurando entre los miembros del Consejo de Estado, prelados y otras magistraturas. No cabe hablar, a pesar de todo, de un proceso de rápido desenlace. El Consejo de Estado celebrado en 1600 apoya las fórmulas evangelizadoras y el trato benevolente; el de 1602 ya mostraba una clara tendencia por la expulsión pero sin acometer medidas en este sentido. Juan de Ribera, mientras tanto, libra su particular batalla en contra de cualquier postura que no sea el alejamiento definitivo de los moriscos. Remite diversos memoriales al rey en los que va describiendo un panorama cada vez más sombrío, insistiendo en la condición de moros de todos los bautizados, su negativa al aprendizaje del catecismo y el riesgo para los intereses españoles, ya que su presencia en la Península fomentaba la piratería berberisca y facilitaría la conspiración para propiciar una invasión musulmana. Así mismo, escribe el marqués de Lozoya:

«El arzobispo de Valencia Juan de Ribera hacía lucir ante el Rey el aliciente de las ventajas que obtendría con la confiscación de todos los bienes y con la reducción a la esclavitud de los muchos que podrían ser destinados a las galeras reales, o a las minas, o vendidos sin escrúpulos de conciencia. En cuanto a los niños, el Santo creía que podrían venderse en la propia España a buen precio y en gran cantidad. Y añadía que esto no sería para ellos una pena, sino una merced, porque así todos serían cristianos».

En 1608 el Consejo de Estado, reunido para estudiar la problemática morisca, vuelve a manifestarse a favor frente a otras posturas más severas y de consecuencias inciertas. En ese mismo sentido se pronuncia la Junta de Prelados, convocada ese mismo año por Felipe III, recomendando en sus conclusiones la promulgación de un nuevo edicto de gracia. Sin embargo, un año más tarde el Consejo de Estado del 4 de abril de 1609 decreta la expulsión de los moriscos. El correspondiente Edicto haciéndola efectiva se publica en Valencia el 22 de septiembre de ese mismo año, dando comienzo al éxodo de los moriscos valencianos y poco tiempo después los del resto de las provincias españolas. Excluido de la expulsión quedó un reducido número de familias que habían logrado una integración plena dentro del cristianismo, esto es

«todos los que en los dos años anteriores hubieran vivido entre cristianos, observando su tono de vida y los que hubieran recibido la comunión en las épocas señaladas por la Iglesia».

Entre las condiciones impuestas en el edicto se establecía un plazo de tres días para abandonar los lugares de residencia y dirigirse a los emplazamientos indicados por los comisarios de la Inquisición. Además, los bienes que se les permitía sacar del país serían, únicamente, aquéllos que pudieran llevar consigo.

El destino inicial de los expulsados valencianos eran los puertos de mar de la costa levantina para, desde allí, embarcar rumbo a otras tierras. El viaje hacia este punto de partida no quedaba exento de riesgo. En el edicto se ordenaba que los moriscos fueran respetados durante el tiempo que se había fijado para los preparativos, pero se consentía el pillaje de sus pertenencias si éstos se encontraban fuera de los lugares establecidos pasado el plazo acordado, en cuyo caso, además, se estipulaba su detención y, en caso de resistencia, su muerte. El hecho de que se contemplara la posibilidad de que el «buen cristiano» pudiera seguir residiendo en la Península, dejaba patente el objetivo meramente religioso del edicto, no siendo una disposición extensiva a la generalidad de la raza árabe. Así mismo la preocupación por la pérdida de los hábitos y técnicas de labranza que iba a provocar la ausencia de tan industriosos agricultores motivó la inclusión de una disposición en la que se permitía a un número determinado, *«entre cada cien, seis, y que hubieran dado muestras de buenos cristianos»*, quedarse en sus tierras para poder enseñar los modos de cultivo a los nuevos pobladores. En lo referente a los hijos de las familias expulsadas, los menores de cuatro años quedaban autorizados a permanecer en el reino si así lo consentían sus progenitores e igual medida se adoptó con los menores de seis años, hijos de cristiana vieja, siempre que ésta no hubiera decidido la salida del país.

La solidaridad esgrimida por los nobles y señores del reino valenciano con la causa morisca, aunque interesada, les llevó hasta los mismos puertos de embarque acompañando a sus vasallos. Entre ellos se cuenta que lo hicieron el duque de Gandía, el marqués de Albaida o el conde de Buñol. Otros mantuvieron su presencia hasta la mismísima ciudad de destino, como en el caso del duque de Maqueda, que arribó al puerto de Orán, a orillas del Mediterráneo, junto a la expedición musulmana.

Los puertos utilizados para el traslado de la población morisca fueron los de Denia, Jávea, Alicante, Grao, Mocófar y Vinaroz. Pero no todos llegaron a estos puntos de embarque. Unos, presa de cuadrillas organizadas, fueron desvalijados y asesinados; otros, decidieron agruparse y alzar la bandera de la rebelión contra la orden de expulsión. Cerca de 20.000 moriscos se refugiaron en los desfiladeros y escarpes de la Muela de Cortes y eligieron como rey a Vicente Turigi. Si bien la disposición a la resistencia era mucha, sus medios no lo eran tanto y fueron pronto derrotados por Agustín Mejía y Turigi ajusticiado en Valencia.

Algunos años después de promulgado el edicto de expulsión se constata en diferentes provincias españolas la presencia de miembros de la comunidad morisca que tímidamente van regresando a sus tierras y hogares. Otros, han logrado sobrevivir en regiones alejadas haciéndose pasar por cristianos viejos o siendo acogidos por ellos. Es significativa, en este sentido, la carta que el conde de Salazar remite al rey en 1615 haciéndole partícipe de estas circunstancias. El conde Salazar llevó a cabo por orden del rey las tareas de expulsión de los moriscos castellanos, emprendidas algún tiempo después de haberse puesto en marcha la de los valencianos. Afirma este noble haber percibido que en el reino de Murcia es donde «(...) *con mayor desvergüenza se han vuelto cuantos moriscos salieron* (...)» y comenta ser un hecho posible gracias a «(...) *a la buena voluntad con que generalmente los reciben todos los naturales y los encubre la justicia* (...)». Una queja similar se vierte en relación con la justicia de los lugares de señorío donde el comisionado real observa el disimulo con el que se afronta el cada vez más numeroso regreso de moriscos. Como parece desprenderse de lo relatado por el conde de Salazar, fue designada la justicia ordinaria como responsable de ejecutar las órdenes de expulsión; sin embargo, y a pesar de la evidencia del incumplimiento de los términos del edicto, no se practicaron detenciones ni se pusieron obstáculos a su vuelta. Hubo, por tanto, moriscos autorizados a permanecer en los lugares donde habían regresado y por lo expuesto en la misiva enviada al Rey, éstos no fueron pocos: «(...) *hay con permiso mucha cantidad de ellos y la que con las mismas licencias y con pruebas falsas se han quedado en España son tantos que era cantidad muy considerable para temer los inconvenientes que obligó a Vuestra Majestad a echarlos de sus Reinos* (...)». Su presencia, no obstante, no suscitaba perplejidad ni dudas pues no llegaron a elevarse súplicas solicitando instrucciones ni constan denuncias o quejas:

> «*La jurisdicción que me ha quedado es solo responder a las justicias ordinarias a las dudas que me comunicaren y hasta ahora ellos no tienen ninguna de que les está muy bien dejar estar los moriscos en sus jurisdicciones así nunca me han preguntado*».

Indudablemente, el destierro de casi trescientas mil personas no fue una tarea fácil pero las cifras de la operación revelan una salida masiva de moriscos a pesar de los casos de aquellos que, burlando el edicto, regresaron a sus tierras. Según lo datos consignados por Walker,[147] en un plazo de cuatro meses habían salido del reino valenciano más de ciento quince mil musulmanes con una distribución que otorgaba a los puertos de Denia y Jávea la mayoría de embarques –35.780– y al de Moncófar, el número más bajo –5.690– ; a través de Alicante marcharon 30.204; por Grao y Vinaroz pasaron unos 17.776 y 15.208, respectivamente. El puerto de Val de Laguar, en Alicante, fue utilizado para la expulsión de los rebeldes de la Muela de Cortes; desde allí tomaron camino del destierro 11.364 moriscos que habían logrado sobrevivir al levantamiento de Turigi. Por lo que respecta al resto de provincias y reinos, los catalanes y aragoneses utilizaron el puerto de los Alfaques y las rutas abiertas a través de Navarra y Somport, contabilizándose un número aproximado de 64.000 expulsados. La población musulmana residente en Murcia viajó hasta el puerto de Cartagena donde embarcaron 13.552 personas. Este mismo puerto fue utilizado por parte de los moriscos castellanos; el resto, junto con los procedentes de Extremadura, se desplazó hasta Cádiz, Málaga y los pasos abiertos a través de los Pirineos para completar una cifra de 44.000 extrañamientos. De Andalucía viajaron a Sevilla, Málaga, Almuñécar y Gibraltar cerca de 32.000.

El número total de moriscos expulsados varía mucho entre los distintos autores e historiadores. Llorente, por ejemplo, sitúa en un millón el número de moriscos expulsados de España por aplicación del edicto de 1609 que Escolano rebaja hasta 600.000, el marqués de Lozoya nos habla de 400.000, mientras que Kamen se decanta por considerar que fueron alrededor de los 275.000 los que finalmente salieron de España, cifra que en la actualidad se considera más aproximada, y de ella habla García Cárcel adoptando los cálculos que propone Lapeyre en 1959. Según estos cálculos, en total tomaron el camino del exilio 272.140 moriscos: 117.464 desde Valencia; 60.818 desde Aragón; 3.716 desde Cataluña; 44.625 desde Castilla y Extremadura; 13.552 desde Murcia; 29.939 desde Andalucía occidental; y 2.026 desde Granada. Estas cifras son coincidentes con las expuestas anteriormente al comentar los puertos y pasos utilizados en el destierro, aunque con ligeras diferencias que no inciden significativamente en el resultado final.

---

[147] Walker, Joseph Martin. *Op. cit.*

La repercusión económica que trajo consigo el abandono forzado de tierras y oficios se dejó sentir principalmente en Valencia, donde aproximadamente un 30 por ciento de su población quedó afectada por el edicto de expulsión. La renta de los nobles cayó estrepitosamente al quedar los campos desatendidos e hicieron falta varias generaciones para volver a obtener ganancias de su cultivo. Las pequeñas haciendas, mayoritariamente en manos de los moriscos, fueron confiscadas y pasaron a formar parte de los latifundios, corriendo su producción igual suerte que las cosechas. La industria se vio seriamente afectada por la falta de mano de obra y hubo que cerrar muchos talleres y fábricas, fundamentalmente las dedicadas a cerámica y alfarería, de gran prestigio en la región. A todo esto habría que sumar el coste de la operación de expulsión, calculado en unos 800.000 ducados.

El papel de la Inquisición en los años previos al decreto de expulsión, y mientras se discutía la conveniencia de tal solución, fue la de constatar la poca efectividad de sus actuaciones, sobre todo debido a la benignidad de las penas impuestas. Aunque participó de las iniciativas encaminadas a la inserción pacífica mediante la evangelización, en los últimos momentos, y tras los estrepitosos fracasos en este sentido, reclama medidas más expeditivas. Una vez puesto en marcha el dispositivo de expulsión, la preocupación inquisitorial estuvo centrada en la pérdida de gran parte de sus ingresos, provenientes de las confiscaciones y de las penas pecuniarias, así como de la resolución de las causas que tenía abiertas.

Los procesos contra los moriscos en los tribunales de distrito

En términos globales, el período comprendido entre las primeras decisiones de Felipe II sobre los moriscos granadinos y los años inmediatamente posteriores a la publicación del edicto de expulsión es el más productivo de los tribunales inquisitoriales en cuanto a causas seguidas contra las prácticas mahometanas. En total, se incoaron 8.911 procesos, cifra abrumadora que da cuenta del cambio en la tendencia seguida de 1540 a 1559, cuando la actividad del Santo Oficio quedó reflejada en 425 sumarios repartidos entre la Secretría de Castilla y la de Aragón y que ya fue objeto de comentario en páginas anteriores. Los números estudiados reflejan con claridad el predominio de la población morisca en Aragón y, concretamente, en Valencia y las regiones y ciudades que abarcaba el distrito de Zaragoza..

Si en Castilla prescindiéramos de Granada, de características especiales y en donde la actividad inquisitorial se acerca a la desplegada en los tribunales aragoneses, tendríamos en Llerena, Murcia, Sevilla y Toledo los focos más importantes de mahometismo, contrastando de manera notable con Galicia, que sólo registra dos casos en cincuenta y cuatro años. Por lo que respecta a Aragón, aparte de Valencia y Zaragoza, destaca Logroño, y corresponde al tribunal de Barcelona el número más bajo de causas sentenciadas. Dentro de la Secretaría de Aragón estaban incluidas Cerdeña, Sicilia y los tribunales americanos, es decir Lima, México y Cartagena de Indias. Omitiendo todos ellos por tratarse de distritos ajenos a la Península y con unas características muy específicas y que analizaremos aparte; el resto lo constituían los tribunales de Barcelona, Logroño, Mallorca, Valencia y Zaragoza. Incluidos en Castilla se encontraban los distritos de Toledo, Sevilla, Murcia, Llerena, Granada, Galicia, Córdoba y las islas Canarias. Todo ello, claro está, dentro del período a que nos estamos refiriendo, ya que muchos de los distritos correspondientes a los distintos tribunales, así como los lugares de sus sedes, fueron cambiando desde su fundación, desgajándose alguna provincia para constituirse en tribunal independiente o, por el contrario, perdiendo esta condición para integrarse en otro de mayor alcance. Si en un principio hablábamos de 8.911 procesos contra moriscos, de ellos 586 correspondieron a Sicilia, Cerdeña y América. Esto sitúa el total de causas en la Península en 8.325. Pues bien, 5.710 tuvieron su origen y se tramitaron en Aragón, lo que representa el 68,6 por ciento. Castilla, con 2.615 causas, abarcaba el 31,4 por ciento restante (ver tabla 1). En la tabla 2 se puede comprobar la importancia de los tribunales en cada una de sus Secretarías y es aquí donde las estadísticas avalan lo ya comentado sobre la importancia de Valencia y Zaragoza puesto que, entre las dos sedes, atendieron el 84,69 por ciento de todos los casos contabilizados en Aragón, correspondiendo a la primera de ellas un 43,17 por ciento y a la segunda un 41,52 por ciento. Si tenemos que referirnos a Castilla, después del distrito granadino, con un 45,51 por ciento del total de casos, revistieron gran importancia los tribunales de Llerena, Mallorca y Toledo con porcentajes del 14,95, 13,61 y 10,99 por ciento, respectivamente y algo menos Sevilla, con un 8,26 por ciento de procedimientos. A la ya comentada insignificancia de la población morisca en Galicia y, por tanto, de la actividad inquisitorial en la región, hay que sumar la escasa representatividad de los distritos de Córdoba y del archipiélago canario.

En la tabla que hemos numerado como 3, los porcentajes hallados lo son con respecto al total de casos que se dieron en todo el área peninsular junto con Canarias y Mallorca. Desde esta perspectiva, solamente Valencia, Zaragoza y Granada, por este orden, tuvieron realmente un papel destacado en la represión morisca con porcentajes que superan el 10 por ciento, llegando, incluso, a cerca del 30 por ciento en los distritos aragoneses. Logroño, que representó el 7,39 por ciento del total, se sitúa en una posición intermedia pero, indudablemente, lejos de Granada, donde se dieron el doble de procesos.

Junto con los delitos por mahometismo, el período analizado estuvo marcado por las influencias de otras muchas prácticas heréticas perseguidas por los tribunales del Santo Oficio. En la tabla 4 puede compararse el fenómeno musulmán en relación con el resto de los casos enjuiciados en los distintos distritos y Secretarías. Muy llamativo resulta en Aragón el 46,98 por ciento de casos contra moriscos, cifra que casi representa la mitad de todos los delitos sentenciados en el reino. Solo el capítulo que hace mención a *Proposiciones y blasfemia* despunta del

TABLA 1.– **Incidencia de los procesos contra los moriscos en los tribunales de Castilla y Aragón (1560-1614)**

	Casos Moriscos	Porcentaje
Aragón	5.710	68,6
Castilla	2.615	31,4
Total	**8.325**	**100**

TABLA 2. **Incidencia de los procesos contra los moriscos en los distintos tribunales de distrito de Castilla y Aragón (1560-1614)**

	Casos Moriscos	Porcentaje
Barcelona	98	1,72
Lérida	615	10,77
Mallorca	161	2,82
Valencia	2.465	43,17
Zaragoza	2.371	41,52
Total	**5.710**	**100**
	Casos Moriscos	**Porcentaje**
Islas Canarias	98	3,75
Córdoba	76	2,91
Galicia	2	0,07
Granada	1.190	45,51
Llerena	391	14,95
Murcia	356	13,61
Sevilla	216	8,26
Toledo	286	10,94
Total	**2.615**	**100**

TABLA 3.– **Importancia de cada tribunal de distrito en el tratamiento morisco con respecto al total de casos registrados en el área peninsular (incluidas las islas Canarias y Mallorca) (1560-1614)**

	Casos Moriscos	Porcentaje
Barcelona	98	1,18
Lérida	615	7,39
Mallorca	161	1,93
Valencia	2.465	29,61
Zaragoza	2.371	28,49
Islas Canarias	982	1,18
Córdoba	76	0,91
Galicia	2	0,02
Granada	1.190	14,29
Llerena	391	4,70
Murcia	356	4,28
Sevilla	216	2,59
Toledo	286	3,43
Total	**8.325**	**100**

resto de delitos, llegando al 19,92 por ciento. Un panorama que no tiene continuidad en Castilla, donde la condición mahometana de su población mereció el 22 por ciento de los sumarios abiertos y sentenciados por los tribunales inquisitoriales frente a un 38,9 por ciento de los casos por *Proposiciones y blasfemia*. En un cómputo global que aunase ambos distritos, prevalece el fenómeno morisco sobre cualquier otro, aunque no alcanza la destacada primacía que llegó a tener en Aragón.

Dentro de cada tribunal (ver tabla 5), el peso que tuvo el proceder musulmán fue desigual, situándose en un extremo lo sucedido en Galicia, donde de los 1.286 procesos por delitos contra la fe, sólo dos lo fueron por mahometismo, circunstancia que ya ha sido comentada anteriormente por su singularidad. En cualquier caso, Galicia no fue un distrito con escasa incidencia delictiva; de hecho Mallorca, Canarias, Córdoba y Murcia registraron menor número de causas, y es comparable a la actividad desplegada por Barcelona o Granada que contabilizaron 1.634 y 1.346 procedimientos, respectivamente. Por tanto, lo

TABLA 4.– Comparación entre los casos de moriscos y los diferentes tipos de delitos enjuiciados por los tribunales de Castilla y Aragón (1560-1614)

	Judaizantes	Moriscos	Luteranos	Alumbradismo	Proposiciones y blasfemia	Bigamia	Solicitación	Actos	Superstición	Varios	Total
Aragón	136	5.710	1.051	1	2.421	333	128	1.028	431	916	12.155
Porcentaje	1.12	46.98	8.65	-	-19.92	2.74	1.05	8.46	3.55	7.54	100
Castilla	1.374	2.615	896	38	4.632	706	231	928	177	289	11.886
Porcentaje	11.5	22.0	7.5	0.3	38.9	5.9	1.9	7.8	1.4	2.4	100
Total	1.510	8.325	1.947	39	7.053	1.039	359	1.956	608	1.205	24.041
Porcentaje	6.28	34.63	8.10	0.16	29.34	4.32	1.49	8.14	2.53	5.01	100

TABLA 5.– **Porcentaje de causas contra moriscos en el total de casos enjuiciados por los distintos tribunales de distrito (1560-1614)**

	Casos Totales	Casos Moriscos	Porcentaje
Barcelona	1.633	98	6
Lérida	2.485	615	24,75
Mallorca	477	161	33,75
Valencia	3.366	2.465	73,23
Zaragoza	4.194	2.371	56,53
Islas Canarias	497	98	19,72
Córdoba	466	76	16,31
Galicia	1.286	2	0,16
Granada	3.010	1.190	39,53
Llerena	2.251	391	17,37
Murcia	890	356	40
Sevilla	1.346	216	16,05
Toledo	2.140	286	13,36

que llama la atención es la escasez de causas a moriscos, por otro lado lógico si pensamos en el poco arraigo musulmán en tierras del norte español. También son lógicos, por esperados, los resultados que reflejan tribunales como los de Valencia, Zaragoza y Granada, aunque el 73,23 por ciento que arroja el primero de ellos hace pensar en una actividad inquisitorial volcada, casi exclusivamente, en el problema morisco, desatendiendo, cuando no consintiendo, otras manifestaciones de carácter herético. Murcia, por otro lado, nos devuelve una intensa incidencia de la población árabe que debió corresponder a su situación fronteriza con el reino de Granada, ya fuera por asentamientos históricamente estables o producto de la dispersión que siguió a 1492 con la caída del último reducto musulmán.[148]

Otros trabajos documentales y estadísticos nos aproximan al tipo de sentencias que pusieron fin a los procesamientos inquisitoriales contra los moriscos de Valencia y Zaragoza. En uno de ellos[149] (ver tablas 6 y 7) y refiriéndose al tribunal de Valencia durante el pe-

---

[148] Todos los datos referidos al período 1560-1614 corresponden a los publicados por J. Contreras y G. Henningsen en 1986.

[149] Cuantificación publicada por R. Carrasco en 1981 y reproducida por García Cárcel en *Historia de la Inquisición en España y América*, vol. I. *Op. cit.*

SENTENCIAS PRONUNCIADAS EN LOS PROCESOS CONTRA LOS MORISCOS

TABLA 6. **TRIBUNAL DE VALENCIA**											
	Reconciliados			Penitenciados			Quemados en persona		en efigie		
Años	Total	H	M	Total	H	M	H	M	H	M	Absueltos Suspensos
1566-1575	221	188	33	51	49	2	12	2	1	–	12	–
1576-1585	147	124	23	152	134	18	9	–	7	1	36	6
1586-1595	690	440	250	264	232	32	7	–	46	1	78	16
1596-1605	87	71	16	153	110	43	7	–	4	2	84	15
1606-1615	257	118	139	130	99	31	1	–	–	–	59	51
Total	1.402	941	461	750	624	126	36	2	58	4	269	88
%	53,7			28,8			1,4		2,4		13,7	

TABLA 7.– **TRIBUNAL DE ZARAGOZA**											
	Reconciliados			Penitenciados			Quemados en persona		en efigie		
Años	Total	H	M	Total	H	M	H	M	H	M	Absueltos Suspensos
1566-1575	161	109	52	42	41	1	9	–	2	–	18	1
1576-1585	473	294	179	54	41	13	25	4	3	–	22	6
1586-1595	280	185	95	96	82	14	9	1	–	–	112	20
1596-1605	296	161	135	147	127	20	13	–	–	–	63	16
1606-1615	285	159	126	223	197	26	22	10	1	–	54	21
Total	1.495	908	587	562	488	74	78	15	6	–	269	64
%	60.1			22.6			3.7		0.2		13.4	

H: Hombres   M: Mujeres

ríodo de 1566 a 1615, aparecen como reconciliados más del 50 por ciento de los procesados, exactamente un 53,5 por ciento, y penitenciados el 28,8 por ciento. El total de moriscos condenados a la hoguera fue de 38, entre ellos dos mujeres, que representan el 1,4 por ciento. Más elevadas fueron las sentencias a relajación en efigie: en este caso se quemaron 58 varones y 4 mujeres. Zaragoza presenta entre sus procesados, y en igual período, un mayor porcentaje de reconciliaciones, 60,1 por ciento, y de relajados en persona, 3,7 por ciento, pero son menores los números que reflejan los penitenciados, un 22,6 por ciento, y los quemados en efigie, un 0,2 por ciento.

Una vez liquidado el proceso de expulsión, la política del Santo Oficio en relación con el problema morisco tuvo que limitarse a los sumarios que aún mantenía pendiente de resolución y al control de la escasa población que había sido autorizada a permanecer en sus tierras y lugares de residencia o bien, tal y como ya se ha relatado, regresaba más o menos abiertamente a ellos. En el período comprendido entre 1615 y 1700, los casos de mahometismo descienden significativamente sumando entre las Secretarías de Castilla y Aragón un total de 1.169 procesos; es decir, 7.156 menos que durante los años transcurridos entre 1560 y 1614. Esta disminución representará el 85,9 por ciento y da idea, por sí sola, de la *trascendencia* que tuvo la salida del país de la población afectada por el Edicto. Indudablemente, donde más vacío dejó el extrañamiento fue en Aragón. El tribunal de Zaragoza va a registrar a partir de 1615, y durante 55 años, 31 procesos por delito de mahometismo. Los 2.371 del período anterior quedan ya lejos y el giro en la tendencia es meridiano. Otro tanto sucede en Valencia, donde la caída procesal es igualmente vertiginosa: 197 casos frente a los 2.465 anteriores. Solamente los tribunales de Barcelona y Mallorca mantienen cifras constantes dentro de los dos períodos y Murcia acusa un descenso moderado de un 30 por ciento, aproximadamente. Sevilla cae en un 52,78 por ciento y el resto de los distritos, a excepción de Galicia que crece desmesuradamente, tienen una diferencia negativa mayor del 80 por ciento, siendo las más notables las de Zaragoza con un 98,69 por ciento; Logroño, 96,5 por ciento; Llerena, 95,40 por ciento; y Valencia, con un 92,01 por ciento.

Aunque es evidente que la actividad del Santo Oficio con respecto a los moriscos afectó notoriamente tanto a Castilla como a Aragón, sin embargo en esta última Secretaría los procesos pasaron de 6.296 a 506 en el intervalo temporal que estamos contemplando, lo que representa un crecimiento negativo del 91,96 por ciento. Frente a cifras tan contundentes, Castilla presenta una caída del 74,65 por ciento pasando de 2.615 casos a, únicamente, 663 (ver tabla 8).

Con la llegada del siglo XVIII, la Inquisición da por zanjado, prácticamente, el delito contra la fe cometido desde el mahometismo y aunque todavía habrá que asistir a sus estertores, los índices de sentencias hablan de una consumición lenta pero irreversible. Entre 1701 y 1745 se tiene constancia de 96 procesos que acabaron en condena pública. Dentro de este período, el integrado entre 1716 y 1735 acaparó todos los casos; es decir, empeza-

TABLA 8. **Diferencia de la actividad contra los moriscos entre 1560-1614 (primer período) y 1615-1700 (segundo período) en los distintos tribunales de distrito.**				
Distrito	1er período	2º período	Diferencia numérica	Diferencia en %
Barcelona	98	95	–3	–3,06
Lérida	615	21	–594	–96,59
Mallorca	161	162	+1	+ 0,62
Valencia	2.465	197	–2.265	–92,01
Zaragoza	2.371	31	–2.340	–98,69
I. Canarias	98	15	–83	–84,69
Córdoba	76	9	–67	–88,16
Galicia	2	77	+75	–
Granada	1.190	152	–1.038	–87,32
Llerena	391	18	–373	–95,40
Murcia	356	245	–111	–31,18
Sevilla	216	102	–114	–52,78
Toledo	286	45	–241	–84,277

mos a vislumbrar largos espacios temporales sin penitenciados musulmanes, lo que significaba la ruptura de una tendencia que, con altibajos, se había mantenido desde 1492. A pesar de ello, entre 1731 y 1735 se tienen registradas siete condenas a relajación por prácticas relacionadas con el mahometismo. Si a la luz de estos datos puede entenderse la existencia de un declive en la acción inquisitorial, basta observar el número total de quemados por el Santo Oficio en este período, 227, la gran mayoría de ellos por judaísmo, delito que siguió acaparando la mayor parte del celo de los inquisidores.

La reforma protestante: el luteranismo

Lutero y la polémica sobre las indulgencias

El luteranismo fue, junto con el judaísmo y el mahometismo, uno de los más importantes delitos contra la fe perseguidos y juzgados por la Inquisición española en el transcurso de su existencia. No revistió la trascendencia que tuvo en los reinos hispánicos la problemática de los judeoconversos, ni adquirió tintes de reconquista y unificación religiosa, como sucedió con el cerco impuesto a los moriscos, pero su decidida apuesta por afrontar una reforma que afectaba a gran parte del cuerpo doctrinal y a la propia estructura de la Iglesia Católica, lo convirtió en objetivo prioritario de la Santa Sede, que desplegó todo su poder e influencia para evitar su propagación. España cerró pronto sus fronteras a esta nueva corriente herética que nacía en el corazón de Europa, a pesar de lo cual no se logró impedir que penetrara entre importantes sectores eclesiásticos e intelectuales relacionados con el Humanismo y el Renacimiento españoles.

Lutero puede ser considerado como el gran promotor de la Reforma protestante que va a desarrollarse en una Europa que deja atrás los largos y «oscuros» años del Medioevo mientras se adapta a una profunda transformación social propiciada por las nuevas concepciones que sobre el hombre y el Estado traen consigo los nuevos tiempos. El 31 de octubre de 1517 Martín Lutero coloca en la puerta del castillo de Wittemberg las famosas noventa y cinco tesis contra la venta de indulgencias,[150] que desembocará en el nacimiento de la Iglesia *Protestante*. Esta denominación se aplicó por primera vez a los seguidores de Lutero a raíz de las protestas que éstos realizaron ante la intolerancia manifestada por la Iglesia Católica frente a sus doctrinas en la Segunda Dieta de Speyer (1529). Los fieles de las diferentes Iglesias que van a surgir de la Reforma y a extenderse por toda Europa en un sinfín de denominadas *guerras de religión*, que en realidad se encuentran repletas de muy precisos trasfondos políticos, usaron el nombre de *reformados* o *evangélicos*. El retorno al

---

[150] Reconocidas por el Derecho canónico.

evangelio, por una parte, y la forma que adopte la Iglesia, por otra, constituirán los puntos clave de las teorías de Lutero, Zwinglio y Calvino y constituirán, así mismo, los puntos de debate en los que se centrarán los teólogos de la reforma católica –o Contrarreforma– surgida a partir del Concilio de Trento.

Martín Lutero nace en Eisleben, Alemania, en 1483. Fue estudiante en la Universidad de Erfurt, por entonces la más importante de las universidades alemanas, donde realiza estudios de filosofía, materia en la que se doctoró en 1505 y que le proporciona una notable habilidad dialéctica. Continuando su etapa formativa, esta vez en la Facultad de Derecho, al poco tiempo de haber comenzado los estudios de leyes los abandona e ingresa en el convento de los agustinos de Erfurt, en un «repentino» arranque vocacional que provoca un gran disgusto en su padre y la extrañeza de sus compañeros de estudios. En el año 1506 pronuncia los votos solemnes y en 1507 se ordena sacerdote y se centra en el estudio de la Teología.

Parece ser que en un viaje que realizó en 1510 a la Roma de Julio II, cumpliendo un encargo del monasterio agustino en el que residía, pudo constatar la decadencia moral de los ambientes eclesiásticos, así como la corrupción y el descrédito de la curia romana, lo que le provocó una tremenda crisis de la que surgen sus primeras dudas acerca de la posibilidad de que el hombre consiga liberarse del pecado por sus propios medios si no confía sobremanera en el amor y la misericordia divinas.

De sus *Comentarios a las Epístolas* de San Pablo surge su doctrina *de la justificación por la fe*. En el prólogo a las obras latinas (1545), Lutero escribe:

> «*Mi conciencia, azuzada y perturbada, me hacía enfurecer, mas por otro lado llamaba importunamente a las puertas de Pablo en aquel pasaje, abrasado por la sed ardiente de saber qué querría decir*».

Lutero afirma que la justificación del hombre para la salvación no depende del esfuerzo de su voluntad o de la práctica de buenas obras, sino únicamente de la misericordia de Dios, por lo que es preciso entregarse a Él sin tratar de penetrar el misterio de sus designios: «*el justo se salvará por la fe*», dice San Pablo, lo que llevará a Lutero a añadir: «*Sé pecador y peca fuertemente; pero que sea aún más fuerte tu fe y tu gozosa esperanza en Cristo, vencedor del pecado y de la muerte*».

En 1517, el dominico Tetzel y otros predicadores recibieron el encargo de vender al arzobispo de Maguncia, Alberto de Brandeburgo, las indulgencias especiales renovadas por León X y destinadas a financiar las obras de reconstrucción de la basílica de san Pedro. Dicha venta, que por otra parte le venía muy bien al Arzobispo para pagar a la Cámara Apostólica las fuertes tasas que le ratificarían en el arzobispado y que, evidentemente, sacaría del total de la recaudación, desata en Lutero un sentimiento de cólera e ira por el abuso, el peligro espiritual y el daño moral que provocan estas disposiciones (los banqueros Fugger realizaban la recaudación mediante comisión y eran los encargados de extender los correspondientes certificados), y dirige contra Tetzel, como comisario del Arzobispo, las noventa y cinco tesis que fija en la puerta de la Iglesia de Wittenberg.

«Cuando nuestro Señor y Maestro Jesucristo dijo: Haced penitencia…, ha querido que toda la vida de los creyentes fuera penitencia» (Tesis primera)

Pero entonces *«Es extraordinariamente difícil hasta para los teólogos más brillantes, exaltar ante el pueblo al mismo tiempo la prodigalidad de las indulgencias y la verdad de la contrición».* (Tesis trigésimo novena).

«En efecto: la verdadera contricción busca y ama la penitencia, pero la profusión de las indulgencias relaja y hace que las penas sean odiadas, por lo menos da ocasión para ello.» (Tesis cuadragésima).

«Debe enseñarse a los cristianos que si el Papa conociera las exacciones de los predicadores de indulgencias preferiría que la basílica de San Pedro se redujese a cenizas antes que construirla con la piel, la carne y los huesos de sus ovejas». (Tesis Quincuagésima)

La doctrina de las indulgencias, basada en el dogma de la *comunión de los santos*[151] y en la doctrina del *tesoro de la Iglesia* faculta al Papa para *«aplicar los méritos infinitos de Cristo y los méritos excedentes de los santos a favor de los fieles cuyos méritos fueran insuficientes»* para redimir las penas (temporales) del pecado (no la culpa ni la pena eterna, que se perdonan por el sacramento de la penitencia). Había, pues, que proceder a la confesión de los pecados y al sincero arrepentimiento para que la indulgencia pudiera ser aplicada. Pero esta facultad del Obispo de Roma derivó en un absoluto mercantilismo por parte de algunos eclesiásticos y predicadores que, además, ofrecían mucho más de lo que las indulgencias estaban en condiciones de dar: el perdón automático de los pecados y la salvación eterna. *«Yerran aquellos predicadores de indulgencias que afirman que el hombre es absuelto a la vez que salvo de toda pena a causa de las indulgencias del Papa»* (Tesis vigésimo primera). A mediados del siglo XV, el papa Calixto III entendió que las almas del purgatorio también debían beneficiarse de la remisión de pena contenida en las indulgencias, algo con lo que Lutero nunca estuvo de acuerdo, y aun reconociendo en un sentido más limitado el principio de la indulgencia, proclamó el derecho de los cristianos a la clemencia divina por vías distintas a la compra de indulgencias papales:

---

[151] Unión e influjo mutuo entre todos los miembros de la Iglesia.

«*Cualquier cristiano verdadero, sea que esté vivo o muerto, tiene participación en todos los bienes de Cristo y de la Iglesia; esta participación le ha sido concedida por Dios, aun sin cartas de indulgencias*» (Tesis trigésimo séptima). «*El Papa no quiere ni puede remitir culpa alguna, salvo aquella que él ha impuesto, sea por su arbitrio, sea por conformidad a los cánones*». (Tesis quinta).

El modo resolutivo que tuvo Lutero para provocar un debate sobre temas de calado en contra de la Iglesia de Roma, halló pronto resonancia en todo el país y sus tesis fueron traducidas inmediatamente al alemán (del original en latín) y difundidas en círculos universitarios e intelectuales. Tetzel, con el apoyo de los dominicos, y el teólogo Juan Eck, acusaron a Lutero de herejía y de proponer un cisma en la Iglesia, pero éste se reafirma en sus concepciones y publica en alemán el *Tratado sobre las indulgencias y la gracia,* y más tarde una serie de *Asteriscos*, donde rechaza las imputaciones hechas por sus detractores. En 1518 salen a la luz las *Resoluciones sobre el valor de las indulgencias*, texto escrito de nuevo en latín, con puntualizaciones propias de la encendida polémica que se estaba desarrollando. En una carta a Lutero, Erasmo de Rotterdam escribe: «*Esto es lo que me aflige, que con este temperamento tuyo, arrogante, descarado y sedicioso, estás agitando al mundo entero con una discordia ruinosa*». Evidentemente, estaba escogiendo un camino sin retorno que le llevaría, primero, a dirigirse al papa a través de una carta en la que le explica sus *Resoluciones* y, más tarde, a desafiar su autoridad rechazando las propuestas de retractación que le llegan a través del cardenal Tomás de Vio.

En la famosa controversia de Leipzig, celebrada en Julio de 1519 entre el eminente teólogo Juan Eck y Lutero, éste acabó negando que el primado del Papa tuviera origen divino, al tiempo que afirmaba la suprema autoridad de las Sagradas Escrituras y se declaraba conforme con algunos principios básicos de Juan Hus —reformador bohemio del siglo XIV condenado y ejecutado como hereje por el Concilio de Constanza—, poniendo en duda, en consecuencia, la infalibilidad de los concilios.

En plena madurez de pensamiento escribe lo que puede considerarse como su gran legado reformista: *A la nobleza cristiana de la nación alemana,* manifiesto político que dirige al emperador y a los nobles, en el que proclama el principio del sacerdocio universal de los creyentes —cada cristiano es en realidad un sacerdote— distinguiéndolo del ministerio particular, y llama a los príncipes a la convocatoria de un concilio nacional que proceda a las reformas; *De captivitate babylonica Ecclesiae (Sobre la cautividad babilónica de la Iglesia),* manifiesto dogmático que redacta en latín y en donde, basándose en la tradición de los textos sagrados, reconoce únicamente la validez de dos de los siete sacramentos: el bautismo y la eucaristía, y *De libertate christianae (Sobre la libertad del cristiano),* manifiesto ético en el que exalta la autorresponsabilidad moral del individuo y la fe como instrumento fundamental para la salvación. Transcurría entonces el año 1520 y los contenidos de estos textos causaron gran impacto tanto entre los intelectuales como entre el pueblo llano, que se veían reflejados en sus propuestas. Lutero supo unir lo mundano con lo espiritual hasta componer un mosaico tan nuevo como esperanzador y en el que cabían al mismo tiempo cuestiones como mejorar las condiciones de vida de los campesinos, eliminar el celibato o rechazar, no sólo la interpretación que la Iglesia institucional hacía de las Sagradas Escrituras, sino que ésta se arrogara el derecho exclusivo de llevarla a cabo.

En un clima de enfrentamientos y creciente crispación el Papa hace pública el 15 de junio de 1520 la bula *Exsurge Domine (¡Levántate, Señor!)*, en la que se realiza un llamamiento a Lutero para que vuelva al seno de la Iglesia Católica y se desdiga de sus principios y proposiciones. La respuesta de Lutero consistirá en una reafirmación de sus convicciones reformistas que manifestará de manera ritual arrojando a las llamas la bula y exclamando: *«¡Que el fuego te atormente a ti que has atormentado a la verdad!»*. Una segunda bula, *Decet Romanum Pontificem (Conviene al Romano Pontífice)*, de 3 de enero de 1521, supone la excomunión de Lutero aunque la misma no consigue frenar la expansión de sus doctrinas, que ya por entonces habían seducido a humanistas como Melanchthon, teólogos como Thomas Münter o sacerdotes como Andreas Bodenstein von Karlstadt. El 26 de mayo de ese mismo año Lutero es convocado por Carlos V a la Dieta celebrada en Worms, con la intención de que realice una reconsideración de sus ideas ante la solemne Cámara de electores, príncipes y representantes de la ciudad. Allí es escuchado y posteriormente alentado a una retractación que no se produce, lo que origina la promulgación del Edicto de Worms, por el que es expulsado de los territorios imperiales. No obstante su amistad con el príncipe electo de Sajonia, Federico el Sabio, le permite permanecer cerca de un año en el Castillo de Wartburgo, donde completó sus obras reformadoras y tradujo al alemán el Nuevo Testamento. De allí salió también su tratado sobre los votos monásticos y la conclusión del *Comentario al Magnificat*.

Erasmo y la Reforma

El humanismo, aunque algo tardíamente con respecto al resto de Europa, caló igualmente entre figuras de la Iglesia, clero regular y pensadores españoles. Erasmo de Rotterdam, principal intérprete de las corrientes intelectuales del Renacimiento, triunfaba en el continente y sus obras comenzaron a traducirse en la Península de la mano de Alfonso Fernández Madrid, Bernardo Pérez de Chinchón y Diego López de Cartagena, contagiando su entusiasmo a eclesiásticos como el propio arzobispo de Sevilla e Inquisidor General Alonso Manrique, Juan Luis Vives, el canónigo Pedro de Lerma, los hermanos Valdés, el arzobispo Fonseca, los benedictinos Jerónimo y Alfonso de Virués o el agustino Dionisio Vázquez.

Erasmo de Rotterdam (1466-1536) es, para muchos historiadores, la puerta de acceso al protestantismo por lo mucho que sus escritos influyeron en los reformadores religiosos de la época. Hombre de gran erudición y elegante estilo latino, en claro contraste con la despreocupación formal –literaria y estética– de los autores escolásticos, criticó con dureza y sarcasmo la ignorancia e inmovilismo del clero y de la curia romana y, convencido de que el conocimiento y la sabiduría eran caminos seguros para alcanzar la verdad, fue un infatigable estudioso y uno de los principales responsables del desarrollo de los estudios clásicos en la enseñanza cristiana. Obras como *Elogio de la Locura,* que dedica a su amigo Tomás Moro; el *Enchereidion*, publicado en Amberes en 1506 al respecto del cual el propio Erasmo, en una carta a John Colet, escribe «*Compuse el Enquiridión para remediar el error de los que ponen la religiosidad en ceremonias y prácticas exteriores, ultrajudáicas, descuidando la verdadera piedad»,* o los *Coloquios,* editados en 1522, cuyo protagonista es Julio II, en quien Erasmo encuentra la representación de todos los vicios del papado, contienen, envueltas en una elegante belleza formal, el ingenio, la crítica y el punto de heterodoxia necesarios para despertar el somnoliento acontecer y pensar de la época. Pero una de las obras que le dio auténtico renombre por toda Europa fue la edición, en 1516, del Nuevo Testamento, con texto griego y notas y traducción latina (dedicado a León X), en la que, a través de una minuciosa exégesis fundamentada en el texto griego y en comentarios añadidos, defiende el espíritu evangélico primitivo y pone en evidencia la falta de rigor de la Vulgata latina.

Erasmo se ganó el apelativo de padre de la reforma y la desconfianza de ciertos sectores católicos que veían en sus apreciaciones no sólo una ingeniosa, elegante y sarcástica crítica del momento, sino una auténtica propuesta reformista. No obstante, en 1524 escribió su *Disquisición acerca del libre albedrío* contra el luteranismo, contestado por Lutero con *Sobre el albedrío esclavo* en 1526, y al que Erasmo replicó en ese mismo año con el *Hyperaspistes.*

Evidentemente, la sucesión de reivindicaciones acerca de la libertad de pensamiento y de espíritu, el acceso cada vez mayor a los textos bíblicos, el contacto entre intelectuales europeos y su gusto por los clásicos, terminaron por crear un bloque de gran solidez que propició el enfrentamiento de los erasmistas a los dogmas y doctrinas de una Iglesia inmoral y degenerada, y que contribuyó, de manera determinante, al cisma de la Reforma que, por entonces, ya convulsionaba Europa de la mano de Lutero.

En España toda la producción literaria de Erasmo fue puesta en entredicho por el clero más conservador, que se veía puesto en evidencia en sus escritos. A la cabeza de la contestación se situaron franciscanos y dominicos, en pugna con amplios cículos erasmistas que hicieron valer su influencia en la Corte por su posición cercana al Emperador para frenar las intenciones condenatorias dirigidas contra el humanista holandés. Es por entonces cuando Erasmo manifiesta públicamente su desacuerdo con ciertas tesis de Lutero, lo que contribuye a un decidido respaldo del erasmismo que queda patente en las instrucciones que Manrique impartió desde el Santo Oficio para evitar que fuera obstaculizada la difusión de las obras de Erasmo y acosados sus seguidores. Todo esto sucedía en 1527 tras un encuentro en Valladolid entre detractores y seguidores de Erasmo. En 1529, sin embargo, Manrique pierde la confianza de la Corona y las corrientes renovadoras, que habían gozado de sus auspicios, se vieron gravemente comprometidas. Pocos años después, en 1534, la desaparición del arzobispo Fonseca dejaba también a los erasmistas sin uno de sus más fieles valedores. La muerte de Manrique en 1538 y el nombramiento de Juan Pardo de Tavera como Inquisidor General devuelve la iniciativa a los sectores religiosos más inmovilistas, que proyectan la depuración del pensamiento reformista mediante la persecución de sus seguidores.

Erasmistas españoles ante el Santo Oficio

Las primeras actuaciones del Santo Oficio contra los erasmistas tienen lugar transcurrido el primer cuarto del siglo XVI, aprovechando la inercia de los procesos llevados a cabo en 1524 contra los alumbrados y espoleados por los sectores más castigados en la asamblea de Valladolid de 1527: contra Alfonso Valdés, en 1532; contra Alonso de Virués, entre 1533 y 1537; en 1535 contra Juan de Vergara, todos ellos influyentes erasmistas que hubieron de pasar por las dependencias o por los calabozos inquisitoriales acusados de luteranismo y obligados a retractarse de sus ideas o recurrir al exilio.

Juan de Vergara fue secretario de Cisneros y del arzobispo Alonso de Fonseca. Fue apresado por la Inquisición en 1530 acusado de luteranismo. En 1535, tras ser considerada probada su herejía, abjuró de sus errores y fue condenado a una pena pecuniaria de 1.500 ducados y a reclusión hasta 1537, fecha en que recobró su posición social. Hasta 1536 cumplió condena en el Monasterio de San Agustín y a partir de dicha fecha el Inquisidor General Manrique consiguió su traslado a la catedral de Toledo para que allí terminara de cumplir la penitencia que le había sido impuesta. Vergara destacó por su defensa del erasmismo. Canónigo de Toledo y catedrático de filosofía en la universidad de Alcalá, realizó una esmerada traducción de la *Biblia Políglota Complutense*.

Los contactos de Alonso Virués con reformistas extranjeros pudieron ser la causa de que fuera denunciado al Santo Oficio y arrestado en 1533. Virués, predicador del Emperador, realizaba constantes viajes a Alemania acompañando a Carlos V. Sus estancias en el extranjero y la admiración que profesaba hacia la figura y el pensamiento de Erasmo llevarían a este teólogo benedictino a pasar cuatro años en las cárceles inquisitoriales acusado de luteranismo. En 1537 abjuró de sus errores y fue absuelto *ad cautelam*. Posteriormente, el propio Emperador conseguiría su total absolución, otorgándole el obispado de Canarias. El procesamiento de Virués supuso la primera evidencia de la pérdida de poder del inquisidor Manrique dentro del complejo Consejo de la Inquisición, y llegó a provocar su destierro a Sevilla, de donde era arzobispo, y el alejamiento definitivo de la Corte.

También Alfonso de Valdés tuvo oportunidad de mantener contactos con reformistas alemanes, dada su condición de secretario del Emperador. En 1530 estableció relación con Melanchthon en la Dieta de Augsburgo, al que solicitó un manifiesto con los ideales reformistas, que después plasmaría en la *Confesión de Augsburgo*. Gran amigo y defensor de Erasmo, fue autor de obras como *Diálogo de Lactancio y Los Arcedianos* o *Diálogo de mercurio y Carón*, donde se muestra favorable a una reforma de la Iglesia llevada a cabo por el propio Emperador y donde denuncia la falta de honestidad de ciertos estamentos eclesiásticos. En 1532 fue acusado de luteranismo ante el Santo Oficio y condenado de manera leve, lo cual no le impide continuar con sus funciones de secretario de Carlos V.

El celo inquisitorial descubrió gran número de luteranos entre eruditos y religiosos que poblaban los ambientes universitarios y la Corte, en círculos próximos al Emperador. Carlos V tuvo entre sus colaboradores un gran número de sentenciados por el Santo Oficio: además de los citados Valdés y Virués, mencionaremos a fray Juan de la Regla, teólogo, Provincial de la Orden de los Jerónimos y confesor de Carlos V, que terminó rindiendo cuentas ante la Inquisición por su defensa de ciertas proposiciones consideradas luteranas y cuyo sumario quedó resuelto tras serle impuesta una penitencia; Francisco de Villalba, predicador de Carlos V y teólogo de Trento que, acusado de luterano, escapó de las cárceles del Santo Oficio gracias a la intervención real, aunque murió mientras el Tribunal resolvía su proceso. Dentro de los recintos universitarios, la persecución alcanzaría a Mateo Pascual, teólogo, catedrático y erasmista, que había manifestado públicamente sus dudas acerca de la existencia del purgatorio, aunque nunca llegó a negarla. Sus opiniones le valieron la condena inquisitorial, debiendo proceder a la abjuración de sus tesis heréticas y siéndole confiscados sus bienes. Otro tanto sucedería con Pedro de Lerma, prestigioso catedrático de teología de Alcalá, de donde llegó a ser su Primer Canciller y Abad de la Magistral de los Santos Justo y Pastor. Fue encarcelado en 1537 y condenado a abjurar de once proposiciones que fueron consideradas luteranas. Acabó sus días en París, en la cátedra de teología de la Sorbona, la misma cátedra que ostentaba en Alcalá. Entre los que tuvieron que exiliarse para evitar al Santo Oficio se encontraba un sobrino suyo, Luis de la Cadena, que al igual que el teólogo de Lerma, encontró en París la libertad de pensamiento que le negó España.

Un caso singular fue el del sacerdote vasco Juan López de Celaín, a caballo entre las corrientes místicas que llevaron a muchos seguidores del *alumbrismo* a la hoguera y los postulados luteranos relativos a la libre interpretación de las Escrituras y el individualismo religioso. Detenido el 28 de diciembre de 1528, fue acusado de sesenta y cinco proposiciones heréticas, muchas de las cuales cabían en el pensamiemnto luterano: «*Que los clérigos que no pudiesen vivir castamente era mejor que se casasen*» o «*Para salvarse el hombre basta amar a Dios con fervor sin hacer obra alguna buena»*. Celaín fue condenado a relajación y ejecutado el 24 de junio de 1530 en Granada.

De parecidas características fue el proceso que se llevó a cabo entre 1532 y 1534 contra María Cazalla (hermana del arzobispo Cazalla, cuya familia fue juzgada y gran parte condenada a relajación por herejía luterana en la ciudad de Valladolid) y el resto del círculo espiritualista de Francisca Hernández, una beata que había reunido a su alrededor un gran número de adeptos que fueron acusados de iluminismo, erasmismo y luteranismo.

A comienzos de 1540 prácticamente todo el erasmismo había sufrido los rigores impuestos por el poder inquisitorial y, salvo los que habían salido del país, el resto quedó sumido en el silencio. Este período coincide, además, con el cambio sustancial en los planteamientos protestantes dados por Calvino que, frente a las iniciales propuestas luteranas, dota de un mayor rigor las reglas y normas que deben regir la vida moral y social de los fieles. Con la base de este moralismo férreo e intransigente acaban imponiéndose en Ginebra y otras ciudades de Europa violentos regímenes teocráticos que controlan la vida pública y privada de sus ciudadanos y reprimen cualquier disidencia.

España afrontará el problema protestante cortando de raíz todos los intentos renovadores propiciados por intelectuales y eclesiásticos que propusieron para el país nuevos puntos de vista culturales y de pensamiento.

Juan de Valdés

La figura de Juan Valdés, hermano de Alfonso de Valdés, emerge entre las de aquellos que desarrollaron su profesión de fe fuera de nuestras fronteras. Su salida de España se produce después de escribir, en 1529, *Diálogos de doctrina cristiana, nuevamente compuesto por un religioso*, obra que, aunque fuera divulgada de forma anónima, atrajo inmediatamente la atención del Santo Oficio hasta el punto de obligarse al exilio para evitar su procesamiento.

Nacido en Cuenca en el año 1499, estudió en la Universidad de Alcalá de Henares, en la que posteriormente ejercería como profesor. El primer destino de Valdés en Europa fue Roma, donde entró en contacto con el historiador Ginés de Sepúlveda por recomendación de su hermano Alfonso. Sin embargo fue en la ciudad de Nápòles donde desarrolló su espíritu inquieto y reformado, creando a su alrededor una comunidad de fieles que puede considerarse como la precursora de la Reforma en Italia. Su doctrina del *beneficio de Cristo* influyó notablemente en Benedetto de Mantova y en los españoles Juan de Ávila y fray Luis de Granada.

Una de las características del movimiento religioso surgido en torno a Valdés fue su intención de permanecer dentro de la Iglesia católica, contra la cual nunca surgieron an-

266 • La Inquisición en España

helos de ruptura. Colaboraban junto al español el capuchino Bernardino Ochino, el agustino Pedro Mártir Vermigli, el poeta Marco Antonio Flaminio y Petro Carnesecchi, embajador del duque de Ferrara en Roma y protonotario del Papa. Entre sus adeptos figuraban personalidades ilustres de la cultura y de la nobleza napolitanas como Isabel Manrique de Briceño, hermana del Inquisidor General y arzobispo de Sevilla, el marqués Galazzo Caracciolo, Julia Gonzaga, condesa de Fondi o la marquesa de Pescara, Victoria Colonna.

Antes de la muerte de Valdés, ocurrida en 1541, se acrecienta la lucha contra las doctrinas consideradas heréticas por su proximidad al luteranismo. Precisamente Carnesecchi es procesado en 1539, aunque la disgregación de la comunidad valdesiana, que llegó a tener más de tres mil seguidores, se produce a partir de 1542 cuando buscan protección fuera de Italia, Caracciolo, Vermigli y Ochino, mientras que Flaminio y Julia Gonzaga, que ingresa en un convento, abandonan toda actividad reformista. En 1567 un nuevo proceso abierto contra Carnesecchi le llevaría finalmente a la muerte, y sus restos son quemados en Roma.

Tanto los *Diálogos de doctrina cristiana* como las obras espirituales de Juan de Valdés, fueron condenadas por la Inquisición española y calificadas como libros prohibidos. Dentro de su producción literaria de carácter religioso destacaron *Alfabeto cristiano*, escrito en 1546; *Ciento diez consideraciones divinas*, de 1550; *Salterio traducido del hebreo*; *Comentario a los Salmos*; y la traducción, también comentada, del *Evangelio de San Mateo*. Juan de Valdés también fue autor de *Diálogo de la lengua*, obra de carácter profano escrita en 1535, pero que no llegaría a publicarse hasta 1737.

Francisco Enzinas

Jaime y Francisco Enzinas, hombres influidos por el espíritu alcalaíno al igual que lo fueron Valdés y otros muchos españoles célebres, son los más destacados representantes de aquellos que encontraron en la universidad de Lovaina y de otras universidades europeas el germen del pensamiento reformista al calor de las discusiones sobre el pensamiento de Lutero, Melanchton o Calvino. Ambos tomaron el camino de la ruptura con la Iglesia ante la plena identificación con los postulados protestantes del momento y coincidiendo con los primeros procesos inquisitoriales en España contra conocidos erasmistas y seguidores de la doctrina evangélica.

Jaime Enzinas, el mayor de los hermanos, vivió en Lovaina desde 1535 hasta 1541, fecha en que traslada momentáneamente su residencia a París. Allí toma contacto con Juan Díaz, Crespin y Senarcleus, para viajar más tarde a Amberes y, finalmente, a Roma. En esta ciudad fue denunciado a la Inquisición, detenido, procesado y conminado a abjurar de sus ideas. Fue esta negativa a renunciar a su pensamiento lo que ocasionó su sentencia de muerte, siendo quemado en la hoguera en 1546.

Francisco Enzinas llega en 1541 a la universidad de Wittemberg después de realizar sus estudios en la universidad de Lovaina. Le mueve la ilusión por conocer a hombres como Melanchton o Lutero y recibir sus enseñanzas y la de otros profesores que destacaban por su orientación reformista y gran erudición. Será precisamente Melanchton, con quien trabara profunda amistad, la persona que le anima a traducir al castellano el Nuevo Testamento. Francisco Enzinas será también conocido como «Du Chène», «Eichmann» o «Van Eick», traducciones todas ellas de su apellido a los idiomas de los distintos países donde residió o en los que fueron publicadas sus obras. Adoptó igualmente el nombre de Dryander, «encina» en griego, homenajeando así la cultura helena de la que humanistas y renacentistas se sentían deudores.

Dedicada a Carlos V, la versión española del Nuevo Testamento fue impresa en Amberes y editada en Lovaina en 1543. A pesar de la prohibición que imperaba en España sobre la traducción a lenguas vulgares de los libros sagrados, Enzinas solicitó audiencia al Emperador, coincidiendo con la estancia de éste en Bruselas, a fin de exponerle la legitimidad de su texto y las razones que le habían llevado a la traducción de aquella parte de las Sagradas Escrituras y pidiéndole que otorgara al libro su aprobación y amparo. En las palabras que dirigió al *Invictísimo Monarca* en las primeras páginas del libro, Enzinas ya se hacía eco de la controversia que suscitaría su publicación.

Carlos V sometió la publicación al examen y criterio de su confesor, Pedro de Soto, quien no sólo la encontró inapropiada por su quebranto de la prohibición eclesiástica, sino que, aprovechando una entrevista con Enzinas, le mandó detener acusándole de hereje. Francisco Enzinas logró escapar de la cárcel en 1545, volviendo a Wittemberg y viajando posteriormente a Estrasburgo y Cambridge, en cuya universidad fue profesor durante un corto espacio de tiempo. Después, en 1551 visitó Ginebra. Murió en Augsburgo en el año 1552.

La congregación de Valladolid

Hacia 1540 surge en la ciudad castellana de Valladolid un importante núcleo protestante cuya fundación se atribuye a Domingo de Rojas, un dominico discípulo del célebre arzobispo Carranza e hijo del Marqués de Pozas, y a Carlos de Seso, veronés que destacó como combatiente en diversas campañas de Carlos V y emparentado por su matrimonio con Isabel de Castilla —descendiente del rey Pedro I de Castilla por la línea del Infante don Juan— con la familia real. De él formarían parte conocidos miembros de la sociedad vallisoletana, entre los que cabría reseñar a la familia Cazalla —Doña Leonor Vivero, viuda de Pedro Cazalla, y sus hijos Agustín, Francisco, Beatriz, Constanza y Juan, este último junto a su esposa doña Juana de Silva, hija del marqués de Montemayor—; el señor don Cristóbal de Ocampo y don Cristóbal de Padilla, caballeros de la Orden de San Juan; doña Ana Henríquez, hija del Marqués de Alcañices; doña Catalina de Ortiz, viuda del capitán Loaísa; el sacerdote Alfonso Pérez; el caballero comendador de la Orden de Alcántara, don Pedro Sarmiento (hermano de fray Domingo de Rojas) así como su esposa doña Mencía de Figueroa; don Juan de Ulloa Pereira, caballero comendador de la Orden de San Juan; el bachiller Antonio Herrezuelo y su esposa doña Leonor de Cisneros; los licenciados Calahorra y Diego Sánchez y Luis de Rojas, hermano de Domingo. El total de adeptos alcanzaba las cincuenta y cinco personas, entre las que, además de las citadas, había artesanos, criados y gente piadosa caracterizada por su espíritu renovador.

El miembro más célebre y distinguido de esta Iglesia conversa de Valladolid fue el doctor Agustín Cazalla. Al igual que Domingo de Rojas, fue discípulo de Bartolomé Carranza en Valladolid, y también, como multitud de reformadores y simpatizantes de las ideas renovadas protestantes, estudiante en la Universidad de Alcalá de Henares, donde se doctoró en Teología. Sucedió a Alonso de Virués como predicador de Carlos V cuando éste pasó a ocupar el obispado de Canarias tras sus problemas con la Inquisición. Desempeñando esta función, así como la de capellán del Emperador, entra en contacto con reformadores alemanes que influyen notablemente en sus nuevas concepciones religiosas. En Valladolid conoce a Domingo de Rojas y a Carlos de Seso, estableciendo los primeros contactos con la comunidad evangélica recientemente fundada en la que terminó por integrarse y a la que llevaría a todo su círculo familiar.

El ideario de la Iglesia reformada de Valladolid contenía, ciertamente, los puntos de desencuentro con la Iglesia Católica –de donde provenía la totalidad de sus miembros– que habían ocasionado el cisma protestante, comulgando con los principales postulados luteranos, como la doctrina de la justificación por la fe o la consideración de las Sagradas Escrituras como fuente de salvación por contener la revelación divina.

En 1558 los integrantes de la Congregación de Valladolid son detenidos por el Santo Oficio, procesados y penitenciados en los Autos de fe celebrados en Valladolid el 21 de mayo y el 5 de octubre de 1559. Al primero de ellos asiste el infante de España, Carlos, hijo de Felipe II, la princesa Juana y don Juan de Austria, lo que demuestra el relieve que adquirió el fenómeno vallisoletano en momentos en los que la preocupación por la entrada en España de las corrientes protestantes acaparaba la mayor atención de las autoridades políticas y eclesiásticas.

Agustín Cazalla es condenado a relajación después de confesar el seguimiento de la doctrina de Lutero, aunque negó en todo momento cualquier labor proselitista de las ideas protestantes. Su retractación no evitó la condena a muerte, aunque sí le permitió que ésta le fuera aplicada a través del garrote. Parecida suerte corrió parte de su familia: su hermano Francisco murió en la hoguera y su hermana Beatriz mediante la aplicación previa del garrote. Los restos de la madre de los Cazalla, Leonor Vivero –por entonces fallecida–, fueron exhumados y quemados tras establecerse en el proceso su participación en la congregación de reformados de Valladolid. Sus otros hijos Constanza y Juan, así como la esposa de éste, Juana de Silva, gozaron de cierta indulgencia al ser condenados a reclusión a perpetuidad.

La implicación de la saga de los Cazalla en la congregación de Valladolid llevó al Santo Oficio a dictaminar la demolición de la residencia familiar y ordenar la colocación en su lugar de una reseña cuyo texto decía:

> *«Presidiendo la Iglesia romana Paulo IV, y reinando en España Felipe II, el Santo Oficio de la Inquisición condenó a derrocar y asolar estas casas de Pedro Cazalla y doña Leonor de Vivero, su mujer, porque los herejes luteranos se juntaban a hacer convertículos contra nuestra santa fe católica e Iglesia romana, en 21 de mayo de 1559».*

El espíritu íntimo y clandestino que presidió la causa reformadora en España llevaba implícitos, entre sus componentes, estos lazos familiares y de amistad –o de círculos próximos a los mismos– como hemos visto en el caso de los Cazalla, y que se repite en el caso de fray Domingo de Rojas, uno de los fundadores de la congregación. En el Auto de fe del 21 de mayo son condenados sus hermanos Pedro Sarmiento, Luis y María. El primero, junto con su esposa doña Mencía de Figueroa, sufrieron confiscación de bienes y pena de cárcel perpetua, Luis de Rojas padeció destierro y pérdida de bienes y María de Rojas, monja de Santa Catalina de Siena, así como su sobrina Ana Henríquez, fueron condenadas a reclusión perpetua, la una en las celdas del convento de la orden a la que pertenecía y la otra en un monasterio.

De la muerte no escaparon el abogado Antonio Herrezuelos; el licenciado Herrera; los caballeros de la Orden de San Juan, Cristóbal de Ocampo y Cristóbal de Padilla; el sacerdote Alonso Pérez; Juan García, un artesano platero vallisoletano; y cuatro mujeres, entre las que se encontraban Juana Vázquez, criada de la familia Rojas y Catalina Ortega, todos ellos quemados después de haber sido ejecutados mediante garrote. El Auto de fe condujo a la cárcel perpetua y a la confiscación de bienes a otros tantos miembros de la desarbolada nueva Iglesia: el comendador de la Orden de San Juan, Juan de Ulloa Pereira; dos personas de confianza de la familia Cazalla para la cual trabajaban como sirvientes, Isabel y Antonio Domínguez; y otros tres ciudadanos castellanos que respondían a los nombres de Daniel de la Cuadra, Francisca Zúñiga de Baeza y Marina de Saavedra. Leonor de Cisneros, esposa de Antonio Herrezuelo, optó por la reconciliación, pasando de nuevo a la cárcel inquisitorial, de la que salió el 26 de septiembre de 1568 para ser quemada en la hoguera tras un nuevo proceso abierto en el que confesó abiertamente la profesión de las doctrinas de las que había abjurado nueve años antes.

El mismo Felipe II presidiría el segundo Auto de fe mediante el cual quedó apuntillado el brote protestante surgido al abrigo de la sobriedad y el misticismo de la vieja Castilla. Acompañando al nuevo Rey se encontraban el arzobispo de Sevilla e Inquisidor General, Fernando Valdés y otros representantes de la nobleza como Antonio de Toledo, de la casa de Alba, o el duque de Nájera. El acontecimiento reservaba la condena y ejecución de los dos fundadores del movimiento reformista: Carlos de Seso quemado en la hoguera y Domingo de Rojas mediante garrote previo. En sus respectivos procesos fueron sometidos a tormento que, en el caso de Rojas, sirvió además, para extraer declaraciones y pruebas contra Bartolomé Carranza, al que Valdés vigilaba por sus opiniones doctrinales, y que a la postre ayudarían a su detención y procesamiento en 1559.

Valladolid vivió ese 8 de octubre de 1559 una cruel jornada de ejecuciones. A las de Seso y Rojas hubo que sumar las de Juan Sánchez, criado que había sido de los Cazalla; Catalina Ortega; las religiosas Eufrosina Ríos, Catalina de Reinoso, Margarita de Santisteban, Felipa de Heredia, Marta de Miranda, Catalina de Alcaraz y Marina de Guevara; el sacerdote Domingo Sánchez; y el último de los Cazalla, Pedro. Unos quemados, otros agarrotados, todos fueron relajados, convictos de herejía luterana y como integrantes de una secta reformista que tocaba a su fin. Hubo también reconciliados con pena de cárcel perpetua y confiscación, como los casos de Isabel de Castilla y de su sobrina Catalina, así como una condena de relajación en estatua en la persona de Juana Sánchez, muerta en prisión poco tiempo antes.

Entre las siete monjas ajusticiadas, seis de ellas pertenecían a la orden del Císter y procedían del convento de San Belén. La otra religiosa, Eufrosina Ríos, lo era del convento de Santa Clara.

En cuanto a Juan Sánchez, huyó del país nada más comenzar las persecuciones del Santo Oficio en 1558 instalándose en Flandes. Descubierta su residencia por la correspondencia que mantenía con Catalina Ortega, fue apresado por el Santo Oficio en Turlinguer y llevado a Valladolid.

Todos los integrantes de la congregación de Valladolid mostraron durante sus procesos una admirable firmeza y convicción en sus ideales religiosos. Llorente relata que cuando se le comunica a Carlos de Seso la sentencia de muerte es requerido, una vez más, para que confiese sus errores y los de sus cómplices, ante lo cual

«*Don Carlos de Seso pidió tinta y papel y escribió su confesión, la cual era enteramente luterana. En ella dice que esta doctrina era la verdadera fe evangélica y no la enseñada por la Iglesia Romana, que ya desde siglos se encontraba en las tinieblas y en la perdición. En esta fe quería vivir y morir, ofreciendo a Dios su afrenta en memoria y por la viva fe en la Pasión de Jesucristo. Difícil sería describir la viveza y el vigor de las palabras con que llenó dos pliegos un hombre que iba a morir dentro de pocas horas*».

Kamen entresaca una parte literal de dicho testamento doctrinal: «*... en sólo Jesucristo espero, en sólo Él confío y a Él adoro, y puesta mi indigna mano en su sacratísimo costado, voy por el valor de su sangre a gozar de las promesas por Él hechas a sus escogidos*». También se atribuye a

Seso una increpación al Monarca durante la celebración del Auto de fe que le llevaría a la hoguera: «*¿Cómo Vuestra Majestad permite que súbditos inocentes sean arrojados al fuego?*», contestada por Felipe II con una frase tan rotunda como la siguiente: «*Yo mismo llevaría la leña para quemar a mi propio hijo si fuera tan perverso como lo sois vos*». De nuevo Llorente refiere las últimas palabras del condenado cuando, atado a la estaca del quemadero, se le insta por última vez al arrepentimiento: «*Si me quedase tiempo os demostraría cómo vais a ir al infierno por no hacer todo lo que yo hago*».

Otro tanto se cuenta de Domingo de Rojas, que en los momentos previos a su muerte se reafirmó en sus convicciones en vez de dar muestras de arrepentimiento:

> «*Aunque yo salgo aquí, en opinión del vulgo, por hereje, creo en Dios Todopoderoso, Padre, Hijo y Espíritu Santo y creo en la Pasión de Cristo, la cual basta para salvar a todo el mundo, sin otra obra más para la justificación del alma delante de Dios, y en esta fe me pienso salvar*».[152]

Respecto al final de Juan Sánchez se destaca su gran valor al enfrentarse a la hoguera:

> «*(...) llevado a la ejecución con la mordaza en la boca. Era, según su propia confesión, adicto a la secta de Lutero, como los condenados, si no pertenecía a otra más abominable aún. Respondiendo firmemente a todas las acusaciones, dijo que esto era la verdad y que quería vivir o morir en esta opinión; en verdad tuvo una seguridad completa de su salvación y se mostró tan firme en todos los interrogatorios que no se le pudo forzar a otra confesión. Fue quemado vivo y se dice que, medio consumido ya por las llamas, saltó de un palo a otro gritando: «Misericordia, misericordia». Entonces le dijeron los frailes gritando que todavía había tiempo para obtener de Dios la misericordia, pero que antes tenía que confesar sus pecados. Él, empero, les contestó que le era imposible confesar sus pecados a otro sino a Dios, y por esto lo dejaron morir en las llamas. Este fue el hereje más obstinado de todos*».[153]

Por su parte, Gonzalo de Illescas narra la entereza de Antonio Herrezuelo ante su ejecución, así como, nueve años después, la de su esposa Leonor de Cisneros, en el Auto de fe celebrado en 1568:

> «*(...) El bachiller Herrezuelo se dejó quemar vivo con una fortaleza sin precedentes. Yo estaba tan cerca de él que pude ver, perfectamente, toda su persona y observé todos sus gestos y movimientos. No podía hablar porque por sus blasfemias tenía una mordaza en la lengua; en todas las cosas pareció duro y empedernido, y por no doblar su brazo quiso antes morir ardiendo que creer lo que otros de sus compañe-*

---

[152] Diego de Simancas.
[153] Llorente, J. L. *Op. cit.*

ros. Aunque yo lo observaba de cerca, no pude ver la menor queja o expresión de dolor, con todo eso, murió con la más extraña tristeza en la cara que yo haya visto jamás. Tanto que ponía espanto mirarle el rostro, como aquel que en un momento había de ser en el infierno con su compañero y maestro Lutero».

De Leonor de Cisneros escribe:

«(...) En el año 1568, el 26 de septiembre, se ejecutó la sentencia de Leonor de Cisneros, viuda del bachiller Herrezuelo. Se dejó quemar viva, sin que bastase para convencerla diligencia ninguna de las que con ella se hicieron y que fueron muchas. Pero nada pudo conmover el endurecido corazón de esa obstinada mujer».

La congregación de Sevilla

La comunidad protestante de Sevilla llegó a tener un mayor número de seguidores que la de Valladolid, en total se cuentan ciento veintisiete fieles procesados por el Santo Oficio junto a su fundador, Juan Gil, conocido como doctor Egidio.

Juan Gil, al igual que otros partidarios de la reforma protestante –como fue el caso de Agustín Cazalla– se formó en la universidad de Alcalá de Henares, siendo doctor en Teología. Allí conoció a Constantino Ponce de la Fuente y al doctor Vargas, con quienes más tarde compartiría criterios doctrinales. Fue canónigo de la catedral de Sevilla tras un breve paso por Sigüenza y estuvo dedicado a la enseñanza de la escolástica. Sus contactos con Rodrigo de Varela, un «alocado» predicador del Evangelio que en 1540 tuvo sus primeros contactos con las cárceles inquisitoriales, le encaminaron definitivamente hacia la propagación de las nuevas ideas, convirtiéndose pronto en un popular apóstol de las tesis luteranas. Y es por entonces cuando se incorporan a la Iglesia reformada sevillana los citados Constantino Ponce y el doctor Vargas.

En 1550, poco antes de tomar posesión de su nuevo destino como obispo de Tortosa, Juan Gis es denunciado y detenido por el tribunal de la Inquisición de Sevilla, siendo procesado y condenado a tres años de prisión y diez de inhabilitación, durante los cuales tuvo prohibida la enseñanza, la predicación y la confesión. Obligado a abjurar de sus proposiciones, abandonó la cárcel en 1555 aunque no sus ideales protestantes, ya que constan posteriores contactos con los reformados de Valladolid. En el Auto de fe celebrado en Sevilla el 22 de diciembre de 1560, fueron quemados sus restos –Gil había muerto en 1556– tras el nuevo proceso instruido por el Santo Oficio convicto de herejía luterana hasta el último momento de su vida.

Dos años antes, la organizada congregación sevillana había visto caer a otro de sus grandes promotores: Constantino Ponce de la Fuente. Ponce fue detenido en agosto de

1558 –murió en prisión veinticuatro meses después– y quemado en estatua en el mismo Auto de fe que Gil. Gran orador y predicador, llegó a ser capellán de Carlos V, catedrático de Teología en el Colegio de la Doctrina de Sevilla y canónigo de la catedral. Fue autor de la obra titulada *Summa de doctrina christiana* que si bien contó con autorización para ser publicada y alcanzó gran difusión, contenía ya una difuminada exposición sobre los grandes temas protestantes: justificación por la fe, indulgencias, purgatorio y buenas obras.

El monasterio jerónimo de San Isidro del Campo, en Santiponce, puede ser considerado como el lugar donde caló de manera más profusa el ideario reformista de Gil, Ponce y Vargas. Su prior, García Arias, mantuvo en difícil equilibrio sus posturas renovadoras, por una parte, con su condición de calificador del Santo Oficio y de director espiritual de los monjes a su cargo, por otra. Conocido como el doctor Blanco debido a su albinismo, Arias promovió cambios sustanciales en el culto con el fin de adaptarlo a renovado compromiso espiritual. Así, suprimió el culto a las imágenes, las oraciones por los muertos y los ayunos –que él definía como «prácticas supersticiosas»–, al tiempo que introducía la lectura de las Escrituras como base de cualquier ceremonia litúrgica. La difusión entusiasta de sus convicciones alcanzó pronto a otros monasterios y conventos, como el de Santa Paula, quedando pronto patente ante la Inquisición el brote herético que había que era preciso erradicar sin mucha dilación. La inminencia de una actuación del Santo Oficio hizo que algunos de los más significativos religiosos de San Isidro huyeran a Ginebra (1555), mientras que los que optaron por permanecer fueron detenidos en 1557 y procesados. García Arias, Cristóbal de Arellano, Juan Crisóstomo, Juan de León y el padre Morcillo, fueron condenados a muerte y ejecutados, convictos de herejía luterana, en el Auto de fe celebrado en Sevilla el 24 de septiembre de 1559. En ese mismo Auto de fe morían en la hoguera Juan Ponce de León, el sacerdote y predicador Juan González y dos de sus hermanas y Cristóbal Losada. A garrote lo hacían la joven María de Bohórquez, María de Virués e Isabel de Baena, cuya residencia fue utilizada en muchas ocasiones como lugar de reunión de la comunidad evangélica. En estatua fue quemado el licenciado Zafra, que había logrado huir de la cárcel inquisitorial tras su detención en 1557. En total ventiuna personas, aunque no todas eran fieles pertenecientes a la comunidad protestante sevillana, que definitivamente quedó reducida a cenizas tras el último de los cuatro Autos de fe que se realizaron y que tuvo lugar el 28 de octubre de 1562.

El segundo de los Autos de fe en el que fueron penitenciados los reformados de Sevilla, tuvo lugar el 22 de diciembre de 1560 y reunió al resto de los integrantes más destacados de esta congregación. Junto a la efigie de Gil y Ponce de la Fuente fue quemada la de Juan Pérez de la Pineda, que había logrado huir fuera de España nada más desatarse las persecuciones en Sevilla. A reconciliación se acogieron treinta y siete condenados, entre los cuales se hallaban la viuda de Juan Ponce de León, Catalina Sarmiento, y cinco frailes del monasterio de San Isidro. Más firmeza en sus convicciones mantuvo el lego de este mismo monasterio, Juan Sastre, quien habiéndose mostrado contrario a la abjuración de sus ideas, fue quemado en la hoguera junto con Ana de Ribera, Francisca de Chaves, monja del convento de Santa Isabel y Francisca Ruiz. También fue condenada al quemadero María Gómez, denunciante de muchos de los reformados sevillanos, y parte de su familia: junto a ella sufrieron relajación sus hijas Elvira, Lucía y Teresa y su hermana Leonor Gómez.

En este mismo Auto de fe fue proclamada la inocencia de Juana de Bohórquez, hermana de María de Bohórquez –ejecutada a garrote en el Auto de fe de septiembre de 1559–. Juana había muerto en prisión después de ser detenida y sometida a tortura por el Santo Oficio.

Especial mención merece el caso de Julián Hernández, *Julianillo,* personaje de gran trascendencia no solo por su pertenencia al movimiento reformador andaluz sino por el importante papel desempeñado en el tránsito de libros prohibidos desde Ginebra y otros lugares de Europa hasta la España. Julián Hernández, arriero de profesión, conducía un carro cargado de toneles dentro de los cuales escondía las publicaciones censuradas. Fue detenido por la Inquisición en Adamuz (Córdoba) y pasó tres años en los calabozos del castillo de Triana antes de ser sentenciado a relajación en el Auto de fe del 22 de diciembre de 1560, en el que murió quemado en la hoguera.

El exilio de los reformistas sevillanos

Cuando arreciaron las detenciones de miembros de la comunidad reformada sevillana muchos de sus más destacados representantes decidieron ponerse a salvo abandonando España camino de Europa. A esta alternativa se adhirieron parte de los religiosos de San Isidro, como ya quedó dicho al hablar de García Arias y su talante renovador. Traspasada ya la primera mitad del siglo XVI, Cipriano de Valera, Casiodoro de Reina y Antonio del Corro, todos ellos monjes jerónimos del monasterio sevillano, lograron atravesar la frontera española e instalarse en Ginebra.

El primero en hacerlo fue Cipriano de Valera, nacido en 1532 cerca de Frenegal de la Sierra (Extremadura) y que acabaría sus días en Londres, poco después de realizar una revisión de la traducción al español de la Biblia de Casiodoro de Reina, a la cual añadió los siete libros deuterocanónicos. La publicación de esta revisión de las Sagradas Escrituras se produce en Amsterdam en el año 1602. Valera pasó gran parte de su vida de exiliado en Inglaterra, donde fue profesor en las Universidades de Cambridge y Oxford. Como escritor publicó diversas obras de carácter religioso, destacando *Dos Tratados*, que hacían referencia al papa y a la misa. En el primero, se plantea la autoridad papal vista desde los pronunciamientos que sobre ella hacen los concilios, doctores y Sagradas Escrituras. En el segundo, el objeto de estudio es la misa examinada desde estos mismos fundamentos. *Tratado para confirmar en la fe cristiana a los cautivos de Berbería* vio la luz en 1594 y en ella Valera se dirige a los cristianos apresados por los piratas musulmanes con el fin de que se mantengan firmes en la fe. Dedicada a la milagrería y a la superstición, el *Enjambre de falsos milagros e ilusiones del demonio con que María de la Visitación engañó a muchos*, permite a este extremeño arremeter contra el sinfín de acontecimientos «extraordinarios» que la época estaba alumbrando y que tendrían su período de apogeo durante gran parte del siglo XVII. Como traductor, habría que reseñar la que en 1597 hizo Valera de la obra de Calvino, *Instituto Christianae Religionis*.

Casiodoro de Reina, extremeño como Cipriano de Valera y nacido en la localidad de Montemolín, en 1520, es quizá, de entre los monjes salidos del monasterio sevillano de San Isidro, el de mayor proyección dentro del entorno protestante europeo por su traducción al español de la Biblia. Editada en Basilea en 1569, adquirió pronto el sobrenombre de *Biblia del Oso* por la figura que de este animal aparecía en la portada a modo de distintivo del impresor y puede considerarse como la primera edición en lengua castellana de las Sagradas Escrituras. Como mérito añadido, Casiodoro de Reina realizó una traducción directa de los textos griegos y hebreos en lugar de tomar como referencia la Vulgata de San Jerónimo. El minucioso trabajo de transcripción llevó doce años y fue concebido tras la llegada de Reina a Ginebra, después de su obligada salida de España.

La *Biblia del Oso* venía a completar el sustancial esfuerzo emprendido por Francisco Enzinas, con su traducción del Nuevo Testamento, y el de Juan Pérez de Pineda promoviendo el proyecto que más tarde Casiodoro de Reina terminaría, constituyéndose como su magistral heredero. La composición del texto en los talleres de impresión y su distribución en España siguieron un camino accidentado como no podía ser de otra forma, tratándose del trabajo de un reconocido reformista. El primer editor comprometido con Reina –Oporino– murió en 1568, poco tiempo después de recibir el encargo de impresión de 1.100 ejemplares. La fracasada operación que, además, dejaba al español sin los fondos previamente adelantados al editor, obligó a orientar los pasos hacia impresores de Ginebra y Basilea, guardando con extrema cautela sus nombres a la vista de las operaciones que contra este gremio se habían realizado en Francia y que terminaron con la detención de Diego López y la huida de París de Pedro Martínez de Morentín por prestarse a la edición del Nuevo Testamento de Juan Pérez.

Si en un principio Casiodoro de Reina pensó en la imprenta de Jean Crespin, asentada en Ginebra, como la más apropiada para llevar a cabo una primera tirada de su obra, finalmente optó por contar con los talleres de Thomas Guarin, en Basilea, con quien contrató la impresión de 2.600 ejemplares, que fueron publicados en septiembre de 1569. Para su distribución en España hubo de introducir omisiones y modificaciones que la hicieran factible ante la escrupulosa diligencia demostrada por la Inquisición en los temas relacionados con el tráfico de libros prohibidos. Por esta razón, la casi totalidad de las ediciones no llevaban ni el nombre del traductor ni el del impresor y algunos fueron enviados con cubiertas que se correspondían con otros textos y autores. Así, en 1585 se dispuso un envío desde Amberes que pasaba por ser el *Dictionarium Latinum* de Ambrogio Calepino. Hasta 1602, cuando Valera revisa la obra de Casiodoro, la edición de Guarin fue la única disponible de la Biblia en castellano.

La persecución a la que, incluso fuera de España, fue sometido Casiodoro de Reina por parte del Santo Oficio, los avatares políticos que sacudieron los dominios españoles en Europa, las circunstancias personales derivadas de su condición de exiliado, así como el alejamiento paulatino de las posiciones calvinistas más radicales, le llevaron a cambiar frecuentemente de residencia, por lo que su vida transcurrió entre las ciudades de Londres, Estrasburgo, Basilea, Francfort o Amberes y otros lugares como la localidad de Bergerac o el Castillo de Montargis, donde también residió Juan Pérez de la Pineda y Antonio del Corro. En Amberes parte de su actividad estuvo dedicada al restablecimiento de la Confesión de Augsburgo, iglesia en la que ocupó el cargo de pastor de los congregantes franceses, al igual que haría en Frankfurt, donde lo fue de los franceses luteranos.

Además de la famosa *Biblia del Oso*, Reina tradujo al francés la *Historia Confessionis Augustanae*, publicada en Amberes en 1582 y escribió un *Catecismo*, cuya edición en 1580 se realizó en francés, holandés y latín, y *Confesión de fe*, aparecida en Frankfurt en 1577, ciudad donde moriría el 15 de marzo de 1594.

El último de los monjes de San Isidro citados, Antonio del Corro, desplegó una gran actividad literaria, principalmente en Inglaterra donde residió desde 1567 hasta 1591, fecha de su muerte. Su periplo europeo le lleva desde Sevilla hasta las ciudades de Ginebra, Lausana, Burdeos, Toulouse y Amberes. En este último lugar publicó su *Epístola al rey de España* (*Lettre envoyée a la maisté du roy des Espaignes*) y *Epistre et amiable remostrance d'un Ministre de l'Evangile de nostre Redempteur Iesus Christ*, ambas durante el año 1567. De su paso por Lausana constan los estudios de teología realizados en la Academia bajo las enseñanzas de Théodore de Bèze. Como profesor y predicador su biografía reseña la estancia, en el Castillo de Montargis, como capellán de la duquesa de Ferrara, hija del rey francés Luis XII, y las clases de español impartidas al futuro Enrique IV de Francia, hijo de Juana III de Albret.

En latín o francés, la obra de Antonio del Corro editada a partir de 1567 fue traducida pronto al inglés, alcanzando muchos de sus libros gran fama, como el *Dialogus Theologicus*, aparecido en Londres en 1574 y que versa sobre la *Epístola de San Pablo a los romanos*. También de su período inglés son los títulos *Tableau de l'Oeuvre de Dieu*, que consta como publicada en Norwich en 1569 y *Sapientissimi regis Salomonis*, ésta editada en 1579. Su actividad en Inglaterra abarcó la predicación en la Iglesia de San Pablo de Londres, así como la docencia en la Universidad de Oxford, donde obtuvo una cátedra en Teología. Aunque de convicciones calvinistas durante gran parte de su vida, terminó profesando en la iglesia anglicana.

Los procesos abiertos en España contra estos tres religiosos siguieron puntualmente su curso, a pesar de su doloroso exilio, único como alternativa a una muerte segura. El Tribunal de la Inquisición sevillano los condena a relajación en 1562 y sus efigies ardieron en el quemadero habilitado junto a la plaza de San Francisco mientras que sus personas, desde Europa, propagaban el ideario reformado con los únicos elementos con los que siempre habían contado: la predicación y la escritura.

También apegado a la necesidad de transmitir la verdadera doctrina cristiana a través de los Libros Sagrados, Juan Pérez de la Pineda desarrollaría una importante labor como traductor al castellano de textos como el Nuevo Testamento. Su alejamiento de España se produce como consecuencia de la detención de Juan Gil, intuyendo las dificultades por las que habría de atravesar la labor de difusión de la fe reformada dentro del territorio peninsular. Deja el rectorado del Colegio de la Doctrina de Sevilla y se instala en Ginebra, ciudad donde reúne a un considerable número de exiliados con los que formará una congregación evangélica. Los pasos seguidos por Pérez de la Pineda en Europa recuerdan a los de otros reformados españoles: pastor de las congregaciones francesas luteranas, capellán en la corte de la Condesa de Ferrara en el Castillo de Montargis y escritor infatigable sobre cuestiones religiosas.

Una de sus primeras aportaciones a la literatura sagrada es la edición, en 1556, de un Nuevo Testamento basado en la traducción realizada por Francisco Enzinas y publicada en 1543. Un año después salió a la luz su versión en castellano de los *Salmos*, obra que contaba ya con la traducción realizada por Juan de Valdés y que tituló *Comentario a los Salmos*. Sin embargo, su mayor empeño quedó fijado en la traducción al castellano de las Sagradas Escrituras, cuyos trabajos iniciaría poco antes de su muerte y que finalizaría, como hemos apuntado, Casiodoro de Reina. De su pluma también nacieron el *Sumario de Doctrina Cristiana*, *Breve tratado de la doctrina antigua de Dios y de la nueva de los hombres* y una epístola consolatoria titulada: *Epístola consolatoria a los fieles de Jesucristo que padecen persecución por la confesión de su nombre, en que se declara el propósito y buena voluntad de Dios para con ellos y son confirmados contra las tentaciones y el horror de la muerte, y enseñados cómo se han de regir en todo tiempo, próspero y adverso.*

El proceso Carranza

Una brillante carrera hasta el Arzobispado

Vamos a detenernos en uno de los procesos más controvertidos –aunque poco conocido– de la Inquisición, tanto de la española como de la pontificia, pues, aunque se inicia y desarrolla en España durante casi ocho años, concluye en Roma tras otros nueve: en total 17 años de la vida de un hombre, los últimos, que transcurren entre la prisión del Santo Oficio de Valladolid y el Castillo de Sant'Angelo, en Roma, donde muere a los dieciocho días de haber sido pronunciada la sentencia; un hombre que fue brillante teólogo durante los primeros años de Trento (1543 y 1551) defendiendo la pureza del dogma católico y la disciplina de la Iglesia frente a la reforma protestante; que fue Predicador del Emperador Carlos –al que asistió en sus últimos momentos en Yuste– y del rey Felipe, quien le encumbraría a la más alta dignidad del mundo cristiano después del Papa, el Arzobispado de Toledo y Primado de las Españas, para abandonarle poco después y ensañarse con él de una forma tan poco caritativa que las sombras de la *leyenda negra* oscurecerán, ciertamente, la figura del Monarca: hablamos del proceso contra Bartolomé de Carranza Miranda.

Cuatro papas se sucedieron a lo largo del mismo –Pablo IV, Pío IV, Pío V y Gregorio XIII– y tres Inquisidores Generales –Fernando Valdés, Diego de Espinosa y Gaspar de Quiroga–; lo ilustraron innumerables testimonios de las más representativas figuras civiles y religiosas de toda una época, como el propio Felipe II, la princesa gobernadora doña Juana, los condes de Mélito, Oropesa y Feria, marqueses de Cortes y Montemayor, Secretarios Reales, miembros del Consejo Real, obispos, teólogos, frailes dominicos, como fray Bartolomé de las Casas, fray Juan de la Peña Sotomayor, o el franciscano fray Diego de Estella y Fresneda; un proceso en el que se produce –y es aceptada– la recusación del mismísimo juez –nada menos que el Inquisidor General Don Fernando Valdés– por notoria parcialidad en los prolegómenos de la causa; un proceso, en fin, en el que, bajo la acusación de luteranismo, se entremezclan envidias y rencillas personales, cuestiones políticas, malabarismos diplomáticos y un debate teológico que, a pesar de las apariencias y, como bien indica J. I. Telechea Idígoras, no se produce entre ortodoxia y heterodoxia cristianas, sino entre dos modos de teología católica.

La figura de Bartolomé de Carranza se mantiene a lo largo de la causa en una situación imprecisa pues, pese a su profundo contacto con la herejía protestante, a la que combatió directamente en Flandes e Inglaterra y cuyos fundamentos estudió y refutó como teólogo en Trento, no consigue probarse su condición de «hereje» –se le condena como «vehementemente sospechoso» en una sentencia pronunciada bajo tremendas presiones políticas y que no satisfizo a ninguna de las partes implicadas–. Si en la opinión de muchos teólogos podría aplicarse al cuerpo doctrinal de los escritos carrancianos la censura conclusiva *videtur non habuisse animum haereticum*, en la de otros ciertas expresiones de lenguaje usadas por Carranza en conversaciones, sermones y escritos ponen en evidencia al cristiano que ha asumido la *reforma*. Esta especie de fluctuación está presente incluso en los *calificadores* del proceso, que llegan a censurar como luteranas frases manuscritas del arzobispo copiadas literalmente de San Juan Crisóstomo o de San Agustín, mientras que se les escapan párrafos de Melanchton, por desconocer su procedencia. Quizás quien mejor sintetice el verdadero problema de todo el debate suscitado sea el propio Carranza cuando dice:

> *«una palabra ligeramente se tuerce a buen sentido e a malo conforme a la disposición del que la oye, como se ve cada día e agora se hace conmigo; y en buen sentido, será la fe católica; y en el otro, error contrario a ella».*[154]

Bartolomé de Carranza nace en 1503 en Miranda de Arga (Navarra). A los 17 años ingresa en la Orden de los dominicos y realiza estudios de teología que le llevarán a ocupar en 1533 la cátedra de Prima Teología en el Colegio de San Gregorio de Valladolid. En 1534 fue nombrado Calificador del Santo Oficio.

Con 36 años representó a su Orden en el Capítulo General de la misma, celebrado en Roma en el año 1539, distinguiéndose por su oratoria y recibiendo grandes honores, como por ejemplo la autorización por el Pontífice para leer libros prohibidos. Posteriormente, en el Concilio de Trento (1545), se consolidó como lúcido y docto teólogo en la defensa de las tesis ortodoxas, aunque sin dejar de poner el dedo en la llaga sobre ciertos aspectos de la vida de la Iglesia que era preciso reformar. A este respecto publica un libro en Roma en el que defiende la necesidad de que los obispos, como sucesores de los apóstoles en su ministerio, residan en sus respectivas diócesis satisfaciendo sus deberes pastorales, tesis que no dejará de crearle enemigos si bien él fue consecuente rehusando el rico obispado de Cuzco, primero, y el de Canarias, después, por no estar dispuesto a residir en sus sedes.

Nombrado Provincial de los dominicos para Castilla, volvió a Trento en 1551 –segundo período–, en cuyas sesiones, por expreso deseo del Emperador Carlos, participan también representantes del protestantismo.

Disuelto el Concilio en esta segunda fase, en 1554 se traslada a Inglaterra acompañando a Felipe II tras su matrimonio con María Tudor, y es nombrado Consultor y Auxi-

---

154 De Telechea Idígoras, J. I. *Op. cit.*

liar de la reina en cuestiones de herejía, tras la campaña iniciada por ésta contra anglicanos y calvinistas.

En 1577 se desplaza a los Países Bajos, nuevamente siguiendo instrucciones de Felipe II, para poner en orden aquellos reinos en materia de fe. Y será allí donde escriba los «*Comentarios de Chatecismo Christiano*», publicados en Amberes en 1558 y dedicados «*Al Serenísimo y Clementísimo Príncipe, nuestro Señor Don Felipe*», en cuyo texto los inquisidores encontrarán una fuente inagotable de proposiciones heréticas, y Melchor Cano, su delator, nada menos que ciento cuarenta y una.

En ese mismo año, encontrándose vacante la sede arzobispal de Toledo y obligado por Felipe II, que propone su designación para ocuparla, hubo de aceptar la mitra tras haberla rechazado por tres veces, siendo nombrado por Pablo IV con gran satisfacción y consagrado en Bruselas en 1558. El hecho de que un simple «fraile» ocupara el trono arzobispal más importante del imperio supuso, sin duda, más de un resquemor –por ejemplo el del Inquisidor General Valdés, que ambicionaba tal honor– y una cierta aprensión en algunos representantes del clero español, máxime teniendo en cuenta la rectitud y firmeza moral de que había hecho gala este hombre, en el que veían una amenaza latente para el disfrute de sus rentas y beneficios.

Uno de los factores que hicieron concebible en la mente de Valdés la sola idea de pensar en medirse con Carranza fue la detención y procesamiento de los integrantes de la Iglesia reformada de Valladolid, muchos de los cuales fueron amigos y discípulos suyos –en realidad únicamente lo fue Domingo de Rojas–. A partir de aquí el Inquisidor General busca nuevos argumentos y cargos que puedan sostener y fundamentar la apertura de un proceso contra Bartolomé de Carranza, encontrando en sus *Comentarios al Cathecismo Christiano,* como ya hemos señalado, todo el arsenal herético que necesitaba.

Pero disponer de «cargos», por graves que fueran, no era suficiente para procesar a un arzobispo, puesto que las causas episcopales estaban reservadas al Papa. La osadía de Valdés no tuvo límites al decidir enfrentarse a los máximos representantes de los poderes espiritual y temporal –no olvidemos que Carranza estaba muy bien visto en Roma y además era amigo personal del Rey– a fin de hundir al arzobispo. El Inquisidor General Don Fernando de Valdés, arzobispo de Sevilla, inicia negociaciones secretas con Roma y, sin mencionar al sospechoso, logra de Pablo IV facultades para proceder contra obispos –genéricamente– en la instrucción de sumarios procesales, aunque el Papa se reservara la sentencia. Al Rey, que a la sazón se encontraba en Flandes, le remite un abultado informe en el que recoge los cargos contra Carranza y le pone al corriente de los pormenores del caso, informándole, así mismo, de que el Consejo de la Inquisición había votado el procesamiento del Arzobispo y que disponía de la obligada autorización del Pontífice, consultándole, no obstante, por si tenía algo que oponer.

Y es aquí cuando el Rey «prudente», tras el primer arrebato de indignación ante el atrevimiento mostrado por Valdés por tomar iniciativas de tal envergadura sin su conocimiento, deja aflorar su carácter receloso y dubitativo, y en vez de postergar la decisión hasta haber hablado con Carranza, decide pecar de injusto antes que ser tachado de parcial, y escribe a Valdes:

> «*que se proceda en este e los otros negocios con el rigor que la calidad de estos negocios requiere, sin tener otro respecto sino sólo al servicio de Nuestro Señor e bien de estos reinos que Dios me ha dado a cargo e a descargar mi conciencia e las vuestras de cuya prudencia e celo confío yo tanto, e mirando, como ya he dicho, que en este negocio se vea lo más justificadamente que sea posible, de manera que todos vean lo que yo creo; que no hay sino puro celo e amor del servicio de Dios y bien de la justicia*».[155]

El 17 de agosto de 1559 se dicta la orden de prisión, pese a que en el breve pontificio se preveía tal cautela únicamente en el caso de temerse la huida del prelado.

Carranza, oportunamente informado por sus leales de toda esta maraña que se tejía contra él, intentó evitar el proceso escribiendo cartas al Inquisidor General y al Consejo de la Inquisición, en las que se manifestaba dispuesto a proporcionar cualquier aclaración e incluso decidido a corregir su obra si así se estimaba necesario, pero estas misivas no fueron tomadas en consideración. Su única esperanza estaba en entrevistarse con el Rey, que regresaba de Flandes, y en este extremo coincidía con el Inquisidor General quien, intentando evitar a toda costa que este encuentro se produjera, encarga a don Rodrigo de Castro, hijo del conde de Lemos, que procediera al prendimiento de Carranza, cometido que éste realiza en nombre de la Santa Inquisición el 22 de agosto de 1559 en Torrelaguna y desde donde lo conduce a las cárceles del Santo Oficio de Valladolid.

Y así comienza un larguísimo proceso en el que todos los pasos que establece el procedimiento se irán cumpliendo de forma rigurosa, aunque pródigos en incidencias; un proceso que necesitará más de veinte mil folios en los que se irá detallando el desarrollo del mismo y en el que por las partes en litigio se recurrirá a todo tipo de tretas y argucias que estorben las intenciones o argumentos de la contraria.

Primeras moniciones. Recusación

Cuando un mes después de la detención del Arzobispo el juez de la causa e Inquisidor General Fernando de Valdés visita al presunto reo para proceder a la primera de las tres moniciones de rigor que fija el procedimiento, y aunque en el mismo se contempla la posibilidad de recusación de jueces o testigos, se considera ya iniciada la fase acusatoria y una vez nombrados

---

[155] De Telechea Idígoras, J. I. *Op. cit.*

abogado y procurador, Carranza realiza formalmente la recusación de Valdés fundamentada en una «notoria parcialidad y apasionamiento», ya en los prolegómenos del proceso.

El 5 de octubre de 1559 Valdés y Carranza designarán cada uno de ellos un juez-árbitro –el licenciado Irunza, oidor de la Chancillería de Valladolid será el elegido por Valdés, mientras que Carranza señalará a don Juan Sarmiento, oidor del Consejo de Indias– que en el plazo máximo de tres días deberán decidir si las alegaciones presentadas por Carranza disponen de entidad y consistencia jurídicas y, si así fuere, resolver en justicia.

Ambos jueces tuvieron clara, inmediatamente, la necesidad de interrumpir el proceso a Carranza para disponerse a escuchar las declaraciones de los muchos y cualificados testigos que el arzobispo nombró para que dieran fe de lo manifestado en su larga lista de acusaciones contra Valdés. Carranza le acusa –explica J. I. Tellechea Idígoras–:

> «de haberse puesto descaradamente de parte de doña María Mendoza, viuda del omnipotente secretario real Cobos, en el pleito que la mitra de Toledo llevaba con ella sobre la posesión del adelantamiento de Cazorla. Desvela el carácter vengativo del Inquisidor General, el nepotismo utilizado en la provisión de plazas de Inquisición, el abuso de poder inquisitorial en cosas que nada tenían que ver con la fe y sí con rencillas personales. Y descendiendo concretamente a su caso, presenta las decisiones valdesianas respecto al propio proceso como viciadas por el apasionamiento y la arbitrariedad: buscó dictámenes desfavorables de notorios enemigos de Carranza, como Melchor Cano; despreció los favorables y aun amenazó a alguno de sus autores, como el gran teólogo Andrés Cuesta, obispo de León, diciendo que le llegaría su San Martín. Prohibió a la Universidad de Alcalá que se pronunciase sobre el Catecismo, aunque ésta hizo ver que ya se había pronunciado antes de recibir el aviso. No hizo el menor caso de las sumisiones de Carranza y de su voluntad de aceptar correcciones del libro y aun de hacerlo desaparecer totalmente, sino que por el contrario lo infamó continuamente, etc.».

La recusación del juez fue aceptada y los árbitros ordenaron a Valdés abstenerse de participar en la causa, directa o indirectamente a través de terceros; decisión que pone de manifiesto, entre otras cosas, la talla humana y moral de estos hombres capaces de ser ecuánimes en la resolución de la causa que les ha sido encomendada aunque para ello deban desafiar, en nombre de la justicia, nada más y nada menos que al Santo Oficio en la figura de su máximo representante, el Inquisidor General.

Pero esta resolución, aparte de una victoria moral de Carranza, no aleja, evidentemente, a Valdés del proceso, ya que desde la Presidencia del Consejo de la Suprema seguirá dando las instrucciones que estime pertinentes, y en cambio provoca en el ánimo de Felipe II una descarada inclinación a favor de esta Institución que, no en balde, ocupa uno de los lugares preeminentes en la estructura del Estado, y que ha resultado bochornosamente golpeada.

Entre tanto se produce la muerte de Pablo IV y la elección de Pío IV. El nuevo Papa, desconociendo aún el nombre del prelado español que iba a ser procesado y el hecho de que hubiera sido recusado el Inquisidor General como juez de la causa, renueva las facultades especiales concedidas por su antecesor a Valdés en lo que no era sino un trámite habitual ante cuestiones comenzadas y no resueltas entre dos pontificados. Esto provoca una situación ciertamente embarazosa que debe resolverse mediante tensas gestiones diplomáticas que terminan el 5 de mayo de 1560 con la claudicación del Papa, que encarga a Felipe II la designación de nuevo juez instructor para el proceso.

El nominado será don Gaspar Zúñiga de Avellaneda, arzobispo de Santiago, que no se ocupará directamente del proceso sino que, a su vez, nombrará jueces subdelegados al Licenciado Fernández de Valtodano, obispo de Palencia, y al doctor Simancas, jurista arcediano de Córdoba. El proceso se reinicia el 22 de mayo de 1561 después de veintiún meses de prisión del presunto reo, que aún intentó que se le aplicara el modo procesal canónico a que hacía referencia el breve pontificio de delegación de facultades, pero prevalecieron los usos de la Inquisición española, más rigurosos que las *canonicas sanctiones*. Tras las moniciones de rigor, en las que Carranza se niega a confesar ningún delito, comienza la fase acusatoria en la que el fiscal Ramírez confeccionará el pliego de cargos y se procederá al nombramiento de abogados y procuradores.

Los primeros cargos contra Carranza

La mayor parte de los cargos presentados provenían de las declaraciones de los procesados de la Iglesia reformada de Valladolid y podían sintetizarse de la siguiente manera:

- Haber manifestado en sermones y escritos proposiciones luteranas.
- Haber tenido trato y amistad con herejes relajados, como Domingo de Rojas, Pedro Cazalla, Carlos de Sesso, etc., sin haberlos denunciado a la Inquisición.
- Haber retenido y usado en sus clases libros heréticos.

Carranza contesta una a una todas las cuestiones señaladas insistiendo en que no pueden sacarse de contexto frases dichas o manuscritas como las que le presenta el fiscal, pues se pierde la verdadera intención y significado de las mismas; que, no obstante, es posible que en algunas ocasiones le hubiera traicionado, en el ardor de la discusión, la ambigüedad de alguna expresión, el *lapsus linguae,* pero nunca el *animus haereticandi*; que sus actuaciones en Trento y en Inglaterra le acreditaban como defensor de la fe católica y como firme enemigo de los herejes; que en la única entrevista mantenida con Carlos de Sesso y Pedro Cazalla había creído resolver las dudas planteadas por éstos, dejando sosegados sus espíritus;

que tenía, en fin, autorización del Papa, al igual que otros muchos teólogos, para estar en posesión y estudiar libros heréticos o apuntar sus proposiciones con el objeto de estar en condiciones de fijar la posición católica frente a las doctrinas defendidas en ellos.

Dentro de la fase probatoria del procedimiento inquisitorial existía lo que se denominaba *abonos, indirectas y tachas*, a través de las cuales el presunto reo:

1. Presentaba el testimonio de su vida en los aspectos positivos (*abonos*).
2. Mostraba pruebas que indirectamente contradecían los cargos (*indirectas*).
3. Prevenía a los jueces contra los posibles testigos de cargo (*tachas*).

Las preguntas que el arzobispo redactó en relación con este triple «interrogatorio» fueron contestadas por los más de 50 testigos designados por él para aportar toda la luz posible al caso. El resultado de abonos supone una enérgica defensa de la trayectoria vital y de la ejemplaridad de Carranza, que el fiscal trata de neutralizar alegando «parcialidad» en los testigos. En indirectas sale al paso de las acusaciones relacionadas con cuestiones de doctrina, aludiendo a episodios «oscuros», como sus relaciones con Carlos de Sesso o la asistencia espiritual que dispensó al emperador Carlos en sus últimos momentos, hecho que derivó en una grave acusación de luteranismo por las frases empleadas ante el emperador moribundo señalando el crucifijo: «Aquí está el que ha dado satisfacción por todo; no hay más pecados, todo está perdonado». Mediante las tachas advierte a los jueces de la animadversión hacia su persona de figuras como fray Bernardo de Fresnedas, Confesor Real, o de Melchor Cano, a quien Carranza había vetado para el cargo de Provincial de la Orden años antes, que quedan desprestigiados con las declaraciones de tantos y tan doctos testigos.

Iniciada la tercera fase del Concilio de Trento (1562), donde debería encontrarse Carranza de no estar preso en Valladolid, se produce una gran agitación en el seno del mismo ante el proceso inquisitorial abierto contra uno de sus más eminentes teólogos. Una serie de prelados españoles afectos al Arzobispo hicieron llegar al Papa un memorial en el que defienden su buen nombre a la vez que muestran su extrañeza por la tardanza en la resolución de la causa que –le recuerdan– está reservada al Pontífice. Pero además tiene lugar un episodio que hace aumentar el escándalo: en el Concilio se institucionaliza el *Index librorum prohibitorum* (Índice de Libros Prohibidos a cargo del Santo Oficio) y en el mismo no aparece incluido el Catecismo de Carranza, que obtiene dictamen favorable de la comisión de elaboración, mientras que la Inquisición española lo había incluido en su Índex del año 1559.

Felipe II, que a estas alturas se había empecinado en que la Inquisición española fuera poco menos que infalible se molestó grandemente por el hecho de que el Concilio, por muy ecuménico que fuera, se hubiera atrevido a enmendarle la plana e hizo llegar al Papa sus quejas a través del embajador en Roma, quien previamente había recibido los reproches del monarca por su «descuido e inoperancia». Pío IV, entre la espada y la pared, pero deseando recibir el sumario para dictar sentencia y terminar con un proceso que le disgustaba, se vio forzado a dar una prórroga a su instrucción –expiraba ya el bienio de autorización concedido– pues el fiscal había presentado nuevos cargos contra Carranza –sumido ya en la desesperación– que la justificaban.

Contestados por Carranza el 1 de abril de 1563, al año siguiente nuevas censuras vuelven a ser presentadas por el fiscal, dilatando el proceso, de modo que el Papa busca una solución que satisfaga no sólo a la Inquisición y al Rey, sino que además vuelva a poner a flote su arruinada autoridad en materia de causas episcopales: Pío IV envía, pues, una legación a España para que, una vez estudiada la causa, los tres jueces designados al efecto dicten en su nombre la oportuna sentencia. Los jueces designados fueron el Cardenal Ugo Buoncompagni –que con el tiempo ocuparía el solio pontificio con el nombre de Gregorio XIII y que sería quien finalmente sentenciara la causa–; el arzobispo Rossano –el futuro Urbano VII–; y el rotal romano Juan Aldobrandini. Acompañando a esta legación se encontraba también el franciscano Félix Peretti, que no era otro que el futuro Sixto V.

Pero una vez en España comienzan las dificultades con la Inquisición española y se suceden los problemas, que se tornan irresolubles, de modo que el pleito permanece estancado. En diciembre de 1565 fallece Pío IV, por lo que el cardenal Buoncompagni abandona España para asistir al cónclave que designará nuevo Papa a un dominico, Pío V, que, informado por el cardenal del embrollado y confuso proceso que se desarrollaba en España contra un prelado tan especial y que llevaba camino de no finalizar nunca, decidió

«con toda resolución que pasasen a Roma la persona de Carranza y su abultado proceso amenazando con penas canónicas a quien impidiese el cumplimiento de esta decisión».[156]

De la Prisión de Valladolid al Castillo de Sant'Angelo

Los casi seis meses transcurridos desde que el arzobispo Carranza abandonara la prisión de Valladolid el 5 de diciembre de 1566 hasta que el embajador español don Luis de Zúñiga y Requeséns procediera a la entrega oficial del prelado ante S.S. Pío V el 28 de mayo de 1567, debieron de ser de una naturaleza muy especial para Carranza. Acompañado por sus dos inseparables criados, fray Antonio de Utrilla y Jorge Gómez, abandona después de siete años el rigor carcelario del Santo Oficio español para respirar, primero, el aire puro y frío del gélido diciembre castellano y, paulatinamente, comenzar a sentir la cálida suavidad de los aires mediterráneos conforme la comitiva se va acercando a Cartagena. En el castillo de

---

[156] De Telechea Idígoras, J. I. *Op. cit.*

esta ciudad alicantina fue alojado y en él permanecerá hasta el mes de abril, fecha en que embarca en las galeras de Andrea Doria rumbo al puerto de Génova y, desde allí, a Roma.

En su nueva prisión del Castillo de Sant'Angelo pudo Carranza disfrutar de un aposento acorde con su dignidad y del cual podía salir para gozar de las magníficas vistas que se contemplaban desde el mismo, además de disponer de mayor servidumbre y de una licencia que le había sido negada durante su largo cautiverio español: tener acceso al sacramento de la confesión, con el consiguiente alivio que tal merced pudo suponer para un espíritu –presumimos– grandemente afligido y atormentado.

Pero Pío V, dispuesto a zanjar cuanto antes un proceso tan desafortunado, no tuvo más remedio que claudicar ante toda suerte de subterfugios y triquiñuelas empleados por Felipe II y los inquisidores españoles, decididos a que la causa romana siguiera el mismo curso tardo y moroso con que había discurrido en España. El Papa nombró cuatro consultores, cardenales todos ellos, y accedió –atendiendo a una petición de Felipe II– a que se sumaran a éstos algunos miembros del tribunal español para trabajar duro en la resolución del proceso, que sufrió un nuevo parón debido a que fue preciso aguardar a que se tradujeran al latín todas las actas que habían sido levantadas en el proceso español.

Una vez comenzadas las sesiones, los españoles defendían a ultranza que fuera el contenido del sumario lo que motivara y fundamentara la sentencia pontificia, mientras que los cardenales romanos, por su parte, cada vez mostraban más dudas acerca de la validez de los criterios inquisitoriales españoles en materia de doctrina al tiempo que pretendían una revisión profunda de todas las actuaciones previas.

La confusión, el desorden y las tensiones diplomáticas hicieron que el Papa requiriera la intervención y mediación del jesuita Francisco de Toledo, teólogo de la Sagrada Penitenciaría y de la Inquisición romana, Confesor del Colegio Romano, Predicador Ordinario del Papa y Consultor de otras Congregaciones, arbitraje aceptado por España ante el prestigio del que este hombre formado en Salamanca gozaba en Roma.

«Videtur non habuisse animum haereticum»[157]

Videtur non habuisse animum haereticum. Ésta fue la conclusión a la que llegó el grupo de teólogos presidido por Francisco de Toledo que examinó la documentación relativa a las tachas inquisitoriales españolas a la doctrina contenida en los escritos de Carranza. Pero Toledo fue aún más lejos, redactando unas «conclusiones» acerca de una treintena de proposiciones contenidas en el Catecismo –luteranas, según la Inquisición española– en las que únicamente se muestra disconforme con dos de ellas, y sólo en razón de la terminología empleada, no del sentido del texto.

---

[157] *«Parece no contener propósito herético».*

Ni que decir tiene que la honestidad intelectual mostrada por Francisco de Toledo –traducida en un claro apoyo a Carranza–, le ocasionó no pocos sinsabores, como era de esperar en un asunto que había llegado a convertirse para los españoles en auténtica «razón de Estado»,[158] y así, tras un rápido repaso al árbol genealógico del jesuita le fueron localizados antepasados judíos, hecho que provoca la consiguiente «recomendación» al Papa de prescindir de los servicios de tan dudoso consejero.

La diplomacia española, tal y como se desarrollaban los acontecimientos, era consciente de la dificultad en conseguir de la pluma de Pío V una rúbrica condenatoria contra Carranza, a pesar de la presión ejercida a través del Monarca español sobre el Pontífice. El Papa llegó a disgustarse con esta actitud de Felipe II que sin el menor pudor osaba inmiscuirse en asuntos ajenos a su competencia y que, además, ponían en tela de juicio el sentido de la justicia del Papa. Nuevamente era preciso para España buscar un respiro dilatorio con el envío a Roma de nuevas calificaciones provenientes de un manuscrito carranciano –que, dicho sea de paso, ya en su día había sido examinado–, y que de momento conseguirían paralizar el dictado de la sentencia –absolutoria– que se decía ya tenía redactada Su Santidad,

«*hombre de convicciones y de recta conciencia y sensible a la suerte de una persona que, hereje o no, llevaba sobre sus espaldas más de doce años de calvario*», escribe J. I. Telechea Idígoras, quien después añade: «*Llegó a convencerse de que las censuras españolas no interpretaban correctamente el sentir del incriminado y representaban una guerra de palabras más que una interpretación de sentido, y le impresionaba el hecho de que en España perduraran los que, a pesar de las apariencias, seguían teniendo buena opinión acerca de Carranza*».

Pero he aquí que cuando más desmoralizado se encontraba el bando español recibe un auténtico golpe de suerte el día 1 de mayo de 1572 al producirse el fallecimiento de Pío V, y con el mismo, una nueva tregua que le pemitirá reorganizar sus defensas.

El final del proceso. Sentencia conciliatoria de Gregorio XIII

El nuevo papa, Gregorio XIII, es aquel cardenal Buoncompagni que estuviera en España enviado por Pío IV para concluir el proceso contra Carranza y que, si entonces la suerte no le acompañó, diez años después será el Pontífice que definitivamente lo cierre. Aunque carecía del temple de su antecesor, sí conocía, en cambio, las «artes» que se gastaba Felipe II cuando se trataba de imponer a toda costa su criterio. Con el firme propósito de acabar con un asunto

---

158 Creencia de que el interés superior del Estado puede justificar la infracción del código moral normal e incluso de la Ley.

que ofendía el más elemental de los decoros, consideró que la manera más conveniente de afrontarlo pasaba por la necesidad de conocer a fondo todos los pormenores del sumario a fin de evitar, ante cualquier posible decisión, algún cabo suelto donde pudieran agarrarse los españoles en sus tácticas dilatorias mientras no estuvieran seguros de obtener una condena severa contra el Arzobispo, por lo que decidió revisar todo el proceso.

Aprovechando esta suspensión momentánea el embajador de España en Roma aconseja al Monarca la conveniencia de conseguir de los teólogos españoles que en su día proporcionaron informes favorables al *Catecismo* de Carranza y que aún siguieran vivos la «reconsideración» de sus calificaciones, supuestamente en bien de la justicia que debía aplicarse a la causa y de una rápida resolución de la misma.

Como resultado de esta sugerencia el arzobispo de Granada, Pedro Guerrero; el arzobispo electo de Santiago, Francisco Blanco; el obispo de Jaén, Francisco Delgado; fray Mancio del Corpus Christi, dominico y catedrático de Teología en Alcalá; fray Tomás de Pedroche, también dominico y lector de Teología en Toledo, o el jesuita Gil González, y otros muchos, fueron coaccionados en nombre del Rey y del Consejo de la Inquisición (algunos de ellos también penitenciados), para que rectificasen el penoso «desliz» que habían tenido en 1559 al redactar las elogiosas censuras al *Catecismo*.

Las retractaciones obtenidas de los prelados y teólogos españoles fueron urgentemente remitidas a Roma para unirlas al resto de la documentación procesal, pero Gregorio XIII no las admitió por cuestión de procedimiento, al no haberse realizado éstas por indicación del único juez competente en la causa —es decir, por indicación suya—, y recabó nuevas calificaciones, enviadas esta vez directamente por el Nuncio. Los interesados, que ya habían visto claro lo que convenía hacer, ratificaron *incontinenti* la culpabilidad del presunto reo.

Signifiquemos, haciendo mención aparte, la actitud del obispo de León, Andrés Cuesta, quien antes de mudar de opinión respecto al dictamen reclamó examinar de nuevo el texto. Concluida dicha revisión volvió a dar un nuevo dictamen favorable, lo que le supuso la apertura de un proceso que, con el tiempo, fue sobreseído, al igual que los de otros muchos encausados por razones similares, en vista de la falta de conclusión del proceso de Carranza con el que, evidentemente, estaban relacionados.

Intuyendo que la sentencia estaba a punto de ser dictada —el Papa había encargado un sumario en el que se señalaran tanto las proposiciones carrancianas en las que hubiera conformidad entre Roma y España como aquellas en las que existiera discrepancia—, el embajador Zúñiga dirige sus actuaciones en el Vaticano hacia el objetivo de lograr que Gregorio XIII comunique previamente a Felipe II los términos de la misma y espere la oportuna respuesta del monarca. El embajador presentía que la diplomacia vaticana no se decantaría ni por la absolución ni por la relajación del encausado: probablemente Carranza sería considerado sospechoso de herejía, no hereje, se le haría abjurar *de vehementi* y quedaría suspendido temporalmente de su dignidad arzobispal.

El 16 de enero de 1575 escribió Felipe II al Papa haciéndole ver la necesidad de condenar a Carranza para evitar el escándalo y la alteración que una sentencia benigna podía producir en los reinos españoles, y el 2 de abril siguiente daba instrucciones a su embajador para que presionase sobre el asunto; para el Rey la única sentencia justa era la hoguera, y en su defecto, la reconciliación después de producirse la abjuración de todas las herejías «probadas» —con anterioridad había indicado al Papa la conveniencia de que Carranza renunciase al arzobispado, pues de ninguna manera estaba dispuesto a tolerar que al cabo del tiempo el Arzobispo regresara a Toledo. Gregorio XIII no cedió a las presiones y tampoco consintió someterse a la sujeción que implicaba el comunicar previamente la sentencia al monarca español, sí dio un tiempo prudencial para que su embajador pudiera ponerle en antecedentes.

«Christi Nomine Invocato»[159]

Para cuando la carta escrita por Felipe II a su embajador llegó a Roma, el Papa ya había dictado sentencia. El 14 de abril de 1576, ante el fiscal, los procuradores de Carranza, el reo, seis cardenales, obispos, prelados de la Curia, el Vicario General de la Orden Dominica, familiares y criados que habían compartido la cárcel con el Arzobispo, Bartolomé de Carranza Miranda fue declarado «vehementemente sospechoso» de diversos errores de doctrina —no hereje—, debiendo proceder a la abjuración —no retractación— de los mismos —dieciséis proposiciones—; se le suspendió la dignidad arzobispal por un período de cinco años —que debía pasar en el convento dominico de Orvieto— y su *Catecismo* incluido en el *Index* romano para evitar una bochornosa corrección al *Index* español. Una sentencia que trata por todos los medios de dejar a salvo los restos de honorabilidad que pudieran mantener aún las partes implicadas después de 17 años de actuaciones, omisiones y agotamiento.

«*Muchos nos parecen diecisiete años para acabar reconociendo sólo ambigüedades e insuficiencias que con poco de buena voluntad —y ésta nunca faltó a Carranza— se habrían podido remediar desde el principio*», apunta Telechea Idígoras, pero no cabe duda de que esta sentencia fue política: a Felipe II le fue comunicada por el Papa «doliéndose» éste por no haber podido encontrar a Carranza plenamente inocente, mientras que con el arzobispo tiene todo tipo de consideraciones.

Quebrantado en cuerpo y alma, días después de haber sido pronunciada la sentencia, el 2 de mayo de 1576, Bartolomé de Carranza moría después de haber realizado profesión de fe católica y de evocar a su rey, a quien «*ningún hijo suyo tiene ni tendrá más firme amor que yo le tengo*». Tras las honras fúnebres fue enterrado en la iglesia de Santa María sopra Minerva, entre los papas León X y Clemente VII.

---

[159] Fórmula que en el protocolo da paso a la sentencia final.

El final de la Institución

Consumada la expulsión de los judíos en 1492; reducidos los movimientos protestantes en 1562; y desterrado el mahometismo en 1609, el nacimiento del siglo XVII deja al aparato inquisitorial sin herejías a las que combatir. Jaime Contreras, cuando estudia los aspectos cualitativos de la estructura delictiva que mereció atención procesal, define estas tres grandes opciones religiosas como «delitos prioritarios» o «estructurales» para diferenciarlos de otros «delitos menores» que, sin embargo, cobran también importancia según los momentos en que son abordados por el poder institucional.

A finales del siglo XVI España y su imperio entran en una aguda crisis, aunque todavía conseguirá sostener su hegemonía durante el siglo XVII a costa de la ruina del país y su alianza con Austria. En la Guerra de los Treinta Años España quemó sus últimas posibilidades y la crisis política y económica se va dejando sentir en todos los ámbitos, y también, ciertamente, en una de sus instituciones con mayor peso específico, o al menos así lo había sido hasta entonces.

Nada de lo dicho nos debería llevar a pensar en una paralización de la actividad inquisitorial, pero sí es cierto que a partir de esta fecha la institución va perdiendo el sitio que hasta ahora había venido ocupando, no sólo por una degradación de las corrientes heréticas, sino, sobre todo, por una progresiva pérdida de identificación con el poder real y una grave crisis política y económica manifestada durante los reinados de Felipe III y Felipe IV, que termina por poner en evidencia la falta de recursos económicos para encarar los múltiples frentes todavía abiertos en España.

Las dificultades financieras llegan también hasta el Santo Oficio que, además, sufrirá una importante caída de ingresos como consecuencia de la disminución de su actividad. Los numerosos procesos que culminaban con la celebración de suntuosos y solemnes Autos de fe, inician una gradual decadencia que se ve ratificada por la renuncia de Felipe V a estar presente en ellos poco tiempo después de su llegada al trono, aunque más tarde, en 1720, accedería a hacerlo.

Las nuevas actividades inquisitoriales desde el siglo XVII hasta la abolición definitiva de sus tribunales en 1834, van a girar en torno a cuatro amplios temas:

1. El control del pensamiento y la literatura a través de los *Índices* de libros prohibidos.
2. Los casos de judeoconversos portugueses.

3. El surgimiento de la milagrería y corrientes místicas como el *quietismo* o el *molinosismo*.

4. La Masonería.

Prohibidos o expurgados. La Inquisición condena el pensamiento

En 1612 se hace público un nuevo índice recopilatorio de textos prohibidos. No era, ni mucho menos, el primero que se confeccionaba ni sería el último. En el siglo XVI, concretamente en 1547, hay que situar en España el origen de esta relación censora cuya difusión corrió a cargo del Inquisidor General Valdés. Aunque contenía un apéndice con libros de autores españoles, se trataba de una transcripción del índice puesto en marcha por la Universidad de Lovaina en 1546. Esta misma institución inspiraría el correspondiente a 1551, también promulgado por Valdés, quien se encargó esta vez de añadir un total de sesenta y nueve obras, conformando el que habría de ser el *primer índice de libros prohibidos publicado en España*. No obstante, resultó ser una mera referencia para los distintos tribunales inquisitoriales de distrito, que pudieron incluir nuevos textos según su propio criterio. En este sentido, hubo índices distintos en Sevilla, Granada, Valladolid, Toledo y Valencia aunque con escasas diferencias en cuanto al contenido.

El *Index librorum prohibitorum*, primer índice romano publicado por el papa Paulo IV en 1559, iba a marcar la pauta a seguir por la Iglesia católica en el contexto de la divulgación del pensamiento a través de la letra impresa. Respondía a la necesidad de unificar bajo el criterio de la Santa Sede, las iniciativas surgidas en diferentes ámbitos y cuyos resultados habían dado lugar a los primeros índices de las universidades de París, en 1542; de Lovaina en 1546 y 1553; el de España, en 1551; Florencia, en 1552; y Milán, en 1554. En este contexto, la Inquisición española promueve y publica, ese mismo año de 1559, un índice de libros prohibidos aunque no lo hace como consecuencia de las directrices papales — de hecho su publicación se anticipó al índice romano — sino por el imperativo de actualización del correspondiente a 1551, que abordaba de soslayo la problemática erasmista. Aún así, las coincidencias entre uno y otro eran muchas a pesar de que el español optó por incluir un total de dieciséis obras de Erasmo, mientras que el romano se decantaba por censurar al completo su producción.

La preocupación por la influencia de la literatura extranjera en el pensamiento español venía de lejos. Con los Reyes Católicos se instaura un control sobre la entrada de libros en el país a la vez que se hace lo propio con el trabajo de los impresores nacionales. Ello condujo a la promulgación de una *Pragmática* en 1502 que supeditaba la edición de libros a la concesión de licencias que solamente podían expedir las Audiencias de Valladolid y Granada y los obispados de Toledo, Sevilla, Granada, Burgos, Salamanca y Zamora. Posteriormente, siendo Inquisidor General Adriano de Utrech, el Santo Oficio se encargaría de hacer llegar a España una lista elaborada por Roma donde destacaba la inquietud de la Iglesia por el avance del luteranismo. Durante el reinado de Carlos V se produce, además de la ya citada reimpresión de Adriano de Utrech en 1521, la publicación de un edicto con fecha 14 de octubre de 1529, donde se prohibía la impresión de libros con contenidos heréticos y de traducciones de las Sagradas Escrituras sin autorización expresa de las autoridades eclesiásticas.

En abril de 1550, una Ordenanza establecía la pena de muerte para aquellos que, contraviniendo el edicto de 1529, se atrevieran a publicar los textos proscritos así como fuertes multas por eludir la autorización previa a la edición. Medidas similares volvieron a ser dictadas en 1558; entonces, un decreto fechado el 7 de septiembre castigaba con la máxima pena y confiscación de bienes la introducción de libros de autores extranjeros traducidos al español y facultaba a la Inquisición para ejercer una labor de censura previa a la publicación, de manera que los autores se vieron obligados a someter sus textos al juicio inquisitorial.

En términos generales, los índices contenían diferentes categorías; en una de ellas se encontraban los autores cuya obra era condenada en su totalidad. Aquí habría que citar el caso de Erasmo en el *Índice* español de 1612 o en el romano de 1559; otra categoría se reservaba para autores con parte de su producción literaria censurada pero que, en cambio, mantenían ciertos títulos fuera de las relaciones prohibitorias. En muchos casos la lista ofrecía libros que debían de ser previamente «expurgados» para que tuvieran licencia de impresión y otros figuraban por el mero hecho de que sus autores fueran personas condenadas por la Inquisición. Especial importancia tenía el apartado referido a las Sagradas Escrituras: todas las traducciones a lenguas vernáculas quedaban prohibidas así como aquellas que lo hacían bajo una interpretación herética.

A lo largo del siglo XVI, además de los ya citados, aparecieron nuevos índices en los años 1583 y 1584 cuando el cargo de Inquisidor General estaba en manos de Gaspar de Quiroga. En ellos se vieron incluidos autores como Bocaccio, Zwinglio, Melachton, Servet, Juan Luis Vives o Dante. Otros, según cuenta Kamen, lo fueron mientras sus obras no sufrieran expurgación, como en el caso de Tomás Moro y su *Utopía* o de Reginald Pole, cardenal inglés y candidato a papa tras Paulo III, con su *Pro ecclesiasticae unitatis defensione*. En total, 2.315 títulos prohibidos.

Consecuentemente, las prohibiciones establecidas en España a partir del siglo XVII partieron de un consolidado sistema de censura que había logrado independizarse de las relaciones que, de forma localizada, habían surgido a mediados del siglo XVI y que sirvieron de base e inspiración de los primeros índices. El primero que abría el siglo XVII fue publicado bajo el título de *Index librorum prohibitorum et exporgatorum* y correspondía al ya mencionado de 1612 que se completó con un apéndice aparecido dos años más tarde. Su recopilación corrió a cargo del jesuita Juan de Pineda, figurando por entonces como Inquisidor General Bernardo de Sandoval y Rojas. Introducía determinadas novedades con respecto a los inmediatamente anteriores del Inquisidor Quiroga, fundamentalmente en el modo de establecer las categorías del índice: autores totalmente prohibidos; obras prohibidas, independientemente del autor; y títulos censurados sin referencia alguna a sus creadores.

En 1632 se confecciona el llamado índice Zapata, cuyo nombre lo toma del que fuera Inquisidor General Antonio Zapata y que se encontraba al frente de la institución en el momento de su publicación. El último índice del siglo XVII corresponde al que vio la luz en 1640, ostentando el cargo de Inquisidor General Antonio de Sotomayor y, por tanto, conocido como índice de Sotomayor. Corresponden al siglo XVIII los índices Valladares-Marín, aparecido en 1707; el de 1747 o índice de Pérez de Prado; y el último elaborado y publicado por el Santo Oficio, el índice Rubín de Cevallos, que fue ampliándose en sucesivas apariciones desde su primera impresión en 1790.

Las ediciones de los índices de 1547, 1551, 1554 y 1559 se realizaron bajo la inspiración de Fernando de Valdés. El de 1554 era meramente expurgatorio y fue titulado *Censura Generalis contra errores quibus recentes haeretici sacram scripturam asperserunt, edita a supremo senatu Inquisitionis adversus hereticam pravitatem et apostasiam in Hispania et aliis regnis*. Fundamentalmente, sus objetivos se centraban en las traducciones protestantes de la Biblia, que podían ser prohibidas en su totalidad o retocadas mediante la eliminación de párrafos o interpretaciones consideradas heréticas. El de 1559 ya se trataba de un índice prohibitorio como así lo indicaba el nombre que le fue otorgado: *Cathalogus librorum qui prohibentur mandato Illustrissimi et Reverendissimi D. D. Ferdinandi de Valdés Hispalensis Archiepiscopi, Inquisitoris Generalis Hispaniae*. Dieciséis obras de Erasmo fueron incluidas en este catálogo, entre ellas el *Enchiridión*.

La lista de autores y obras elaborada en 1584, e incluida en el índice de Quiroga de ese mismo año, presentaba una relación completa de autores comprometidos con el humanismo renacentista y la reforma protestante en Europa: François Rabelais, médico y benedictino francés cuya producción literaria fue prohibida en su totalidad. Del año 1534 data su obra más conocida, *Gargantúa y Pantagruel*; Francisco Enzinas, también conocido como Dryander, autor de una traducción al castellano del Nuevo Testamento considerada por las autoridades eclesiásticas como luterana; George Buchanam, humanista e historiador escocés, defensor de la teoría constitucional del derecho de resistencia y conocido por su fundamentación del tiranicidio a través de sus obras *De Iure Regni Apud Scotos* (1579) y *Rerum Scoticarum Historia* (1582); William Tyndale, traductor de la Biblia al inglés a partir del hebreo y el griego. La traducción del Nuevo Testamento está fechada en 1525 y la del Antiguo Testamento, comenzada en 1534, fue terminada por Miles Coverdale cuando Tyndale fue apresado y juzgado por herejía, muriendo quemado en la hoguera; Savonarola, religioso dominico que llegó a instaurar en Florencia una república teocrática y mantuvo con la Iglesia constantes desafíos siendo finalmente excomulgado por el papa Alejandro VI y ejecutado en la hoguera en 1498; Jean Bodin, que con su obra *La República*, publicada en 1576, adopta una postura claramente a favor de una organización política republicana; John Foxe, escritor inglés exilado en Holanda y autor de *El libro de mártires* en el que critica la labor acometida por la Inquisición denunciando sus abusos procesales y la indefensión de los acusados; Jan Lask, reformista polaco, amigo de Erasmo y promotor de la traducción de la Biblia al polaco; Juan de Leyden, que junto a Jean Mathijs, defensores ambos de la fuerza como medio de imponer el reino de Dios, instituyeron en Münster un gobierno religioso entre los años 1534 y 1536 que acabó con la ejecución de Leyden y de gran parte de sus seguidores; Thomas Cranmer, luterano que trabajó a las órdenes de Enrique VIII en la supresión de las órdenes religiosas en Inglaterra y la confiscación de las tierras del clero. No escaparon tampoco de este amplio catálogo teólogos y filósofos de épocas muy anteriores como es el caso de Pedro Abelardo o Guillermo de Ockham. Abelardo (1079-1142), fue autor de obras como *Sic et non* o *Theologia christiana* donde plasmó sus opiniones sobre la necesidad de revisión del concepto de autoridad para dar una fundamentación racional al dogma, siendo condenado por los Concilios de Soissons, en 1121 y de Seus, en 1140; Guillermo de Ockham (1290-1349), franciscano cuyo pensamiento representa la reacción empirista y escéptica a la metafísica escolástica. Ockham enuncia el principio que él llama economía de pensamiento *«entia non sunt multiplicanda sine necesitate»* (los entes no deben multiplicarse sin necesidad), que le lleva a aseverar que las pruebas tomistas de la existencia de Dios no concluyen en que la primera causa fuese lo que llamamos Dios, y que de Él sólo podemos adquirir una cierta probabilidad de que existe, y lo demás sólo puede conocerse por la fe.

Las categorías establecidas en el índice de 1612 permitieron relacionar un gran número de obras que habrían de quedar, de manera oficial, fuera del alcance de los lectores españoles: *Relaciones*, de Antonio Pérez; *Monarchia*, de Dante; *Amadís*, de Gil Vicente; la versión española del *Arte de amar*, de Ovidio; el *Remedi de l'una e l'altrta fortuna*, de Petrarca; *Orlando furioso*, de Ariosto; *Apología*, de Guillermo de Orange; o, la ya mencionada, *La República*, de Bodin. A los autores prohibidos en los catálogos de Quiroga se sumaban, en este primero de Bernardo de Sandoval y Rojas, Edmund Grindal, capellán de Eduardo VI, obispo de Londres en 1559 y arzobispo de York en 1570 y de Canterbury en 1575 e influido por la ideología de Calvino al que conoció en Francfort; Françcois Hotman, profesor de la Universidad de Valence desde 1562 a 1568 y un destacado calvinista que, junto a los juristas Cujas y Goveas, hicieron de la institución francesa, de reconocida tendencia protestante, un prestigioso centro de enseñanza de Leyes; Philippe de Marnix, reformista flamenco que más tarde militaría en el calvinismo siendo primer burgomaestre de la República calvinista de Anvers y que participó activamente en el movimiento independentista contra España. En 1569 publicó *De Byencorf der H. Roomsche Kerche*, su obra más conocida; Thomas Cartwright, presbiteriano inglés, autor, junto a Walter Travers, de la llamada *Sagrada Disciplina de la Iglesia*, una declaración sobre normas presbiterianas de gobierno; Hugo Grotius, teólogo, escritor y estadista holandés, conocido por su obra *De iure belli et pacis* donde establecía una reglamentación y justificación del derecho de guerra y por su pensamiento sobre la existencia de una ley natural inherente al alma de cada hombre que nacería de la ley positiva del Estado; o Sebastian Münster, cosmógrafo y teólogo alemán que vivió entre 1498 y 1552.

A mediados del siglo XVII, la lista de autores censurados se va incrementando con la inclusión de reconocidos teólogos, filósofos y políticos que desarrollan las tesis luteranas y las primeras experiencias surgidas al calor del protestantismo. En el índice de Sotomayor de 1640, aparecen como nombres cuya obra se prohíbe en su totalidad, Philippe du Plessis-Mornay, calvinista fallecido en 1623 y que en su *Vindicae contra tyrannos*, escrito en 1579, aborda cuestiones fundamentales sobre el derecho de resistencia y sobre la supremacía del pueblo sobre el rey; Johannes Althusius, calvinista holandés que defiende el consenso como requisito para constituir asociaciones políticas y que desarrolló sus planteamientos a través de la denominada «teoría del consentimiento», formulada en 1603. Hooker, autor de *The Laws of Ecclesiastical Policy* en la que realiza una defensa de la iglesia anglicana frente a las posturas de los puritanos y mantiene la necesidad del contrato como base de la sociedad política; John Selden, político y jurista inglés, gran contradictor del absolutismo real y de los derechos reclamados por las autoridades eclesiásticas por considerarlos carentes de argumentos históricos que los justificaran. Escribió *History of Thithes*, en 1618 y *Mare Clausum, en 1635*; Juan de Mariana, jesuita español que con su libro *De Rege et regis institutione* negaba el derecho divino de los monarcas a reinar y defendía como legítimo el regicidio cuando sus gobiernos se tornaban tiránicos, por injustos. En este sentido, apoyó públicamente a Jacques Climent, monje francés que atentó contra la vida de Enrique III, rey de Francia, en 1589. Además, los trabajos de astrónomos como Ticho Brahe y Kepler entraron en escena, de manera que son censurados en su totalidad o aparecen en el índice con advertencias sobre la condena que pesa sobre sus autores. Ticho Brahe, nacido en 1546 en Knudstrup, actualmente perteneciente a Suecia pero bajo soberanía danesa en el siglo XVI, estableció una teoría según la cual alrededor del Sol giraban los cinco planetas conocidos hasta ese momento y éste, a su vez, lo hacía alrededor de la Tierra una vez cada año. La Tierra, por tanto, era el centro del Universo y permanecía inmóvil. A caballo entre el *heliocentrismo* de Copérnico y el *geocentrismo* de Tolomeo, Brahe fue considerado como un seguidor de las teorías copernicanas y entró en la categoría de escritores heréticos. *De revolutionibus orbium caelestium*, la principal obra de Copérnico y publicada poco después de su muerte en 1543, fue catalogada en Europa como contraria a los principios cristianos y prohibida su publicación, a pesar del apoyo de ciertos sectores católicos que trataron su teoría como de mera hipótesis. De Kepler, ayudante de Brahe durante un corto tiempo antes de la muerte de este último en 1601, fueron autorizadas obras como *Astronomia nova* o *Epitome Astronomiae Copernicanae*, aún estando considerado, como Brahe, un autor herético por su formulación de las leyes sobre el movimiento de los planetas.

Entre las obras que fueron censuradas, Kamen, en su libro *La Inquisición española*, cita las no expurgadas de Gil Vicente, *El asno de oro* de Apuleyo y la *Historia de Italia* de Guicciardini. *Metamorfosis* o *El asno de oro* pretende reflejar la realidad social a través de las aventuras de su protagonista, Lucio, transformado en asno. Apuleyo, que vivió entre los años 125 y 180 d.C., fue considerado como un seguidor del platonismo y cobró significación por sus conocimientos de las religiones orientales y los cultos mistéricos. Fue acusado de usar la magia para seducir a Pudentina, una viuda rica con la que terminó casándose, siendo absuelto de dicho cargo habiendo llevado él mismo su defensa, convertida más tarde en texto literario bajo el nombre de *Apología* o *Pro se de magia*; Francesco Guicciardini escribió su *Historia de Italia* entre 1561 y 1564 y es considerada, junto con *Methodus ad facilem historiarum cognitionem*, de Jean Bodin, representantes de la interpretación renacentista de la historia en contraposición con la visión cristiana de Creación, Encarnación de Jesús y Juicio Final.

Con la llegada del siglo XVIII, la censura eclesiástica va a tener que convivir junto a la ejercida por el Estado. La pérdida de notoriedad de los tribunales inquisitoriales se verá también reflejada en las consideraciones que el poder civil toma respecto a la vida intelectual española. Este hecho se hace bien patente en las postrimerías del siglo, cuando el Consejo de Castilla, con atribuciones para otorgar licencias de publicación desde 1544, ve reafirmado su poder en tres ocasiones: 1705, 1728 y 1749, provocando una cierta flexibilidad en el control de la literatura al dotarlo de garantías que salvaguardaban a los autores de la arbitrariedad censora. Pero el reto para el cada vez más débil Santo Oficio era frenar la influencia que la Ilustración empezaba a tener en los ambientes culturales de la sociedad española. A partir de 1747 comienza la condena de autores y obras representativas de la nueva corriente de pensamiento. Los «ilustrados», además, arremeten de manera rigurosa contra la Iglesia, a la que acusan de corrupción y de actuar en beneficio propio. La Santa Sede es considerada la gran patrocinadora de engaños y falsas interpretaciones para mantener a los creyentes ignorantes y sometidos mientras que da comienzo una lectura de las Escrituras que las invalida como textos sagrados, relegándolas al papel de mera literatura, cuando no de simples leyendas. La «Razón» se contrapone a los principios teológicos defendidos por la Iglesia, anulando sus dogmas, revelaciones e, incluso, la misma existencia de Dios. Posteriormente, estas formulaciones encontraron acomodo en una revisión del cristianismo para hacerlo compatible con los avances científicos y el pensamiento racionalista o bien viraron hacia la construcción de un concepto religioso que diera contestación al orden establecido en la naturaleza y que liberara al hombre de las obligaciones impuestas por los dogmas y preceptos de las viejas creencias. El deísmo, nombre que recibió esta manifestación alternativa del espíritu, englobaba diversas posturas que trataron, todas ellas, de aunar a Dios con la moral, la justicia, la naturaleza y la providencia y que podría resumirse como una doctrina filosófica que niega la revelación y los cultos externos pero que reconoce un Dios como creador del Universo al que se le inviste de indulgencia, moralidad y justicia. Nacida en Inglaterra y concebida principalmente por filósofos como Hume, Locke y Toland, fue importada a Francia por Voltaire y los enciclopedistas, formando parte del pensamiento ante el cual se trató de erigir una muralla de contención desde la desgastada y decadente estructura eclesiástica española.

El índice de 1707, atribuible al Inquisidor General Diego Sarmiento de Valladares y, tras su muerte, completado por Vidal Marín (*Index expurgatoris hispanus ab Excmo. D. Didaco Sarmiento de Valladares inceptus et ab Ilmo. D. Vitali Marín perfectus*), no generó grandes novedades y, por tanto, se puede considerar similar al de 1640, aunque la influencia que el jansenismo había empezado a suscitar en la sociedad española se hizo patente al quedar incluido el *Augustinus* de Cornelius Jansenio en el catálogo expurgatorio. Escrito sobre la obra de San Agustín, su publicación, en 1640, se produce tras la muerte de Jansenio, quien había manifestado su interés por someter el texto a la revisión de la Iglesia católica. La interpretación que se hace en el libro de la gracia y la predestinación, siempre al amparo de las tesis de San Agustín, le valieron la oposición de los jesuitas y la consideración de texto cercano a ciertas posiciones cismáticas como las defendidas por Calvino. En 1642 la bula *In Eminenti* condenaba el contenido del libro, aunque las movilizaciones de los jansenistas en Francia impidieron su aceptación en el país. Aun así, la insistencia de los opositores a Jansenio lograban de la Santa Sede una nueva bula condenatoria, la *Cum Occasione* de 1653, donde se calificaban de heréticas muchas de las tesis defendidas por el teólogo holandés. Por su parte, el poeta y ensayista inglés John Milton, nacido en Londres en 1608 y fallecido en 1674, aparece en este primer índice del siglo XVIII a través de su obra *A defence of de people of England*, fechada en 1651 y donde mantiene posiciones contrarias al origen divino del poder de los reyes. Dos años antes había publicado *The tenuer of Kings and Magistrates*, libro que ofrecía las primeras teorías sobre el contrato social y una clara identificación con el derecho de resistencia inaugurado por du Plessis Mornay en su *Vindiciae contra tyranos*. Como poeta su gran producción literaria fue *Paraíso perdido*, obra que acabó de escribir en 1667 y que cuenta de forma épica la historia de Adán y su expulsión del paraíso.

En 1739 quedó bajo el rigor expurgatorio gran parte de la obra de Benito Jerónimo Feijoo, conocida como *Teatro Crítico Universal*, nueve volúmenes escritos entre 1726 y 1740 donde este benedictino español daba cuenta de la filosofía, la ciencia y la literatura del momento. Aunque Feijoo no debe de ser considerado como un personaje enfrentado a la Iglesia católica, su visión inconformista de determinadas tradiciones y su activismo en defensa de la abolición del escolasticismo, le valieron innumerables críticas y censuras de sus contemporáneos hasta el punto de quedar bajo sospecha de ciertos poderes eclesiásticos e inquisitoriales. Como respuesta a las acusaciones que le fueron formuladas escribió, en 1729, *Ilustración apologética* y, en 1749, *Justa repulsa de inicuas acusaciones*. La gran erudición de Feijoo despertó el respeto y reconocimiento de muchos intelectuales de la época y fue visto con gran admiración por los ilustrados. En 1750, una *Pragmática* de Fernando VI prohibió la censura de sus obras, entre las que también habría que citar los cinco volúmenes de las *Cartas eruditas y curiosas*, elaborados durante los años que transcurrieron entre 1742 y 1760.

Pérez de Prado elaboró su índice de 1747 de manera que contuviera libros prohibidos y títulos de libre lectura, previa censura e impugnación de las partes consideradas heréticas o antidogmáticas. Sin embargo, a partir de entonces, el proceso de control de la literatura iba a tomar la forma más directa y práctica del edicto inquisitorial. Solamente 1790 vería un nuevo y último *Índice de libros prohibidos y «mandados expurgar»*, bajo el reinado de Carlos IV y siendo Inquisidor General Rubín de Cevallos. Las acometidas eclesiásticas fueron dirigidas, principalmente, hacia los textos en lengua francesa, entre los cuales se encontraban los escritos por autores ingleses y cuya difusión en Europa se producía mediante la traducción correspondiente. El nacimiento del pensamiento ilustrado en Gran Bretaña no pasó desapercibido para el Santo Oficio que, mucho antes de recalar en Francia, ya había despertado el celo inquisitorial en las obras de pensadores como Locke o Hume. Después comenzarían las trabas a los textos de los más destacados hombres del nuevo movimiento: Voltaire, Montesquieu, Rousseau... hasta que en 1789, el triunfo de la Revolución Francesa abrió una tremenda brecha en los sectores más influyentes de la sociedad española, obligando a Carlos IV a cerrar filas, junto a la Inquisición, en torno a los grupos más conservadores con el fin de evitar el acercamiento de los liberales a las experiencias del país vecino.

El Santo Tribunal pasó a jugar un papel eminentemente político y a considerar como herejías el republicanismo de la mayoría de los ilustrados y sus postulados de gobierno. El llamado Siglo de las Luces, como también es conocido el período que abarca el desarrollo y florecimiento de la Ilustración, puede considerarse comprendido entre 1715 y 1789 y entenderse como la exaltación de la razón, que ya ocupó el protagonismo en el empirismo inglés del siglo XVII. Kant define la Ilustración como

> «(...) *la salida del hombre de su autoculpable minoría de edad. La minoría de edad significa la incapacidad de servirse de su propio entendimiento sin la guía de otro* (...). *¡Ten valor de servirte de tu propio entendimiento!, he aquí el alma de la Ilustración. Para esta Ilustración, únicamente se requiere la libertad de hacer siempre y en todo lugar uso público de la propia razón*».

A través del uso de la razón se puede llegar a una forma más coherente y eficaz de organización social y política, dominar la naturaleza o descubrir un nuevo Dios. El hombre pasa a ser el punto de referencia obligado de todo cuanto se debate: ciencia, moral, religión, política, arte..., todo con el fin de alcanzar el mayor grado de felicidad posible. Entre sus primeros representantes se encontraba Charles de Secondat, barón de Montesquieu, quien en 1748 publicó *El espíritu de las leyes*, obra donde recoge lo que más tarde se convertiría en base de las estructuras de los Estados modernos: la división de los poderes en ejecutivo, judicial y legislativo. Montesquieu, en realidad, se decantaba por una monarquía conservadora donde el rey, el pueblo y la aristocracia mantuvieran un equilibrio en el ejercicio del gobierno a la vez que se investían de independencia, unos con respecto de los otros. La labor crítica de este escritor y político francés comenzó con sus *Cartas persas*, editada anónimamente en 1721. Más tarde, en 1734, publicaría *Consideraciones sobre las causas de la grandeza y decadencia de los romanos*, obra que supeditaba por primera vez el futuro de los Estados a determinantes morales y físicos. *El espíritu de las leyes* fue prohibido en España en 1762 a través de un edicto inquisitorial que seguía los pasos del que en 1747 puso fuera de la circulación editorial el *Diccionario histórico y crítico* de Pierre Bayle, que se adelantaba así al racionalismo enciclopédico al contener, como idea fundamental, el rechazo de todo aquello que no pudiera ser demostrado.

Otro de los grandes nombres de la Ilustración, François Marie Arouet, Voltaire, entró de lleno en el ardor prohibitivo del Santo Oficio, quedando todos sus libros condenados al ostracismo en 1762. Voltaire canalizó su pensamiento social y político a través de obras como el *Diccionario filosófico*, *Cartas filosóficas* o *Cartas inglesas*, *Cuentos filosóficos*, *Tratado sobre la tolerancia* o la novela satírica, *Cándido*. Este escritor y filósofo francés se destacó por su defensa del bienestar común y de la libertad de pensamiento a la vez que se oponía al credo cristiano a través de un argumentado deísmo. En 1764, el turno le correspondió a Jean Jacques Rousseau, filósofo suizo nacido en Ginebra en 1712 y que alineado en un principio en el lado de los enciclopedistas, terminó alejado de este movimiento y enfrentado a Voltaire. El Consejo de la Inquisición declaró herético su pensamiento, vetando toda su producción literaria hasta ese momento, entre la cual figuraban *Discurso sobre la ciencia y las artes*, de 1750; *Discurso sobre los orígenes y fundamentos de la desigualdad entre los hombres*, fechada en 1758; *La nueva Eloísa*, obra publicada en 1761; y *El contrato social* o *Emilio (De la educación)*, ambas corrspondientes al año 1762. Rousseau defendió la naturalidad del sentimiento frente a la razón, preludiando así las tendencias románticas de principios del siglo XIX. Mantuvo la idea del hombre como un ser justo y bueno por naturaleza, capaz de constituir sociedades y Estados bajo los principios de libertad e igualdad y sometidos a una voluntad general expresada por decisión de la mayoría, lo que contribuyó, sin duda, a fundamentar las bases de la moderna democracia.

La Ilustración no quedó limitada al espacio francés sino que tuvo exponentes de gran talla por toda Europa. En Alemania el movimiento, conocido con el nombre de Aufklärung, fue defendido por filósofos como Holbach, Kant o Herder. *Sistema de la naturaleza*, obra escrita por Paul Henri Dietrich Holbach en 1770, fue prohibida en España en 1779 por sus principios materialistas provenientes, además, de un autor que había expresado con crudeza su crítica hacia el dogmatismo de la Iglesa católica. Inglaterra acogió, entre otros, al historiador Gibbon y al economista Adam Smith como los más destacados representantes del *Enlightment*. De este último autor se prohibió en 1792 su obra *Investigación sobre la naturaleza y causas de la riqueza de las naciones*, donde se establece la división del trabajo como fórmula para alcanzar las exigencias sociales del hombre y define como producto toda actividad humana. De Edward Gibbon, la Inquisición eligió en 1806 su *Historia de la decadencia y ruina del Imperio romano*, escrita entre 1776 y 1778, donde acusaba al cristianismo de ser el causante de la decadencia de Roma. También en 1806 son censuradas las obras de Denis Diderot. Este literato francés promovió e inició la elaboración de la Enciclopedia, un gran esfuerzo de vulgarización científica donde habrían de tener cabida todos los progresos científicos y técnicos del siglo. El trabajo fue realizado junto con ciento treinta colaboradores, entre los que se encontraban D'Alembert, Turgot, Buffon, Helvètius, Holbach y Quesnay, a partir del encargo realizado a Diderot para una adaptación de la *Cyclopaedia or Universal Dictionary of Arts and Sciences* del inglés Chambers. El resultado final, la *Encyclopedie ou dictionnaire raisonné des sciences, des arts et des metiers*, constaba de 28 volúmenes y vio la luz en 1772 después de que Diderot pusiera en marcha el proyecto en 1750. De 1746 data su *Pensées philosophiques*, un duro ataque al cristianismo que le valió la condena del Parlamento francés, y de 1749, *Cartas sobre los ciegos para uso de los que ven*, cuyo alcance materialista le llevó a prisión durante más de tres meses. Fue autor, además, de obras dramáticas como *El hijo natural*, publicada en 1757 o *El padre de familia*, que lo fue en 1758 y de novelas filosóficas entre las que destacan *La religiosa*, *El sobrino de Rameau* y *Jacobo el fatalista*, esta última escrita en 1778.

A lo largo de la segunda mitad del siglo XVIII y principios del XIX, la promulgación de edictos prohibiendo la edición, venta y circulación de determinados libros siguió imparable a pesar del fracaso constatado de esta política que, además, se vio contestada por el propio Consejo de Castilla, permitiendo la edición y ditribución de textos que la Inquisición había incluido en sus listas. La obra *Discursos sobre el gobierno*, del poeta y escritor inglés Algernon Sydney y escrita en 1681, apareció como prohibida por orden inquisitorial en 1767 por su marcado carácter republicano. Este pensamiento antimonárquico le costaría a Sydney el exilio y, posteriormente, la muerte en 1683 con la Resturación de los Estuardos. Emerich de Vattel y su *Derecho de gentes* fue objeto de censura en 1779. Este libro contenía como doctrina la plena soberanía de los Estados al no reconocer otra forma de unidad entre ellos que la establecida por los porpios hombres. *Las amistades peligrosas*, escrita en 1782 por Pierre-Ambroise Françoise Choderlos de Laclos, aparece también prohibida algún tiempo después, concretamente en 1791. Laclos, militar y escritor francés, tomó parte activa en la Revolución francesa y dejó numerosos ensayos, poesías y novelas, entre ellas la también conocida *De la educación de las mujeres*. En 1796, la Inquisición introduce la obra de Edmund Burke, *Reflexiones sobre la Revolución francesa,* en su decreto condenatorio a pesar de que su contenido negaba la revolución como método de progreso; en 1797 hace lo propio con la obra del abate Antoine François Prévost d'Exiles, *Historia del caballero Des Grieux y de Manon Lescaut,* que formaba parte de la serie de novelas *Memorias y aventuras de un hombre de calidad*, publicadas a partir de 1728 y donde Prévost se hace eco de la realidad social francesa del siglo XVIII a través de la picaresca y la aventura.

El escritor inglés Lawrence Sterne, autor de la famosa novela *Vida y opiniones del caballero Tristram Shandy*, publicó también en 1768 *Viaje sentimental por Francia y España*, obra que quedó prohibida en 1801, así como la totalidad de la composición literaria de Alexander Pope por edicto promulgado en 1804. *Ensayo sobre el hombre*, escrita entre 1732 y 1734, es la obra de Pope que para muchos autores marca el nacimiento de Las Luces. Tradujo en verso *La Iliada* y *La Odisea* e hizo una polémica edición de la obra de Shakespeare. Dentro de sus poemas cabe destacar *Ensayo sobre la crítica*, de 1711 y *El rizo robado*, un poema heroico-cómico escrito entre 1712 y 1714. También le pertenecen los cuatro *Ensayos morales* y las *Imitaciones de Horacio*.

Los judeoconversos portugueses

La persecución de judaizantes en España remite notablemente a partir del decreto de expulsión de 1492. Los años restantes del siglo XV y los correspondientes al XVI van disminuyendo progresivamente las prácticas ocultas del judaísmo convirtiéndose en casi inexistente a mediados de este último período, momento en el cual pueden darse por desaparecidas las generaciones sobrevivientes a la feroz persecución y, con ellas, las reminiscencias de ritos y cultos aprendidos en momentos de mayor tolerancia.

El problema surgido en el emergente siglo XVII no tuvo relación con un resurgimiento del judaísmo nacional sino con la llegada a los dominios españoles de un elevado número de conversos portugueses motivada por la política inquisitorial seguida, primero por Juan III desde 1540 y, más tarde, por Felipe II en 1580 al anexionarse el vecino territorio. Nacidos muchos de ellos en España, la maquinaria represiva puesta en marcha por el Santo Oficio y refrendada poco después con el edicto de expulsión promulgado por los Reyes Católicos, les obligó a una emigración masiva hacia zonas más seguras, convirtiéndose Portugal en receptor de la mayor parte de la comunidad judía española. De nuevo tuvieron que afrontar la conversión o el exilio después de un permiso de estancia que quedaba reducido a seis meses, hasta que en 1497 lograron un acuerdo definitivo que garantizaba a los nuevos cristianos un régimen de benignidad a lo largo de los próximos veinte años. Buena parte de la asunción de esta política de consentimiento hacia los conversos la tuvieron las ricas familias judías que pudieron comprar, desde su llegada, la tranquilidad que, en principio, les negaba la Corona portuguesa. El dinero, incluso, llegó a demorar el establecimiento de una Inquisición semejante a la imperante en España de tal forma que, a pesar de la decidida voluntad de su implantación en 1532, los primeros Autos de fe no tuvieron lugar hasta el año 1540 y el reconocimiento de una estructura propia e independiente lo sería siete años más tarde, a través de una bula dictada por el papa Pablo III.

De carácter moderada podría definirse la persecución que, contra los judaizantes portugueses, fue llevada a cabo por los tribunales inquisitoriales desde ese mismo año hasta la unificación de la Península Ibérica bajo Felipe II en 1580. Porque el panorama cambió radicalmente con los criterios que España introdujo en las actuaciones de la Inquisición portuguesa a través de sus sedes de Lisboa, Coimbra y Évora. En poco menos de diecinueve años, los que transcurren entre 1581 a 1600, las cifras aportadas por Kamen arrojan un total de 162 relajaciones como resultado de los procesos sustanciados por sus tribunales y contrastan con un número similar –169– que fueron ejecutadas en los 33 años precedentes.

A partir de 1586, el responsable de un gran rigor inquisitorial corrió a cargo del archiduque Alberto de Austria, sobrino de Felipe II, investido cardenal en 1577 y, más tarde, arzobispo de Toledo y virrey de Portugal. Su nombramiento como Inquisidor General del país, acentuaría el clima de represión hacia los conversos, lo que se traduciría en una emigración constante y progresiva hacia territorios españoles, coincidiendo, o más bien aprovechando, la etapa de lasitud en la que habían entrado los tribunales nacionales a raíz de la llegada al trono de Felipe III.

En los últimos años del siglo, los procesos y Autos de fe celebrados en la Península dan cuenta de la existencia de un importante asentamiento de judeoconversos portugueses repartidos por las diferentes provincias españolas. Es, en realidad, una crónica de las distintas oleadas que nacieron bajo la intolerancia decretada en tierras portuguesas y que busca abrigo en la geografía de sus antepasados o más allá de las fronteras del reino, ya que muchos elegirán Francia, Holanda, Inglaterra o las regiones norteafricanas como destino de su huida.

Si bien el Santo Oficio no dejó de emplearse contra los conversos denunciados por prácticas judaizantes, la severidad de sus condenas distaba de la que su homólogo portugués venía aplicando por las mismas causas. El resultado se dejaba notar, principalmente, en el escaso número de relajaciones en relación con la cantidad de procesados y, finalmente, penitenciados. La situación, no obstante, obligaba a una intervención de la poderosa comunidad judía y, al igual que había sucedido durante 1497 en Portugal, se pone en marcha hacia 1602 una donación de 1.860.000 ducados a Felipe III a cambio de un perdón generalizado a los «descendientes de la nación hebrea naturales de Portugal». Publicado el 16 de enero de 1605, el correspondiente breve decretando el perdón solicitado por el monarca español a la

Santa Sede fue promulgado por Clemente VIII el 23 de agosto de 1604. Esta donación venía a dar un respiro, temporalmente, a las disminuidas finanzas reales y proporcionar el parapeto necesario para el normal desarrollo de las actividades financieras y comerciales de los conversos portugueses. No sería esta la única aportación que harían a la Corona; en 1628, se pagan 80.000 ducados para que puedan salir hacia España los cristianos nuevos afectados por nuevas medidas inquisitoriales decretadas en Portugal.

Se crea así una notable dependencia de la Hacienda Real respecto de los grupos y patrimonios financieros en manos de judeoconversos portugueses, lo cual llevaría a una política contradictoria en la que se intenta reconciliar la tolerancia propugnada por el Gobierno con las ideas obstaculizadoras y restrictivas defendidas por la Inquisición. Determinante, en este sentido, fue la crisis económica de 1626 durante el reinado de Felipe IV. La bancarrota del Estado y la retirada de los genoveses como asentistas reales provoca su relevo por los banqueros portugueses, que se ven respaldados por el primer misnistro de Felipe IV, el Conde Duque de Olivares. La política proyectada por el Conde Duque, ministro desde 1621 hasta 1643, pretendía utilizar las influencias de los portugueses para obtener el apoyo de la banca holandesa y servirse del capital controlado por sus grupos financieros para sacar a flote las cuentas del reino. Parte de la recuperación económica pasaba por devolver a manos españolas el comercio exterior, principalmente con las Indias, que en los últimos años había quedado bajo control extranjero. También aquí los portugueses obtienen la confianza del Primer Ministro, otorgándoles libertad plena para el ejercicio y establecimiento comercial.

Es, por tanto, durante el período comprendido entre 1626 y la caída del Conde Duque de Olivares, ocurrida en 1643, cuando la comunidad de conversos portugueses obtiene mayor respaldo del poder real, aunque no cesan las persecuciones orquestadas por el Santo Oficio. Así, y a modo de ejemplo, en la ciudad de Córdoba, 58 portugueses son penitenciados en un Auto de fe celebrado en 1627, cinco de los cuales fueron relajados en persona, y en 1632, en Madrid, el rigor inquisitorial recae sobre 44 procesados, 17 de ellos, también portugueses, acusados de criptojudaísmo.

Llamativas fueron las causas abiertas a financieros y comerciantes portugueses que habían contribuido a los costes de gran parte de las campañas emprendidas por la Corona. Juan Núñez Saravia, que formaba parte del grupo de acaudalados promotores de un préstamo a Felipe IV por valor de 200.000 ducados, era detenido en 1632, junto con su hermano Enrique, y condenado a abjurar de *vehementi*, en 1637. También, citado por Kamen, sobresale el caso de Manuel Fernández Pinto que, al igual que Saravia, podía considerarse como uno de los más importantes banqueros del Monarca. La confiscación ordenada por el Santo Oficio le despojaba de bienes valorados en 300.000 ducados. Otra importante cantidad, 200.000 ducados, fueron a parar a las arcas de la Inquisición provenientes del secuestro de los bienes de Diego Saravia, juzgado en 1641.

Si aun contando con el apoyo del gobierno los portugueses no dejaron de ser denunciados y juzgados por los tribunales inquisitoriales, la destitución de Olivares y la sublevación de Portugal tres años antes, con la consiguiente independencia de la Corona española, les devolvió el miedo y la incertidumbre de manera generalizada, optando muchos de ellos por salir de España camino de otras ciudades de Europa. Los que tomaron la decisión de quedarse tendrían que afrontar una suerte desigual ante la orientación que fue adquiriendo el problema de los conversos. El financiero Manuel Enrique es condenado en 1646, al igual que el también acaudalado Esteban Luis Diamante, cuyos bienes son confiscados ese mismo año como resultado de la causa abierta contra su persona por judaizante. Nombres de conocidos personajes de las finanzas y de los negocios, así como notables figuras de la cultura, se vieron envueltos en detenciones, procesos, reconciliaciones y penitencias durante un largo período que llegó a extenderse hasta 1680: el financiero Méndez Brito, en 1651; Montesinos Téllez y Francisco Coello, ambos ligados, igualmente, al entramado monetario, en 1654; el administrador de impuestos López Pereira, en 1658; el escritor y comerciante Antonio Enríquez Giménez, muerto en las cárceles del Santo Oficio después de que su efigie fuera quemada en 1660; Rodrigo Méndez Silva, cronista y consejero real, fiel a Felipe IV tras la separación de Portugal y que terminó sus días exiliado en Italia después de diversas vicisitudes con los tribunales inquisitoriales, entre ellas su detención en 1659 y el secuestro de los libros de su biblioteca unos meses más tarde; o Diego Gómez de Salazar, reconciliado en 1664.

Como caso singular podía denominarse el de Manuel Cortizos, banquero y caballero, que llegó a ser, de la Orden de Calatrava, perteneciente a una «Casa» familiar de enorme influencia en la Corte y que su muerte repentina el 13 de septiembre de 1650 dejó al descubierto, poco tiempo después, un pasado de judaizante. Relacionado con las grandes estirpes portuguesas de origen judío, Méndez Silva llegaría a dedicarle su obra *Población General de España*, donde también aludía a los apellidos Castro y Almeida como referentes de la cultura judeoconversa. Manuel era hijo de Antonio López Cortizos y Luisa de Almeida, quienes se instalaron en Madrid, a finales del siglo XVI, provenientes de Braganza. Dedicado al negocio de la importación, Antonio López Cortizos introducía en el mercado español telas traídas desde Flandes y especias y piedras preciosas obtenidas en Oriente y Brasil, respectivamente. Más tarde, orientó el negocio hacia el comercio de lanas, incorporando al mismo a sus hijos Manuel y Antonio.

Manuel Cortizos de Villasante había nacido en Valladolid en 1603 e imprimió a su carrera financiera una vertiginosa velocidad. Si en 1628 administraba los derechos de exportación de lana, en 1630 controlaba el impuesto que se pagaba a las mercancías que ingresaban o salían del reino o que transitaban entre los distintos puertos españoles. Esta recaudación, denominada *almojarifazgo*, ascendía al diez por ciento del valor de importación de cualquier clase de producto, calculado éste sobre el precio de la mercancía en su lugar de origen. Poco antes de 1640, Manuel Cortizos decidía fundar un establecimiento bancario, iniciando así su ascenso dentro de los ambientes financieros cercanos al Monarca. En 1642 obtenía su ingreso, como caballero, en la Orden de Calatrava y pasó a formar parte de la estructura organizativa del Santo Oficio ocupando una plaza de familiar. La Casa Cortizos tendría en Serafina de Almeida, prima de Manuel Cortizos y esposa de Montesinos Téllez, otro caso de implicación en un proceso por criptojudaísmo cuando fue detenida junto a su marido y, «solidariamente» con éste, condenada a una multa de 8.000 ducados.

En un estudio realizado sobre los Cortizo por la Universidad Complutense,[160] se alude a la condición de cristiano nuevo de Manuel Cortizos y su interés porque esta circunstancia pasase inadvertida. Por esta razón, Cortizos pagaba a un tal Manuel Villasante, un sueldo de 50 ducados mensuales y un traje de invierno y otro de verano, para que les reconociera, a él y a su familia, como parientes. En este mismo trabajo se relata, como anécdota, la ira de Villasante cuando no recibía a tiempo la contraprestación acordada, de manera que amenazaba, gritando, con denunciar a los Cortizos a la Inquisición.

La muerte de Manuel Cortizos Villasante trajo, a la postre, el procesamiento de su viuda, Luisa Ferro, denunciada como sospechosa de repartir las limosnas que por costumbre se daban tras el fallecimiento de un rico ciudadano, entre familias y gentes portuguesas seguidoras de los ritos judaicos. Su causa no fue finalmente sentenciada y el caso terminó sobreseído en 1680.

Paralelamente al progreso de la Casa de los Cortizos, otras importantes familias financieras portuguesas prosperaban como asentistas en la Corte española. Su condición de conversos no podía esconder las prácticas judaicas, lo que vino a depararles multitud de roces con los estamentos inquisitoriales que, sin embargo, no diluyeron los clanes sobre los que estaban imbricados. Así ocurrió con la familia Eminente cuando, después de haber sido condenado por la Inquisición Francisco Báez Eminente en 1691, su hijo Juan Francisco Eminente pudo continuar al frente del negocio financiero. Algo similar vino a suceder tras la muerte de Manuel Cortizos, ya que su hermano Sebastián, que había heredado el mando de la Casa, no se vio afectado por el descubrimiento de la condición judaizante de Manuel y continuó desarrollando el comercio de exportación de lanas, entre otras actividades.

Tanto Eminente como, tres años más tarde, Francisco del Castillo, uno más de los financieros de origen portugués perseguidos, fueron procesados dentro de un período que puede considerarse como de escasa incidencia inquisitorial sobre el grupo de conversos lusitanos, los últimos veinte años del siglo XVII. A este paréntesis abierto en la intensidad procesal, habría que añadir una actividad igualmente adormecida en la década inaugural del nuevo siglo. Esta tendencia de relajación cambia bruscamente de rumbo poco antes del co-

---

160 Sanz Ayán Carmen, *Consolidación y destrucción de patrimonios financieros en la Edad Moderna: los Cortizos (1630-1715).*

mienzo de los años veinte y es especialmente cruenta en el período que transcurre entre 1721 y 1725 y, algo menos incisiva, desde este último año hasta finales del 35. Las cifras hablan por sí mismas: si durante los primeros cincuenta años del siglo XVIII fueron condenados a la hoguera 217 conversos acusados de judaísmo, 214 casos se produjeron entre 1716 y 1735. Si bien estos datos son categóricos y clarificadores, más lo son a la hora de detectar el momento de máxima efervescencia, ya que de los 214 quemados, 11 murieron en las hogueras encendidas entre 1716 y 1720; 176 en el período transcurrido entre 1721 y 1725; 23 en los cinco años siguientes; y solamente 4, de 1731 a 1735.

Sería ingenuo apostar por una única causa como el motor de tanto descalabro en el universo de los judeoconversos. Por un lado habría que hacer notar, la influencia que tuvo el despertar del Santo Oficio tras los años de silencio generados por la Guerra de Sucesión (1705-1713) y las primeras objeciones que los reformadores van interponiendo a su existencia. Es preciso tener en cuenta, también, el clima, si no de tolerancia, sí de velada licencia que por entonces mantenía esta institución en una especie de anticipación de su desmoronamiento y que podría haber propiciado una emergencia de las prácticas judaicas; y todo esto unido, como apunta Kamen, a la confusión provocada por el ambiente generalizado de enfrentamiento resultante del hecho sucesorio, sin olvidar tampoco el aspecto financiero como factor que pudo ser determinante en la profusión de causas y procesamientos en un momento de gran debilidad económica instalada en los tribunales de distrito y en el mismo Consejo de la Suprema. Heredera de la quiebra financiera del Estado durante el reinado de Felipe IV y no repuesta tras el paso por la Corona de Carlos II, la entidad económica del Santo Oficio necesitaba de la confiscación de bienes para incrementar el nivel de ingresos y afrontar su futuro en condiciones reales de autonomía y poder de intimidación.

La pertenencia de gran parte de los judeoconversos portugueses a estratos sociales medios y altos, proporcionó, sin duda, elevados aportes económicos a las arcas inquisitoriales que, sin embargo, no pudieron evitar su acomodo en la vía definitiva de extinción, un hecho que se produciría un siglo más tarde. A pesar de todas estas razones y de otras muchas que cohabitaron en unas mismas coordenadas espaciales y temporales, lo cierto es que España entró en la segunda mitad del siglo XVIII dejando tras de sí el rastro de una violencia inquisitorial injustificable, desatada sobre una minoría, la de los judeoconversos portugueses, que les llevaría nuevamente al exilio o la muerte.

Llamativo fue, por el prestigio y repercusión de su figura, el procesamiento del médico español Diego Zapata, nacido en Murcia pero de padres portugueses y comprometido con las nuevas concepciones científicas que le valdrían el recelo y animadversión de sus colegas profesionales. Encausado en 1690 por sospechas de criptojudaísmo, evitó el procesamiento al no prosperar el sumario por falta de pruebas, aunque hubo de pasar un tiempo en prisión mientras era solventado su caso. Más tarde, en 1721, fue de nuevo detenido bajo la misma acusación de judaizante y condenado, en el Auto de fe del 14 de enero de 1725 celebrado en Cuenca, a abjurar de *vehementi*, además de un año de cárcel y diez de destierro.

Zapata había estudiado Medicina en las universidades de Valencia y Alcalá de Henares. En 1702 fue elegido presidente de la Real Sociedad de Medicina de Sevilla, de tendencia progresista, y colaboró en la fundación de la Real Academia de Medicina una vez instalado en Madrid después de su período de destierro. Antes de su procesamiento, gozó de la confianza de la Corte, llegando a ser médico real, así como de los cardenales Portocarrero y Borja.

También médico real, Juan Muñoz Peralta, corrió parecida suerte a la de Zapata. Su condición de descendiente de judíos le llevaría hasta las cárceles del Santo Oficio en 1724, a pesar de su reconocida reputación y valía.

La marea inquisitorial contra los judeoconversos declinó, de manera ostensible, en la década transcurrida entre 1730 y 1740. El descenso de penitenciados y relajaciones –4 entre 1731 y 1735, y 1 entre 1736 y 1740– marcaba el movimiento de retroceso sobre los casos de judaísmo, que verían en 1818 el último de sus procesados en la persona de Manuel Santiago Vivar.

De Ágreda a Roma, pasando por Carrión: la milagrería y las corrientes místicas

Coincidiendo con el período en que el Santo Oficio comienza a dar síntomas de decaimiento y que lo podríamos situar entre 1621 y 1700, surgen en España un elevado número de casos relacionados con el inquieto universo espiritual de ciudadanos y clérigos que terminan por perturbar la ortodoxia religiosa impuesta desde la Iglesia y defendida férreamente por el aparato inquisitorial. Dentro de esta espontaneidad tan subjetiva como singular, tuvieron especial trascendencia casos como el de sor María de Agreda, religiosa franciscana nacida en 1602, que mantuvo con Felipe IV una nutrida correspondencia desde 1643. Sus «visiones» y «prodigios» centrarán pronto el interés de la Inquisición, que redacta en 1631 un Memorial para tratar de aclarar la milagrosa evangelización de extensas regiones mexicanas que María Coronel, como también era conocida sor María de Ágreda, dice haber efectuado por *bilocación*. Igual atención mostraría el Santo Oficio en 1635 por los escritos de la religiosa, no encontrando entonces ni en su intervención de cuatro años atrás, motivos de sanción o encausamiento. Sin embargo, en 1649 vuelve a quedar bajo sospecha debido a su relación epistolar con el duque de Híjar, quien en 1648 había protagonizado una intentona separatista de Castilla pretendiendo ser proclamado rey de Aragón. Durante cerca de un año, el Santo Oficio recurrió a calificadores, notarios y fiscales con el fin de obtener una versión autorizada del proceder de sor María, estudiando escritos, cartas, y los informes de años anteriores referentes a los hechos portentosos que se le atribuían. El tono contradictorio de los pormenores elevados a la Suprema provocan que ésta solicite del tribunal de Logroño el envío a Ágreda de un docto Calificador y un Notario para proceder al interrogatorio de sor María, que tiene lugar en enero de 1650 estando la religiosa enferma y en cama. El dictamen emitido por el calificador después de diez días de preguntas durante sesiones de mañana y tarde, manifestaba el carácter cristiano y católico de la religiosa y su nula relación con *artes demoníacas o pactos con el diablo*. Ratificado este informe por el Consejo de la Suprema y Real Inquisición, el caso fue archivado sin que de él se derivara sanción o reprobación alguna.

Carrión de los Condes, en Palencia, fue testigo de otro caso de milagrería, esta vez en la figura de una religiosa clarisa, la madre sor Luisa de la Ascensión, que terminó siendo conocida como *la monja de Carrión* e investigada por el Santo Oficio por sus revelaciones, visiones y hechos portentosos. Entre estos últimos, sor Luisa adquirió fama, al igual que sor María, tras asegurar que poseía el don de la bilocación, lo que le habría permitido la evangelización de los indios Xumana, en Nueva España; el alivio espiritual de un mártir en Japón; el apoyo al ejército español en Flandes; o la aparición en Asís para rezar junto al sepulcro del fundador de la Orden franciscana. A todo ello, la fe popular le atribuía también la resucitación de muertos, curación de enfermos y otros muchos casos hasta un total de ciento cincuenta y siete milagros que aparecen reseñados por la Inquisición en los expedientes que sobre su persona fueron abiertos. De la vida en el convento también se conoce su inclinación por la penitencia que llevaba hasta el extremo de cargar con una pesada cruz a diario, desplazándose con ella de rodillas, o flagelándose con cilicios hasta sangrar. Igualmente, entre las visones que decía tener figuraban Santa Clara, San Francisco o la propia Virgen.

En 1611 se ponen en conocimiento del Santo Oficio las actividades de la monja de Carrión, aunque no es hasta 1635 cuando se toma como primera medida su traslado a un convento de Valladolid, concretamente al de la Encarnación de las Agustinas Recoletas. La salida de Carrión fue seguida por una gran multitud que demostró gran afecto y devoción hacia la religiosa. Así lo cuenta el Corregidor de la Villa en carta remitida a Felipe IV, impresionado por el fervor popular:

«(...) *El día siguiente, miércoles 28, a las nueve de la mañana, salió la Madre cuando todos los corazones se deshacían en lágrimas y pena tan serena, tan entera, con gran valor y alegría cristiana, que es imposible, según lo humano, que aquello no fuese divino; pues 72 años de edad y 53 de clausura, cuando no fuera padeciendo tal trabajo lo habían de embarazar. Salieron en seguimiento de nuestra Madre hombres, niños tocando sus hábitos y a un Cristo que llevaba, rosarios, cruces y lo que podían. El afecto y devoción y las maravillas que he experimen-*

tado después que V. Majestad me tiene en este Corregimiento, me llevaron tras ella como a los demás, y así soy testigo del aplauso que en el mundo y los pueblos han hecho en este viaje a nuestra Madre, dejando los pastores los ganados, los labradores su trabajo y los lugares sus ocupaciones, saliendo los niños de las escuelas, cantando alabanzas.

En la ciudad de Palencia fue increíble el concurso, quedando a dormir en las calles por verla y después siguiendo todo el lugar algunas leguas. La villa de Dueñas en celebridad de que nuestra Madre pasaba por allí, guardaron el día haciéndole fiesta, sin que nadie trabajase. Admira mucho que diciendo a voces que iba por orden de la Inquisición, en lugar de huir de ella y perderla devoción, antes se les aumentaba, siendo tanto el concurso a reverenciarla y aclamarla por santa, que pasaba el coche por encima de muchísimas personas y a ninguna se sabe hiciese daño; y decían la mesma gente que tal aplauso no le vieron jamás (...)».

Como sucedería más tarde con sor María de Ágreda, sor María Luisa de la Ascensión fue interrogada durante tres meses por el inquisidor Juan Dionisio Fernández Portocarrero. Mucho antes de que se emitiera una calificación a la conducta de la religiosa, ésta murió el 28 de octubre de 1636, no paralizándose por ello el proceso que había sido abierto. Durante doce largos años se siguió tomando declaración a testigos y monjas del convento de Carrión hasta que el 23 de mayo de 1648 se dictó sentencia absolutoria en lo que a sor María Luisa se refiere, pero condenando y prohibiendo el uso de estampas, cruces, cuentas, reliquias o relaciones de su vida y milagros.

Muy distinto fue el proceso seguido por el Santo Oficio contra Miguel de Molinos Zuxia, nacido en Muniesa –Teruel– en 1628, máximo exponente de una doctrina que recibió el nombre de quietismo y promotor del molinosismo, entendido éste como una particular visión de aquella corriente mística.

Molinos perteneció a la *Escuela de Cristo,* una asociación instaurada en Valencia en 1662 y dedicada a las prácticas ascéticas. Su traslado a Roma en 1663, a donde fue comisionado para defender la beatificación del valenciano Simón de Rojas, le sirvió para tomar contacto con sus correligionarios romanos, cuya *Escuela de Cristo* había sido fundada en 1658. Desde allí desarrollaría toda su labor espiritual y literaria, alcanzando el respeto y la consideración de notables personalidades, entre ellas la del propio Inocencio XI. Dos de las obras más reputadas de Molinos, *Breve tratado de la comunión cotidiana* y *Guía espiritual,* vieron la luz en 1675 y fue precisamente el contenido de este último libro el que destapó toda una serie de controversias que terminaron por provocar la intervención del Santo Oficio romano. Su título completo, *Guía espiritual que desembaraza el alma y la conduce por el camino para alcanzar la perfecta contemplación y el rico tesoro de la paz interior,* venía a decir mucho sobre el pensamiento de Molinos, quien encontró en los jesuitas unos férreos contradictores de la publicación a pesar de haber sido recibida con entusiasmo por numerosos círculos eclesiásticos de gran prestigio.

Acusado de hasta 68 proposiciones de carácter herético, Molinos fue arrestado en Roma por la Inquisición el 18 de agosto de 1685 y condenado en 1687 a cárcel perpetua, donde moriría el 28 de diciembre de 1696. Curiosamente, las proposiciones que le fueron imputadas procedían más de las declaraciones y manifestaciones proferidas durante el proceso que de la misma *Guía espiritual*, lo que vino a demostrar el carácter ambiguo que adquirió la causa una vez que Molinos fue abandonado por sus amigos y protectores.

La Inquisición española no se mantuvo al margen de los hechos que estaban aconteciendo en Roma. El mismo año de la detención de Molinos, la Inquisición de Zaragoza recibe de fray Francisco Neila denuncia por las doctrinas contenidas en la *Guía espiritual*, concretamente en la edición de 1677 y publicada en la capital aragonesa traducida al castellano. En España son represaliados seguidores de Molinos en Sevilla, Valladolid, Cataluña y Aragón a partir de 1687. Concretamente, a través de la Inquisición sevillana fue detenido y sentenciado fray Pedro de San José y José Luis Navarro de Luna, muerto en prisión en 1725. Cronológicamente, el molinosismo tiene cabida en la documentación inquisitorial hasta 1795, cuando es procesado en México el franciscano Eusebio Villarroja. Entre tanto, fueron de especial importancia las causas del obispo de Oviedo, José Fernández de Toro, en 1719 y la del canónigo Francisco de León y Luna, miembro del Consejo de Castilla.

En esencia, las ideas expuestas por Molinos en su *Guía espiritual* no son sino una evocación de doctrinas firmemente asentadas en la tradición católica, centrándose en una concepción religiosa basada en el reposo, la oración y el placer y que se nutre, en parte, del espíritu emanado a través de las Escuelas de Cristo, donde ya se hacía referencia a la pasividad y la indiferencia ante la providencia del Señor. El alma, proclama el quietismo, halla a Dios mediante la absoluta inanición y el anonadamiento de la voluntad y encuentra en la contemplación pasiva y el desinterés por las cosas del mundo, incluida cualquier práctica moral o religiosa, la perfección espiritual buscada.

La bula papal *Coelestis pastor* condenaba en 1687 toda la obra de Miguel de Molinos coincidiendo con la sentencia que, sobre su persona, dictó la Inquisición romana.

Conventículos[161] y francmasones

La aparición de la masonería en España tiene lugar entrado ya el siglo XVIII proveniente de Inglaterra, donde había sido fundada, en 1717, la primera logia moderna: La Gran Logia de Londres. En Francia, su implantación se produce en 1725. Los orígenes de estas sociedades secretas hay que buscarlos en las corporaciones medievales inglesas y alemanas de los gremios de albañilería. Entonces se guardaban celosamente las técnicas y reglas de construcción de cate-

---

[161] Ver Términos usuales.

drales, palacios y edificaciones públicas, lo que sirvió para inspirar en las nuevas agrupaciones el secretismo como parte esencial de sus elementos fundacionales. La logia puede ser considerada como una comunidad de creyentes donde queda establecida una relación de fraternidad entre sus componentes, cuyo origen y condición social, pensamiento político o tendencia religiosa no es obstáculo para su participación en el conocimiento mutuo y el trabajo colectivo. La masonería manifestó durante sus primeras andaduras un marcado carácter anticatólico y un acercamiento al ideario liberal, lo que unido a su condición de sociedad secreta y la complacencia por el simbolismo y el ceremonial litúrgico, le valió la condena de la Iglesia y la persecución de sus miembros. Una primera bula reprobatoria fue dictada en 1738 por el papa Clemente XII, a la que seguiría, en 1751, otra promulgada por Benedicto XIV.

Durante 1728 se produce en Madrid el nacimiento de la masonería española con la constitución, por parte del duque de Wharton, de la primera logia de la que se tienen noticias, y estaba formada, en su mayor parte, por ciudadanos ingleses. A través del Inquisidor General Andrés de Orbe y Larreategui, el Santo Oficio condena los *perniciosos conventículos y compañías de Liberi Muratori o de Francs-Massons* en un edicto publicado el 11 de octubre de 1738 que reproducía, además, la bula papal de ese mismo año, por lo que se puede afirmar que esta fecha inaugura las actividades inquisitoriales contra las logias españolas a pesar de su reducida implantación y escaso número de adeptos. Andrés de Orbe introdujo como novedad respecto del contenido de la bula, la pena de excomunión mayor para todos aquellos masones que no se autoinculparan en el plazo de seis días, lo que venía a sumarse a la excomunión *ipso facto incurrendae* decretada por el Pontífice por la mera pertenencia a las sociedades secretas censuradas.

Hasta la bula de 1751, los casos de masonería detectados en España afectaron a gran parte de los distritos inquisitoriales repartidos por la Península a pesar de la escasa significación de los acusados y de la poca relevancia de la actividad delictiva denunciada. No obstante, el Santo Tribunal dibujó una línea procesal bastante regular a lo largo de estos trece primeros años, evidenciando la preocupación suscitada por un movimiento desaprobado por la mayoría de los gobiernos europeos de la época, principalmente por el carácter confidencial que revestían sus propósitos y decisiones.

Absueltos fueron la gran mayoría de los francmasones que, una vez conocido el interés de la Inquisición por su causa, optaron por la autodelación para escapar de la persecución y la condena. En este sentido, están documentados los casos de Juan Manrique, coronel del regimiento de dragones de Orán, en 1745; de su hermano Diego, coronel del regimiento de Sevilla, autoinculpado en 1746 ante el tribunal de Mallorca; del criado de Diego Manrique, Carlos Gabi; del también militar, Simón Lafora en 1747 y ante el tribunal de Llerena; del francés Francisco Robaulx, teniente del regimiento de guardias Walonas y de Claudio Timermans, comerciante belga, ambos en 1750 y ante el tribunal de Barcelona; y de Juan Grau, teniente de la compañía del Prevost, igualmente en 1750.

El tribunal de Toledo abrió diligencias por denuncia del presbítero de Olías, Joaquín Pareja, contra un militar apellidado Bance y contra Antonio Rosellón. Como resultado de las mismas, en 1748 se decide suspender el sumario abierto al no encontrarse pruebas que relacionaran a los acusados con la masonería. Dependiente del tribunal de Madrid fue el caso de Francisco Aurión Roscobet cuyo proceso tuvo lugar el 1744. Este clérigo, acusado de francmasón, fue sentenciado a abjurar *de levi* y absuelto *ad cautelam* siendo desterrado a perpetuidad. Canarias, por su parte, resolvió el primer proceso por masonería conocido en España. Se trató de la denuncia presentada en 1740 contra el capitán de navío Alexandre French, quien fue absuelto después de dos años de instrucción de la causa.

El pronunciamiento de Benedicto XIV en 1751, traslada al poder secular la lucha contra las sociedades masónicas al endurecer el discurso sobre la conveniencia de su condena y exclusión. Como resultado de esta actitud de la Santa Sede, el padre Rávago, confesor real, elabora y presenta ante Fernando VI un Memorial donde expone lo que a su juicio constituye el fundamento de la masonería y las consecuencias que sus principios traerían para Europa y España.. Tras calificarlo de asunto de *«gravísima importancia»*, lo considera capaz de *«trastornar la religión y el Estado»*. Consecuente con la alarma expresada por Rávago, reflejo de la inquietud pontificia, la Corona promulga el 2 de julio de 1751 un decreto prohibiendo las congregaciones de los francmasones. Al mismo tiempo se daba traslado al Santo Oficio de las medidas adoptadas por el monarca con el fin de solicitarle el máximo vigor y diligencia en lo concerniente a los casos de masonería.

Apostados los cazadores en sus puestos y dotados de los elementos legales para su cometido, faltaba que apareciera la presa sobre la que echar el lazo. Y es que, además del desconocimiento que desde el poder real y eclesiástico se tenía de los estamentos y fines de estas sociedades, su existencia sólo pudo constatarse a través de determinadas individualidades que optaron por la delación espontánea sin que pudiera la Inquisición demostrar una expansión amenazante de la «secta». En este contexto se dieron la mayoría de los casos surgidos entre 1751 y 1789, entre los cuales se podrían citar los de Ignacio Le Roy y Guillermo Clauwes, cadetes de la Guardia de Corps, el primero, y capitán del regimiento de la Reina este último, que fueron absueltos en sus respectivos procesos, abiertos en 1751; el de los comerciantes Fernando Vincent y Gabriel Tavenot, autoinculpados en 1756 ante el Comisiario de Cádiz y absueltos, ambos, *ad cautelam*. Examinando los procesos llevados a cabo como fruto de las denuncias presentadas ante los tribunales inquisitoriales, merece atención especial el sentenciado el 8 de febrero de 1756 en Madrid contra Domingo de Otas, Inspector de infantería acusado de francmasón, que terminó siendo encarcelado y posteriormente sometido a reconciliación.

A partir de 1808, la suerte de las logias masónicas va unida a los acontecimientos que provocan la alternancia entre las posiciones liberales y conservadoras en esta primera mitad del siglo XIX. De esta manera, el período de invasión francesa permite un paso adelante de estas congregaciones, llegándose a fundar la 1ª Gran Logia Nacional de España. Con el restablecimiento de la Inquisición tras la restauración de Fernando VII, se vuelve a la condena y prohibición de la masonería, aunque hay que tener en cuenta el carácter político de gran parte de las decisiones tomadas en este sentido dado el poco aprecio con que contaba el movimiento masónico entre los miembros del Santo Oficio y la política absolutista desarrollada, no sin intermitencias, hasta 1834.

Lo que sí parece cierto es que, a pesar del temprano control inquisitorial sobre el desarrollo de la masonería y de la interpretación sustentada por determinados sectores en el sentido de que su escaso auge en España se debió precisamente a la intervención del Santo Oficio, las logias adquirieron el impulso suficiente como para considerarse bien organizadas poco tiempo antes de la definitiva abolición de los tribunales eclesiásticos. Como prueba quedan los documentos aprehendidos por la Inquisición durante esos años que revelan la existencia de una numerosa logia en Madrid, denominada *La Beneficencia de Josefina,* con más de cien componentes y entre los cuales habría que contabilizar un número significativo de eclesiásticos. Fundadas también durante los primeros años del siglo XIX, prevalecieron las logias denominadas *La Estrella* y *Santa Julia,* formando junto con la de *La Beneficencia* el núcleo del «Grande Oriente Español», del que se puede considerar inspirador el conde de Grasse-Tilly.

La abolición del Santo Oficio

La primera vez que la Inquisición española se ve inmersa en un proceso de abolición, tiene lugar en 1808 con la proclamación como rey de José Bonaparte. El 4 de diciembre de ese año, un decreto firmado por Napoleón suprimía el Santo Tribunal por «atentatorio a la Soberanía y a la Autoridad civil», al mismo tiempo que se ordenaba el secuestro de todos sus bienes, una disposición legal que afectaba únicamente a las sedes inquisitoriales comprendidas dentro de la España «bonapartista». Esta primera tentativa no diluye totalmente la institución eclesiástica por cuanto que deja una parte de los tribunales –aquellos cuyas sedes se encontraban en los territorios libres de la ocupación francesa– con capacidad suficiente para seguir actuando. De hecho, no sólo dieron salida a los procesos pendientes sino que instruyeron nuevas causas a pesar de que las circunstancias dificultaban su normal funcionamiento. En este sentido, tuvo especial relevancia la renuncia presentada el 23 de marzo de 1808 por el Inquisidor General Ramón José de Arce en Aranjuez para ocupar un puesto en el Consejo de Estado, y la consiguiente inactividad del Consejo de la Suprema, prácticamente desarbolado y diseminados sus componentes.

El Consejo de la Regencia, constituido en 1810 para suplir a la Junta Suprema Central en su papel de gobernación y de coordinación en la lucha contra los franceses, considera como fundamental el mantenimiento del Santo Oficio para hacer frente a la invasión napoleónica, por lo que intenta su normalización en las zonas libres proponiendo como Inquisidor General al obispo de Orense, Pedro Quevedo Quintana. Sin embargo, las Cortes de Cádiz, reunidas por primera vez el 24 de septiembre de ese mismo año, no se mostraban unánimes respecto al futuro de la Institución. Sus primeros pronunciamientos a favor de la ley de prensa dejaban en entredicho el papel censor que hasta entonces había venido ejerciendo el poder inquisitorial y al mismo tiempo comenzaba a divisarse en las Cortes un panorama de claro enfrentamiento entre partidarios y detractores de la Inquisición como resultado de las opiniones que, sobre cuestiones religiosas, publicaron en la prensa algunos diputados liberales. La pretensión de someter a calificación inquisitorial tanto los artículos a publicar como a los articulistas, hizo que se oyeran por primera vez en las Cortes voces a favor de la extinción legal del Santo Oficio. Durante el año 1811, varios miembros de la Suprema intentarían poner en marcha el Consejo de la Inquisición, solicitando de las Cortes una reunión de este organismo. La incertidumbre de la Cámara, no obstante, provoca el retraso en la adopción de medidas clarificadoras, llevándola a promover, en julio de se mismo año, una Comisión para el estudio de la cuestión planteada. El informe, elaborado por los diputados Muñoz Torrero, Pérez de la Puebla, Valiente y Gutiérrez de la Huerta, además de Bernardo Nadal, obispo de Mallorca, fue favorable al restablecimiento del Santo Oficio, pero no llegó a ser debatido en la Asamblea a pesar de las presiones de los inquisidores que, en abril de 1812, exigen una resolución formal al respecto.

Los debates en torno a la conveniencia de reformar y relanzar los tribunales inquisitoriales adquieren gran protagonismo a partir de la aprobación de la Constitución por las Cortes, en marzo de 1812, y sirven para prolongar la toma de una decisión definitiva, puesto que se opta por encargar a la Comisión la Constitución de un nuevo estudio. Formada por Muñoz Torrero, Agustín de Argüelles, José de Espiga, Antonio Oliveras, Andrés de Jáuregui y Mariano Mandiola, la Comisión emite su dictamen el 8 de diciembre en el que establece la incompatibilidad del Santo Oficio con la Constitución política recién aprobada. La discusión por parte de la Asamblea tuvo lugar a partir del 5 de enero de 1813 y quedó resuelta diecisiete días después. Así, el 22 de enero de 1813, por 90 votos contra 60, se declara la institución inquisitorial inconciliable con los preceptos constitucionales. Varios días antes, concretamente el 16 de enero, la Asamblea había aprobado, a su vez, otra proposición de la Comisión en el sentido de proteger la religión católica a través de leyes constitucionales mediante la creación de tribunales protectores.

El decreto de abolición en los términos así expresados fue promulgado el 22 de febrero de 1813, poniendo fin, por primera vez, a cuatro siglos de persecuciones, cárceles y muertes en nombre de Dios y de la Santa Iglesia Católica.

Poco más de un año después, el regreso de Fernando VII al trono devolvería a España al antiguo régimen, con su carga de conservadurismo y nostalgia por el pasado y una abierta represión del liberalismo. Las Cortes fueron clausuradas, muchos de los diputados tuvieron que tomar el camino del exilio, las reformas emprendidas a partir de 1810 quedaron suspendidas y los decretos y leyes aprobados por la Asamblea derogados, entre ellos la propia Constitución de 1812. Si la restauración de la Corona tuvo lugar en marzo de 1814, la del Santo Oficio no se hizo esperar en demasía y el 21 de julio quedaban restablecidos los tribunales inquisitoriales a través de un real decreto que expresaba, además, la intención de acometer su reforma, proponiendo para tal fin la creación de una Comisión de miembros del Consejo de la Inquisición y del Consejo Real. Fue nombrado Inquisidor General, Francisco Javier Mier y Campillo, obispo de Almería, cuyas primeras actuaciones se encaminarían a reanudar las tareas censoras, esta vez de libelos y otras publicaciones que se habían prodigado durante la etapa liberal.

Una institución debilitada por largos años de inactividad y desmembramiento, descabezada desde 1808 y desprovista de muchos de sus bienes, locales y propiedades, no pudo recobrar el poder y la hegemonía de épocas anteriores, a pesar del apoyo real –mucho más testimonial que verdadero–. La Corona no delegó en el Santo Oficio el completo control de la producción y el comercio editorial, continuando así la política llevada a cabo por el Consejo de Castilla durante el siglo XVIII y más recientemente por el Consejo de Estado como supervisor de las censuras episcopales. Hasta 1820 el Santo Oficio mantiene una existencia moribunda abrumado por su precaria situación económica y la evidencia de una escasa participación en el entramado institucional de la restaurada monarquía. A partir del 7 de marzo de ese año, el triunfo del movimiento constitucional devuelve el Tribunal de la Inquisición al ostracismo, promulgándose el 9 de marzo un nuevo decreto de abolición redactado en parecidos términos a como se hizo con el de 22 de julio de 1813; es decir, declarando incompatible dicho Tribunal con la Constitución de 1812 y reservando a los obispados las causas religiosas, exclusivamente.

El antiabsolutismo de Riego, que dio paso al llamado Trienio liberal o constitucionalista, mantuvo a Fernando VII en el trono después de que éste prestara juramento a la Constitución, pero no logró evitar la intervención francesa en 1823 tras la ayuda solicitada por el Monarca a la Santa Alianza en vista de los enfrentamientos entre realistas y liberales que presagiaban un triunfo de las tesis revolucionarias y republicanas de los sectores más radicales. En abril, los *Cien mil hijos de San Luis*, comandados por el duque de Angulema, restauran a Fernando VII como rey absoluto de España produciéndose la anulación de la Constitución y una fuerte represión política que iniciaba la denominada *década ominosa*. A pesar de la derogación de todas las leyes suscritas durante el trienio liberal, el Santo Oficio no vuelve a ser instaurado o, cuanto menos, investido con las atribuciones que anteriormente venía disfrutando, lo que provoca una fuerte contestación de los obispados y de grupos conservadores situados al frente de instituciones locales o provinciales.

La política internacional diseñada por la Corona preveía un entendimiento con los países que habían apoyado su vuelta al poder y ello significaba, a la larga, el abandono de cualquier iniciativa a favor de los tribunales inquisitoriales, mal vistos por las potencias europeas e inoportunos en momentos de gran contestación interna. Como única salida se divisaba el establecimiento de los organismos diocesanos previstos en la Constitución, ahora derogada, y que habían sido definidos como tribunales protectores de la religión. Instaurados con el nombre de Juntas de Fe, un Breve del papa Pío VIII promulgado el 5 de octubre de 1829, salvaba el escollo jurisdiccional de las apelaciones, ya que designaba al Tribunal de Rota como destinatario de las mismas evitando así que éstas fueran remitidas a Roma, cuestión a la que se oponía el Gobierno por considerarlo en conflicto con sus derechos soberanos.

La Junta de Fe correspondiente a la diócesis de Valencia, promovida en 1824 por el gobernador eclesiástico José María Despujol y presidida por Miguel Torranzo y Ceballos –hombre relacionado con la Inquisición–, llevó hasta el patíbulo a Cayetano Ripoll en la primavera de 1826. Actuando de modo similar a como lo había venido haciendo el Santo Oficio al contar con el favor y el respaldo del ministro de Gracia y Justicia, Francisco Tadeo Colomarde, Ripoll fue detenido el 29 de septiembre de 1824 acusado de no seguir la doctrina cristiana y haber abrazado el anticatolicismo de hombres como Rousseau durante su estancia en Francia como prisionero de las tropas napoleónicas. Condenado a relajación al brazo secular fue ejecutado en la horca, escribiéndose así un último y triste capítulo de intransigencia religiosa que revelaba la nostalgia de una Inquisición que, ya desahuciada, esperaba irremediablemente el golpe de gracia.

Legalmente el Santo Oficio dejó de existir en España el 15 de julio de 1834, fecha en que se publicó el edicto de abolición definitivo durante la regencia de la reina María Cristina, viuda de Fernando VII. Más tarde, el 1 de julio de 1835, se hacía lo propio con las Juntas de Fe, acusadas de utilizar procedimientos inquisitoriales y disentir sus principios con los de la monarquía, apoyada entonces en el liberalismo para salvaguardar el trono de las ambiciones carlistas.

La Inquisición
en el Nuevo Mundo

Descubrimiento, conquista y evangelización

El descubrimiento

Coincidiendo con el último día del plazo dado a los judíos para permanecer en los territorios hispanos, el 3 de agosto de 1492 Cristóbal Colón parte del Puerto de Palos en busca de una nueva ruta de las especias por occidente, atendiendo a la idea de la redondez de la tierra que se había empezado a propagar con la llegada de los tiempos modernos.

Isabel la Católica, poco interesada en los proyectos europeos de Fernando, concibió la empresa que iba a iniciar Colón no sólo pensando en los importantes beneficios económicos de la misma —según los cálculos y estudios llevados a efecto precisamente por un converso, Luis de Santiago, banquero y trabajador inagotable para mantener las arcas reales lo más colmadas posible—, sino movida también por la perspectiva de incorporar a Castilla los nuevos territorios que se descubrieran en esta nueva aventura —aún conservaba en los labios la miel proporcionada por la conquista del reino de Granada.

La envidiable situación de la Península Ibérica, sus extensas costas y sus magníficos puertos localizados tanto en el Atlántico como en el Mediterráneo, favorecieron entre sus habitantes una tradición marinera que, ya desde el siglo XI, lleva a castellanos y aragoneses a la navegación de altura para el desarrollo de prácticas pesqueras y comerciales. Todo esto unido a un nada despreciable sustento tecnológico y científico en el campo de la náutica —con todas las limitaciones y carencias que se quieran subrayar—, así como una buena planificación en la construcción naval, convertirá a españoles y portugueses en protagonistas indiscutibles de los descubrimientos geográficos de los siglos XV y XVI. La boda imperial de Carlos V con Isabel de Portugal, celebrada en Sevilla en el año 1525, estrechó aún más los vínculos de Portugal con la dinastía reinante en España, llegando a establecerse la Unión Ibérica durante el reinado de Felipe II, proclamado rey de Portugal en 1580 tras la muerte sin descendencia de su sobrino el rey Don Sebastián. Felipe II gobernaría uno de los mayores imperios que hayan existido jamás, ya que a las inmensas posesiones españolas se sumaron las que Portugal tenía por casi toda la costa africana, el sur de Asia, Indonesia y, ya en el continente americano, Brasil.

Colón desconocía el cálculo de la latitud geográfica obtenida a partir de la altura del sol, que sin embargo sí conocían los portugueses, por lo que imaginaba la tierra mucho más pequeña de lo que era en realidad, con un error de 10.000 kilómetros en la línea del ecuador –magnitud considerable si tenemos en cuenta que dicha medida es de 40.000 kilómetros–. Situándose en el paralelo de las Canarias y navegando hacia el oeste pensaba encontrar islas a unas 400 leguas marinas (unos 5.555 metros o 3,43 millas náuticas por legua), y después, a unas 1.420 leguas, suponía que aparecería el Cipango (Japón), y más adelante las Indias.

Pero al error inicial de Colón hubo que añadir otros problemas derivados de la ineficacia de ciertos medios técnicos disponibles o la inexactitud en la medida de la distancia navegada, que se calculaba a «ojo marinero», es decir, de forma aproximada y teniendo en cuenta factores como la fuerza del viento o las olas –el uso de la corredera no se generalizó hasta mucho después–, que, si bien resultaba suficiente en el Mediterráneo y en el resto de los mares conocidos, donde siempre podía recurrirse a la referencia que ofrecía la costa, no ocurría lo mismo en un mar extensísimo e inexplorado. En consecuencia, la situación estimada, con los valores relativos a la longitud y la latitud, resultaba, necesariamente, muy errónea. En la navegación a través del inmenso océano hubo que recurrir a la observación del sol y las estrellas, en sus distintas posiciones, como únicos puntos de referencia para obtener el cálculo de la distancia angular de los astros sobre el horizonte, lo cual, además del desarrollo y perfeccionamiento de instrumentos auxiliares como el astrolabio, el cuadrante de altura, el anillo astronómico o la ballestilla, propició el avance de la cartografía, con inclusión de meridianos graduados e indicación de las latitudes.

Las naves utilizadas por España y Portugal en la época de los grandes descubrimientos fueron, esencialmente, *la carabela* y *la nao*. González-Aller Hierro[162] nos describe así sus características físicas y marineras:

> «*La primera era un navío de unas 50 toneladas, de poca manga y bastante eslora, aparejado con velas latinas –aunque sobre esto se ha discutido mucho–. Nacida de un proceso evolutivo cuyo origen radica en la galera mediterránea y el cáravo moro, la carabela poseía buenas cualidades marineras y, sobre todo, capacidad de navegar ganando barlovento.*
>
> *La nao, descendiente de la carraca, era de entre 200 y 600 toneladas; la española en particular tenía una quilla doble que la manga, mientras que la eslora en la cubierta era triple. Aparejaba velas cuadradas y, aunque ceñía poco al viento, viraba con facilidad por avante y tenía gran capacidad de carga*».

---

162 «Las Sociedades Ibéricas y el Mar», *Op. cit.*

Después de 33 interminables días de navegación desde que, a primeros de septiembre, la flota castellana abandonó las islas Canarias siguiendo su paralelo en dirección oeste, y con una tripulación al borde del motín, en el atardecer del 11 de octubre de 1492 se avista tierra desde la Pinta:

«*Tuvieron mucha mar, más que en todo el viaje avían tenido* —relata fray Bartolomé de las Casas tomado del *Diario de Colón*— *Vieron los de la caravela Pinta una caña y un palo, y tomaron otro palillo labrado a lo que parecía con hierro, y un pedaço de caña y otra yerva que naçe en tierra y una tablilla…Y porque la caravela Pinta era más velera e iva delante del Almirante, hallo tierra y hizo las señas qu'el Almirante avia mandado. Esta tierra vido primero un marinero que se dezia Rodrigo de Triana… puesto que el Almirante, a las diez de la noche, estando en el castillo de popa, vido lumbre; aunque fue cosa tan çerrada que no quiso affirmar que fuese tierra, pero llamó a Pero Gutiérrez repostero d'estrado del rey e díxole que pareçia lumbre, que mirasse él, y así lo hizo y vídola.*

(…) A las dos oras después de media noche pareçio la tierra, de la cual estarían a dos leguas. Amainaron todas las velas y quedaron con el treo que es la vela grande, sin bonetas, y pusiéronse a la corda, temporizando hasta el día viernes que llegaron a una isleta de los lucayos, que se llamava en lengua de indios Guanahaní. Luego vieron gente desnuda, y el Almirante salió a tierra en la barca armada y Martín Alonso Pinçon y Vicente Anes, su hermano, que era capitán de la Niña. Sacó el Almirante la vandera real y los capitanes con dos vanderas de la Cruz Verde, que llevaba el Almirante en todos los navíos por seña, con una 'F' y una 'I', ençima de cada letra su corona.

Puestos en tierra vieron árboles muy verdes y aguas muchas y frutas de diversas maneras. El almirante llamó a los dos capitanes y a los demás que saltaron en tierra, y a Rodrigo d'Escobedo escrivano de toda el armada, y a Rodrigo Sánches de Segovia, y dixo que le diesen por fe y testimonio cómo él por ante todos tomava, como de hecho tomó, possessión de la dicha isla por el rey e por la reina sus señores, haziendo las protestaçiones que se requerían, como más largo se contiene en los testimonios que allí se hizieron por escripto».

La donación papal y el Real Patronato de Indias

La expansión marítima de Castilla y Portugal, tanto hacia oriente como hacia el sur, generó toda una serie de acuerdos y tratados en los que ambas potencias pretendían regular el derecho a la navegación y a la anexión de nuevos territorios en función de la adjudicación de determinadas zonas de influencia. A través del Tratado de Alcaçovas, conocido también como Tratado de Alcaçovas-Toledo o Paces de Toledo, Alfonso V de Portugal y los Reyes Católicos alcanzan un acuerdo relativo a los límites que mutuamente debían respetar en el ejercicio de sus correspondientes políticas de desarrollo comercial y de proyección oceánica, y así, Portugal obtuvo la exclusividad sobre la costa africana y el derecho a colonizar Madeira, las Azores y Cabo Verde, mientras que Castilla quedó en posesión de las islas Canarias. Así mismo, la Corona castellana confirmaba su renuncia a la navegación por los territorios situados a occidente de las costas africanas. Firmado en 1479, obtuvo la bendición papal en 1481 mediante la bula Aeterni Regis.

El descubrimiento de América en 1492 provoca un nuevo enfrentamiento entre las dos Coronas ante la pretensión de Juan II, por entonces rey de Portugal, de obtener el derecho sobre las nuevas tierras en virtud del Tratado de Alcaçovas, argumentando que los territorios recién hallados se encontraban dentro de los límites asignados a Portugal. Castilla, por su parte, reclama para sí la soberanía sobre las Indias rechazando la posibilidad de que los acuerdos firmados contuvieran expresa legitimación a las aspiraciones portuguesas.

Para dirimir la controversia los Reyes Católicos solicitaron la intervención de la Santa Sede, pidiéndole al Papa que otorgara la donación de las tierras descubiertas a la Corona de Castilla en atención a los derechos generados por el descubrimiento y su posterior conquista. El papa Alejandro VI, a través de las llamadas Bulas Alejandrinas o Inter Caeteras,[163] concede el dominio del Nuevo Mundo a los Reyes Católicos. Publicadas entre mayo y septiembre de 1493, las cinco bulas papales establecen los derechos y obligaciones de dichos monarcas, así como la soberanía sobre futuros descubrimientos, estableciendo una nueva línea de demarcación sobre las actuaciones de la navegación ultramarina.

La primera bula Inter Caetera data del 3 de mayo de 1493 y en ella se nombra a los Reyes Católicos señores de las nuevas tierras descubiertas o por descubrir, haciendo extensivo este título a sus herederos y sucesores, con la única salvedad de que las mismas no tuvieran un señor cristiano:

> «(...) y haciendo uso de la plenitud de la potestad apostólica y con la autoridad de Dios Omnipotente que detentamos en la tierra y que fue concedida al bienaventurado Pedro y como Vicario de Jesucristo, a tenor de las presentes os donamos, concedemos y asignamos perpetuamente, a vosotros y a vuestros herederos y sucesores en los reinos de Castilla y León, todas y cada una de las islas y tierras predichas y desconocidas que hasta el momento han sido halladas por vuestros enviados, y las que se encontrasen en el futuro y que en la actualidad no se encuentren bajo el dominio de ningún otro señor cristiano, junto con todos sus dominios, ciudades, fortalezas, lugares y villas, con todos sus derechos, jurisdicciones correspondientes y con todas sus pertenencias; y a vosotros y a vuestros herederos y sucesores os investimos con ellas y os hacemos, constituimos y diputamos señores de las mismas con plena, libre y omnímoda potestad, autoridad y jurisdicción».

---

163 Inter caetera divinae maiestati beneplacita opera... («Entre otras obras agradables a la divina magestad»); así comienzan las bulas y, de ahí, su nombre.

Esta bula confirma la donación papal a favor de la corona de Castilla haciendo uso del poder que para la asignación de territorios tenía conferida el Papa –recordemos, en este sentido, que en las Siete Partidas se establecen los derechos sobre un reino por este orden: por herencia, por elección, por matrimonio y por donación papal.

La segunda bula *Inter Caetera* se dicta un día después, el 4 de mayo de 1493. Además de situar la línea de delimitación del dominio castellano en cien leguas al oeste de las Azores y de norte a sur, se establecen las condiciones de la donación papal efectuada a través de la primera bula, que pasan por la evangelización de los habitantes de las nuevas tierras mediante el establecimiento del clero, tanto regular como secular:

> «(...) que debéis destinar a las tierras firmes e islas citadas, varones probos y temerosos de Dios, doctos, peritos y expertos para instruir a los residentes y habitantes citados en la fe católica e inculcarles buenas costumbres, poniendo en lo dicho toda la diligencia debida».

Ese mismo día se elabora la bula *Eximiae Devotionis* que habrá de dar forma, junto con la *Universalis Ecclesia* de 1508, al Real Patronato de Indias, título por el que se establecen las concesiones pontificias a la Corona de Castilla para proceder a la organización de la Iglesia en los territorios descubiertos y que, en suma, daba autonomía a los reyes tanto en cuestiones relativas al nombramiento de dignatarios eclesiásticos como de fijación y percepción de diezmos o determinación de los límites de las diócesis. En contrapartida a estas prerrogativas de los reyes, la Corona se hacía cargo de la financiación de los gastos del clero y de aquellos otros derivados de la construcción de iglesias, catedrales, hospitales, centros de beneficencia, etc., así como de facilitar el cumplimiento de la misión evangelizadora.

El 25 de junio de 1493 se dicta la cuarta bula, conocida como *Piis Fidelim,* por la que se nombra un representante eclesiástico para las Indias y se incide en el compromiso de trasladar y fomentar el cristianismo entre los naturales de aquellos territorios. Por último, el 26 de septiembre de 1493, se consolida el derecho de la Corona castellana a la posesión de nuevos territorios mediante la posibilidad de ampliar hacia oriente las expediciones de navegantes españoles. Denominada *Dudum Siquidem,* esta bula, junto con la segunda *Inter Caetera,* deja fuera de toda duda el predominio de Castilla sobre el descubrimiento de América y sobre las tierras que en adelante pudieran ser descubiertas.

La Corona portuguesa no se sintió satisfecha con los límites impuestos por el papa Alejandro VI en la segunda bula Inter Caetera, por lo que Juan II buscó un acuerdo directo con los Reyes Católicos que se materializaría, en 1494, con la firma del Tratado de Tordesillas. En virtud del mismo, ratificado por los Monarcas españoles en Arévalo y por el portugués en Setúbal, la nueva línea de demarcación atlántica se sitúa a 370 leguas al oeste de Cabo Verde (270 leguas al oeste de las Azores):

«*Que se haga y asigne por la dicha mar océano una raya o línea derecha de polo a polo, del polo Ártico al polo Antártico, que es de norte a sur, la cual raya o línea e señal se haya de dar e dé derecho, como dicho es, a trescientas setenta leguas de las islas de Cabo Verde para la parte de poniente, por grados o por otra manera, como mejor y más presto se pueda dar, de manera que no será más. Y que todo lo que hasta aquí tenga hallado y descubierto y de aquí adelante se hallase y descubriere por el dicho señor rey de Portugal y por sus navíos, así islas como tierra firme, desde la dicha raya arriba, dada en la forma susodicha, yendo por la dicha parte de levante, dentro de la dicha raya a la parte de levante, o de norte o sur de ella, tanto que no sea atravesando la dicha raya, que esto sea y quede y pertenezca al dicho señor rey de Portugal y a sus sucesores para siempre jamás. Y que todo lo otro, así islas como tierra firme, halladas y por hallar, descubiertas y por descubrir, que son o fueren halladas por los dichos señores rey y reina de Castilla y de Aragón, etc., y por sus navíos, desde la dicha raya, yendo por la dicha parte de poniente, después de pasada la dicha raya, para el poniente o al norte o sur de ella, que todo sea y quede y pertenezca a los dichos señores*».

Portugal, pues, conseguía el dominio de todas las tierras situadas al este de dicha línea de demarcación, entre las que se encontraban Brasil y Groenlandia, y Castilla las localizadas hacia el occidente de la misma.

La cristianización de los indios. Fray Bartolomé de las Casas

La llegada de los españoles a América no fue todo lo plácida que hubiera sido de desear. A las propias dificultades que imponía un territorio de extrema dureza orográfica y climatológica se unió la firme resistencia de muchos pueblos indígenas a ser dominados. La conquista tuvo que realizarse en la mayor parte de las ocasiones a sangre y a fuego, imponiendo a los indígenas un sometimiento cruel que derivó en fórmulas esclavistas (fenómeno ajeno a aquellas sociedades donde no existía la explotación del trabajo) y un trato inhumano mil veces denunciado por los religiosos desplazados para la evangelización de los indios. Fueron los colonizadores, no obstante, quienes se beneficiaron y propiciaron el sojuzgamiento de la población autóctona, dispuestos a conseguir los mayores beneficios de la explotación de tierras y minas. La Junta de Burgos, encargada de elaborar las llamadas *leyes de Burgos,* estudió la resistencia inicial de los indios a la dominación y cristianización castellanas, llegando a la conclusión de que los derechos que justificaban la acción de los españoles no eran conocidos por éstos, de modo que la solución pasaba por la elaboración de un documento en el que se explicase con claridad la adjudicación a Castilla de sus tierras y personas decretada por el Papa. El jurista Palacios Rubios fue elegido para la redacción del documento, que contenía un preámbulo relativo a la historia del mundo desde su creación y en el que explicaba la relevancia de la institución papal y el sentido de la «donación» propiamente dicha. Fue conocido como el *requerimiento* porque, una vez dadas las explicaciones pertinentes sobre la presencia española en dichas tierras se procedía a requerir a los indígenas para que reconociesen a los reyes de España, en nombre del Papa, como dueños y señores de aquellos territorios. En un segundo requerimiento se les emplazaba a convertirse a la verdadera fe, de la que ellos eran portadores. La negativa a la aceptación de estas cláusulas suponía el enfrentamiento bélico con los españoles y, en caso de derrota, la pérdida de bienes y haciendas y el acatamiento de su nueva condición de esclavos.

Pocos pueblos aceptaron el *requerimiento* tal y como fue propuesto y redactado, por lo que se desató una auténtica polémica en círculos políticos y religiosos respecto al establecimiento de semejante fórmula como manera lícita de someter a los indígenas. Frente a la defensa que de dicha fórmula realizó el propio Palacios Rubios o Martín Fernández de Enciso, se situaron detractores de la talla de Francisco de Vitoria, fray Antonio de Córdoba, o el mismo fray Bartolomé de las Casas:

> «*Es aquí de notar que el título con que entraban o por el cual comenzaban a destruir todos aquellos inocentes y despoblar aquellas tierra que tanta alegría y gozo debieran de causar a los que fueran verdaderos cristianos, con su tan grande e infinita población, era decir que viniesen a subjerctarse e obedecer al rey de España, donde no, que los habían de matar e hacer esclavos. Y los que no venían tan presto a cumplir tan irracionales y estultos mensajes e a ponerse en las manos de tan inicuos e crueles e bestiales hombres, llamábanles rebeldes y alzados contra el servicio de Su Majestad. Y así lo escribían acá al rey nuestro señor; e a la ceguedad de los que regían las Indias no alcanzaba ni entendía aquello que en sus leyes está expreso e más claro que otro de sus primeros principios, conviene a saber: que ninguno es ni puede ser llamado rebelde si primero no es súbdito.*
>
> *Considérese por los cristianos e que saben algo de Dios e de razón, e aun de las leyes humanas, que tales pueden parar los corazones de cualquier gente que vive en sus tierras segura e no sabe que deba nada a nadie, e que tiene sus señores naturales, las nuevas que le dije en así de súpito: daos a obedecer a un rey extraño, que nunca vísteis y oísteis, e si no, sabed que luego os hemos de hacer pedazos; especialmente viendo por experiencia que así luego lo hacen*».

Ni las famosas leyes de Burgos, sancionadas el 27 de diciembre de 1512 y promulgadas en 1513, ni las protestas por el modo de aplicar la donación papal a través de la fórmula del *requerimiento*, a partir de 1514, habían conseguido erradicar los abusos y vejaciones a que eran sometidos los indios. El número de encendidas denuncias que llegaban a la metrópoli era cada vez mayor y las disputas empezaron a deslizarse por canales cada vez más sutiles y filosóficos. Se empezó a poner en duda la «racionalidad» de los indígenas y a defenderse su condición de esclavos por naturaleza, ante lo que tuvo que intervenir el Sumo Pontífice para decretar en 1537, mediante la bula Sublimis Deus, la racionalidad de los indígenas y el derecho que tenían al disfrute de sus bienes y propiedades aunque no estuvieran dentro de la fe católica.

Ginés de Sepúlveda, con quien fray Bartolomé de las Casas sostuvo enconados debates, aducía, en relación con la «propensión» a la esclavitud mostrada por los indios, que su «baja condición mental» les llevaba a dejarse dominar de manera natural, por lo que la imposición de las normas derivadas de la conquista se tornaba en un bien para los pueblos nativos y suponía una manera correcta de introducirlos en la fe católica. Utilizaba, pues, la tesis aristotélica de que algunos hombres tenían una aptitud natural para mandar, mientras que otros la tenían para obedecer, haciendo una posible interpretación de la misma que justificase la política agresiva llevada a cabo por los españoles.

Por su parte Francisco de Vitoria, aliado de Bartolomé de las Casas en la defensa de los derechos de los indios, argumenta, en relación con el razonamiento de Ginés de Sepúlveda, que del hecho de que existan algunas personas mejor dispuestas a obedecer que prontas a mandar no se concluye, en absoluto, que hayan de ser los españoles quienes deban mandar y los indios los que tengan que obedecer. Para Vitoria los indios poseen raciocinio, tanto o más que los españoles, simplemente sus costumbres, idioma y tradiciones son diferentes y sobre una base semejante no podía justificarse su sometimiento ni ser cuestionada su inteligencia. Los poderes espiritual y temporal, a través de sus príncipes, debían velar por administrar y dirigir sus correspondientes gobiernos hacia el bien común, y en este sentido consideraba que si los príncipes paganos cumplían con estas condiciones, no podía ponerse en tela de juicio su legítima titularidad del poder soberano sobre sus territorios y súbditos.

Según Francisco de Vitoria ningún príncipe cristiano, ya ostentara el poder civil, ya el espiritual —ni siquiera el Papa—, poseía autoridad para otorgar a Castilla la propiedad de territorios denominados descubiertos, cuando en realidad poseían dueños y señores en los indígenas que los habitaban. Para Vitoria, que consideraba la conquista de América como un hecho irreversible y que incluso la retirada de los españoles podía resultar perjudicial para un gran número de indígenas ya integrados en la colonización, los únicos argumentos que podían esgrimirse para validar su presencia —o títulos legítimos— se basaban en cuestiones como el desarrollo de relaciones comerciales entre los distintos pueblos soberanos, o el establecimiento de Pactos de Alianza que posibilitaran la intervención armada en caso de que algún país mantuviese una política de ostensible desprecio hacia los derechos humanos, que definía como intervención por crímenes contra la humanidad (en aquel tiempo estaban llegando a Castilla los relatos concernientes a la forma en que eran realizados los sacrificios humanos en México o las prácticas de canibalismo de algunas culturas indígenas). Estos *títulos legítimos* concebidos por Francisco de Vitoria constituyen el fundamento del moderno derecho internacional y convierten a este eminente teólogo y jurista en un auténtico adelantado a su época.

En cuanto a fray Bartolomé de las Casas es la figura más representativa de la reacción que se produjo entre muchos religiosos e intelectuales contra los excesos que conquistadores y colonizadores cometieron en la primera época del descubrimiento. Su primer viaje al Nuevo Mundo lo realizó en la expedición de Nicolás Ovando en 1502, y fue precisamente el contacto con los indios y la constatación del trato que se les dispensaba lo que le lleva a asumir, por una parte, la denuncia de las formas instauradas en América para regular las relaciones entre la Corona y sus nuevos súbditos –a los que habían convertido en esclavos– y, por otra, la defensa generalizada del indio, del que destaca su temperamento noble y confiado.

Esta actitud le valió la enemistad de administradores y colonos de los virreinatos y le llevó, además, a mantener públicos enfrentamientos con el Consejo de Indias, presidido entonces por el obispo Juan Rodríguez de Fonseca. Sus obras más importantes en relación con las polémicas mantenidas a este respecto con teólogos y juristas fueron: *Historia de Indias*, *Apologética Historia* y *Brevísima relación de la destrucción de las Indias*, escrita hacia 1542 y publicada subrepticiamente, cuestión que aprovecharía más tarde Ginés de Sepúlveda, su gran contradictor, para dar título a una de sus obras: *Proposiciones temerarias, escandalosas y heréticas que notó el doctor Sepúlveda en el libro de la conquista de Indias*, que fray Bartolomé de las Casas, obispo de Chiapas,[164] hizo imprimir sin licencia. Precisamente sobre la conquista de México fray Bartolomé escribía en su libro *Brevísima relación de la destrucción de las Indias* un duro alegato contra la forma en que fue llevada a cabo y en la que resume gran parte de los postulados que durante más de cincuenta años defendió incansablemente:

> «En el año de mil e quinientos diecisiete se descubrió la Nueva España; en el descubrimiento se hicieron grandes escándalos en los indios y algunas muertes por los que las descubrieron. En el año de mil e quinientos e dieciocho la fieron a robar e a matar los que se llaman cristianos, aunque ellos dicen que van a poblar. Y desde este año de dieciocho hasta el día de hoy, que estamos en el año de mil e quinientos y cuarenta y dos, ha rebosado e llegado a su colmo toda la iniquidad, toda la injusticia, toda la violencia y tiranía que los cristianos han hecho en las Indias, porque del todo han perdido todo temor a Dios y al rey y se han olvidado de sí mesmos. Porque son tantos y tales los estragos e crueldades, matanzas e destrucciones, despoblaciones, robos, violencia e tiranías, y en tantos y tales reinos de la gran tierra firme, que todas las cosas que hemos dicho son nada en comparación de las que hicieron.
>
> Así que, desde la entrada de la Nueva España, que fue a dieciocho de abril del dicho año dieciocho, hasta el año treinta, que fueron doce años enteros, duraron las matanzas y estragos que las sangrientas e crueles manos y espadas de los españoles hicieron continuamente en cuatro-

---

[164] Nombrado en 1543.

cientas e cincuenta leguas en torno cuasi de la ciudad de México e a su alrededor, donde cabían cuatro e cinco grandes reinos, tan grandes e harto más felices que España».

Las presiones de Vitoria y de las Casas obligan a la modificación de las leyes de Burgos, promulgándose en 1542 las denominadas *Leyes Nuevas* que son publicadas bajo el epígrafe *Las leyes y Ordenanzas nuevamente hechas por S.M. para la gobernación de las Indias y buen tratamiento y conservación de los indios.* A estas leyes se añadirían siete más en 1543. Básicamente, las nuevas leyes vienen a prohibir el esclavismo de los indios y el derecho hereditario de las encomiendas. Además, consagran la libertad de los indígenas y establecen la organización administrativa de los territorios americanos. Su aplicación quedó suspendida durante un tiempo, ante los graves disturbios protagonizados por los encomenderos y, finalmente, ejecutivas, una vez derogados los artículos relativos a la herencia de las encomiendas.

En 1551 una nueva Junta del Consejo de Indias promulga una dulcificación del requerimiento, que pasa a ser definido como lenta persuasión, y regula la guerra contra los indios, que sólo se justificaría en el caso de que éstos se opusieran a la predicación del evangelio y previo informe de la Audiencia. Las últimas modificaciones introducidas a estas leyes «legitimadoras» de la conquista se producen a través de una Ordenanza, publicada en 1573 y elaborada por Juan de Ovando, donde lo más reseñable es el cambio del término conquista por el de pacificación, lo que demuestra la intención de Felipe II de dar una orientación evangelizadora a la política española en América, alejándola de su imagen belicosa y desmedida. Todas las iniciativas que habían ido produciéndose en esta materia desde 1493, y que pasaron a formar parte de nuevas Leyes, Instrucciones y Ordenanzas, fueron incorporadas a la *Recopilación de Leyes de las Indias* en 1680, creando un manto legal de protección a los indígenas aplicable en todos los territorios españoles en el Nuevo Mundo, combatiendo las formas primitivas de trato y explotación del pueblo indio.

Sistemas de trabajo colonial: las encomiendas

Uno de los primeros problemas surgidos tras el establecimiento de los colonos en el Nuevo Mundo, y una vez realizada la conquista y sometimiento de la población indígena, consistió en la asignación de las tierras para su explotación. La propiedad de la tierra no resultó nunca una cuestión sometida a debate, pues estaba reservada a la Corona de Castilla en cuyo nombre se tomaba posesión. Inmensas zonas, muchas de ellas exentas de población, fueron distribuidas entre los españoles para la explotación de los recursos y la obtención de grandes ganancias de los mismos, de los cuales una parte iba a las arcas reales y otra revertía en beneficio del colono. Resuelta esta primera cuestión, la siguiente consistía en la ne-

cesidad de dotar a los colonos de mano de obra suficiente y barata que realizara los trabajos en las haciendas. Así nació la *encomienda,* que no era sino una asignación de indígenas a
un encomendero para la realización de prestaciones de carácter laboral. El encomendero
podía ser un particular o una institución y contraía la obligación ante la Corona, responsable de su concesión, de educar y evangelizar a los nativos. José Acosta, historiador y cronista de Indias, escribía así sobre los compromisos que adquiría el encomendero:

> *«Al darles la encomienda se les encarga también a los señores que no solamente cuiden de los*
> *pueblos que les han sido confiados en lo que toca a la fe y salvación eterna, sino que les asistan ade-*
> *más benignamente en las necesidades de la vida, cuando quiera que necesiten de su patrocinio, acor-*
> *dándose que han sido dados a los neófitos en lugar de padres. Deben, pues, mirar por su bien tem-*
> *poral y policía y defenderlos eficazmente de las injurias de los hombres o del tiempo.»*

La creación de las encomiendas supuso, de hecho, el pago a los conquistadores por su
labor de descubrimiento, anexión y pacificación de tierras, de ahí que los indios asignados
a los encomenderos tuvieran la obligación de suministrar tributo y trabajo, y que éstas tuvieran carácter hereditario:

> *«(...) que cada uno tuviese para sí y para su primer sucesor por dos vidas, los indios que*
> *conquistase quedando después libre el rey de encomendarlos a quien le plugiere».*

Sancionadas en 1512 por las leyes de Burgos, sustituyeron a los repartimientos de indios que tantas quejas y suspicacia habían levantado entre los evangelizadores. Sin embargo, pronto quedó claro que cualquier relación de los colonizadores con los indígenas derivaba, tarde o temprano, en abuso y violencia, entre otras razones por el intento de
trasladar a las Indias el tipo de relaciones laborales imperante en Europa, lo cual produjo
un tremendo choque con la idiosincrasia y las costumbres de los nativos. Las encomiendas
fueron instauradas por primera vez en las Antillas, de donde pasaron a Nueva España. Hubo
concesión de encomiendas en Chile, Venezuela, Río de la Plata, Perú, Paraguay, cada una
con sus propias características y atendiendo, fundamentalmente, al tipo de explotación dominante y a las posibilidades de subsistencia de los nativos. Así, en 1549 se reduce la obligación de los indígenas exclusivamente al pago del tributo, quedando eximidos de la obligatoria prestación del trabajo. Esta orden real no pudo ser aplicada en todos los territorios
debido a la escasez de recursos disponibles por las poblaciones nativas asignadas a las encomiendas, manteniéndose la prestación laboral, aunque regulando el número de días o meses de trabajo exigido.

En cuanto a la propiedad de la tierra, si bien se conquistaba, como se ha dicho repetidamente, en nombre de la Corona de Castilla, las encomiendas nunca supusieron de-

recho alguno de los encomenderos sobre ellas. Es más, en muchos casos la Corona cedió dicha propiedad a los indios encomendados y sólo podía recuperarla en caso de abandono por los nativos. No obstante, el encomendero, como cualquier otro español, podía adquirir tierras a título particular, incluidas las que formaban parte de la encomienda.

Sistemas de trabajo colonial: los repartimientos

El *repartimiento* consistía en una especie de reclutamiento forzoso de indígenas para la realización de trabajos de interés público por los que percibían un salario. Aunque puesto en práctica por Colón en los primeros años del descubrimiento, alcanzó su máximo desarrollo en el momento en que las encomiendas fueron reguladas y sufrieron la supresión de la obligación del indio a la prestación de trabajo. Al repartimiento tuvieron acceso una cantidad mayor de colonos, siendo su asignación menos clasista que la que prevaleció con las encomiendas. La necesidad de mano de obra para la construcción de las ciudades contribuyó, principalmente, a que se utilizara el repartimiento como modo de reclutamiento diferenciado de la encomienda, ya que en un principio eran los encomenderos quienes cedían sus encomendados para estas labores. Posteriormente se extendió a la agricultura y la minería, quedando bajo control de los llamados *jueces repartidores,* que eran los encargados de la distribución de los indios entre los colonos y que llegaron a tener facultades para imponer, mediante el uso de la fuerza y otros medios coercitivos, la obligación de participar en la prestación del trabajo.

Tanto en la encomienda como en el repartimiento, así como en la práctica totalidad de las fórmulas de trabajo que se aplicaron en América con la llegada de los conquistadores, los indios reclutados trabajaban en sistemas de turnos, es decir, una vez que se establecía el número de días, semanas o meses al año de trabajo que era preciso desarrollar, se organizaban turnos rotativos entre los indígenas, de forma que las necesidades de mano de obra quedaran cubiertas. Éste fue también el sistema de la llamada *mita* colonial, instaurada en América para hacer frente a la explotación minera, adquiriendo enorme importancia en la extracción de plata en las minas de Potosí. En la mita el indio trabajaba durante doce meses continuados, no volviendo a ser llamado hasta transcurridos siete años.

Sistemas de trabajo colonial: los corregimientos

Toda esta compleja organización y posterior desarrollo de las formas de trabajo colonial y la consiguiente generación de riqueza –parte de la cual estaba destinada a la Corona, insistimos– trajo consigo la aparición, allá por 1530, de la figura del Corregidor, funcionario real nombrado, en principio, para proceder a la recaudación de los tributos. Posteriormente abarcaría otras parcelas del gobierno civil, llegando a tener atribuciones equiparables a las de un magistrado. Pronto los corregidores demandaron para sí un cupo de indios con servidumbre similar a las de las encomiendas; es decir, el pago por parte de éstos de un tributo y una aportación añadida en forma de trabajo, además del salario que tenían establecido como funcionarios de la Corona y que debieron estimar harto insuficiente.

Si la primera mitad del siglo XVI marca el florecimiento de los sistemas de trabajo indígena, su abolición se hizo esperar en algunos casos incluso hasta el siglo XIX. Este es el caso, por ejemplo, de la mita de Potosí, cuya definitiva derogación se produjo en 1812, en las Cortes de Cádiz: las encomiendas fueron suprimidas de manera desigual en el tiempo según los territorios donde estaban instauradas, pero puede considerarse que su abolición quedó decretada en 1720 por Felipe V.

El «desembarco» de los tribunales inquisitoriales

Un Nuevo Mundo sin herejes

El descubrimiento del Nuevo Mundo en 1492 coincide con los momentos de desarrollo y asentamiento de la Inquisición española, y los primeros religiosos que partieron hacia América lo hicieron en la segunda expedición de Colón, en septiembre de 1493.

Los dos pilares en los que se fundamentaría la tarea religiosa en el Nuevo Mundo durante los años siguientes a su descubrimiento fueron dos: la *catequización* de la población autóctona –no cabía perseguir conductas contra la fe católica en quienes ni siquiera la conocían– y la *exclusión* de sospechosos de prácticas no cristianas en las expediciones colonizadoras de los nuevos territorios –se pretendió limitar la llegada a América de cristianos nuevos, e incluso se obtuvo de Alejandro VI una bula papal donde se avalaba el derecho de la Corona a controlar la entrada de «extranjeros» que pudieran introducir aquellas corrientes heterodoxas que recorrían el viejo continente.

Un nuevo mundo católico, una nueva sociedad no contaminada por influencias perniciosas, unos ideales, en suma, que pronto se verían frustrados por la propia dinámica de una empresa tan vasta, como lo era la conquista y colonización de todo un continente.

La Corona de Castilla no podía promover todas las expediciones que se iba haciendo necesario organizar, ni tampoco mantener sobre las mismas un control tan estricto como en principio pretendía. Tras los primeros viajes de Colón se extendió por España una contagiosa fiebre por explotar las «inmensas» riquezas de los territorios descubiertos, por lo que la organización de gran parte de las expediciones acabó en manos de aventureros a los que la Corona únicamente exigía la parte correspondiente de las ganancias obtenidas.

Así las cosas, en poco tiempo la «pureza» de muchos de los que conseguían llegar a las costas americanas y asentarse en sus tierras fue más que dudosa. Y no es de extrañar tal situación si tenemos en cuenta que muchos conversos, perseguidos por el rigor inquisitorial, vieron en el Nuevo Mundo un lugar idóneo donde empezar de nuevo, consiguiendo burlar las restricciones que pesaban sobre su emigración. Esto sin contar con la ordenanza publicada por la reina Isabel a propósito de las dificultades que el almirante de la flota española tenía para conseguir los ochenta y ocho tripulantes que necesitaba para sus naves –dieciocho para cada una de las carabelas y cincuenta y dos para la nao capitana–. En dicha ordenanza la reina aseguraba la *protección real* a cuantos hombres perseguidos por la justicia decidieran embarcarse y unirse a la empresa que patrocinaba la Corona, protección que no excluía expresamente los delitos contra la fe. En 1495 se tiene constancia de la presencia de judeoconversos en la isla de La Española, la actual Haití, descubierta por Martín Alonso Pinzón en el primero de los viajes de Colón. No obstante lo anterior, durante todos los años que duró y estuvo activa la Inquisición en España, el problema de la entrada en América, tanto de conversos, como de descendientes de éstos, o de condenados por el Santo Oficio, estuvo presente en la política de los monarcas españoles. No fue, pues, una cuestión que concerniera exclusivamente a la concepción político-religiosa de los Reyes Católicos, sino que encontramos disposiciones e iniciativas en este sentido hasta bien entrado el siglo XVIII.

Las tareas de control sobre las personas que abandonaban España camino del Nuevo Mundo correspondieron a la Casa de Contratación. Este organismo fue creado por Real cédula de los Reyes Católicos de 1503, incorporándose en 1524 al Consejo de Indias. Tenía su sede en Sevilla y en 1717 se trasladó a Cádiz. Las funciones de la Casa de Contratación estaban relacionadas con el comercio y el tráfico de las Indias y cuantos aspectos fueron surgiendo con respecto a la política americana. Además de la misión de controlar la emigración de castellanos, primero, y españoles en general, posteriormente, tenía competencias fiscales y judiciales. Era también almacén y estaba encargada de organizar el transporte de mercancías y personas a las nuevas tierras, así como del mantenimiento del Padrón Real, especie de carta náutica del universo conocido en la que se iban añadiendo, secretamente, cuantas observaciones y descubrimientos aportaban los navegantes solventes al regreso de cada viaje. Del mismo modo era el lugar donde estos grandes navegantes de la época impartían enseñanzas relativas a su arte y a su ciencia.

Una vez transcurridos los primeros años en los que la exploración y conquista de los nuevos territorios necesitó, fundamentalmente, de la presencia de aventureros –los cuales fueron aportando datos sobre elementos clave, como el clima, la orografía, etc., que hicieron posible una planificación de la explotación de los recursos existentes, tales como los agrícolas, ganaderos o mineros–, se da paso al proceso de asentamiento de colonos, con la correspondiente demanda de mano de obra y la petición a la Corona de población suficiente para poder consolidar las ciudades que se iban fundando.

Los Reyes Católicos procuraron mantener el equilibrio entre las razones meramente económicas –y en este sentido facilitaron y fomentaron la emigración a los reinos de ultramar– y las derivadas de su compromiso de cristianización del Nuevo Mundo, aplicando el principio de «pureza cristiana» a quienes pretendían emigrar. Pero, evidentemente, cuando no era posible conseguir legalmente el permiso por no cumplir las condiciones de «pureza» requeridas, siempre se podía recurrir al soborno de los aduaneros o a la falsificación de la documentación que se emitía para la identificación de los emigrantes. Incluso con el tiempo esta reglamentación se fue modificando de forma contradictoria, es decir, si en 1511 Fernando el Católico eliminó la necesidad de esgrimir la condición de cristiano viejo para viajar al nuevo continente, su nieto Carlos V, tras haber promulgado Ordenanzas en el mismo sentido a lo largo de diferentes momentos de su reinado, también dictó instrucciones puntuales prohibiendo la expedición de licencias a judeoconversos, moriscos, reconciliados y a hijos o nietos de quemados en la hoguera.

Entre 1509 y 1559, el número de permisos concedidos por la Casa de Contratación fue de 15.480. Esta cifra no refleja la emigración ilegal, un fenómeno de gran importancia que podría situar el total de colonos en más de 25.000, a pesar de que diversos autores elevan ostensiblemente esta cantidad hasta llegar a los 130.000.

Con semejante panorama a la vista se puede afirmar que las actividades descubridoras y viajeras de los españoles desbordaron, a lo largo de los años, los intentos institucionales de efectuar un control efectivo de aquellos que marchaban como pobladores hacia el Nuevo Mundo.

Por si fuera poco, a este escaso éxito en el intento de frenar el flujo de judeoconversos a América se une, a mediados del siglo XVI, la nula oposición que desde Portugal existía para la emigración hacia aquellas tierras de sus conversos forzosos, muchos de los cuales procedían de España expulsados por el decreto de los Reyes Católicos de 1492. Ocurrió que deseando contraer matrimonio el rey don Manuel de Portugal con Isabel de España, la primogénita de los Reyes Católicos, fue condicionado el consentimiento a la promulgación en Portugal de un decreto de expulsión de los judíos, similar al dictado años antes en España. El rey Manuel de Portugal firmó dicho edicto de expulsión, aunque finalmente fue anulado y promovida la conversión forzosa de la población judía. Cabe pensar que muchos de estos conversos mantuvieron en secreto su verdadera religión y que por miedo a ser descubiertos y perseguidos encontraran en la colonización del Nuevo Mundo una vía segura de escape.

El crecimiento constante de la población emigrante sumada a la presencia de nativos y el contacto que permanentemente se estableció entre ellos terminó por convertir en complejas unas relaciones que, no obstante, reprodujeron el modo de vida del viejo continente.

«(...) las décadas finales del siglo XVI y las primeros del XVII —escribe Luisa Elena Alcalá—[165] fueron época de transición y transformación en las colonias españolas en América. Tras la conquista y las masivas conversiones de indios bajo la dirección de franciscanos, dominicos y agustinos, la Iglesia secular empezó a reclamar mayor control y a recortar la jurisdicción de las

---

[165] «Las Sociedades Ibéricas y el Mar». *Op. cit.*

órdenes monásticas. Las zonas periféricas, donde se asentaban las misiones mendicantes, cedieron protagonismo en beneficio de emergentes núcleos urbanos donde comenzaban a alzarse grandes catedrales, símbolos del orgullo local y del creciente poder episcopal. La construcción y decoración de estas catedrales y su entorno urbano acrecentó la demanda de artistas y arquitectos, lo que se tradujo en la apertura de talleres en ciudades como Lima, Cuzco, México o Puebla, y la consiguiente irrupción de profesionales europeos.»

La paulatina «normalización» de la vida en las Américas lleva a que se consideren los territorios de ultramar como un apéndice de España y que, por tanto, quepan también las mismas instituciones y referentes jurídicos y religiosos –y en este contexto se explica que desde el espíritu evangelizador que inspiró la partida de gran número de misioneros a las Indias, el propio Bartolomé de las Casas solicitara, ya en 1516, el envío a las colonias de la Santa Inquisición. Será en el año de 1569, concretamente el 25 de enero y a través de una Real Cédula, cuando se crea el Tribunal de la Inquisición en América.

Obispos y religiosos. La Iglesia entra en combate

Hasta entonces, la actividad religiosa en relación con los asuntos de fe no había quedado olvidada ni relegada a un segundo plano. Fue organizándose de manera similar a como lo había hecho en España antes de la creación del Santo Oficio. En primer lugar la constitución de metrópolis densamente pobladas trajo consigo la creación de los correspondientes obispados. Según datos referidos a mediados del siglo XVI, el total de habitantes de las colonias americanas sobrepasaba los diez millones. México era sin duda la región con más alto índice demográfico, estimándose en unos 3.555.000 habitantes, de los cuales 30.000 eran de origen europeo, unos 25.000 lo constituían la población de negros, mulatos y mestizos y aproximadamente 3.500.000 correspondía a los indígenas. Perú era la segunda población en importancia, sumando 1.585.000 personas repartidas entre 25.000 blancos, 60.000 negros, mulatos y mestizos y 1.500.000 indígenas. Una relación similar se puede encontrar en las poblaciones de Santo Domingo, Cuba, Puerto Rico o Colombia, de manera que el número de habitantes no indígenas apenas representaba el cuatro por ciento del total. Por otro lado en el desarrollo de las ciudades se produjo un acusado descenso de los grupos nativos, mientras crecía espectacularmente el número de blancos y la población mestiza. Durante el período comprendido entre 1579 y 1650 la población en la América española había aumentado en 1.200.000 personas; el porcentaje en cuanto a población no nativa había crecido hasta el veinte por ciento del total de habitantes, mientras que se contabilizaban cerca de 800.000 indígenas menos.

La administración eclesiástica se fue haciendo cada vez más compleja a medida que la estricta misión evangelizadora de los inicios fue evolucionando en función de los cambios sociales producidos. En 1504 se crea el primer arzobispado en tierras del Nuevo Mundo, esto es, el de Santo Domingo (llamado inicialmente Yaguata), del que dependían las diócesis de Santiago de Cuba y San Juan y Coro. A finales del siglo XVI el número de arzobispados se había elevado a 4, de los que dependían 26 obispados. Del de México dependían los de Guadalajara, Valladolid, Puebla, Antequera, Chiapas, Mérida, Verapaz, Comayagua, Guatemala y León; del de Santa Fe de Bogotá dependían los de Cartagena y Popayán; y el arzobispado de Lima contaba con las diócesis de Panamá, Quito, Trujillo, Cuzco, Arequipa, La Plata, Asunción, Santiago del Estero, Santiago de Chile y La Imperial. En el siglo XVII la diócesis de La Plata pasó a la categoría de archidiócesis, amparando los obispados de Asunción, La Paz, Mizque, Córdoba y Buenos Aires, estos cuatro últimos de nueva creación. Nuevas también fueron las diócesis de Durango –en el arzobispado de México–, Caracas –que sustituyó a la de Coro y se integró en el arzobispado de Santo Domingo–, Santa Marta –dependiente de Santa Fe de Bogotá– y Huamanga, integrada en la archidiócesis de Lima. Paralelamente, las órdenes religiosas que fueron desembarcando junto con los exploradores en los primeros viajes empiezan a cobrar importancia pues, de manera similar al establecimiento de las prelaturas, se llegan a fundar más de cuatrocientos monasterios pertenecientes a dominicos, agustinos, franciscanos y jesuitas.

La estructura eclesiástica se sustentaba, por tanto, sobre estos dos pilares, lo que dio lugar también a la formación de dos tipos de actuaciones contra los delitos de fe: aquellas que protagonizaron los obispos y las llevadas a cabo por las órdenes religiosas. Mientras que en España la Nueva Inquisición dejó atrás los modelos medievales que imperaron hasta su establecimiento, en América se recurrió a ellos como punto de partida, coexistiendo entre 1511 y 1569 una inquisición episcopal y una inquisición monástica.

A pesar de que los obispos tenían entre sus misiones velar por la integridad cristiana de sus fieles, las indicaciones para ejercer acciones inquisitoriales hubieron de venir expresamente especificadas por los Inquisidores Generales. Este fue el caso de Fray Juan de Quevedo, obispo de Cuba, quien en 1516 fue autorizado por el Cardenal Cisneros, por entonces regente e Inquisidor General de Castilla, a promover una estructura similar a la de los tribunales del Santo Oficio. Juan de Zumárraga, franciscano y obispo de México, creó en 1536 un entramado inquisitorial bien organizado y similar a los tribunales españoles. Si hasta entonces la mayoría de causas abiertas lo habían sido por delitos de blasfemia, la labor emprendida por Zumárraga, a tenor de lo expuesto por Walker, elevó a ciento cincuenta los sumarios abiertos durante un período de nueve años con una mayor variedad en la tipología de los delitos enjuiciados, ya que entendió de casos sobre hechicería, superstición e idolatría, además de los de blasfemia y prácticas judaicas entre los conversos.

En relación con la institución episcopal, a la labor del ya mencionado obispo de México Juan de Zumárraga, hay que añadir los nombramientos efectuados en 1543 por el Inquisidor General Pardo de Tabera para el «gobierno apostólico» de las Antillas, Alonso López de Cerrato, y Nueva España, Francisco Tello de Sandoval. Sin embargo, como subraya Walker, «*la labor de vigilancia, sobre la doctrina y la moral corrió, en la práctica, a cargo de los obispos de las diócesis (fray Juan de Zumárraga y fray Alonso de Montúfar, en México; fray Juan de Quevedo, en el Darién; fray Vicente de Valverde, como primer obispo del Perú, y fray Domingo de Santo Tomás, en Charcas, Bolivia)*».

En el año 1519 Carlos I, recién incorporado al trono de Castilla, se plantea el modo de afrontar la política americana, en general, y todo lo concerniente al seguimiento de la evangelización del Nuevo Mundo y del cumplimiento de la ortodoxia cristiana entre los emigrantes allí establecidos, en particular. La decisión adoptada no puede ser otra que la de reproducir en América una institución como el Santo Oficio, capaz de realizar un control eficaz en este último aspecto a través de su estructura, organización y métodos, aunque sin proceder a la instauración formal de dicho Tribunal, al menos de momento. En ese mismo año el Inquisidor General, Adriano de Traiecto (Adriano de Utrecht), nombra a fray Pedro de Córdoba, Vicario General de los dominicos en la isla de La Española, junto con el obispo de Puerto Rico, Alonso Manso, primeros «inquisidores apostólicos» responsables en asuntos de fe para las posesiones españolas de América.

La Orden de los dominicos fue la más activa en las tareas evangelizadoras. Su numerosa presencia en América desde el comienzo de las expediciones resultó determinante para obtener de los poderes religiosos del viejo continente el privilegio del combate contra la herejía. Además del ya nombrado fray Pedro de Córdoba, realizaron tareas inquisitoriales como comisarios fray Tomás Ortiz, fray Domingo de Betanzos y fray Vicente de Santa María, todos ellos en la isla de La Española y en el intervalo comprendido entre 1519 y 1528. Los dominicos protagonizaron, además, las primeras denuncias sobre el trato dado a los nativos y su oposición a las encomiendas y los repartimientos. Los famosos sermones predicados por fray Antón de Montesinos en presencia del virrey de Santo Domingo, Don Diego Colón, durante la celebración de las misas correspondientes a los dos primeros domingos de adviento del año 1511, en los que el dominico denuncia los abusos y crueldades a que son sometidos los indígenas y solicita un trato justo e igualitario para éstos, motivaron un viaje a España en 1512 de fray Pedro de Córdoba, como superior de la Orden, para dar explicaciones al respecto. De su intercesión y de la del propio Montesinos, que llegó a entrevistarse con el Monarca, surgieron las Leyes de Burgos que, si bien no abordaban los aspectos más conflictivos de las relaciones con los nativos, sí aportaban una regulación sobre la forma de disponer el trabajo de éstos. Denominadas *Ordenanzas Reales para el buen regimiento y tratamiento de los indios*, estaban compuestas por 39 leyes, 35 dictadas el 27 de diciembre de 1512 y cuatro leyes complementarias que fueron añadidas en 1513.

En síntesis, las leyes de Burgos se ocuparon, entre otras cosas, de la dieta de los indios que trabajaban para los colonos (consistente en pan y ajo a diario y los domingos carne guisada), de la prohibición del trabajo de la mujer embarazada, del trabajo por turno en las minas, de su instrucción en los Sagrados Sacramentos, del buen trato que se les debía de dispensar, de los lugares donde habitaban y de la creación de nuevos poblados. Las cuatro leyes complementarias regulaban la obligatoriedad de usar vestimenta por parte de los indios, la prohibición del trabajo a los menores de 14 años y una distribución más justa del tiempo anual de trabajo a las órdenes de los españoles (nueve meses de trabajo al año para los españoles y tres meses en sus propias tierras o en las de los colonos, pero a sueldo).

Tribunales permanentes del Santo Oficio. Implantación y primeros Autos de fe

Lima y México fueron las primeras ciudades en contar con tribunales permanentes del Santo Oficio, siendo Inquisidor General Diego de Espinosa. En la metrópoli se recibían constantes presiones para que se autorizara la instalación de la Inquisición en las Indias con argumentos que hacían ver la necesidad de un órgano centrado íntegramente en el control de las actitudes heréticas. Durante el tiempo en que los asuntos de fe estuvieron en manos de obispos y religiosos, se echó en falta cierto rigor teológico a la hora de enjuiciar los casos que fueron surgiendo. Más complejo se presentaba el futuro con la constante llegada de colonizadores desde la península y Europa, ya que con ellos viajaban también nuevas ideas y costumbres problemáticas en el viejo continente. A los argumentos religiosos se sumaba, además, la presión de la Santa Sede que, a través de Pío V, hizo llegar hasta Felipe II graves cuestiones y discrepancias con la política española en las Indias, disconforme por el incumplimiento de los acuerdos estipulados en el Real Patronato.

El Inquisidor General Diego de Espinosa reunió en su propio domicilio, y durante los últimos meses de 1568, a cuatro representantes del Consejo de Indias, cuatro del Consejo de Estado, tres miembros de la Cámara de Castilla, otros tres de Hacienda, un representante del Consejo de Órdenes, así como al visitador Juan de Ovando, al virrey del Perú Francisco de Toledo, al obispo de Cuenca fray Bernardo de Fresneda y tres religiosos de las órdenes franciscana, dominica y agustina. En total, veintitrés notables que promovieron un renovado enfoque de la política española en tierras americanas, ya iniciada en 1567 con la reforma del Consejo de Indias, de donde salió el acuerdo de la implantación del Tribunal de la Inquisición en América.

El tribunal de México se constituyó en 1571 y fueron nombrados inquisidores Pedro de Moya y Contreras y Juan de Cervantes; Alonso Fernández Bonilla ocupaba el cargo de fiscal y Pedro de los Ríos, doctorado en Cánones por la Universidad de Salamanca, el de secretario. Pedro de Moya llegó a reunir en su persona los tres cargos más importantes de Nueva España, ya que siendo inquisidor y arzobispo de México fue nombrado virrey de esta región centroamericana en 1584. De gran sensibilidad hacia los problemas indígenas, fundó el Seminario de Indias con el propósito de que fuera escuela donde transmitir, no sólo la doctrina cristiana, sino también otros aspectos de la cultura occidental. El licenciado Serván de Cerezuela y el doctor Andrés Bustamante fueron, a su vez, los primeros inquisidores del Santo Oficio en Lima, cuya implantación se produjo en 1570. El equipo se completaba con Pedro de Alcedo como fiscal y Eusebio de Arrieta como secretario. Bajo el mandato de Bernardo de Sandoval y Rojas como Inquisidor General (1608-1618) se creó el tribunal de Cartagena de Indias, concretamente el 25 de noviembre de 1610, y tuvo como primeros inquisidores a los licenciados Juan de Mañozca, nombrado por Felipe III y que posteriormente ocupó el mismo cargo en el tribunal de Lima, siendo además Consejero de la Inquisición y arzobispo de México en 1643, y Pedro Mateo de Salcedo. El puesto de fiscal recayó en Francisco Bazán de Albornoz y como notario fue designado Luis Blanco de Salcedo. Sus límites territoriales se circunscribían a las islas de las Antillas, una parte de América Central y la parte noreste de América del Sur. El funcionamiento de este tribunal estuvo limitado en sus comienzos por los escasos recursos con los que contaba la ciudad. Al tratarse de una población habitada mayoritariamente por soldados, no proliferaban las profesiones que el tribunal necesitaba incorporar para su correcto funcionamiento. Económicamente, poseía pocas explotaciones en activo, con un número muy pequeño de encomenderos. No pudo contar hasta tiempo después de constituido con un edificio propio y tuvo que iniciar sus procesos sin elementos tan imprescindibles como las mismas cárceles.

Los primeros autos de fe se produjeron poco tiempo después de constituidos de forma permanente los tribunales del Santo Oficio. El de Lima se celebró un domingo de 1573, 15 de noviembre, y en él fue condenado a la hoguera un ciudadano francés de nombre Mathieu Salade. Los motivos que le llevaron a la muerte responden ya a los conflictos que la explotación de la tierra americana generaron entre los pobladores. De creencia luterana, Salade rechazaba el esclavismo y el comercio generado con negros y mulatos. Al decir de los cronistas, sus manifestaciones públicas condenando a los infiernos a los tratantes de esclavos le valieron su procesamiento y posterior condena. Cinco años después, el 15 de abril de 1578, este mismo tribunal celebró su segundo Auto de fe donde fueron sentenciados 16 encausados, aunque no todos fueron relajados. Durante el período en que coincidió con el mandato del virrey Francisco de Toledo, el Tribunal de la Inquisición de Lima se vio dominado e influido por su amplio poder y fuerte personalidad. Más allá de las persecuciones por asuntos de herejía, la inquisición entró en terrenos más «políticos» y desarrolló labores contra grupos de religiosos a los cuales Toledo había recriminado por sus pronunciamientos sobre «(...) *la Justicia y Soberanía de las Indias y de otros asuntos, en el púlpito y lugares públicos».* El mismo Toledo en una carta fechada el 28 de enero de 1568 apostaba por usar la Inquisición para *«imponer silencio a la contrariedad de opiniones que en los predicadores y confesores era habido y hay en aquellas provincias sobre la jurisdicción y seguridad de conciencia».* Finalmente, el tribunal de Lima arremete contra la Compañía de Jesús, instruyendo en 1576 un vasto expediente contra varios de sus miembros entre los que se encontraban el padre

Miguel Fuentes y el propio prior de la Orden, acusándoles de mantener relaciones carnales con las mujeres a las que asistían en confesión.

Un caso similar llevó a la hoguera al dominico fray Francisco de la Cruz en 1578 –curiosamente había sido uno de los religiosos que tiempo atrás había solicitado la implantación del Santo Oficio en tierras peruanas–, acusado de hereje practicante del alumbradismo. Al igual que en el caso del padre Miguel Fuentes, entre los elementos de acusación aparecían referencias a su relación con mujeres durante el ejercicio de su ministerio.

Las sectas de alumbrados surgidas en América durante el siglo XVI lo hicieron al calor del movimiento místico que floreció en España a partir de mediados de ese mismo siglo, cuando coinciden la actividad religiosa de Santa Teresa y la de San Juan de la Cruz, muerto en 1591. En 1563 se funda en la ciudad de Sevilla el primer grupo de alumbrados del que se tiene noticia. Dispuestos a contestar las actuaciones de la todopoderosa Iglesia, adoptaron una visión religiosa basada en la solidaridad, la comunicación íntima con Dios, la búsqueda del amor y el cuestionamiento de la jerarquía eclesiástica. Una buena síntesis de los principios que compartían y difundían estos «alumbrados» fue recogida en una *Instrucción para Comisarios del Santo Oficio en Lima, México y Cartagena de Indias*:

> «(...) os encomendamos que nos denunciéis si algunos han dicho que la secta de los Alumbrados es buena, especialmente que la oración mental es de precepto divino y que la oración vocal importa muy poco. Y que los siervos de Dios no han de trabajar ni ocuparse en ejercicios corporales. Y que no se ha de obedecer al prelado, padre o superior en cuanto mandaren cosas que estorbe las horas de la oración mental. O que murmuren del sacramento del matrimonio. O que digan que los prefectos no tienen necesidad de hacer obras virtuosas. Y que solamente se ha de seguir el movimiento o inspiración interior para hacer o dejar de hacer alguna cosa. Y que al tiempo de la elevación de la hostia, por rito y ceremonia, se han de cerrar los ojos. O que llegando a cierto punto de perfección no es necesario oír sermones, ver imágenes de santos ni concurrir al templo».

Los alumbrados se organizaban en comunidades con un número de miembros variable y de muy distinta ascendencia social, ya que igual reunía a artesanos y mercaderes como a religiosas, beatas o campesinos, aunque nunca contaron con nativos entre sus filas. Tuvo especial importancia el papel desempeñado por las mujeres en la configuración de estos grupos. Respecto a las acusaciones que la Inquisición vertió sobre prácticas sensuales y libidinosas entre los componentes de estas sectas hay que subrayar la visión que el alumbradismo confirió a la búsqueda de la divinidad a través del cuerpo y los sentidos, llegando a considerar estos últimos como *instrumentos del Espíritu Santo*. En la causa seguida contra la comunidad de alumbrados de fray Francisco de la Cruz se recogen diversos testimonios de acusados y testigos en relación con estos hechos:

«(...) *depone contra fray Luis López una María de Morales, mujer de Juan de Saavedra, de edad de veintitrés años, que estando enferma de dolor de costado, confesándose con este reo, quejándose ella del dolor, el reo le puso la mano sobre el dolor e yéndose confesándose, el reo bajó la mano hasta ponerla sobre el estómago y de allí a la barriga, y aunque hizo fuerza para quitársela no pudo...*». La declaración del acusado difiere de la versión mantenida por la mujer: «*...confiesa el reo que estando confesando cierta mujer que estaba en cama con dolor de estómago, la puso las manos en él muy apretadas todo el tiempo que se estuvo confesando, sin tener la camisa encima, lo cual fue causa que incitada de aquellos tocamientos, llegando su boca de ella a la del reo, le besó*».

El tribunal de México tuvo que esperar hasta 1574 para poder reunir a sus primeros procesados en un Auto de fe. Un tiempo similar transcurrió entre la constitución del de Cartagena de Indias y su inaugural escenificación de las sentencias a los penitenciados, que se llevó a cabo el 2 de febrero de 1614.

Tipología de los delitos

El tipo de delitos que tuvo que afrontar la Inquisición en América estuvo determinado por las propias características de la colonización, el contacto permanente con la población nativa y la llegada constante de españoles y europeos provenientes del Viejo Continente. No obstante, y a grandes rasgos, puede decirse que vienen a ser los mismos que los que persigue en España, coincidiendo, además, en el aspecto cronológico: judeoconversos, moriscos, alumbrados, para volver contra los judaizantes hacia finales del siglo XVI, tras la proclamación de Felipe II como rey de Portugal en 1580, sin olvidar la preocupación de los tribunales por el auge del protestantismo y su influencia, principalmente, entre los cristianos viejos.

A estos delitos, pues, hay que añadir otros más específicos de estas latitudes, como por ejemplo la búsqueda de herejes entre los descendientes de indígenas convertidos al cristianismo y entre los propios recién cristianizados: es decir, una política sobre los conversos similar a la ejercida en la Península, al menos en principio. Destacan, además, multitud de procesados por delitos de prácticas supersticiosas y bigamia, así como por proposiciones heréticas relacionadas con las creencias y cultura propia de los nativos. Estos cultos indígenas, de carácter muy local, y conocidos con el nombre común de idolatrías, tuvieron, junto con casos de hechicería y artes mágicas, un elevado protagonismo en las causas abordadas por los tribunales americanos. Los sumarios abiertos por protestantismo fueron relativamente pocos si se comparan con los detallados anteriormente, aunque alcanzaron gran trascendencia durante el período comprendido entre 1570 y 1600, cuando se impusieron condenas de relajación en el tribunal de Lima a seis luteranos. Algo similar en número cabría decir de los delitos de *solicitación* y actos contra el Santo Oficio.

Dentro de las causas sentenciadas por la Inquisición americana hasta su abolición los extranjeros soportaron, por lo general, una estrecha vigilancia inquisitorial, así como las acusaciones más graves y, consecuentemente, las condenas más severas. Si se observan nuevamente los datos relativos al tribunal de Lima, de los 32 condenados a muerte desde su implantación, 20 eran extranjeros, principalmente portugueses. Respecto a los delitos de bigamia y superstición las denuncias recayeron fundamentalmente en la población de color (negros y mestizos). Hay que tener en cuenta, en todo caso, que los tribunales de la Inquisición centraron su trabajo en los medios urbanos donde se concentraba la mayor parte de la población, especialmente los cristianos viejos recién llegados de la península o asentados de manera permanente como colonos desde los primeros años de la conquista.

En síntesis, los tipos de delitos que tuvieron que abordar los tribunales del Santo Oficio de la América española pueden quedar agrupados de la siguiente manera: *Judaizantes, Moriscos, Luteranos, Alumbrados, Bigamia y solicitación, Proposiciones y blasfemias, Actos contra la Inquisición, Supersticiones y magia y Otras herejías.*

Durante el período de 1540 y 1700 los tribunales de Cartagena, Lima y México (ver tabla 9), entendieron un total de 451 casos de judaizantes, lo que supuso aproximadamente algo más del 10 por ciento del total de causas abordadas por la Inquisición española por el mismo delito. El problema morisco, en cambio, pasa prácticamente inadvertido en las Indias, contabilizándose únicamente 6 procesos en sus tribunales frente a los 10.811 que se resolvieron en España, y las 215 causas seguidas contra luteranos arroja un porcentaje del 6 por ciento en la misma relación. Un porcentaje similar debe de ser aplicado a los crímenes cometidos bajo el nombre de *alumbradismo,* aunque cuantitativamente fuera una herejía de escasa incidencia en España (únicamente 135 sentencias en poco más de 150 años). Las proposiciones y blasfemias llegan a representar, igualmente, un 5,8 por ciento de los delitos agrupados bajo este epígrafe en el total de casos contabilizados en Castilla y Aragón. Sin embargo, los porcentajes se disparan cuando se estudian los procesos acometidos por los tribunales de México, Lima y Cartagena de Indias en relación con la bigamia. Sobre un total de 2.645 procesos en Castilla y Aragón durante el período comprendido entre 1540 y 1700, 435 se dieron en las Américas, lo que supone un 16,5 por ciento, muy por encima de los porcentajes hasta ahora vistos para otros crímenes, incluido el de los judaizantes que alcanzaba cotas sensiblemente inferiores.

Si se analiza ahora la incidencia de los delitos de solicitación y de superstición y magia encontramos también elevados porcentajes, un 14,2 y 12,9, respectivamente, sobre el total contabilizado en España durante el mismo período. Estos datos, junto al hecho de superar con cierto margen los procesos contra judaizantes —y al igual que ocurría con la bigamia—, revelan claramente la influencia colonial sobre el comportamiento de la población cristiana en América y cómo el problema de los conversos no llega a cobrar el protagonismo que tuvo en la península, donde la suma de crímenes contabilizados por la condición de judaizantes y moriscos supuso más del 35 por ciento del total desde mediados del siglo

TABLA 9. **Porcentaje de incidencia de los distintos tipos de delitos en los tribunales americanos y metropolitanos en relación con el total español (1540-1700).**

	Judaizantes	Moriscos	Luteranos	Alumbrados	Proposiciones y blasfemias	Bigamia	Solicitación	Actos contra la Inquisición	Superstición y magia	Herejías varias
Nº de casos en Castilla y Aragón* (1)	3.946	10.811	3.288	135	11.404	2.210	970	3.170	3.075	2.840
Nº de casos en Lima, México y Cartagena (2)	451	6	215	8	713	435	161	201	457	178
Total	4.397	10.817	3.503	143	12.117	2.645	1.131	3.371	3.532	3.018
8% de (1) sobre Total	89,74	99,94	93,86	94,0	94,11	83,55	85,76	94,04	87,06	94,10
% de (2) sobre Total	10,26	0,06	6,14	6,0	5,89	16,45	14,24	5,96	12,94	5,90

* Excluidos los tribunales de México, Lima y Cartagena de Indias.

XVI hasta principios del XVIII (ver tabla 10). Por último, vuelven a alcanzar porcentajes cercanos al 6 por ciento los casos de *Actos contra la Inquisición* y *otras herejías,* concretamente un 5,96 y un 5,89 por ciento, respectivamente.

Visto desde una perspectiva exclusivamente americana, y dejando a un lado lo ocurrido en España (ver tabla 11), podemos observar que de un total de 2.825 procesos sentenciados por los tribunales del Santo Oficio en América durante el período a que nos estamos refiriendo (1540-1700), únicamente un 16 por ciento corresponden a judaizantes, mientras que, por ejemplo, la suma de los procesos por bigamia y superstición se eleva a más de un 31 por ciento. Esta cifra sube hasta un 37 por ciento si incluimos los delitos de solicitación, aunque lo más destacado de las fuentes consultadas lo constituye el 25,24 por ciento de crímenes cometidos por Proposiciones y blasfemias; es decir, 713 casos sentenciados por los tribunales de la Inquisición. La presencia de moriscos y alumbrados no representa estadísticamente ninguna influencia digna de ser destacada (6 y 8 casos, respectivamente), aunque determinados procesos hayan trascendido por la importancia de sus protagonistas, por sus relaciones con los poderes de la Iglesia o por la desmesurada actuación de los inquisidores. Tal es el caso de fray Francisco de la Cruz, ya comentado en páginas anteriores.

TABLA 10. **Incidencia de la tipología de los delitos en los tribunales de Castilla y Aragón en relación al total peninsular (1540-1700).**

	N° de casos en Castilla y Aragón*	% sobre el Total
Judaizantes	3.946	9,43
Moriscos	10.811	25,93
Luteranos	3.288	7,86
Alumbrados	135	0,32
Proposiciones y blasfemia	11.404	27,25
Bigamia	2.210	5,28
Solicitación	970	2,32
Actos contra la Inquisición	3.170	7,57
Superstición y magia	3.075	7,35
Herejías varias	2.840	6,79
Total	**41.849**	**100**

(*) Excluidos los tribunales de Lima, México y Cartagena de Indias.

El peso de las causas por luteranismo arroja un nada despreciable porcentaje del 7,6 por ciento, siendo similar al de procesos por *Actos contra la Inquisición*. El capítulo de *Otras herejías* nos arroja un 6,3 por ciento de influencia sobre el total.

Si el estudio se orienta hacia las sedes inquisitoriales permanentes instaladas en las Indias (ver tabla 12), podemos ver la distribución de cada tipo de delito por tribunales y la importancia de éstos dentro del total de procesos que llevaron a cabo desde 1540 a 1700.

Los tribunales de Lima y México permiten una mejor comparación de los datos aportados, teniendo en cuenta que se refieren prácticamente al mismo año (1570 y 1571), mientras que el de Cartagena de Indias se refiere a 1610. Sin embargo, en relación con los casos de *Superstición* y *Magia,* es precisamente este último el que acumula un mayor número de procesos, representando más del 50 por ciento del total de los registrados en tierras americanas (exactamente el 57,8 por ciento). Lima instruyó 119 causas y 74 México. En el resto de delitos perseguidos por la Inquisición, excepto cuando hablamos de moriscos y luteranos, Cartagena de Indias siempre arroja el número más bajo, incidencia ésta que podría explicarse por su más tardía constitución y por el menor número de población asentada en su territorio de influencia. En cuanto a los sumarios sobre conversos, los judaizantes fueron procesados mayori-

TABLA 11. **Incidencia de la tipología de los delitos en los tribunales americanos en relación al total de casos (1540-1700).**

	N° de casos en tribunales de América	% sobre el total
Judaizantes	451	15,96
Moriscos	6	0,21
Luteranos	215	7,61
Alumbrados	8	0,28
Proposiciones y blasfemia	713	25,24
Bigamia	435	15,40
Solicitación	161	5,70
Actos contra la Inquisición	201	7,12
Superstición y magia	457	16,18
Herejías varias	178	6,30
Total	**2.825**	**100**

tariamente en Lima, donde se dieron 223 casos, lo que supone el 49,4 por ciento sobre un total de 451 causas entre los tres tribunales. Cartagena de Indias sumó el 15,5 por ciento y México el 35 por ciento restante. Al hablar de los moriscos hay que referirse a un reparto equitativo de sus seis comparecencias ante la Inquisición americana, puesto que cada tribunal atendió, en las fechas de referencia, dos únicos casos. No se puede afirmar lo mismo respecto al peso del luteranismo en cada virreinato. En este sentido, el tribunal de México se ocupó del 45 por ciento de los procesos, ante un 28,4 y un 26,5 por ciento de los tribunales de Cartagena y Lima, respectivamente. De las 713 acusaciones por proposiciones y blasfemias, 336 se dieron en el tribunal de Lima; es decir, algo más del 47 por ciento del total registrado en América; Cartagena de Indias acumuló el 21,3 por ciento de causas referentes a este delito y México resolvió 225 casos, lo que representa el 31,5 por ciento. La bigamia fue otro de los crímenes que la Inquisición trató de forma mayoritaria en el Tribunal de México. Alcanzó el 45,5 por ciento del total a la vez que en Cartagena de Indias se instruía únicamente el 15 por ciento de estos casos. Lima y México sumaron el 85 por ciento de todos los procesos por bigamia en las Indias. Un comportamiento similar tuvo el tribunal de Cartagena en cuanto a los delitos de solicitación, con 10 de los 151 casos que se dieron en todo el continente (el 6,62 por ciento). En cuanto a los denominados *Actos contra la Inquisición* y *las herejías no definidas,* el tribunal de Lima fue el más activo contabilizando 193 procesamientos de un total de 379, lo que quiere decir que solventó casi el 51 por ciento de todas las causas de este tipo. Cartagena de Indias vuelve a ser el menos activo, sin alcanzar siquiera el 20 por ciento.

Por ultimo, analizando tribunal por tribunal (ver tablas 13 y 14), los datos estudiados hacen ver el predominio del Tribunal de la Inquisición instaurado en Lima, capaz de llevar a cabo casi el 42 por ciento de todas las causas –1.176, concretamente– registradas entre 1540 y 1700 en la América española. De ellos, el 28,6 por ciento correspondieron a delitos relacionados con *Proposiciones y blasfemias;* el 19 por ciento a judaizantes; 14,5 por ciento a casos de bigamia; el 10 por ciento tuvieron como objetivo la superstición y un 7,7, por ciento los *Actos contra la Inquisición.* Con porcentajes menores aparecen la solicitación (6,37 por ciento) y el luteranismo (4,84 por ciento), siendo prácticamente insignificante todo lo asociado a moriscos y alumbrados. En contraposición, el tribunal de Cartagena de Indias entendió de 699 crímenes contra la fe, lo que representa algo menos del 25 por ciento, siendo los delitos de superstición y magia los que más destacaron ya que ellos solos supusieron el 38 por ciento del total de delitos encausados por dicho tribunal. Esta cifra se hace más llamativa si se compara, por ejemplo, con los casos de judaizantes, cuyos procesos representaron el 10 por ciento. Incluso los actos relacionados con las *Proposiciones y blasfemias* superaron dicho porcentaje, ya que este tipo de herejía alcanzó en Cartagena el 21,7 por ciento. Menor repercusión llegaron a tener la bigamia (10 por ciento), el luteranismo (8,7 por ciento) y los *Actos contra la Inquisición* (6 por ciento).

TABLA 12. Cuadro comparativo de la influencia de los distintos tipos de delitos en cada uno de los tribunales americanos sobre el total de casos registrados (1540-1700).

	Nº de casos en el Tribunal de Lima	Nº de casos en el Tribunal de México	Nº de casos en el Tribunal de Cartagena	Total nº de casos	% del Tribunal de Lima sobre total	% del Tribunal de México sobre total	% del Tribunal de Cartagena sobre total
Judaizantes	223	158	70	451	49,45	35,03	15,52
Moriscos	2	2	2	6	33,33	33,33	33,33
Luteranos	57	97	61	215	26,51	45.12	28,37
Alumbrados	–	8	–	8	–	100	–
Proposiciones y blasfemias	336	225	152	713	47,12	31,56	21,32
Bigamia	171	198	66	435	39,31	45,52	15,17
Solicitación	75	76	10	161	46,58	47,21	6,21
Actos contra la Inquisición	91	68	42	201	45,27	33,83	20,90
Superstición y magia	119	74	264	457	26,04	16,19	57,77
Herejías varias	102	44	32	178	57,30	24,72	17,98

México se encuadra en un punto intermedio entre Cartagena de Indias y Lima en cuanto al número total de delitos juzgados por el tribunal del Santo Oficio de esta provincia. Sus 950 procesos representan el 33,6 por ciento del total y destacaron fundamentalmente en la persecución de los judaizantes (16,6 por ciento), proposicionistas y blasfemos (23,7 por ciento) y bígamos (20,8 por ciento), reservando porcentajes menores para las corrientes luteranas (10,2 por ciento), las solicitaciones (8 por ciento), supersticiones (7,79 por ciento) y Actos contra la Inquisición (7,15 por ciento).

La Inquisición en Perú. El tribunal de Lima

Perú irrumpió en el escenario colonial de manera arrolladora y con una fuerza similar a como lo había hecho años antes México, tras ser conquistada por Hernán Cortés. Cuatro expediciones, entre 1525 y 1531, fueron necesarias para que Pizarro y sus hombres descubrieran el gran imperio inca: su floreciente cultura, la perfecta organización social de sus gentes, las infraestructuras de las grandes ciudades; un Estado, en suma, bien estructurado y poderoso, sostenido por grandes recursos económicos provenientes de un vasto territorio que explotaban de manera racional y ordenada.

Conseguir el dominio del Perú no fue una tarea fácil. Cerca de dos millones de habitantes[166] contaba el imperio inca en el momento de la llegada de los españoles, con un ejército propio que, como todas sus instituciones, gozaba de un excelente gobierno y efectividad, por lo que la resistencia a la conquista fue contundente. Si a esto añadimos las pugnas internas dentro del seno de la administración española y los intereses contrapuestos de los propios *des-*

TABLA 13. **Porcentaje de procesos llevados a cabo por cada uno de los tribunales americanos en relación con el total (1540-1700).**

	N° de procesos	% sobre el Total
Tribunal de Lima	1.176	41,63
Tribunal de México	950	33,63
Tribunal de Cartagena	699	24,74
Total	**2.825**	**100**

---

[166] Vives, Vicens. *Historia de España y América.*

TABLA 14. **Diferencias entre los diferentes tribunales de América en relación con la incidencia de cada tipo de delito. (1540-1700).**

	Lima	% sobre total	Méjico	% sobre total	Cartagena de Indias	% sobre total
Judaizantes	223	18,96	158	16,63	70	10,01
Moriscos	2	0,17	2	0,21	2	0,29
Luteranos	57	4,85	97	10,21	61	8,73
Alumbrados	–	–	8	0,84	–	–
Proposiciones y blasfemias	336	28,57	225	23,68	152	21,75
Bigamia	171	14,54	198	20,84	66	9,44
Solicitación	75	6,38	76	8	10	1,43
Actos contra la Inquisición	91	7,74	68	7,16	42	6,01
Superstición y magia	119	10,12	74	7,79	264	37,77
Herejías varias	102	8,67	44	4,63	32	4,58
Total	1.176	100	950	100	699	100

cubridores-conquistadores, nos haremos una idea de la gran dificultad de la empresa colonizadora. Un primer obstáculo le surgió a Pizarro cuando Pedrarías Dávila, gobernador de Nicaragua bajo cuyo mandato obtuvo vía libre para su empresa, fue cesado en el cargo. En 1526 el nuevo Gobernador envía a Pero Tafur a la isla del Gallo, donde se encontraba Francisco Pizarro, a la espera de la llegada de Diego de Almagro para continuar viaje hacia el sur, con la intención de hacerle desistir de su empeño y exigiéndole el regreso a tierras centroamericanas. No obstante, en un gesto de gran valentía y arrojo, Pizarro, con trece de sus hombres, consigue hacer frente a Tafur llegando a un pacto por el que se conceden a Pizarro seis meses de plazo para adentrarse en los territorios que pretendía conquistar. Más tarde, fundada ya Lima y conquistada Cuzco, aflora la rivalidad entre el clan Pizarro (Francisco Pizarro contó para la conquista de Perú con tres de sus hermanos, Hernando, Juan y Gonzalo y con su hermanastro Francisco Martín de Alcántara) y Diego de Almagro. Éste, junto con sus hombres, abandona Cuzco para explorar las zonas situadas más hacia el sur, pero regresa con la intención de volver a gobernar la ciudad que él mismo conquistó, pero será ejecutado por orden de Hernando Pizarro. Este incidente tuvo su continuación en 1541, con la muerte de Pizarro a manos de los seguidores de Almagro y como venganza por su ajusticiamiento en Cuzco.

La resistencia de los incas ante la llegada de los españoles quedó patente desde los primeros momentos y su actitud poco sumisa precipitó la muerte del gran inca Atahualpa en 1533. Atahualpa, que había sido hecho prisionero por Pizarro en Cajamarca, fue procesado y ejecutado ante el temor de que liderara un levantamiento contra las posiciones de los conquistadores. Su sucesor, Manco Yupanqui, se encargó de organizar la oposición a Pizarro y en 1536 se producen los asedios a las ciudades de Lima y Cuzco que estuvieron a punto de caer en manos de los indígenas.

Cuando se funda en 1570 el Tribunal del Santo Oficio en Lima apenas han transcurrido treinta años desde la muerte de Pizarro y algo menos desde que fue nombrado fray Vicente de Valverde para ocupar el recién creado obispado del Perú. El primer censo realizado sobre la población limeña arrojaba, en 1600, un número de 14.262 habitantes, lo que da una idea del vertiginoso crecimiento de la ciudad. Pero, aunque instalado en la capital, la influencia del Tribunal se extendió prácticamente por todo el virreinato, ya que estos mismos límites sirvieron para establecer el territorio sobre el que habrían de tener competencia los inquisidores: Panamá, Quito, el Cuzco, Charcas, Río de la Plata, Tucumán, Concepción, Santiago de Chile y todos los «reinos, estados y señoríos de las provincias del Perú». La actividad desplegada en su frenética búsqueda de herejes y actos contra la fe católica llega hasta 1821, fecha de la proclamación de la independencia del Perú por el general San Martín. Previamente, y aunque el 23 de septiembre de 1813, se publicó el decreto de abolición de la Inquisición, consecuencia del promulgado en España tras la Constitución de 1812, se abre un paréntesis que implica la reactivación de los tribunales inquisitoriales durante el reinado de Fernando VII, cuyo gobierno otorga de nuevo vigencia al Santo Oficio de Lima por Real Cédula del 21 de julio de 1814 hasta su abolición definitiva.

Señalemos que los conflictos entre este Tribunal y las autoridades eclesiásticas fueron frecuentes debido, principalmente, a que los inquisidores solían sobrepasar la jurisdicción de aquéllas; de hecho el Tribunal estuvo totalmente paralizado entre 1725 y 1730, lo que provocó una severa amonestación de la Suprema a los inquisidores del distrito amenazándolos con la destitución si no mejoraban su desempeño.

El último Auto de fe público realizado en la Plaza mayor de Lima, tuvo lugar en diciembre de 1736. Allí fue condenada a relajación y quemada en la hoguera la única mujer condenada a tal pena por dicho Tribunal, María Francisca Ana de Castro, también conocida como Madama Castro, una rica y famosa prostituta natural de Toledo, acusada de «judaizar», y en estatua el jesuita Juan Francisco de Ulloa. El Padre Ulloa forma parte del proceso inquisitorial a los «alumbrados de Santiago», delatados tras el fallecimiento de éste por el también jesuita Manuel Ovalle, convencido de que habían constituido una secta herética. Dos de los acusados murieron en prisión antes de haber finalizado el proceso y un tercero acabó loco. En el año 1726 se inicia un proceso contra la fama y memoria del padre Ulloa, como maestro del grupo, al que acusan de *quietismo*, que concluye con la sentencia de relajación, haciéndose ésta efectiva en el Auto de fe indicado, siendo arrojadas a la hoguera su estatua y la de uno de sus discípulos también fallecidos y condenados. Pero en el año 1761 y 1762 el Consejo de la Suprema revocó muchas de estas sentencias dictadas por el Tribunal de Lima en virtud de la detección de irregularidades en el procedimiento, y en el caso concreto del padre Ulloa, su memoria quedó rehabilitada.

A partir de entonces, el Tribunal de Lima sólo celebró Autos de fe, de carácter privado en la iglesia de Santo Domingo o en las propias dependencias del Tribunal.[167] Estos Autos de fe se desarrollaron muy espaciados en el tiempo y con penas poco severas, lo que evidenciaba un declive significativo de la actividad del Tribunal. De este último período es el Auto celebrado el 19 de octubre de 1749 para rehabilitar la memoria de Juan de Loyola, o el correspondiente al 18 de febrero de 1800, donde fueron condenadas dos personas por celebrar misa sin ser sacerdotes. En 1803, 1805 y 1806 tienen lugar los últimos de los que se tiene noticia, en los que se van a juzgar casos de sortilegios, hechicería y blasfemias.

Durante los seis años que van desde 1815 hasta 1821 y que coinciden con la instauración del absolutismo en España y la independencia del Perú, los problemas que ocuparon fundamentalmente la actuación inquisitorial estuvieron relacionados con la creciente marea independentista que anegaba los territorios peruanos, siendo sus objetivos principales, los políticos que la lideraban y los libros en los que se recogían los fundamentos teóricos que justificaban la insurgencia y que, evidentemente pasaron a engrosar la lista de títulos prohibidos, penándose su tenencia, tráfico y comercialización.

El virreinato del Perú conoció momentos de gran actividad de su Tribunal inquisitorial, como lo indican las treinta y dos condenas a relajación entre 1569 y 1820 (cuarenta y seis si se cuentan también las realizadas en efigie), los trece autos de fe realizados desde 1573 y la instrucción de más de 1.200 causas. Este dinamismo en el proceder inquisitorial tuvo su cénit en 1639, cuando ochenta presos en poder del Tribunal comparecieron en un Auto de fe celebrado el 23 de enero en la Plaza Mayor de Lima y en el que fueron condenados a la hoguera diez portugueses –Diego López de Fonseca, Juan Acevedo, Antonio Vega, Juan Rodríguez Silva, Luis de Lima, Rodríguez Váez Pereira, Sebastián Duarte, Tomás Cuaresma, Manuel Bautista Pérez[168] y un famoso cirujano de nombre Francisco Maldonado– todos ellos por judaizantes.

---

167 Primitivamente situado frente a la iglesia de la Merced, se traslada en 1585 cerca de la actual Plaza Bolívar a las casas que habían pertenecido al conquistador Nicolás de Ribera el Mozo. Se justificó el cambio de sede «(...) *porque podría ser harto inconveniente que algunos por no ser registrados, dejaran de entrar a descargar su conciencia y decir lo que saben* (...)», refiriéndose al emplazamiento excesivamente céntrico del antiguo local «(...) *tan dentro de la ciudad y en el comercio y mayor trato de gentes* (...)».

168 Manuel Bautista Pérez era conocido como el *Capitán Grande* y se decía que poseía una inmensa fortuna, quizá de las más grandes de América.

La fuerte represión contra los judeoconversos portugueses comenzó, no obstante, tiempo atrás. Desde 1580 la penetración en Perú de portugueses se realizaba por tierra desde Venezuela al objeto de burlar el control inquisitorial. Durante el tiempo transcurrido entre esta fecha y 1600, Portugal lleva a cabo una fuerte represión que se salda con la relajación al brazo secular de más de 162 judeoconversos en 50 Autos de fe. Las provincias del Nuevo Mundo recién descubiertas y en vías de colonización son las elegidas por multitud de familias judías portuguesas para establecerse y emprender una nueva vida. Perú protagoniza las primeras condenas a los judeoconversos en 1581 aunque en esos momentos los castigos más sobresalientes estaban recayendo sobre los luteranos, como en el caso de la condena a relajación del flamenco Juan Bernal producida ese mismo año durante la celebración del tercer Auto de fe público. Los judaizantes portugueses mientras tanto eran penitenciados por el Tribunal de Lima con castigos cada vez más severos hasta que en 1595 son quemados en la hoguera los portugueses Jorge Núñez, Juan Fernández, Pedro Contreras y Francisco Rodríguez. Desde entonces y hasta 1664 se suceden las condenas a relajación de judaizantes portugueses en los Autos de fe celebrados en 1600, 1605, 1625, 1639 y 1664.

La noche del 11 de agosto de 1635 la Inquisición hace prisioneros a más de cien de éstos, la gran mayoría ricos comerciantes, acusándolos de formar parte de lo que se denominó *La Gran Complicidad*. Muchos de estos reos, junto con otros que aguardaban en prisión desde hacia varios años, escucharon sentencia en el Auto de fe de 1639, el mayor celebrado en las colonias del Nuevo Mundo.

La idea de la conspiración o complicidad que sustentó todos estos procesamientos se construyó sobre la base de un supuesto acuerdo entre Holanda y asociaciones de judíos, con un interés común: desposeer a los españoles de sus colonias en América. El apoyo financiero aportado por la comunidad judía serviría para conseguir, una vez alcanzados los objetivos, plena libertad para la práctica de esta religión. El personaje que con mayor asiduidad se asocia a *La Gran Complicidad* de 1639 es, sin duda, el cirujano Francisco Maldonado da Silva. Maldonado nació en Tucumán, estudiando Medicina en la Universidad Mayor de San Marcos de Lima y ejerciendo como cirujano en Concepción. Era hijo de un reconciliado, Diego Núñez da Silva, quien junto a su otro hijo, Diego Maldonado, fueron denunciados a la Inquisición acusados de «judaizar» pero que retornaron finalmente al seno de la Iglesia para evitar la hoguera. Francisco fue acusado por su propia hermana Isabel de prácticas judaicas y las declaraciones de ésta, ratificadas por su otra hermana, Felipa Maldonado, motivaron su apresamiento y confiscación de bienes el 12 de diciembre de 1626. Durante 1627, y antes de ser trasladado a Lima, comparece ante comisarios y calificadores del Santo Oficio frente a los cuales admite seguir la ley de Moisés y manifiesta su firme disposición a no renunciar a sus mandamientos. A pesar del interés mostrado por el Santo Oficio en convencer a Maldonado para que renegara de su apostasía, da Silva se mantuvo firme en sus convicciones judaicas, lo que le llevó a la hoguera en 1639 tras trece años de presidio en las cárceles de la Inquisición.

Durante los primeros años de existencia del tribunal de Lima, los procesos considerados de mayor gravedad estuvieron relacionados con el luteranismo. Junto a los casos ya comentados de Salade y Bernal, el Auto de fe celebrado el 5 de abril de 1592, siendo virrey García Hurtado de Mendoza y Manrique, hijo del tercer virrey del Perú Andrés Hurtado de Mendoza, llevó hasta el quemadero a tres ingleses que no eran sino piratas apresados por los españoles. La Inquisición en tierras americanas procesó a un elevado número de corsarios, la mayoría de los cuales aceptó la reconciliación con el fin de evitar males mayores. Entre los que pasaron por los tribunales inquisitoriales se encontraban Juan Drake, sobrino de Francis Drake, y otros muchos cuyos nombres nos han llegado a través de los archivos del Santo Oficio: Juan Butler, Richard Ferruel, Thomas Xeroel, Juan Exnem... La presencia de estos marineros anglosajones en las costas del Perú y, en general, en las costas españolas, estuvo propiciada por Inglaterra que buscaba debilitar el poderío de Felipe II presionando sobre las rutas oceánicas seguidas por los españoles.

Las incursiones en el virreinato del Perú estuvieron precedidas por el ataque que en 1572 efectúa Francis Drake a Panamá. Cinco años más tarde, el 13 de febrero de 1578, comanda una flota de cinco buques que, arribando sigilosamente al puerto del Callao, logra arrebatar un navío con un cargamento de plata y poner a la deriva otros once. En 1587, recién nombrado virrey del Perú Fernando de Torres y Portugal, Tomás Cavendich realiza un nuevo acto de piratería logrando el apresamiento de otra nave. Y son precisamente tres de los marineros de la escuadra de Cavendich, los hermanos Gualterio y Eduardo Tillit y Enrique Oxley, los que son ajusticiados en el Auto de fe de 1592.

También durante ese mismo año fue hecho prisionero el almirante inglés Richard Hawkins a manos de Beltrán de Castro quien, comandando una escuadra compuesta por tres barcos, consiguió la rendición del inglés tras prometerle que su vida sería respetada. Beltrán de Castro, cuñado del virrey Hurtado de Mendoza, tuvo que hacer valer dicho compromiso ante el rey para evitar el procesamiento y condena del prisionero por parte de la Inquisición. Finalmente Hawkins escapó de los tribunales inquisitoriales y fue puesto en libertad, tal y como había sido convenido en el pacto sellado entre los dos almirantes. Sin embargo, trece marineros de su tripulación fueron penitenciados en el Auto de fe del 17 de diciembre de 1595.

Ya en el siglo XVII Perú sufre el asedio de los piratas holandeses que intentan en 1616 y 1624 la toma del puerto del Callao. Spielberg derrota primero a una escuadra española enviada por el virrey Juan de Mendoza y Luna, pero fracasa cuando inicia la incursión en tierra firme a través del muelle. Igual suerte corrió Jacobo L`Hermite, que a pesar de disponer de una fabulosa flota de más de 1.500 hombres y 11 barcos, no logra vencer la resistencia de los españoles organizada por el virrey Diego Fernández de Córdoba.

El año 1668 es testigo de las correrías del pirata inglés Morgan en las costas de Panamá. La toma de Portobello obliga a Ana Francisca de Borja,[169] por entonces virreina del Perú, al envío urgente de refuerzos para contener las acometidas de Morgan. En 1793 este mismo puerto panameño es saqueado nuevamente por el pirata Vernon.

No se libró tampoco del pillaje el puerto de Paita por cuenta de Anson en 1740 ni las costas peruanas de la visita del pirata Eduar David, quien en 1683 realiza diversas incursiones en la zona. En 1670 es hecho prisionero por la armada española el pirata Carlos Clarke y ejecutado en la Plaza Mayor de Lima en 1682, estando el gobierno del virreinato en manos de Melchor de Navarra y Rocafull.

La Inquisición en Nueva España. El Tribunal de México

El descubrimiento del imperio azteca y de las vastas extensiones de tierra firme donde se encontraba asentado supusieron un gran impacto para los propios conquistadores que llevaron a cabo tan imponente empresa. El mismo Hernán Cortés refiere a Carlos V su gesta comunicándole la conquista de un reino mayor que todos los que entonces poseía. La costa atlántica de México ya había sido explorada años antes por Juan de Grijalba. En 1519 Hernán Cortés, partiendo de La Habana con una expedición de más de 500 soldados, se adentra en territorio mexicano, al que otorga el nombre de Nueva España.

La organización del pueblo azteca era de tipo federal, coexistiendo diversas tribus en el denominado Valle Central, pero con una jerarquía bien establecida que situaba a los *mexica* en el escalón más elevado. Esta tribu se concentraba en la ciudad de Tenochtitlán y ejercía un claro dominio sobre el resto de clanes. Otras ciudades importantes eran Texcoco, capital de los *acolhuca* y Chalco. A grandes rasgos se puede decir que el número de tribus sujetas al señorío de los *mexica* eran los *acolhuaque, tepaneca, chalca, xochimilca, cuitlahuaca, mixquica, culhuaque* y *otomí*. Alrededor se asentaban otros pueblos que, si bien no formaban estrictamente parte del entramado azteca, mantenían con ellos cierta relación de carácter dispar, gozando de una matizada independencia que los convirtió en elementos valiosos para los planes de Cortés.

Como en el caso de Pizarro, los problemas internos de las tropas españolas marcaron en gran parte el desarrollo de la conquista de México. Después de las primeras escaramuzas con los *tabascos* y *totonacas* Cortés tiene que hacer frente a la rebelión de sus propios hombres que comprobando el poderío del pueblo azteca temen las consecuencias desastrosas de un enfrentamiento tan desigual. En un acto impetuoso y de gran arrojo, Cortés

---

[169] Ana Francisca de Borja era prima y esposa del virrey Pedro Antonio Fernández de Castro. El 7 de junio de 1668 asume el gobierno del virreinato tras la marcha del virrey a Laycacota durante año y medio para intentar sofocar los graves levantamientos producidos en esa región.

decide quemar sus naves para imposibilitar el regreso de sus hombres a La Habana, de manera que sólo les deja la alternativa de la lucha para la toma de Tenochtitlán.

El contacto con los aztecas estuvo precedido de duros combates con los *tlaxcaltecas* a los que terminaron sometiendo e incorporando a sus filas aprovechando la rivalidad histórica que mantenían con las tribus dominantes del Valle Central.

Los aztecas estaban gobernados por Moctezuma II, que había sucedido a Ahuizotl y lideraba un pueblo cuya capital, Tenochtitlán, florecía gracias a su prodigiosa organización y donde asombraba su arquitectura y trazado urbanístico. La entrada de Cortés en la ciudad en 1519 se produce de forma pacífica mientras Moctezuma muestra a los españoles el esplendor de sus dominios. Sin embargo, las intenciones del conquistador pasaban por el sometimiento de los aztecas y para ello hace prisionero a Moctezuma y lo reduce en su propio palacio en calidad de rehén mientras espera refuerzos que le permitan un enfrentamiento directo con los nativos en caso de necesidad.

Y como si de una maldición se tratara, en los momentos de mayor dificultad los conflictos internos irrumpen para añadir dramatismo a una situación que ya de por sí se antojaba delicada. Cortés tiene que abandonar la capital para hacer frente a la llegada de un contingente español de 1.500 hombres enviado por el gobernador de Cuba, Diego Velázquez, que, al mando de Pánfilo Narváez, arriba a las costas de México con la intención de apartarle del mando de la campaña y hacerle preso —Cortés había roto la relación de obediencia debida al gobernador pretendiendo depender directamente del emperador Carlos—. En Tenochtitlán deja a Pedro de Alvarado al mando de unos pocos soldados mientras marcha al encuentro de Narváez. Alvarado mientras, temeroso de que una festividad indígena que se iba a celebrar sirviera de detonante para un ataque, realiza una matanza que provoca la reacción de los nativos, de modo que, al regreso de Cortés, con Nárvaez hecho prisionero y el ejército de éste a su mando, encuentra a los españoles en situación precaria y diezmados, ya que muchos de ellos habían sido sacrificados en los altares aztecas. Cortés logra mantenerse en el interior de la ciudad durante un tiempo, pero las intenciones, ciertamente belicosas de los indios le determina a utilizar a Moctezuma como mediador.

Las fuentes no son unánimes a la hora de señalar quién mató al soberano *tlatoani,* el gran Moctezuma, y así, las españolas indicaron que murió apedreado por la multitud y las indígenas que fue asesinado por los españoles, pero el hecho cierto es que Cortés se ve obligado a una cautelosa retirada para evitar bajas en su ejército. La noche del 30 de junio de 1520 da la orden de salida de Tenochtitlán en el mayor de los sigilos y amparados en la oscuridad. Sin embargo, los españoles son sorprendidos en su huida y en lo que se ha dado en llamar *la noche triste,* Cortés sufre una amarga derrota que deja diezmada su tropa y perdidos los tesoros de los que se había apoderado.

A Moctezuma le sucederá durante un breve período de tiempo Cuitláhuac, que muere víctima de una epidemia de viruela, y posteriormente Cuahtemoc.

Con apenas cuatrocientos hombres y después de una dura batalla en Otumba, que logra elevar la moral de los españoles, Cortés afronta la reconquista de Tenochtitlán y la rendición de Cuahtemoc. La capital es tomada el 15 de agosto de 1521 y Cuahtemoc apresado y ejecutado el 28 de febrero de 1525.

Antes de la constitución del virreinato de Nueva España en 1535 y tras la conquista de México Cortés se propone la pacificación del territorio, algo que consigue mediante el nombramiento de gobernantes aztecas afines y las contundentes respuestas ante cualquier indicio de sublevación nativa, llegando a quemar vivos a más de cuatrocientos líderes aztecas en un acto de intimidación al que Cortés quiso otorgar una proyección sobrenatural que doblegara definitivamente todo resto de resistencia indígena.

La reconstrucción de las ciudades asoladas por los enfrentamientos protagonizados por los conquistadores y los pueblos nativos centroamericanos necesitó de la masiva afluencia de colonos que en no mucho tiempo fueron ocupando la provincia, acomodándose en sus tierras o levantando comercios en las capitales. De 1536 data la primera estructura eclesiástica orientada al control de las conductas relacionadas con la fe que llevó a cabo el obispo Juan de Zumárraga. Con anterioridad esta labor fue ejercida por los religiosos encargados de la evangelización de los indígenas y existen indicios de un primer proceso inquisitorial, según refiere Walker, en la persona de Marcos de Acolhucan en 1522 por un delito de concubinato.

Junto con los primeros conquistadores viajaron a México dos frailes franciscanos, fray Pedro Melgarejo y fray Diego Altamirano, dos mercedarios, Bartolomé de Olmedo y Juan de las Varillas y el clérigo Juan Díaz. Ninguno de ellos tenía encomendadas tareas de catequización de indígenas sino que su papel se limitaba al cuidado espiritual de los hombres de Cortés actuando como sacerdotes de la tropa. Curiosamente, entre los primeros evangelizadores en llegar a Nueva España se encontraban tres franciscanos flamencos que habían obtenido permiso de Carlos V para realizar sus tareas en América y que llegaron a la tierra conquistada por Cortés en 1523. Johann Dekkers, que se hizo llamar fray Juan de Tecto, Johann van der Auwera o fray Juan de Aora y Peter van der Moere, Pedro de Gante, fueron los precursores de la ingente labor de adoctrinamiento llevada a cabo por los franciscanos que por sendas bulas papales de 25 de abril de 1521, dictada por el papa León X, y de 9 de mayo de 1522, correspondiente a la emitida por Adriano VI, habían obtenido prerrogativas para la difusión del evangelio en las Indias. La presencia de estos religiosos entre los nativos despertó gran admiración debido a las dificultades que tuvieron que superar:

«*Diremos de la grande admiración que los naturales tuvieron cuando vinieron estos religiosos, y cómo comenzaron a predicar el Santísimo y sagrado Evangelio de Nuestro Señor y Salvador Jesucristo. Como no sabían la lengua, no decía sino que en el infierno, señalando la parte baja de la tierra con la mano, había fuego, sapos y culebras; y acabando de decir esto, elevaban los ojos al cielo, diciendo que un solo Dios estaba arriba, asimismo, apuntando con la mano. Lo cual decían siempre en los mercados y donde había junta y congregación de gentes. No sabían decir otras palabras que los naturales les entendiesen, sino era por señas. Cuan estas cosas decían y predicaban, el uno de ellos, que era un venerable viejo calvo, estaba en la fuerza del sol de mediodía con espíritu de Dios enseñando, y con celo de caridad diciendo estas cosas, y a media noche en muy altas voces que se convirtiesen a Dios y dejasen las idolatrías. Cuando predicaban estas cosas decían los señores caciques: «¿Qué han estos pobres miserables? Mirad si tienen hambre y, si han menester algo, dadles de comer». Otros decían: «Estos pobres deben ser enfermos o estar locos. Dejadlos estar y que pasen su enfermedad como pudieren. No les hagáis mal, que al cabo éstos y los demás han de morir de esta enfermedad de locura».*[170]

Poco después, concretamente en 1524, llega a Nueva España fray Martín de Valencia a la cabeza de una expedición de doce franciscanos elegidos por el General de la Orden fray Francisco de los Ángeles, para predicar el evangelio en tierras mexicanas. Fray Martín de Valencia fue nombrado comisario de la Inquisición en Nueva España, labor que ejerció hasta la llegada del dominico fray Tomás Ortiz.

Entre 1527 y 1536 las causas abiertas por delitos contra la fe recaen principalmente contra vecinos acusados de prácticas idólatras o proferir blasfemias. La evolución de los casos y víctimas del Tribunal permanente de México, instaurado en 1571, siguió la misma línea divisoria que el de Lima, dándose durante los primeros años de su actuación un número considerable de procesos contra luteranos, muchos de ellos apresados por piratería. Entre estos se encontraban los ingleses Miles Philips, David Alexander, William Collins y William Cornelius, que fueron objeto de condena por la Inquisición en 1575. México continuó su particular persecución de las ideas reformistas y durante el siglo XVIII contabiliza un considerable número de causas motivadas por este delito. Por su parte los judaizantes fueron encausados de forma mayoritaria en el transcurso del siglo XVII y en las postrimerías del XVI, coincidiendo con la huida masiva de Portugal y su llegada a los centros comerciales, mineros y agrícolas del Nuevo Mundo.[171] El 8 de enero de 1596 son condenados a la pena capital nueve conversos de la misma familia en un Auto de fe de grandes proporciones celebrado en la Plaza de Armas de México. En él sufren penitencia treinta y cinco judaizantes mientras que diez son quemados en estatua. Un Auto de similares características tiene lugar en 1649 cuando son condenados a relajación trece ciudadanos acusados de criptojudaismo y en el que treinta y ocho reos son reconciliados y cincuenta y siete quemados en estatua. Prácticamente sin interrupción, el tribunal de México ya había celebrado Autos de fe en los que se ejecutaron sentencias de conversos du-

---

[170] Diego Muñoz Camargo, *Historia de Tlaxcala*.

[171] Entre 1570 y 1646, según datos de Aguirre Beltrán, la población de europeos en Nueva España registró un incremento espectacular pasando de 6.644 a 13.780 ciudadanos.

rante los años 1646, 1647 y 1648. Según los datos aportados por Henningsen, el número total de relajados por los procesos inquisitoriales desarrollados en México sería de diecisiete aunque esta cifra aumenta hasta cincuenta y nueve si se cuentan las cuarenta y dos condenas a relajación en estatua. Con un número de procesos bastante más pequeño que los llevados a cabo por el Tribunal de Lima contrasta, sin embargo, la elevada cantidad de ejecuciones sumarias dictadas por los inquisidores y el hecho de que muchos de los quemados en efigie lo fueron por haber perecido en las cárceles secretas a lo largo de la tramitación de sus causas.

El Tribunal de la Inquisición de México fue abolido el 8 de junio de 1813 y aunque, como en el caso del de Perú, volvió a tener vigencia durante algún tiempo después, quedó definitivamente proscrito en 1820.

Indios, negros y mestizos. La Inquisición frente a las castas

Una de las primeras consecuencias de la llegada masiva de descubridores-conquistadores, primero, y colonos después, al continente americano fue su notable dependencia de la mujer nativa para constituir núcleos familiares semejantes a los que se daban en España para dotarse de una descendencia capaz de mantener o hacer progresar los dominios y empresas ya emprendidas o consolidadas. El problema original había surgido por el escaso número de mujeres blancas que obtenían permiso para entrar en el Nuevo Continente. Únicamente se permitía el viaje a las Indias a las mujeres casadas cuando el marido las reclamaba o bien cuando embarcaban junto a ellos camino de América. En términos generales se puede decir que las disposiciones formuladas por orden de Carlos V en 1539 dejaban claro este tema:

> «(...) *no den licencias a mugeres solteras para pasar a las Indias; y las casadas pasen precisamente en compañía de sus maridos, ó constando que ellos están en aquellas provincias y van á hacer vida maridable».*

Esta circunstancia provoca el natural mestizaje de razas, primero entre hombres blancos y mujeres indias, de cuyo vínculo nacerá el mestizo propiamente dicho, y a partir de ahí toda una compleja nomenclatura que definirá el linaje de cada individuo a través de la mezcla y porcentaje de sangre heredada de sus ancestros y que veremos más adelante. Las relaciones de los españoles con los nativos no fueron, por tanto, esporádicas u ocasionales visto desde una perspectiva de conjunto. Muchos historiadores atribuyen a los primeros momentos de la conquista una actitud «alocada» por parte de los hombres que la protagonizaron y cuyas consecuencias no fueron otras que una poligamia escandalosa. Sin embargo, en la mayoría de los casos que se fueron produciendo más allá de los años iniciales terminaron en una convivencia estable que desemboca en la unión matrimonial debido en gran parte a las presiones de la Iglesia por transformar las situaciones de concubinato en relaciones sacramentadas.

Durante finales del siglo XVI y principios del XVII, el porcentaje de mujeres blancas, que en los años de la conquista se situaba en un diez por ciento, crece considerablemente debido en parte al aumento de inmigración desde Europa. Aparece, además, el criollo, fruto de la unión de padre y madre blancos pero nacido en las Indias.

A la raza blanca e india se suma, algo más tarde, la de los esclavos negros que provocan una nueva fórmula de mestizaje, excepto en aquellas áreas donde la abundancia de población indígena no hizo necesaria la «importación» de africanos. La raza negra se estableció principalmente en las Antillas, en gran parte del virreinato del Perú y en la costa atlántica de América del Sur. En cambio, en las regiones del virreinato de Nueva España apenas conocieron este fenómeno.

Paralelamente al ascenso de la población producto del cruce de las tres principales razas, esto es, blancos, indios y negros, se produce una caída acusada de la población indígena que responde a muy diversas causas pero, evidentemente, todas ellas relacionadas con la aparición de los conquistadores en el escenario americano. La primera es consecuencia de la política de sometimiento por la fuerza de las poblaciones autóctonas. Desde las primeras incursiones de los españoles en 1492 las refriegas son constantes para dar paso, paulatinamente y a medida que se entra en contacto con civilizaciones más organizadas y numerosas, a verdaderas batallas que producen un número significativo de bajas entre los nativos. Después de pacificadas las provincias conquistadas tiene lugar el fenómeno de la explotación indígena a través de las encomiendas y los repartimientos. Especialmente duro fue el trabajo en las minas que, unido a los abusos por parte los colonizadores al frente de las haciendas, diezmaron considerablemente las tribus autóctonas. Otro factor que contribuyó al descenso de la población indígena lo constituyó la introducción en el Nuevo Mundo de ciertas enfermedades y epidemias que asolaron el Continente durante los siglos XVI, XVII y XVIII, fundamentalmente la viruela y la peste, a la que denominaron *cocoliztle*. Otro factor no menos importante fue el desarraigo cultural que produjo la entrada masiva de occidentales en sus modos de vida, hasta el punto de que difícilmente pudieron mantener costumbres y formas de organización social y económica que para cualquier grupo resultan de vital importancia.

Entre unas y otras razones se puede calcular que entre 1492 y el primer cuarto del siglo XIX, el censo correspondiente a la población indígena había disminuido en 1.615.000 personas, lo que significó un descenso del 16,4 por ciento. Poco a poco fueron perdiendo religión, idioma y el carácter poligámico de su estructura familiar... Asistimos, por tanto, a la desaparición de pueblos enteros que acusaron notablemente estos nuevos influjos; motivos que terminaron incidiendo en una vertiginosa caída del índice de natalidad, factor a añadir a la suma de causas que motivaron la despoblación indígena.

En lo referente a la importación de esclavos negros diremos que quedó autorizada a partir de 1502 y fue un recurso muy usado en el Nuevo Mundo, tanto para quienes los utilizaban en la explotación de las tierras conquistadas como para quienes se enriquecían con su tráfico y comercio. El predominio de esclavos africanos estuvo determinado por dos circunstancias: de un lado, la constitución recia de los negros les hacía más aptos para los trabajos en el campo y en las minas; del otro, la prohibición de esclavizar a los propios indios. En efecto, tanto los Reyes Católicos como posteriormente Carlos V establecieron normas en 1500 y 1530, respectivamente, oponiéndose a la esclavitud y comercio de los nativos hallados en las Américas. Sin embargo habrá que esperar a 1542 para que en las *Nuevas Leyes de Indias* se produzca la prohibición definitiva de esta práctica. Y es que, como ya había sucedido en ocasiones anteriores con otros temas, coexisten preceptos contrarios como la prohibición de la esclavitud de los indígenas con las autorizaciones y regulaciones que la amparaban expresamente. En 1503 se conceden licencias concretas para la esclavitud de tribus caníbales.

El esclavo negro pasó a realizar, por tanto, el trabajo que venía realizando el indio aunque, por ejemplo, en las minas peruanas y mexicanas se empleó exclusivamente mano de obra indígena. La evolución de la población de color fue tan espectacular como la de los propios blancos o mestizos. Si en 1650 se contabilizaron, según Rosenblat, 835.000 negros en el área de la América latina, esta cifra llega hasta 4.188.000 según datos referidos a 1825. Su distribución refleja un predominio considerable en las Antillas, Venezuela, Guayana y Brasil. A modo de ejemplo, los 400.000 negros que se atribuyen a las Antillas a mediados del siglo XVII evolucionan hasta 1.960.000 a comienzos del siglo XIX. En conjunto, durante este período el incremento de individuos de raza negra supera ampliamente los tres millones, lo que da idea del aspecto dominante que llegó a alcanzar este tipo de explotación. El negro pertenecía a su dueño aunque éste no tenía ningún derecho relacionado con la vida o muerte del esclavo. Las Leyes de Indias se preocuparon de legislar todo lo referente a la esclavitud y entre otros preceptos establecieron el modo de obtener la libertad de los esclavos, de forma que si pagaban a los dueños su valor, abandonaban tal condición. Con el paso del tiempo estos negros, más los que llegaban a alcanzar la libertad por expreso deseo de sus amos manifestada comúnmente en testamento, constituyeron los llamados *libertos* o negros *horros*. Otro caso que se dio con frecuencia fue la huida de las haciendas o explotaciones donde permanecían esclavizados. Estos negros, conocidos como *cimarrones,* tendían a agruparse en el interior de las zonas despobladas y en ocasiones encontraron apoyo en grupos de indios rebeldes que oponían una dura resistencia a su asimilación por los colonizadores.

En la escala social el escalón más elevado era ocupado por los blancos, a continuación aparecía el grupo formado por los criollos, más abajo se situaban los mestizos, mulatos e indios, por este orden. El último peldaño estaba reservado a los negros.

Los criollos no fueron reconocidos como individuos con plenos derechos. A pesar de provenir de españoles su condición de nacidos en América les acercaba más a los mestizos que a los blancos. En España no pudieron optar a determinados cargos públicos, quedando limitada su influencia a la administración americana y fundamentalmente, dentro de ésta, a la municipal o local. La controversia por el trato socialmente restringido otorgado a los criollos alcanzó a diversos estamentos del Gobierno central y de las Indias. En contra de una asimilación plena se situaron determinados sectores de la Iglesia mientras que miembros destacados de la cultura indiana y juristas de reconocido prestigio como Juan de Solórzano, defendían su condición de españoles verdaderos y «(...) *como tales a gozar de sus derechos, honras y privilegios»*. Con cierta frecuencia se adoptaba la condición de criollo para los nacidos de un progenitor blanco y el otro perteneciente a cualquiera de las otras razas predominantes, es decir, indio, negro o mestizo. Incorporados a su nombre los dos apellidos españoles, su fisonomía, no obstante, se emparentaba más con cualquiera de los mestizajes existentes, lo que le empujaba notoriamente hacia las castas inferiores.

El mestizo propiamente dicho surge de la unión de un blanco con un indio, aunque por extensión se han denominado así a todas las hibridaciones que se dieron entre las distintas razas o entre éstos y los descendientes sucesivos de aquellos primeros cruces. Su número fue progresivamente en aumento durante los primeros años de la conquista y llegaron a constituir una importante clase social, cuya cualidad principal radica en ser puente de unión entre la cultura occidental y la indígena pues, si bien mantenían la religión y el idioma de los españoles, sus manifestaciones culturales eran netamente americanas. Su tratamiento jurídico fue claramente discriminatorio hasta el punto de que muchos de ellos terminaron siendo incluidos en los censos de los indios por su marcado aspecto indígena y su reconocimiento como grupo racial propio tuvo que esperar al siglo XVII. Hubo, no obstante, quien defendió el derecho de los mestizos a un *status* igualitario si eran el fruto de un matrimonio legítimo.

Los mulatos, hijos de españoles y esclavas negras, vieron cómo su equiparación se hacía de hecho con la raza negra a pesar de tener reconocidos ciertos derechos que, por regla general, no les eran aplicados, de manera que acababan pronto como esclavos.

Por debajo de los mulatos aparecían situados los indios que, como ya hemos tenido oportunidad de ver, se trataba de una raza duramente castigada, en proceso de disolución entre la cultura traída de España primero y de Europa más tarde, y desmembrada toda su organización social y cultural. Terminan aceptando, en general, su condición de vencidos y tratan de adaptarse a las condiciones que impone el conquistador. A pesar de ello, repetidamente se ha relatado la situación del indio como de profunda tristeza y abatimiento, causas que tuvieron forzosamente que influir también en la despoblación generalizada de este grupo. Bernardino de Sahagún, misionero franciscano perteneciente a la expedición de religiosos que en 1524 desembarcó en Nueva España decía en su *Historia general de las cosas de la Nueva España:*

«(...) *fueron tan atropellados y destruidos ellos y todas sus cosas, que ninguna apariencia les quedó de lo que eran antes. Así están tenidos por bárbaros y por gente de bajísimo quilate, como según verdad en las cosas de política echan el pie delante a muchas otras naciones que tienen gran presunción de políticos, sacando fuera algunas tiranías que su manera de regir contenía».*

Los negros, tanto si eran esclavos como si ostentaban la condición de libertos, fueron excluidos del reparto de beneficios sociales y apartados de la escala reservada a los ciudadanos occidentales o a sus más directos descendientes. Recluidos en las haciendas y explotaciones donde desarrollaban su trabajo, ocuparon diversos cometidos además de aquellos que requerían un gran esfuerzo y fortaleza. Así, es frecuente encontrarlos como activos sirvientes en las casas de los colonos donde ejercen una notable influencia sobre la mayoría de los miembros de la familia en su condición de asistentes o amas de cría.

Tanto los indígenas como los europeos y africanos sufrieron, según los estudios de Aguirre Beltrán, una evolución desigual desde mediados del siglo XVI hasta principios del XIX en lo que a Nueva España se refiere y que podría servir de generalización al resto de enclaves de la América española. Según esto, únicamente los mestizos, en cualquiera de sus posibles variedades, siguió un camino ascendente a lo largo de los años. Incluso la población total, entendida como la suma de los individuos de todos los grupos raciales, experimenta un declive entre los siglos XVII y XVIII para recuperarse definitivamente una vez entrado el siglo XIX.

La designación dada por Aguirre Beltrán a los mestizajes mediante los términos euromestizo, afromestizo e indomestizos, nos lleva directamente al planteamiento que de la cuestión se hizo en América durante el siglo XVIII con el propósito de organizar las diferentes castas que poblaban sus territorios y la necesidad de establecer una jerarquización de las mismas en función del porcentaje de sangre blanca, india o negra de cada una de ellas. A pesar de la dificultad de elaboración de tales clasificaciones, lo cierto es que se conocen un buen número de cuadros donde aparecen reflejados los distintos mestizajes, si bien la coincidencia entre unos y otros queda reservada a los primeros tipos descritos, mientras que según se avanza en complejidad la impresión de los distintos autores genera discrepancia sobre todo en lo que a porcentajes de sangre de una u otra raza se refiere.

NOTA: Los siguientes cuadros clasificatorios han sido tomados de Juan Comas, *Antropología de los pueblos iberoamericanos*. Madrid, Editorial Labor, 1974. Las cifras entre paréntesis corresponden a valores porcentuales, y las iniciales «B», «N» e «I» tienen la siguiente correspondencia:

B = BLANCO; N = NEGRO; I = INDIO

TABLA 15. **Población, por castas, de la Nueva España.**

Año	Europeos	Indígenas	Euro mestizos	Africanos	Afro- mestizos	Indo- mestizos	Total
1570	6.644	3.366.860	11.067	20.569	2.437	2.435	3.380.012
1646	13.780	1.269.607	168.568	35.089	116.529	109.042	1.712.615
1742	9.814	1.540.256	391.512	20.131	266.196	249.368	2.477.277
1793	7.904	2.319.741	677.458	6.100	369.790	418.568	3.799.561
1810	15.000	3.676.281	1.092.367	10.000	624.461	704.245	6.122.354

CUADRO 1

Cuadro de mestizaje y castas existentes en el Museo del Hombre de París. Siglo XVIII. México.

1. Blanco e india	= Mestizo (50 B; 50 I)
2. Mestizo y blanca	= Castizo (75 B: 25 I)
3. Castiza y blanco	= Españolo (87,5 B; 12,5 I)
4. Blanco y negra	= Mulato (50 B; 50 N)
5. Blanco y mulata	= Morisco (75 B; 25 N)
6. Español y morisca	= Albino (87,5 B; 12,5 N)
7. Blanco y albina	= Tornatrás (95,75 B; 4,25 N)
8. Indio y negra	= Lobo (50 I; 50 N)
9. Lobo y negra	= Chino (25 I; 75 N)
10. Chino e india	= Cambujo (62,5 I; 37,5 N)
11. Cambujo e india	= Tente-en-el-aire (81,25 I; 18,75 N)
12. Tente-en-el-aire y mulato	= Albarazado (25 B; 40,6 I; 34,4 N)
13. Albarazado e india	= Barzino (12,5 B; 70,3 I; 17,2 N)
14. Barzino e india	= Campamulato (6,25 B; 85,15 I; 8,6 N)
15. Indio y mestiza	= Coyote (25 B; 75 I)
16. Indios mecos nombrados	= Apaches (100 I)

CUADRO 2

Cuadros de mestizaje. Museo Etnológico de Madrid. Siglo XVIII. México.

1. Español con india produce mestizo (50 B, 50 I)
2. Español y mestiza produce castizo (75 B; 25 I)
3. Español y castiza torna a español (87,50 B; 12,50 I)
4. De español y negra sale mulato (50 B; 50 N)
5. De español y mulata sale morisco (75 B; 75 N)
6. De morisco y española sale albino (87,50 B; 12,50 N)
7. De albino y española nace tornatrás (93,75 B; 6,25 N)
8. Mulato e india engendran calpamulato (25 B; 50 I; 25 N)
9. De calpamulato e india sale gíbaro (12,50 B; 75 I; 12,50 N)
10. De negro e india sale lobo (50 I; 50 N)
11. De lobo e india sale cambujo (75 I; 25 N)
12. De indio y cambuja sale sambahigo (87,50 I; 12,50 N)
13. De mulato y mestiza sale cuarterón (50 B; 25 I; 25 N)
14. De cuarterón y mestiza nace coyote (50 B; 37,50 I; 12,50 N)
15. De coyote y morisca nace albarazado (62,50 B; 18,75 I; 18,75 N)
16. De albarazado y salta atrás sale tente-en-el-aire (78,13 B; 19,37 I; 12,50 N)

CUADRO 3

Cuadro de mestizaje y castas. Museo Etnológico de Madrid. Perú.

1. Indios infieles de montaña (100 I)
2. Indios serranos tributarios, civilizados (100 I)
3. Español con india serrana o civilizada, producen mestizo (50 B; 50 I)
4. Mestizo con mestiza, producen mestizo (50 B; 50 I)
5. Español con mestiza, producen cuarterona de mestizo (75 B; 25 I)
6. Cuarterona de mestizo con español, producen quinterona de mestizo
   87,5 B; 12,5 I)
7. Español con quinterona de mestizo, producen español o requinterón de
   mestizo (93,75 B; 6,25 I)
8. Negros bozales de Guinea (100 N)
9. Negra de Guinea o criolla con español, producen mulato (50 B, 50 N)
10. Mulata con mulato, producen mulato (50 B; 50 N)
11. Mulata con español, producen cuarterón de mulato (75 B; 25 N)

12. Español y cuarterona de mulato, producen quinterona de mulato
   87,5 B; 12,5 N)

13. Quinterona de mulato con requinterón de mulato, producen requinterón de
   mulato (93,75 B; 6,25 N)

14. Español con requinterona de mulato, producen gente blanca
   96,88 B; 3,12 N)

15. Gente blanca con español, producen cuasi limpio de origen
   98,44 B; 1,56 N)

16. Mestizo con india, producen cholo (25 B; 75 I)

17. India con mulato, producen chino (25 B; 50 I; 25 N)

18. Español con china, producen cuarterón de chino (62,5 B; 25 I; 12,5 N)

19. Negro con india, producen sambo de indio (50 I; 50 N)

20. Negro con mulata, producen zambo (25 B; 75 N)

El Provisorato de Indios

El control de la Inquisición fue absoluto sobre españoles y criollos pero no tenía jurisdicción para procesar a los indios en tanto en cuanto no fueran cristianizados y aun así los órdenes procedentes de España establecían un trato benévolo con penas poco rigurosas para todos los indígenas recién incorporados al seno de la Iglesia católica. Tan considerada política vino motivada, en parte, por las informaciones que los religiosos desplazados al Nuevo Mundo para la evangelización de los nativos ofrecían sobre la disposición de éstos a las nuevas enseñanzas religiosas, calificándoles de «gente flaca y de poca sustancia», de «gente temerosa y muy encogida» o de «plantas verdes en la fe». Esto sucedía poco después de la llegada de descubridores y conquistadores, en el prólogo, por tanto, del desarrollo social de las comunidades implantadas en las regiones colonizadas.

La aparición de los grupos raciales de negros y mestizos obliga al Santo Tribunal a hacer extensiva su vigilancia a este nuevo conjunto de individuos y su trato fue diferenciado con respecto al dispensado a los blancos. Un ejemplo de ello aparece recogido en el edicto que anunciaba el Auto de fe celebrado en Lima el 23 de enero de 1639, el denominado *Auto grande*:

> *«Mandamos los señores inquisidores a la pena de excomunión y multa de cien pesos, que ninguna persona debe andar de noche, ni a caballo por las calles por donde pasan los ajusticiados a los de fe que se celebrarán el veintitrés de este mes a horas tres de la tarde a cinco de la tarde, que ninguno tire a los penitentes con lodo o piedra u otros objetos, pena para los españoles con destierro a Chile, y cien azotes para los mulatos, negros y mestizos, mandamos a pregonar el edicto el 23 de enero de 1639».*

En 1569 se determina, a través de una Real Cédula, la exclusión de los indios recién convertidos del ámbito de actuación de los tribunales de la Inquisición en América. Pero para entonces, la población india se había visto sometida a diversos procesos llevados a cabo por religiosos y obispos en su afán por frenar su indomable tendencia a las prácticas idolátricas, algunos de los cuales acabaron quemados en la hoguera. El caso más llamativo fue protagonizado por Juan de Zumárraga, obispo de México, cuando en 1539 manda aplicar la pena capital al cacique de Texcoco, Carlos de Chichimecateotl, acusado de idolatría. También se tienen noticias de indígenas condenados al fuego en 1528 y 1529, todos ellos acusados de practicar cultos paganos en el virreinato de Nueva España.

Los indios son llevados ante los inquisidores por mantener vivas sus costumbres y religión, fundamentalmente a través de acusaciones relacionadas con la hechicería y superstición.

Con el fin de reconducir los comportamientos morales y religiosos de los nativos y dado que el Santo Oficio no iba a tener competencias en este sentido, toman las riendas en este sentido los arzobispados correspondientes, los cuales, a través de sus diócesis, van a encargarse de la vigilancia, detención y procesamiento de indígenas. Así nace en 1571 el llamado *Provisorato*[172] de Indios que puede considerarse como un organismo de estructuras y funciones similares a los tribunales inquisitoriales, ya que van a disponer de comisarios en las distintas provincias y un poder centralizado en la figura del provisor del obispado.

Si destacábamos la existencia de una tipología delictiva característica del continente americano, ésta vino transmitida en su inmensa mayoría por el modo de proceder de los indios en su vida cotidiana donde, por ejemplo, la referencia a la hechicería era habitual para superar enfermedades o ahuyentar los malos espíritus. Algo similar podría aplicarse a las conductas como el concubinato o la poligamia, muy practicada esta última por los caciques de ciertas tribus. De todo ello entendió el Provisorato, aunque su atención quedó centrada principalmente en los casos de idolatría, ya que se trataba de una práctica muy arraigada entre las gentes del continente que había sabido mantenerse con cierta firmeza resistiendo, no sólo los envites inquisitoriales, sino el propio paso del tiempo.

Todas las culturas de los pueblos centroamericanos y de América del Sur incorporan un elemento religioso de gran trascendencia y fuertemente vinculado al individuo y a la naturaleza. En el caso de los aztecas el universo de los dioses lo componían diversas deidades con significado también diferente: *Huitzilopochtli* era el Sol y para poder nacer cada día era necesaria la fuerza proporcionada por la sangre de los sacrificios humanos; a *Tezcatlipuca,* el dios del cielo nocturno, se le ofrecía anualmente la vida de un joven azteca; Venus estaba representado por el dios *Quetzalcoatl* y la Tierra por la diosa *Coatlicue.* Los dioses, según la creencia de los aztecas, mantenían entre sí una lucha constante fruto de la cual existía el mundo tal y como se podía observar día a día, mes

---

[172] El *Provisorato* estaba encargado de los asuntos de justicia y administración del obispado.

a mes, año a año. Para que el mundo pudiera seguir su curso era preciso ayudar a los dioses en sus cometidos y la ayuda se prestaba a través de los sacrificios. Cada dios, además, representaba a la vez conceptos diferentes: a *Coatlicue* se la consideraba diosa de la Tierra, la vida y la muerte; *Huitzilopochtli* era también el dios de la guerra y *Quetzalcoatl* un dios civilizador. Frente a la existencia de un cielo y un infierno en la religión cristiana, los aztecas creían en la existencia de trece paraísos y nueve infiernos.

La cultura chibcha asentada en los Andes colombianos también poseía un dios creador del Universo, *Chiminichagua*, y practicaban ritos de adoración al Sol y la Luna. Entroncados con las culturas precolombinas, los sacrificios formaban parte de su ritual religioso.

Los incas llamaron *Viracocha* al dios que dispuso la formación del Mundo y le atribuían la creación del hombre a partir del barro y la enseñanza del cultivo de la tierra y la alfarería. *Inti* era el dios del Sol. La Luna estaba representada por la diosa *Mamaquilla* y el Rayo por el dios *Ilapa*. Mantenían en común con los chibchas la creencia en un gran Diluvio. Entre sus ritos religiosos se encontraban los sacrificios humanos y para tal fin escogían y preparaban a las personas que habrían de ofrecerse a los dioses.

Los mayas, asentados en la zona de Guatemala, Honduras y la provincia del Yucatán, concebían un dios universal que había creado el Universo (*Hunab-ku*). Su esposa era Ix Axal Uch, y su hijo Itzamná, el padre de las ciencias y las artes, inventor del calendario, de la escritura jeroglífica y de las tablas de cronología maya. Chac era el dios de la lluvia. Kukulkán, la *serpiente emplumada,* era el equivalente a Quetzalcóatl de los aztecas y toltecas. Yum Kax favorecía la agricultura, y específicamente el maíz. Todos estos dioses benévolos se oponían a deidades como *Ah Puch,* dios de la muerte, e incluso algunos, como el Sol, que era del cielo, por la noche pasaba por el «mundo de abajo» y se convertía en uno de los nueve dioses de la noche.

La conversión de los indígenas al cristianismo no sirvió para erradicar absolutamente todas las formas que los nativos mantenían asociadas a la adoración de sus ídolos. Si bien cambiaron sus dioses por un único Dios, mantuvieron las vestimentas, máscaras y bailes que reservaban para las festividades paganas. Esta mezcla en la celebración de los rituales cristianos no fue bien vista por la cúpula eclesiástica, quizá porque quería entender en ella reminiscencias no del todo desterradas del culto idolátrico. Sin embargo, toda esta exhibición alegre y colorista en los actos litúrgicos fue consentida por los propios religiosos encargados de su evangelización, mostrando una actitud flexible ante las viejas costumbres indígenas de acompañar sus manifestaciones religiosas con cantos y danzas. Son muchas las referencias existentes en los archivos a las disposiciones de arzobispos, obispos o secretarios de la Inquisición y del Provisorato prohibiendo esta manera de entender las celebraciones. La de Juan de Zumárraga sobre la celebración del Corpus Christi emitida en 1545 no deja lugar a dudas sobre la preocupación eclesiástica por los sedimentos que había dejado en el indio su anterior cultura religiosa:

«Y cosa de gran desacato y desvergüenza parece que ante el Santísimo Sacramento vayan los hombres con máscaras y en hábitos de mujeres, danzando y saltando con meneos deshonestos y lascivos, haciendo estruendo, estorbando los cantos de la Iglesia, representando profanos triunfos, como el Dios del amor, tan deshonesto y aun a las personas no honestas tan vergonzoso de mirar; cuanto más feo en presencia de nuestro Dios; y que estas cosas se manden no a pequeña costa de los naturales y vecinos, oficiales y pobres, compeliéndolos a pagar para la fiesta. Los que lo hacen y los que lo mandan y aun los que lo consienten, que podrían evitar y no lo evitan, a otro que a Fray Juan de Zumárraga busquen que los excuse. Y por estas burlerías y por nuestros pecados permite Dios tantas herejías cerca de este Santísimo Sacramento (...) Y si después de visto y entendido este tractado, alguno osase favorecer estas cosas así condenadas, yo me escandalizaría del tal o le tendría no se por quién y no sería en poco perjuicio de su alma y de la doctrina que se enseña a estos naturales. Y por solo esto, aunque en otras tierras y gentes se pudiera tolerar esta vana y profana gentílica costumbre, en ninguna manera se debe sufrir ni consentir entre los naturales de esta nueva Iglesia (...) Y demás desto hay otro mayor inconveniente, por la costumbre que estos naturales han tenido de su antigüedad, de solemnizar las fiestas de sus ídolos con danzas, sones y regocijos, y pensarían, y lo tomarían por doctrina y ley, que en estas tales burlerías consiste la santificación de las fiestas; y sólo este inconveniente es bastante para que no haya semejantes vanidades en esta nueva Iglesia. Más que todo se haga a honra y servicio de Jesucristo, a quien sea la gloria para siempre. Amen».*

Ya en la segunda mitad del siglo XVIII, el Provisorato de Indios, también llamado *Tribunal de Indios y Chinos* o *Provisorato de Naturales*, seguía considerando estas actitudes como relacionadas con la idolatría y la superstición. Dedicó gran parte de su tiempo a la publicación de edictos, a través del arzobispado, donde se prohibían expresamente los bailes y las danzas por parte de los naturales de Indias con el fin de «... *desarraigar los abusos, vanas observancias, sortilegios, supersticiones y otros errores contra nuestra santa fe católica, con que el demonio, padre de la mentira, los alucina*». La misma iglesia expresaba su asombro por la forma en que prevalecían ciertos ritos a pesar del paso del tiempo, «(...) *ya en estos tiempos, en que han corrido dos siglos y medio, es disonante, y obsta la mencionada general repetida prohibición, por los gravísimos pecados, irreverencias (...)*». Tampoco había logrado desterrar costumbres que los indios mantenían en relación con el matrimonio o los difuntos y que merecían la reprobación del Provisorato:

«(...) *y mandamos, que en lo futuro se eviten los abusos, que se han observado al tiempo de pedirse a las novias para sus matrimonios por los que llaman Huehues; el que antes de celebrarse este santo sacramento sirvan en las casas de las susodichas los que las pretenden por esposas; y la vana observancia del bayle de la camisa, entrega de los trastos aguje-*

*reados (…); el Fandango de el olvido de los maridos difuntos; y el abuso y embriaguez, que
practican en los nueve días del duelo, especialmente en el último, a lo que llaman llorar al
difunto (…)».*[173]

Similar apego a sus tradiciones cabría decir al hablar de la manera en que resolvían gran parte de sus problemas cotidianos. La hechicería, los sortilegios y la adivinación
eran recursos habituales, principalmente entre las mujeres blancas o criollas que supieron rodearse de una numerosa corte de mulatos, indios y mestizos muy conocidos por
sus dotes para estas artes. A los indios se les acusaba de realizar conjuros, curar mediante magia y reverenciar el *ololiuqui*, un alucinógeno muy utilizado en sus ritos ancestra-
les. El Tribunal del Santo Oficio actuó contra los acusados de «*invocar al demonio mediante ritos y hechicerías*», practicar la alcahuetería o la adivinación. Algunos de estos
procesos aparecen recogidos en documentos del Archivo General de la Nación de México[174] y su mera descripción sirve para comprender el alcance de estos hábitos entre
la población y la respuesta dada por el poder eclesiástico a su propagación:

*Año 1703. San Salvador. El señor fiscal, contra Juan Pascual, negro libre, por decir que tiene
becerro escondido.*

*Año 1727. Sonsonate. Petrona Sánchez, española, denuncia a Manuel Antonio, hijo del di-
funto Vicente de la Cerna, por haberle dado unos polvos amatorios que tienen la
virtud de hacer que una mujer se quite la amistad de un hombre.*

*Año 1730. San Salvador. Denuncia presentada contra María de la O, mulata esclava por uso
e polvos amatorios.*

*Año 1731. San Salvador. El señor fiscal, contra Atanasis, alias Florentino, por pacto con el de-
monio.*

*Año 1733. Sonsonate. Denuncia de Lorenzo Justiniano, mulato, contra un francés o inglés, que
dijo que para salvarse no era necesario ser cristiano.*

Año 1738. Guatemala. El señor inquisidor contra Polonia, mulata, por dar polvos amatorios.

Año 1740. Sonsonate. El señor inquisidor, contra Juan Antonio, por supersticiones.

Año 1746. San Salvador. Autos hechos en la causa contra Juan Gregorio, por casado dos veces.

*Año 1752. San Miguel. Se refiere a la causa criminal contra Eugenio Rodríguez, nativo de la
ciudad de San Miguel por delito de duplicimatrimonio.*

*Año 1774. Relación de la causa contra Manuel de Jesús Victoriano, mulato, natural del reino
de Guatemala por delito de duplicidad de matrimonio.*

---

[173] Edicto de 11 de febrero de 1769. Expedido en nombre del Provisor de Indios, el doctor don Manuel Joaquín
Barrientos, para desterrar idolatrías, supersticiones y otros abusos de los indios.

[174] Presentados por el historiador Miguel Saldaña en el *Primer Congreso México-Centroamericano de Historia.*

México
1571

Cartagena
1610

Dependiente
de Lisboa

Lima
1570

India

Goa
1560
(Portugal)

Tribunales de las Inquisiciones
Española y Portuguesa en América y Asia
(fecha de constitución)

Fuente: Bethencourt 1997

*Año 1776. Nicaragua. Denuncia de don Juan Mancilla, indio cacique, contra seis indios por ma-
léficos.*

*Año 1798. Suchitoto, reino de Guatemala. El señor inquisidor fiscal del Santo Oficio, contra
Severiano Abrego, por supersticioso.*

*Año 1799. San Vicente de Austria, Guatemala. El señor inquisidor fiscal, contra Julián Gran-
de, por decir que no hay infierno.*

*Año 1799. Suchitoto. El señor inquisidor fiscal del Santo Oficio contra José Merino López,
alias Zapote, por supersticioso.*

Apéndices

RELACION DEL AVTO GEN. DE LA FEE.
Q. SE CELEBRO, EN MADRID, EN PRESENÇIA D SVS
Mg. EL DIA 30 D IVNIO DE 1650.
Dedicado al Rey. N. S. Carlos Seg. Gran Mo
narcha de España, y del nuevo Mundo, que
Dios guarde.
Por Ioseph del Olmo Ayuda de la Furriela de su
Mg. Alcaide, y Familiar dl S. Off. y M. ma. d M.
Marcus Orozco

Relación de Inquisidores Generales (1483-1820)

Reinado de los Reyes Católicos

TOMÁS DE TORQUEMADA (Inquisidor General de 1483 a 1498).
Nacido en Torquemada, Palencia, en el año 1420, murió en el Convento de Santo Tomás de Ávila, erigido por él mismo, en septiembre de 1498. Dominico formado en el convento de San Pablo de Valladolid y Prior del convento de Santa Cruz de Segovia. Fue miembro del primer Tribunal de la Inquisición instaurada en Castilla en 1480 por los Reyes Católicos, junto a Miguel Morillo, Juan de San Martín y el Cardenal Mendoza. El 17 de octubre de 1483 Sixto IV emite la bula por la que es nombrado Inquisidor General de Castilla y Aragón, confirmado en 1485 por el papa Inocencio VIII. Realizó las primeras *Instrucciones* o reglamento de la moderna Inquisición en España, que en años posteriores fue completando con un total de tres más. Fue uno de los que más influyó en los Reyes Católicos para que expulsaran a los judíos de todos sus territorios, hecho que finalmente se produjo en 1492. Su mandato coincidió con uno de los períodos de máxima actividad del Santo Oficio, cobrando su persona fama de muy sanguinario y fanático.

DIEGO DE DEZA TAVERA (Inquisidor General de 1499 a 1506).
Dominico nacido en Toro (Zamora) entre 1442 y 1444, y fallecido en Belvís en 1523. Doctor en Teología y catedrático de Arte en Salamanca, Preceptor y Capellán del príncipe Juan (1486), Protector de Colón. Obispo de Zamora, Salamanca, Jaén (1498) y Palencia (1500), y arzobispo de Sevilla en 1504. En 1497 fue nombrado Capellán Mayor y Confesor de los Reyes Católicos y en 1501 Gran Canciller de Castilla. A finales de 1498 fue nombrado Inquisidor General junto a los que acompañaban a Torquemada, pero al año siguiente asumió el cargo de Inquisidor General único. Fue inflexible e intolerante en asuntos de fe, principalmente con moriscos y judíos. Siguiendo su consejo, el rey Fernando lle-

vó los Tribunales hasta Sicilia y Nápoles (frecuente refugio de reos fugados). Nombrado juez de apelaciones por Alejandro VI. Durante su mandato se promulgaron las quintas y sextas Instrucciones del Santo Oficio.

Reinado de Fernando el Católico

Diego Ramírez de Guzmán (Inquisidor General de 1506 a 1507).
Subdelegado Inquisidor General por Diego de Deza, actuó como tal Inquisidor General durante el crítico y escaso período de reinado de Felipe I el Heromoso, hasta que Fernando el Católico pusiera el cargo en manos del papa Julio II. Desde ese momento serían elegidos un Inquisidor para Castilla y otro para Aragón.

Francisco Ximénez de Cisneros (Inquisidor General en Castilla de 1507 a 1517).
Natural de Torrelaguna, nació en 1436. Cursó estudios eclesiásticos en Alcalá y Salamanca y en 1484 ingresó en la Orden franciscana. En 1492 Isabel la Católica le nombró Confesor y en 1495 fue designado arzobispo de Toledo y Comisario apostólico para la reforma del clero regular y secular. En ausencia de Fernando el Católico fue Gobernador del reino de Castilla y Regente de España junto a Adriano de Traiecto (Adriano de Utrecht), cargo que ocupó de nuevo desde la muerte de Fernando el Católico y hasta la llegada de Carlos I, muriendo en Roa el 8 de noviembre de 1517 cuando se dirigía al encuentro del futuro Rey. Gran impulsor de la cultura, hizo de la Universidad de Alcalá de Henares el principal foco del Humanismo en España y patrocinó la Biblia Políglota Complutense. Fue nombrado Cardenal con el título de Santa Balbina e Inquisidor General por el papa Julio II en 1507.

Juan Enguera (Inguisidor General en Aragón de 1507 a 1513).
Este dominico valenciano, confesor de Fernando el Católico y de la reina Germana –segunda esposa de éste–, embajador en Francia y obispo de Vich, Lérida y Tortosa, fue designado Inquisidor General para Aragón por Julio II en el año 1507.

Reinado de Carlos I

Luis Mercader Escolano (Inquisidor General en Aragón de 1513 a 1516).
Nació en Murviedro (Valencia) en 1444 y murió en 1516. Perteneciente a la Orden de Santo Domingo y Doctor en Artes y ambos Derechos. Embajador en Hungría (Corte de Maximiliano I) y en Roma. Consejero y Confesor del Rey y obispo de Tortosa en 1513, año en que recibió el cargo de Inquisidor General del papa León X para los reinos de Aragón y Navarra.

ADRIANO DE TRAIECTO (ADRIANO DE UTRECHT).
1.   (en Aragón). (1516-1518).
2.   (en Castilla). (1518-1522).

Nacido en Utrecht en 1459, murió en Roma en 1523. Obtuvo el grado de Doctor en Lovaina, lugar donde Margarita de Austria le nombró párroco y en donde fue profesor de Teología, Deán en la Catedral y Vicecanciller de la Universidad. Maestro del futuro Carlos V, a petición del emperador Maximiliano, obispo de Tortosa en 1516, Gobernador de Castilla y Cardenal. Nombrado Inquisidor General tanto para Aragón como para Castilla por el papa León X y siendo Regente en España fue nombrado Pontífice el 26 de Enero de 1522 con el nombre de Adriano VI, abandonando el cargo de Inquisidor General.

ALONSO MANRIQUE DE LARA (Inquisidor General de 1523 a 1538).
Hermano del poeta Jorge Manrique, obtuvo el grado de Doctor en la Universidad de Salamanca, de donde también sería Canciller. Obispo de Badajoz en 1499 y en 1524 tomó posesión del arzobispado de Sevilla. Adriano VI le nombró Inquisidor General y en dicho cargo se ocupó de reforzar las zonas fronterizas para vigilar la entrada de libros prohibidos. En 1531 recibió el capelo cardenalicio con el título de los Doce Apóstoles, designado a tal efecto por el papa Clemente VIII. Murió en Sevilla en septiembre de 1538.

JUAN (PARDO DE) TAVERA (Inquisidor General de 1539 a 1545).
Toro (Zamora), 16 de mayo de 1472-Valladolid, 1 de agosto de 1545. Sobrino del Inquisidor General Diego Deza, estudió Latín, Retórica y Cánones. Obtuvo una cátedra en Salamanca, de cuya Universidad fue Rector en 1504. Inquisidor General y miembro del Consejo de Inquisición, al subdelegar Deza en él. Obispo de Ciudad Rodrigo en 1514 y un año después Presidente de la Chancillería de Valladolid tras actuar como Visitador hasta ese momento. Fue Embajador en Portugal y acompañó a Adriano de Traiecto (Adriano de Utrecht) en su viaje a Roma para ser nombrado papa. Obispo de Osma, arzobispo de Santiago y Presidente del Consejo de Castilla en 1524. Cardenal con el título de *San Juan ante portam latinam;* y cuando en 1534 ocupó el arzobispado de Toledo pretendió establecer el estatuto de limpieza para los beneficiarios del mismo. Nombrado Inquisidor General por el papa Paulo III, en este período confirmó muchos privilegios y exenciones de los ministros de Sicilia y trató de establecer la Inquisición en Portugal.

GARCÍA DE LOAYSA (Inquisidor General en 1546).
Dominico nacido en Talavera de la Reina (Toledo). Estudió Filosofía en Santo Tomás de Ávila y Filosofía y Artes en Valladolid, donde sería Maestro y Rector. Confesor de Carlos V y Presidente del Consejo de Indias tres días después de la creación del cargo. Formó parte de la Junta que trató la conversión de los moriscos y rechazó el arzobispado de Grana-

da. Regente de las Indias por espacio de dos años. Obispo de Osma. Presidente y Consejero de Estado para Carlos V, a quien acompañó a su coronación en Roma en el año 1530. Nombrado este mismo año Cardenal por Clemente VII (no hay consenso sobre el título recibido). Obispo de Sigüenza en 1532, Comisario General de Cruzada en el período 1536-1546 y arzobispo de Sevilla en 1539. Paulo III le nombró Inquisidor General, aunque no tomaría posesión de ese cargo hasta seis años después. Al poco tiempo de su nombramiento muere en Madrid.

Reinado de Felipe II

FERNANDO DE VALDÉS Y SALAS. (Inquisidor General de 1547 a 1566).
Salas, Asturias, 1483-Madrid, 1568. Licenciado y catedrático en Cánones por la Universidad de Salamanca. Deán de la Catedral de Oviedo (1528-1533). Miembro del Consejo de la Inquisición redactó el Índice de Libros Prohibidos. Fue consagrado Obispo sucesivamente de las sedes de Elna, Orense, Oviedo, León, Sigüenza y Sevilla. Capellán de la emperatriz Isabel. Presidente de la Chancillería de Valladolid y de los consejos de Castilla y de Estado, puestos a través de los cuales influyó grandemente en la economía del país. Junto al cardenal Tavera y Francisco de los Cobos fue Consejero del príncipe Felipe. Arzobispo de Sevilla e Inquisidor General, sustituyendo en ambos casos a García de Loaysa. Gobernador de Castilla y León en ausencia de Felipe II. Redactó nuevas Instrucciones para la Inquisición en el año 1561. Destituido como Inquisidor General dos años antes de su muerte.

DIEGO DE ESPINOSA (Inquisidor General de 1566 a 1572).
Nació en Martín Muñoz de las Posadas en 1512 y fue Catedrático de Vísperas de Teología en la Universidad de Valladolid y licenciado en Derecho. Regente del Consejo de Navarra en 1556 hasta 1562 en que fue nombrado Consejero de Castilla y, más tarde, del Consejo de Guerra. En 1564 fue nombrado Consejero de Inquisición por Fernando de Valdés y Consejero de Estado por el rey Felipe II. En 1566 ocupó el puesto de Inquisidor General y durante su mandato se fundaron los tribunales de Perú y Nueva España. Presidente del Consejo de Castilla y del Consejo de Italia, Obispo de Sigüenza, Cardenal de San Bartolomé in Insula y San Esteban In Monte Celio. En 1571 comenzó la preparación de un catálogo de libros prohibidos, publicado quince años después. Murió en 1572.

PEDRO PONCE DE LEÓN (1572. No llegó a ejercer).
Córdoba, 1510-Jaraicejo (Plasencia), 1573. Rector de la Universidad de Salamanca y Consejero de Inquisición. Obispo de Ciudad Rodrigo. Acudió al Concilio de Trento convocado por Julio III. Obispo de Plasencia en 1560. Fue nombrado Inquisidor General por el papa Gregorio XIII, pero murió antes de que llegasen las bulas.

GASPAR DE QUIROGA Y SANDOVAL (Inquisidor General de 1573 a 1594).
Nació en Madrigal en 1512 y murió en Madrid en 1594. Licenciado en Cánones y Doctor en ambos Derechos por la Universidad de Salamanca. Ayudó al Arzobispo Juan Martínez Silíceo a implantar el estatuto de limpieza en Toledo. Caballero de la Orden de San Juan, Consejero de Inquisición y de Castilla en 1565. En 1570 acompañó al Rey en su campaña de pacificación de los moriscos. Tomó posesión del obispado de Cuenca en 1572 y como arzobispo de Toledo en 1577. Nombrado Cardenal con el título de Santa Balbina y Santa Sabina por el papa Gregorio XIII en 1578, el mismo que cinco años antes le nombrara Inquisidor General.

JERÓNIMO MANRIQUE DE LARA (Inquisidor General en 1595).
Natural de Córdoba e hijo ilegítimo de Alonso Manrique de Lara, que fuera arzobispo de Sevilla e Inquisidor General. Licenciado en Derecho Canónico e Inquisidor en Murcia, Valencia, Barcelona y Toledo. Inquisidor General del Mar en 1571. Participó en la armada capitaneada por Juan de Austria que venció a los turcos en el Golfo de Lepanto. Consejero de Inquisición en 1575 y Obispo de Cartagena. Inquisidor General en 1595, murió en Madrid habiéndolo desempeñado por espacio de cuatro meses.

PEDRO DE PORTOCARRERO (Inquisidor General de 1596 a 1599).
Natural de Villanueva del Fresno, fue Licenciado y Doctor en Cánones y Leyes por la Universidad de Salamanca, donde ejercería en tres ocasiones el cargo de Rector. Consejero de Castilla y Consejero de la Inquisición en 1581. Comisario General de Cruzada entre 1585 y 1589, fecha en que sería nombrado obispo de Calahorra. Posteriormente lo sería en las sedes cordobesa y conquense. Inquisidor General nombrado por Clemente VIII, ejerció hasta que lo abandonó por entender que venía a ocuparlo el cardenal Guevara, en un año en que el Papa publicó unas letras apostólicas que exhortaba a todo prelado a residir en sus sedes. A ello debemos sumar el hecho de que fuera nombrado Consejero de Estado, razones todas ellas que se explicaron para entenderse el abandono del cargo. Murió en el año 1600 en Cuenca.

Reinado de Felipe III

HERNANDO NIÑO DE GUEVARA (Inquisidor General de 1599 a 1602).
Nació en Toledo en 1541. Licenciado en Derecho en Salamanca, Consejero de Castilla y posteriormente Presidente del Consejo. Presidente de la Chancillería de Granada y Cardenal con el título de San Blas de Anello por Clemente VIII, el mismo que le nombraría Presbítero cardenal de Guevara de San Martín de los Montes, arzobispo de Philipis (Macedonia) e Inquisidor General. Cuando regresó a España para ocuparse de este cargo fue

nombrado así mismo por el monarca Consejero de Estado. Murió en Sevilla en 1609 donde ocupaba el arzobispado concedido por Clemente VIII en 1600.

JUAN DE ZÚÑIGA FLORES (Inquisidor General en 1602).
Nació en Madrigal y estudió en la Universidad de Salamanca, donde se licenciaría en Leyes. Inquisidor en el Tribunal de Valencia y Embajador en Roma, perdió el obispado de Canarias debido a ser hijo ilegítimo. Consejero de la Inquisición. Comisario General de Cruzada (1596-1600), realizó un informe sobre la burocracia inquisitorial y sus posibles soluciones. Obispo de Cartagena en 1600 y Presidente de los Consejos de Castilla e Italia. Nombrado Inquisidor General por Clemente VIII pocos días antes de su muerte en Valladolid (finales de 1602).

JUAN BAUTISTA DE ACEVEDO (Inquisidor General de 1603 a 1608).
Nacido en Fermino, junta de Cudeiro, vecindad de Trasmiera, en el arzobipado de Burgos en el año 1555. Estudió en Salamanca y obtuvo el grado de Doctor en Lérida. Obispo de Valladolid en 1601. Nombrado Inquisidor General en 1603 por Clemente VIII. Patriarca de las Indias desde 1606 hasta 1608, fecha en que murió.

BERNARDO DE SANDOVAL Y ROJAS (Inquisidor General de 1608 a 1618).
Aranda de Duero (Burgos), 1546-Madrid, 1618. Estudió Latín, Teología y Retórica en Alcalá. Se licenciaría en 1567, año en que obtendría el Doctorado en Artes. Licenciado en Teología por Salamanca en 1576. Obispo de Ciudad Rodrigo en 1586, de Pamplona en 1588, de Jaén en 1596; arzobispo de Toledo y Cardenal con el título de Santa Balbina y Santa Anastasia por Clemente VIII en 1599. Canciller mayor de Castilla y, en 1608, nombrado Inquisidor General por Paulo V.

LUIS DE ALIAGA MARTÍNEZ (Inquisidor General 1619 a 1621).
Este religioso dominico nació en Zaragoza en 1565. Fue Catedrático de Teología en su ciudad natal, donde ejercería de Calificador del Tribunal de la Inquisición antes de jurar el mismo cargo en el Consejo de Inquisición en 1614. Confesor de Felipe III, Paulo V le nombró Inquisidor General en 1619. Destituido y enviado a Huete dos años después, murió en Zaragoza en 1526.

Reinado de Felipe IV

ANDRÉS PACHECO (Inquisidor General de 1622 a 1626).
Nacido entre 1549 y 1550, según los autores, en Puebla de Montalbán (Toledo). Obtuvo el Doctorado en Alcalá de Henares, donde estudió Teología. Obispo de Segovia en 1587 y

de Cuenca en 1601. Inquisidor General en 1622, nombrado por Gregorio XV, en 1625 fue designado Patriarca de Indias y Consejero de Estado con Felipe IV. Murió en Madrid en 1626.

ANTONIO DE ZAPATA CISNEROS Y MENDOZA (Inquisidor General de 1627 a 1632).
Madrid, 1585-1635. Cursó estudios en Salamanca, universidad por la que se licenciaría en Cánones. Inquisidor del Tribunal de Cuenca desde 1582 y, un año después, del Tribunal de Toledo. Obispo de Cádiz (donde sería Gobernador político y militar), de Pamplona y arzobispo de Burgos. Nombrado Cardenal por Clemente VIII, con el título de Santa Cruz de Jerusalén y más tarde el de San Mateo In Merulana. Protector General de España en Roma enviado por Felipe III, lugar donde actuaría como Inquisidor y Embajador. Presbítero Cardenal con el título de Santa Balbina, Consejero de Estado en España con Felipe III, Virrey de Nápoles y desde 1625 miembro de la Congregación de San Pedro de Señores Sacerdotes. Arzobispo de Toledo y Administrador perpetuo en nombre del Infante Fernando. Urbano VIII le nombró Inquisidor General en 1627 y ocupó el cargo durante cinco años. Murió en Madrid en 1635.

ANTONIO DE SOTOMAYOR (Inquisidor General de 1632 a 1643).
Nacido en 1557 y perteneciente a la Orden de Santo Domingo, enseñó Filosofía en Salamanca y fue Lector de Artes y Teología en Toro. Catedrático de Teología en 1589, Calificador del Consejo de Inquisición en 1602, Prior de Santo Domingo en 1609, Confesor de los infantes nombrado por Felipe III y Consejero de Inquisición en 1622. Consejero de Estado para Felipe IV, miembro del Consejo de Guerra, Comisario General de Cruzada en el período 1627-1646 y confesor del Rey. Fue Abad de Alcalá la Real y de Santander, arzobispo de Damasco *in partibus infidelium* y, nombrado por Urbano VIII, Inquisidor General durante once años. Murió en la ciudad de Madrid en el año 1648.

DIEGO DE ARCE Y REINOSO (Inquisidor General de 1643 a 1665).
Nacido en Zalamea de la Serena (Badajoz) en 1585, fue Doctor en Derecho Canónico y Catedrático de Instituto y de Código en 1616 y 1617, respectivamente, ocupó la de Prima de Leyes en 1621. Caballero de la Orden de Alcántara y Comendador de Belvís y Navarra; miembro del Consejo de Castilla, del Consejo Real de Justicia y Obispo de Tuy. Rechazó la presidencia de la Chancillería de Valladolid y la de Castilla, no así el obispado de Plasencia, que ocuparía desde 1640 hasta 1649. Testamentario de Isabel de Borbón, recibió el nombramiento de Inquisidor General por el papa Urbano VIII. Consejero de Estado en 1664 y de la Junta de Gobierno durante la minoría de edad de Carlos II, murió en 1665.

Reinado de Carlos II

Pascual de Aragón y Fernández de Córdoba (1665). No ejerció.
Nacido en Mataró en 1626. El que fuera Rector en Salamanca, Licenciado en Leyes, Doctor en ambos Derechos, Catedrático en Cánones y miembro de la Orden de Alcántara no llegaría a ejercer el cargo de Inquisidor General porque, siendo propuesto por el rey para ocupar el puesto, sobrevino la muerte del monarca y la reina nombró en dicho puesto a su confesor. Fiscal en el Consejo de Inquisición, Regente de Cataluña en el Consejo de Aragón, Embajador en Roma y Protector de España, Embajador en Francia con Felipe IV (donde ejerció el título de plenipotenciario otorgado por el papa para solucionar los problemas con el monarca galo) y Virrey de Nápoles. Arzobispado de Toledo, formó parte de la Junta de Gobierno en la minoría de edad de Carlos II. Nombrado en 1666 Consejero de Estado, moriría once años después en la Corte.

Juan Everardo Nitard (Inquisidor General de 1666 a 1669).
Natural de Schols Falkenstein, Alta Austria, nació en 1607 y murió en 1681. Catedrático de Filosofía, Teología y Cánones en la Universidad de Graz, Confesor de los hijos del emperador Fernando III, Leopoldo y Mariana, acompañó a esta última a España cuando contrajo matrimonio con Felipe IV. A la muerte de éste pasaría a formar parte de la Junta de Gobierno establecida, y ya con Carlos II fue nombrado Consejero de Estado. Después de ser nombrado Inquisidor General por Alejandro VII, la enemistad que surgió entre él y Juan de Austria le obligaría a salir de España. Obispo de Edessa *in partibus infidelium*. Cardenal con el título de San Bartolomé in Insula, recibiría el título de la Santa Cruz de Jerusalén dos años antes de su muerte.

Diego Sarmiento de Valladares (Inquisidor General de 1669 a 1695).
Nacido en Vigo en 1609 (1615, según otros autores), murió en 1695. Sustituto de Cátedras en Valladolid, ganó en 1651 la de Código Antigua y un año después las de Digesto Viejo y Vísperas de Leyes en la misma Universidad. Oidor de la Audiencia de Pamplona, Fiscal del Tribunal de la Inquisición de Valladolid y, en ese mismo, 1657, nombrado Inquisidor. Fiscal, Consejero y Decano del Consejo de Inquisición; obispo de Oviedo y Plasencia, cuando cesó en este último recibió la abadía de Canónigos Regulares de Burgo Hondo (Ávila) y el priorato de Aracena (Huelva). Miembro de la Junta de Gobierno en la minoría de edad de Carlos II, Presidente del Consejo de Castilla en 1669 y Consejero de Estado con Carlos II en 1680.

Juan Tomás de Rocaberti (Inquisidor General de 1695 a 1699).
Castillo de Perelada (Gerona), 1627– Madrid 1699. Dominico que ejerció la cátedra de Filosofía y Teología, Maestro de Teología, Prior de Tarragona, Provincial de su Orden en Ara-

gón y firme defensor del Papa contra el galicanismo que seguían algunos miembros de su Orden, que defendía la superior a autoridad del Concilio frente al Papa. Prelado doméstico de Inocencio XI, le nombró Inquisidor General en 1695. Fue, igualmente, arzobispo de Valencia en 1677 y Capitán General y Virrey de Valencia nombrado por Carlos II.

ALONSO FERNÁNDEZ DE CÓRDOBA Y AGUILAR (1699). No ejerció.
Caballero de la Orden de Alcántara, Consejero de Órdenes, Cardenal desde 1697 y Consejero de Estado para Felipe IV. Murió antes de tomar posesión del cargo de Inquisidor General nombrado por Inocencio XII.

BALTASAR DE MENDOZA Y SANDOVAL (Inquisidor General de 1699 a 1705).
Este madrileño de la Orden de Calatrava salió como oidor de la Chancillería de Granada y fue promovido al Consejo de Órdenes en 1681. Miembro del Consejo Real, Obispo de Segovia en 1699 y ese mismo año es nombrado Inquisidor General por Inocencio XII. Gobernador del reino a la muerte de Carlos II, con el nuevo rey dejaría el cargo de Inquisidor por diferencias con el monarca, al parecer inspiradas por el Cardenal Portocarrero. Moriría en Segovia en 1727 tras vivir varios años en Francia.

Reinado de Felipe V

VIDAL MARÍN (Inquisidor General de 1705 a 1709).
Nacido en Mora, arzobispado de Toledo. Magistral de Santo Domingo de la Calzada y de Sevilla, Obispo de Ceuta, arzobispo de Burgos y nombrado Inquisidor General por Clemente XI. Murió en las casas del Consejo de Inquisición en 1709.

ANTONIO IBÁÑEZ DE RIVA HERRERA (Inquisidor General de 1709 a 1710).
Natural de Solares, fue Arcediano de Ronda, Obispo de Ceuta, arzobispo de Zaragoza en 1697 y Presidente del Consejo de Castilla desde 1690 hasta 1692. Virrey y Capitán General de Aragón, primer Marqués de Valbuena e Inquisidor General por el papa Clemente XI. Arzobispo de Toledo desde 1709, moriría un año después.

ANTONIO JUDICE (Inquisidor General de 1711 a 1717).
Napolitano nacido en 1647, murió en Roma en 1725. Obispo de Ostia y Vercelli, Cardenal de Santa Sabina, Embajador interino en Roma, Consejero de Estado para Carlos II, arzobispo de Monreal (Sicilia), Protector, Virrey y Capitán General de Sicilia. Nombrado Inquisidor General por Clemente IX, sería apartado del cargo en una Junta encargada de limar diferencias entre el Rey y Roma, a raíz de un enfrentamiento. Un año más tarde, en 1715 Felipe V le devolvió el cargo de Inquisidor General. Fue nombrado, así mismo, Ministro de Estado para

los asuntos de la Iglesia y Ayo del Príncipe de Asturias. En 1717 cesó en su puesto de Inquisidor General y entró en el servicio diplomático del emperador como representante en Roma.

JOSÉ MOLINÉS (Inquisidor General en 1717).
Barcelonés Auditor de la Sacra Rota en Roma. Nombrado Inquisidor General por Clemente XI, cargo que ocupó por un espacio de dos meses, aproximadamente. Fue detenido por los austríacos en Milán, donde murió en 1729.

FELIPE DE ARCEMENDI (1718). No ejerció. No llegó a ocupar el cargo propuesto por Felipe V.

DIEGO DE ASTORGA Y CÉSPEDES (Inquisidor General en 1720).
Gibraltareño nacido en 1665 y muerto en Madrid en 1734. Licenciado en Derecho Canónico, Vicario General de Cádiz y Ceuta, Inquisidor en el Tribunal de Murcia y Obispo de Barcelona. Ocupó el cargo de Inquisidor General hasta finales del año, en que es nombrado por Clemente XI. Arzobispo de Toledo y miembro del Consejo privado de Luis I. En 1727 fue nombrado Cardenal.

JUAN DE CAMARGO Y ANGULO Y PASQUER (Inquisidor General de 1720 a 1733).
Rector de San Bartolomé, Licenciado en Leyes y, ya en Salamanca, Catedrático de Instituto, Código, Volumen y Digesto Viejo. Fiscal e Inquisidor del Tribunal de Granada, ocuparía el mismo cargo en el Tribunal de Corte. Fiscal del Consejo de Inquisición. Miembro del Consejo Real y Obispo de Pamplona, fue nombrado Inquisidor General por Clemente IX. Miembro del Gabinete del príncipe Luis y Comisario General de Cruzada entre los años 1725 y 1733, fecha de su muerte.

ANDRÉS DE ORBE Y LARREATEGUI (Inquisidor General de 1733 a 1740).
Nacido en Ermua en 1672, fue sustituto en las cátedras de Instituta, Pandectas, Código, Prima de Cánones y Decretales (en esta última ganaría la Cátedra por oposición en 1715). En la diócesis de Valladolid sería Visitador, Vicario General y Gobernador. En Sevilla sería Fiscal de la Inquisición e Inquisidor, puesto que ejercería en Cuenca. Obispo de Barcelona en 1720, de Valencia en 1725 y Presidente del Consejo de Castilla en 1727, fue nombrado, a propuesta de Felipe V, Inquisidor General por Clemente XII. Dos años después ejerció de nuncio del papa como legado a latere. El Rey le otorgó el título de Marqués de Valdespina. Murió en 1740.

MANUEL ISIDRO OROZCO MANRIQUE DE LARA (Inquisidor General de 1742 a 1745).
Madrileño nacido en 1681, fue Canónigo de Toledo, Obispo de Jaén en 1732 y Arzobispo de Santiago en 1738. Nombrado Inquisidor General por el papa Benedicto XIV. Murió en 1745.

Reinado de Fernando VI

FRANCISCO PÉREZ DE PRADO Y CUESTA (Inquisidor General de 1746-1755).
Aranda de Duero, 1678-Madrid, 1755. Inquisidor-fiscal en el Tribunal de Córdoba y en el de Sevilla, Obispo de Teruel, Consejero del Rey y Comisario General de Cruzada en el período 1745-1750. Nombrado Inquisidor General por Benedicto XIV, durante su mandato se publicó un índice de libros prohibidos en el que se incluyeron títulos que Roma había dado por válidos, dando lugar a un breve del papa pidiendo explicaciones.

Reinado de Carlos III

MANUEL QUINTANO BONIFAZ (Inquisidor General de 1755 a 1774).
Teólogo, renunció a los obispados de Córdoba y Segovia. Confesor del infante Felipe de Borbón y del rey Fernando VI. En el ejercicio del cargo de Inquisidor General, nombrado por Benedicto XIV, existieron enfrentamientos con el rey sobre la práctica y desarrollo de la censura, además de establecer la necesidad del previo consentimiento por el Tribunal para realizar la lectura de libros prohibidos. Renunció al cargo de Inquisidor General en 1774. Elegido arzobispo de Farsalia. Murió en 1775.

FELIPE BELTRÁN (Inquisidor General de 1775 a 1783).
Miembro del Consejo Real, Obispo de Salamanca en 1763 y elegido Caballero prelado de la Orden de Carlos III. Tomó posesión del cargo de Inquisidor General un año después de su nombramiento y realizó Índices sobre licencias para la lectura de libros prohibidos y sobre edictos de prohibición en un período de 40 años. Murió en 1783.

Reinado de Carlos IV

AGUSTÍN RUBIN DE CEBALLOS (Inquisidor General de 1784 a 1793).
Nacido en Dueñas (Palencia), fue Canónigo de la catedral de Cuenca y obispo de Jaén en 1780. Publicó en 1790 un nuevo Índice de libros prohibidos. Ejerció de Inquisidor General hasta su muerte, en 1793.

MANUEL ABAD Y LASIERRA (Inquisidor General de 1793 a 1794).
Estadilla (Huesca), 1729-Zaragoza, 1806. Benedictino Licenciado en Cánones por la Universidad de Huesca y Doctor en Derecho Canónico por Irache. Prior de su Orden en Santa María de Meyá, Lérida. Primer Obispo de Ibiza, miembro de la Real Academia de Historia. En 1791 es nombrado arzobispo de Selimbria *in partibus infidelium* y Director de los Estudios Reales de San Isidro. Durante el breve tiempo que ejerció de

Inquisidor General planteó una profunda reforma del Santo Oficio, que chocó con el Consejo de Inquisición y, sobre todo, con el valido Godoy. Su producción literaria fue considerable y fue célebre por su gran erudición y ansia de conocimiento.

Francisco Antonio Lorenzana y Butrón (Inquisidor General de 1794 a 1797). León, 1722-Roma, 1804. Rector del Mayor de San Salvador, Canónigo doctoral de Sigüenza y de la Catedral de Toledo, donde sería nombrado Vicario General interino. Abad de San Vicente y Deán, Obispo de Plasencia y propuesto al arzobispado de México. Admitido en la Orden de Carlos III, elegido Cardenal y Arzobispo de Toledo. Inquisidor General moderado, se enfrentó a Godoy ante la oposición de éste a la bula de Pío VI sobre el jansenismo. Nombrado embajador en Roma un año después de dejar el cargo de Inquisidor General, su actuación no gustó y fue destituido. Después de trasladarse a varias ciudades de Italia, se le aconsejó dejar el arzobispado de Toledo a cambio de una pensión anual. Asistió a la Congregación de Cardenales del año 1800 en Roma, y entre el año siguiente y el 1804 se ocupó de la Congregación de Propaganda Fidei.

Ramón José de Arce (Inquisidor General en 1798). Celaya de Carriedo (Santander), 1755-París, 1844. Canónigo lectoral de la catedral de Valencia, arzobispo de Amida *In partibus infidelium,* de Burgos y de Zaragoza. Consejero de Estado en 1803.

Reinado de Fernando VII

Francisco J. Mier y Campillo (Inquisidor General de 1814 a 1818). Obispo de Almería entre 1802 y 1816, fecha en que renunció.

Jerónimo Castellón y Salas (Inquisidor General de 1818 a 1820). Obispo de Tarazona en 1815 y último Inquisidor General. Murió en 1835.

Relación cronológica de papas (1478-1834)

SIXTO IV (1471-1484). Francesco de la Róvere nació en Cella Liguria, Savona, en 1414, siendo investido papa el 25 de agosto de 1471. Su muerte se produjo en Roma el 12 de agosto de 1484. Fue el sucesor de Pablo II y contó para su acceso al trono papal con el apoyo de los cardenales Orsini, Borgia y Gonzaga. Hizo erigir la Capilla Sixtina en el Vaticano, así como el Puente Sixtino sobre el río Tíber.

Por lo que respecta a España, durante su papado promulgó la bula *Exigit sinceras devotionis affectatus* con la que nacía la moderna Inquisición española. Fechada en 1478, esta bula autorizaba la elección de inquisidores por parte de los monarcas españoles para proceder contra la herejía en los territorios bajo su reinado. También fue responsable de la creación del Consejo de la Suprema y Real Inquisición, en 1483, ante las sugerencias transmitidas por Isabel sobre la necesidad de dotarse de un Tribunal permanente y estable que entendiera de las reclamaciones y recursos a las actuaciones inquisitoriales. El 17 de octubre de ese mismo año, nombraba Inquisidor General de Castilla y Aragón a fray Tomás de Torquemada.

En 1481, se hizo eco de los acuerdos alcanzados por Castilla y Portugal promulgando la bula *Aeterni Regis*, que venía a confirmar el Tratado de Alcaçovas-Toledo, firmado en 1479 entre Alfonso V de Portugal y los Reyes Católicos.

INOCENCIO VIII (1484-1492). Nacido en Génova en 1432, Giovanni Batista Cybo es coronado papa el 12 de septiembre de 1484. Su paso por el Vaticano se caracterizó por los enfrentamientos con los Orsini y las continuas batallas contra Fernando de Nápoles. Prohibió a Pico de la Mirandola la defensa pública de sus tesis, por considerar que algunas de ellas contenían aspectos heréticos relacionados con la magia cabalística. En 1485 otorga confirmación al nombramiento de fray Tomás de Torquemada como Inquisidor General de Castilla y Aragón realizado por su antecesor, Sixto IV. Su muerte, el 25 de julio de 1492, dio paso al reinado de Alejandro VI.

Alejandro VI (1492-1503). Rodrigo Borgia era natural de Játiva, donde nació hacia 1431. Su tío Alfonso Borgia llegó al solio pontificio con el nombre de Calixto III entre 1455 y 1458. Rodrigo fue elegido papa en agosto de 1492 y durante su pontificado se produce la recuperación de todos los territorios pertenecientes a los Estados Pontificios y se realiza la reforma de las finanzas de la Santa Sede. La publicación entre mayo y septiembre de 1493 de las llamadas *bulas alejandrinas* o *Inter Caetera*, permitieron establecer las líneas de demarcación entre Portugal y España sobre futuras anexiones de territorios descubiertos o por descubrir de los dos reinos. En 1498 ordenaba la ejecución del religioso dominico Girolamo Savonarola, al que previamente había excomulgado. La preocupación española por la entrada de corrientes heréticas en las tierras del Nuevo Mundo recién descubiertas le llevaron a promulgar una bula que avalaba el control de extranjeros por parte de la Corona. Famoso por su vida licenciosa y sus intrigas, ambiciones y corruptelas, Rodrigo Borgia fue padre de los no menos célebres Lucrecia y César Borgia, además de otros dos hijos nacidos de su relación con una noble romana. Su muerte se produjo el 18 de agosto de 1503.

Pío III (1503). Francesco Todeschini-Piccolomini fue papa con el nombre de Pío III durante sólo diez días, ya que fue elegido el 8 de octubre de 1503 y su fallecimiento se produjo el 18 de ese mismo mes. Nacido en Siena en 1439, su mala salud le hizo pronunciarse en contra de su nombramiento que, finalmente, aceptó debido a las presiones recibidas desde diversos sectores eclesiásticos.

Julio II (1503-1513). Con el nombre de Julio II fue elegido papa Giuliano de la Róvere el 26 de noviembre de 1503. Sobrino de Francesco de la Róvere (Sixto IV), Giuliano nació en Albisola (Italia) en 1443. La llegada al Vaticano de Alejandro VI conduce a este franciscano al exilio durante el tiempo que duró su pontificado debido a las profundas diferencias mantenidas con Rodrigo Borgia antes de su investidura. En 1509 promueve la Alianza de Cambrai contra los venecianos, en la que participan Luis XII de Francia y el Emperador Maximiliano de Austria. Sin embargo, dos años después crea, junto a España y Venecia, la Santa Alianza, para frenar las intromisiones francesas en territorio italiano. Muy respetado por su gran mecenazgo, protegió a artistas como Bramante, Rafael y Miguel Ángel, a quien encargó los frescos de la Capilla Sixtina. Promovió la venta de indulgencias para la construcción de la catedral de San Pedro, práctica que también llevó a cabo su sucesor León X, lo que suscitaría las protestas de Lutero y otros reformistas. La figura de este papa sirvió de inspiración a Erasmo para escribir sus famosos *Coloquios*, cuya publicación en 1522 arrojaría una dura crítica contra la corrupción y el viciado ambiente del papado.

LEÓN X (1513-1521). Fue elegido papa el 19 de marzo de 1513. Natural de Florencia, donde nació el 11 de diciembre de 1475, Juan de Médicis era hijo de Lorenzo de Médicis, banquero y político italiano que destacó por su gran mecenazgo a literatos y artistas florentinos. Durante su papado, Lutero expuso las famosas 95 tesis contrarias a la venta de indulgencias dando origen a la Reforma protestante. Un año antes, en 1516, estableció un Concordato con Francia después de la derrota sufrida frente a Francisco I en 1515 y que fue ratificado por el V Concilio de Letrán. En el transcurso de los años 1520 y 1521, afronta la problemática luterana promulgando las bulas *Exsurge Domine* y *Decet Romanun Pontificem*, que significarían la definitiva ruptura con Lutero y su excomunión de la Iglesia católica. Pontífice durante un período en el que se afronta la evangelización de América, concede a la Orden de los franciscanos determinados privilegios para su misión en los territorios de ultramar mediante bula emitida el 25 de abril de 1521. León X muere en Roma el 1 de diciembre de ese mismo año.

ADRIANO VI (1522-1523). Más conocido como Adriano de Utrecht por su nacimiento en una localidad muy cercana a Utrecht –Deel–, Adrián Florensz accedió al trono papal el 31 de agosto de 1522 tras el cónclave convocado a la muerte de León X y al cual no pudo asistir por sus obligaciones como regente de la Corona de Castilla. Nombrado tutor de Carlos I por el emperador Maximiliano, ejerció su representación durante la regencia del Cardenal Cisneros a la muerte de Fernando el Católico, y la regencia de Castilla cuando, siendo ya rey de España, Carlos I tuvo que ausentarse para ser coronado emperador de Alemania. De 1516 a 1518 ejerció el cargo de Inquisidor General de Aragón y, desde este último año hasta su elección como papa, el de Inquisidor General de Castilla. Al igual que su predecesor, una bula promulgada el mismo año de su acceso al trono papal concedía prerrogativas a los franciscanos en su tarea evangelizadora en el Nuevo Mundo. Durante su breve pontificado, Adriano VI intentó detener el avance del luteranismo e iniciar una reforma de la curia romana. Su muerte, el 14 de septiembre de 1523, dejó en suspenso los proyectos de reforma.

CLEMENTE VII (1523-1534). Florencia y los Médicis volvieron a dar un nuevo papa, esta vez en la persona de Julián de Médicis. Hijo natural de Juliano de Médicis y sobrino de Lorenzo de Médicis, su elección se produjo el 26 de noviembre de 1523 después de haber ostentado el título de cardenal desde 1513. Bajo el nombre de Clemente VII, el período dominado por su mandato vio frustrados los intentos de acabar con el luteranismo y la rivalidad entre Carlos V y Francisco I de Francia. Como consecuencia de los enfrentamientos mantenidos por ambos monarcas y el apoyo prestado por Clemente VII al Rey francés a través de la Liga de Cognac, las tropas imperiales saquearon Roma en mayo de 1527, manteniendo al papa prisionero en el Castillo de

Sant'Angelo durante siete meses. Así mismo, Clemente VII precipitó la aparición del cisma anglicano al proceder a la excomunión de Enrique VIII, cuya pretensión de que quedara invalidado su matrimonio con Catalina de Aragón para contraer nuevas nupcias con Ana Bolena, no fue admitido por la Santa Sede. El 12 de marzo de 1524 eximía a Carlos V de los compromisos adquiridos en las Cortes de Zaragoza, celebradas en 1519, en relación con la protección a los moriscos de las provincias aragonesas frente al acoso inquisitorial. Más tarde, sin embargo, promulgaría una bula –fechada en diciembre de 1530– a través de la cual absolvía del delito de herejía a los miembros de esta minoría en Aragón, hasta tanto no se procediera a su evangelización.

PABLO III (1534-1549). Educado con la familia de los Médicis, Alessandro Farnese fue proclamado papa el 3 de noviembre de 1534. Nacido en la localidad de Canino (Italia) en 1468, durante su pontificado se acometió la convocatoria del Concilio de Trento –reunido por primera vez en 1545, trasladado a Bolonia en 1547 y suspendido en 1549–, la negociación del Tratado de Nicea entre Carlos V y Francisco I de Francia, la autorización, en 1540, de la fundación de la Compañía de Jesús y el restablecimiento de la Inquisición en Italia, en 1542. Su intercesión a favor de los moriscos granadinos, en 1546, les permitió el regreso a las tierras de donde habían sido expulsados y la garantía de que el Santo Oficio no procedería a la confiscación de bienes durante diez años, plazo establecido para su integración en la vida cristiana. En 1547 promulga una bula que otorga entidad e independencia a la Inquisición portuguesa, cuyo origen está en 1540.

JULIO III (1550-1555). De nombre Giovanni María de'Ciocchi del Monte, presidió, siendo cardenal y en nombre del Papa, el Concilio de Trento. Suspendido en 1549, Julio III lo volvió a convocar en 1550, aunque quedaría nuevamente aplazado en 1552. Su mediación entre Carlos V y Enrique III trajo consigo el regreso temporal de Inglaterra al seno de la Iglesia católica. Murió el 10 de noviembre de 1555 en Roma, la misma ciudad que le había visto nacer en 1487.

MARCELO II (1555). Los 22 días de papado de Marcelo II poco pudieron aportar a la política pontificia del momento. Elegido en el cónclave celebrado en abril de 1555 tras la muerte de Julio III, llegó a presidir el Concilio de Trento de donde había sido legado pontificio en 1545. Fue el último papa que conservó el nombre de bautismo. Nacido en 1501, murió el 1 de mayo de 1555.

PABLO IV (1555-1559). Gian Pietro Carafa nació en Sant'Angelo della Scalla, Italia, en 1476 y asumió el pontificado el 26 de mayo de 1555 con el nombre de Pablo IV. Enfrentado a Carlos V, quien se opuso a su nombramiento, salió derrotado en su intento de expulsar a los españoles de los territorios italianos a pesar de contar con el apoyo de Francia. Durante su papado presidió la Inquisición romana, creada en 1542, siendo Carafa cardenal, y emprendió una profunda reforma del clero siguiendo la estela de la *Contrarreforma*. De su lucha contra la herejía protestante destaca la denuncia pronunciada sobre la Paz de Ausburgo, que firmaron los Estados luteranos y el Sacro Imperio, y en relación con la política española, su falta de disposición al reconocimiento de Fernando I, hermano de Carlos V, como sucesor de éste en los territorios heredados del emperador Maximilano cuando Carlos renunció al imperio para retirarse a Yuste. En enero de 1559, a petición del entonces Inquisidor General español Fernando de Valdés, dicta un breve por el que otorga a la Inquisición facultad para proceder contra prelados y que Valdés utiliza para procesar al arzobispo de Toledo y Primado de las Españas, Bartolomé de Carranza, que había sido nombrado en 1558. En 1559 publica el primer *Índice de Libros Prohibidos* recopilado e inspirado por la Santa Sede y el 18 de agosto de ese mismo año se produce su muerte.

Pío IV (1559-1565). Natural de Milán, donde había nacido en 1499, a Giovanni Angelo de Médicis le cupo el honor de concluir el concilio de Trento, cuya última suspensión se había producido en 1552 y que él mismo reanudó durante su pontificado. Contrario a las tesis de su predecesor en lo concerniente a las disputas mantenidas con los españoles, Pío IV se decantó por el reconocimiento de Fernando I como emperador de Alemania. Deseando concluir el proceso contra el Arzobispo Carranza envía una legación a España para que dicte sentencia en su nombre, pero muere sin que hubiera pronunciamiento.

Pío V (1566-1572). Canonizado en 1712, Pío V, con cuyo nombre ascendió al trono papal Antonio Ghislieri el 17 de enero de 1566, nació en Bosco (Italia) en 1504. Dentro de la política pontificia llevada a cabo durante su mandato, habría que reseñar la formación de la Santa Liga junto a Venecia y España que en 1571 obtendría sobre los turcos la trascendental victoria en la batalla de Lepanto. Encargado de aplicar los decretos reformadores del Concilio de Trento, arremetió contra la simonía y el nepotismo dentro del clero y su apoyo a la Inquisición romana, de la que había llegado a ser Inquisidor General, le conferiría una imagen de dureza e intransigencia acorde con la represión llevada a cabo contra protestantes y herejes durante su pontificado. Excomulgó a Isabel I de Inglaterra, quien, una vez convertida al protestantismo, consolidaría la Iglesia anglicana y llevaría a cabo la persecución de católicos y puritanos. En 1567 traslada a Bartolomé de Carranza y su interminable proceso a Roma. Murió el 1 de mayo de 1572.

Gregorio XIII (1572-1585). Elegido en el cónclave celebrado el 25 de mayo de 1572, Ugo Buoncompagni accedió al trono papal desde su condición de cardenal, adquirida en

1564 bajo el pontificado de Pío IV. Natural de Bolonia, donde nació en 1502, su papado será recordado por la implantación, en 1582, del denominado calendario gregoriano y que en la práctica supuso la eliminación de diez días dentro de ese mismo año –del 4 de octubre se pasó al día 15– y la adopción, como norma, de considerar como bisiestos los años centenarios divisibles entre 400. El nuevo calendario evitaba, así, el desplazamiento de las fiestas de la Iglesia, de manera que se hicieron coincidir con las estaciones del año en que se habían producido las efemérides que se conmemoraban. Teólogo prominente del Concilio de Trento, realizó una revisión de los textos recopilatorios del derecho canónico, también conocidos como *Corpus iuris canonici* y consigue poner fin, después de diecisiete años, al proceso contra Carranza dictando sentencia en abril de 1576.

SIXTO V (1585-1590). Su nacimiento se produjo en Grotamare, localidad cercana a Montalto (Italia), en 1529. Bautizado como Felice Peretti, adquirió el apellido Montalto al ser nombrado cardenal en 1570. Gran defensor de los acuerdos adoptados en el Cocilio de Trento, suya fue la decisión de fijar en 70 el número de cardenales, así como la de llevar a efecto la prohibición de ostentar más de un cargo eclesiástico y del ejercicio de la simonía. Acometió los trabajos de finalización de la cúpula de San Pedro y de los palacios del Quirinal y del Vaticano. El 27 de agosto de 1590 moría en Roma.

URBANO VII (1590). Elegido papa el 15 de septiembre de 1590 murió el 27 del mismo mes antes de ser coronado. Nacido en Roma en 1521, Giovan Battista Castagana llegó a ser arzobispo de Rossano en 1553, Nuncio en Madrid desde 1564 a 1572 y Cardenal en 1583.

GREGORIO XIV (1590-1591). Poco menos de un año pudo mantenerse Niccolò Sfondrati en el trono papal. Elegido el 8 de diciembre de 1590, moría el 16 de octubre de 1591 en Roma. Como hechos destacados durante su papado cabría citar la excomunión dictada sobre Enrique IV de Francia, posteriormente absuelto por Clemente VIII en 1595, y la ampliación del derecho de asilo.

INOCENCIO IX (1591). Giovanni Antonio Facchinetti nació en Bolonia en 1519 y fue elegido papa el 3 de noviembre de 1591. Murió el 30 de diciembre de ese mismo año, dejando como única reseña de su biografía la asistencia al Concilio de Trento.

CLEMENTE VIII (1592-1605). Fue elegido papa el 9 de febrero de 1592 después de haber alcanzado el capelo cardenalicio en 1585. Ippolito Aldobrandini, nombre de pila de Clemente VIII, nació en la localidad italiana de Fano en 1536 y puede ser considerado como el último papa de la Contrarreforma. Durante su pontificado fue publicada y ejecutada la sentencia condenatoria sobre Giordano Bruno, filósofo y escritor italiano, acusado ante la Inquisición por hereje y quemado en la hoguera el 17 de febrero del año 1600. Su actuación como mediador entre Francia y España fue de gran importancia para lograr la paz entre ambas potencias en 1598. Su muerte se produjo el 3 de marzo de 1605.

LEÓN XI (1605). Alejandro de Médicis nació en Florencia en el año 1535 y fue elegido papa el 10 de abril de 1605. Su muerte, el 27 de ese mismo mes, dejaba nuevamente vacío el solio pontificio.

PABLO V (1605-1621). Gran protector de las artes, condenó, sin embargo, las teorías copernicanas según las cuales la Tierra giraba sobre sí misma una vez al día y, una vez al año, alrededor del Sol. Nacido en Roma en el año 1552, la elección como papa de Camilo Borghese se produjo el 29 de mayo de 1605 tras haber alcanzado el cardenalato en 1596. Murió el 28 de enero de 1621.

GREGORIO XV (1621-1623). Con el nombre de Gregorio XV, fue investido papa Alessandro Ludovisi el 14 de febrero de 1621. Natural de Bolonia, donde nació en 1554, el nuevo Pontífice instituyó la Congregación *Propaganda Fidei* y estableció el códice electoral del cónclave. El 8 de julio de 1623 moría en Roma.

URBANO VIII (1623-1644). En el año 1568, Florencia vio nacer a Maffeo Barberini, quien sería proclamado papa en el cónclave celebrado el 29 de septiembre de 1623 adoptando el nombre de Urbano VIII. Su fulgurante carrera le llevaría hasta el arzobispado de Spoleto, en 1608, después de haber sido nombrado delegado del papa en Francia en 1601, arzobispo titular de Nazaret en 1604 y cardenal en 1606. Gran impulsor de la arquitectura, emprendió la construcción del Palazzo Barberini en Roma y la villa de Castel Gandolfo, actual residencia veraniega del Papa. Bajo su pontificado se desarrollaron los procesos inquisitoriales contra Galileo y Campanella. Tommaso Campanella, filósofo italiano, sufrió cárcel durante 27 años antes de refugiarse en Francia en 1633. Por su parte, Galileo, astrónomo y físico, fue acusado de herejía por sus concepciones acordes con el sistema copernicano y obligado a abjurar de sus proposiciones. Urbano VIII decretó la prohibición de la esclavitud de los indígenas de Paraguay, Brasil y las Antillas en 1639 y llevó a cabo la condena del *jansenismo* en 1642. Su muerte se produjo el 27 de julio de 1644.

INOCENCIO X (1644-1655). Nació en Roma en 1574, donde también moriría el 7 de enero de 1655. Giambattista Pamphili fue elegido papa en 1644, concretamente el 4 de octubre, a pesar de la oposición del Cardenal Mazarino. Al igual que su predecesor, Urbano

VIII, condenó el *jansenismo* en la bula *Cum ocasione* y las violaciones que del derecho eclesiástico se hacían en la Paz de Westfalia (1648), que ponía fin a la Guerra de los Treinta Años y a los períodos de las grandes guerras de religión.

ALEJANDRO VII (1655-1667). Accedió al trono papal el 18 de abril de 1655. Natural de Siena, su nacimiento se produjo en 1599. Inmerso dentro del período de oposición al *jansenismo*, su pontificado llevó a cabo una nueva condena del movimiento de reforma religiosa inspirado por el teólogo flamenco Jansenio. Mandó erigir la famosa columnata de la plaza de San Pedro, obra de Gian Lorenzo Bernini. El 17 de abril de 1664 beatificaba al que fuera Inquisidor, Pedro Arbués de Epila, nombrado en 1484 y asesinado el 15 de septiembre del siguiente año. Alejandro VII murió el 22 de mayo de 1667.

CLEMENTE IX (1667-1669). Bautizado con el nombre de Giulio Rospigliosi después de su nacimiento en el año 1600 en la localidad de Pistoya, fue proclamado papa el 26 de junio de 1667. En su corto pontificado destaca el apoyo otorgado a Venecia en su guerra contra los turcos. Su muerte se produjo en Roma un 9 de diciembre de 1669.

CLEMENTE X (1670-1676). Escasa relevancia tuvo el pontificado de Emilio Altieri, nacido en Roma en 1590 y muerto el 22 de julio de 1676. Elegido papa cuando contaba 80 años de edad, fue testigo del agravamiento de las disputas jurisdiccionales con Francia y responsable de las canonizaciones de Francisco de Borja y del rey Fernando.

INOCENCIO XI (1676-1689). Beato. Nació en la localidad de Como en 1611, siendo elegido papa el 4 de octubre de 1676. Benedetto Odescalchi fue secretario de Inocencio X y militar antes de emprender su trayectoria religiosa. Nombrado cardenal en 1645, llegaría a ostentar el obispado de Novara cinco años más tarde. De su pontificado cabría destacar el apoyo concedido a *jansenistas* y *quietistas* en sus disputas con los *jesuitas* y la oposición a las doctrinas y teorías galicanas de Luis XIV, relativas a la limitación de la jurisdicción del papado sobre la iglesia francesa favoreciendo la injerencia de la monarquía. En 1678 participó en la firma del Tratado de Nimega, contribuyendo a resolver la llamada guerra de Holanda, iniciada en 1672 con la invasión de este país por tropas francesas. Del apoyo prestado a Miguel de Molinos durante sus primeros años de estancia en Roma, Inocencio XI terminaría condenando la doctrina molinosista y promulgando la bula *Coelestis pastor* en 1687, donde quedaba proscrita toda la obra del místico español. Murió en Roma el 12 de agosto de 1689.

ALEJANDRO VIII (1689-1691). Nacido en 1610, accedió al trono papal el 16 de octubre de 1689. Tuvo que abordar durante su pontificado las controversias surgidas a raíz de los ideales recogidos en los Cuatro Artículos Galicanos, promulgados en 1682 por la Asamblea General francesa y condenados por su antecesor, Inocencio XI. Su muerte se produjo un 1 de febrero de 1691.

INOCENCIO XII (1691-1700). Antonio Pignatelli fue papa desde el 15 de julio de 1691 hasta el 27 de septiembre de 1700, fecha de su muerte en Roma. Nacido en Spinazzola en 1615, la trayectoria religiosa de Pignatelli, hijo del Príncipe de Minervino, pasa por los arzobispados de Larisa y Nápoles para terminar ocupando la diócesis de Roma. Durante su papado se produce la renuncia de Luis XIV a las proposiciones galicanas. Murió el 27 de septiembre de 1700.

CLEMENTE XI (1700-1721). Su oposición al *jansenismo* le llevó a promulgar dos bulas condenatorias: *Vineam domini*, en 1705 y *Unigenitus*, en 1713. Nacido en Urbino en 1649, Giovanni Francesco Albani, fue elegido en el cónclave celebrado el 8 de diciembre de 1700, destacando su papado, además, por las difíciles relaciones mantenidas con Felipe V, quien adoptaría una política divergente y alejada de Roma. Clemente XI moría en Roma, el 19 de marzo de 1721.

INOCENCIO XIII (1721-1724). De nombre Michelangelo Conti, Inocencio XIII nace en Roma en 1655 y es elegido papa el 18 de mayo de 1721. Al igual que su antecesor, llevó adelante una política contraria a los *jansenistas*, confirmando la bula *Unigenitus* a través del Santo Oficio romano. Sus apoyos se orientaron hacia la Orden de Malta y la unidad de los príncipes cristianos en la lucha contra el turco. Por el contrario, parte de sus esfuerzos se canalizaron a través de una política de oposición a la Compañía de Jesús. Inocencio XIII murió en Roma, la ciudad que le vio nacer, el 7 de marzo de 1724.

BENEDICTO XIII (1724-1730). Elegido papa el 4 de mayo de 1724, Pietro Francesco Orsini creó la Congregación de los Seminarios y fue el responsable de la canonización del sacerdote y jesuita italiano Luis Gonzaga, en 1726. Nacido en Gravina (Italia) en 1649, murió el 2 de marzo de 1730.

CLEMENTE XII (1730-1740). Lorenzo Corsini fue elegido papa el 16 de julio de 1730. Había nacido en Florencia en 1652 y su muerte se produjo en Roma el 6 de febrero de 1740. Durante su papado fracasó en el intento de anexión de Parma a la Santa Sede y promulgó la primera bula reprobatoria de la francmasonería: la *In eminenti*, de 1738. En el aspecto cultural, potenció las universidades regidas por los dominicos así como la Biblioteca Vaticana.

Benedicto XIV (1740-1758). Próspero Lambertini nacía en Bolonia en 1675 y accedía al trono pontificio el 22 de agosto de 1740. Cardenal desde 1728 y arzobispo de Bolonia tres años más tarde, acumuló entre sus virtudes una gran erudición y una vasta cultura que le llevó al fomento del arte, las ciencias y la literatura. Fundador de las cátedras de matemáticas, física y química en la Universidad de Roma, volcó en la literatura su enorme sabiduría teológica. En 1748 escribe *De sacrosanto missae sacrificio* y *De synodo diocesana*. Del período anterior a su elección como papa figura *De servorum Dei beatificatione et beatorum*, escrita entre 1734 y 1738. Durante 1751 promulga una nueva bula condenatoria de la masonería que vendría a unirse a la dictada en 1738 por su antecesor Clemente XII. Murió en Roma el 3 de mayo de 1758.

Clemente XIII (1758-1769). Natural de Venecia, donde había nacido en 1693 y bautizado con el nombre de Carlo Rezzonico, fue elegido papa el 16 de julio de 1758. Protector de los jesuitas, llevó a cabo la condena de los enciclopedistas y de las ideas nacidas bajo el nombre de la Ilustración. Clemente XIII murió en Roma el 2 de febrero de 1769.

Clemente XIV (1769-1774). Fue el responsable, en 1773, de la supresión de la Compañía de Jesús, la cual mantendría tal condición hasta 1814. A pesar de su educación en instituciones eclesiásticas de esta Orden, Giovanni Vincenzo Ganganelli, nombre de pila de Clemente XIV, ingresó en la Orden de los franciscanos en 1723. Nacido en Rimini en 1705, su elección como papa se produjo el 4 de junio de 1769 y su acceso al cardenalato, diez años antes. El 22 de septiembre de 1774, muere en Roma.

Pío VI (1775-1799). Con el nombre de Pío VI, Giovanni Angelo Braschi fue investido papa el 22 de febrero de 1775. Su nacimiento se produjo en Cesena (Italia) en 1717 y su trayectoria religiosa pasó por las secretarías de Benedicto XIV y Clemente XIII, quien le nombró tesorero de la Iglesia. Una nueva condena al *jansenismo*, implícita en la bula *Autorem fidei*, fue dictada bajo su papado. Las severas condiciones impuestas a la autoridad eclesiástica en Austria, Francia y Nápoles, provocaron una declaración de guerra por parte de la Santa Sede. Con posterioridad al triunfo de la Revolución Francesa, Pío VI se vio obligado a condenar el movimiento revolucionario ante la confiscación de los bienes eclesiásticos llevados a cabo en el país y la disposición anticatólica de sus dirigentes. Esto sucedía en 1791 y siete años más tarde, la invasión de Italia por Napoleón, producida en 1797, acabaría llegando hasta Roma, donde Pío VI fue hecho prisionero por su negativa a la renuncia de su soberanía. Encarcelado en Siena y, posteriormente, trasladado a Valence (Francia), moriría en esta localidad francesa el 29 de febrero de 1799.

Pío VII (1800-1823). Pariente de su antecesor, Gregorio Luigi Bernaba Chiaramonti accedió al solio pontificio el 21 de marzo del año 1800. Natural de Cesena, al igual que Pío VI, llegó a ser abad del monasterio de Montecassino y obispo de Tívoli antes de ser nombrado cardenal. En relación con la doctrina *jansenista*, el mismo año de su proclamación promulga la encíclica condenatoria *Auctorem fidei*. Su relación con la Francia de Napoleón pasó por diversos avatares, siendo el primero de ellos de claro signo conciliador al firmar, en 1801, un Concordato con el gobierno francés por el que quedaba restablecida la Iglesia en ese país. Sin embargo, a pesar de su presencia en la proclamación de Napoleón como Emperador el 2 de diciembre de 1804, Pío VII fue encarcelado cinco años más tarde tras la anexión de los Estados Pontificios por Francia. Prisionero de Napoleón en Savona (Italia) y Fontainebleau (Francia), fue puesto en libertad cuando la trayectoria de los ejércitos napoleónicos auguraba el fin de la hegemonía francesa en Europa. En 1814 regresa a Roma para continuar al frente de su pontificado. Pío VII moría en Roma el 20 de agosto de 1823.

León XII (1823-1829). Natural de Spoleto (Italia), Annibale Sermattei della Genga, fue proclamado papa el 5 de octubre de 1823 después de haber sido nuncio en Colonia y Munich. Durante su papado llevaría a cabo la retirada de Galileo del Índice de libros prohibidos, cuyas teorías acerca del universo habían provocado la intervención del Santo Oficio, y la consiguiente condena inquisitorial, en tiempos de Urbano VIII. Nacido en 1760, moría en Roma el 10 de febrero de 1829.

Pío VIII (1829-1830). Francesco Saverio Castiglioni nació en Cingoli en 1761, ocupó las diócesis de Montalbo, Cesena y Frascati. El 5 de abril de 1829 fue elegido papa, cargo que ocuparía a lo largo de veinte meses, ya que el 30 de noviembre de 1830 moría en Roma. Su corto pontificado se caracterizó por las condenas vertidas sobre las sociedades secretas y el liberalismo y por la restauración de la jerarquía eclesiástica en los Países Bajos. Sumergido en el proceso de abolición de la Inquisición española, entendió del conflicto jurisdiccional de las llamadas Juntas de fe a través de un breve que designaba al Tribunal de la Rota como destinatario de las posibles apelaciones.

Gregorio XVI (1831-1846). Nacido en la localidad de Belluno en 1765, su elección como Pontífice se produjo el 6 de febrero de 1831 después de que León XII le nombrara cardenal y de haber ocupado la prefectura de *Propaganda Fidei*. De talante conservador, Alberto Capelari, nombre de pila de Gregorio XVI, mantuvo serias disputas con España motivadas por sus discrepancias con la regente María Cristina. Durante su papado quedó abolida, definitivamente, la Inquisición española. El 1 de junio de 1846 moría en Roma.

Cronología de acontecimientos históricos (1478-1834)

Año	Acontecimientos
1478	– Una bula promulgada por el Papa Sixto IV autoriza la Inquisición en Castilla. – **Sandro Botticelli termina *La Primavera*.**
1479	– Fernando sucede a Juan II como rey de Aragón.
1480	– Instauración de la Inquisición en Castilla.
1481	– **Juan II proclamado rey de Portugal.**
1482	– Inicio de la Reconquista de Granada con la entrada en Alhama – **Colón propone a Juan II de Portugal una ruta alternativa para llegar a la Indias a través del Atlántico.** – Sixto IV recorta atribuciones de la Inquisición castellana ante las quejas de los conversos.
1483	–Tomás de Torquemada es nombrado Inquisidor General de los reinos españoles. – **Carlos VIII sucede a Luis XI de Francia.**
1484	– **Sixto IV muere el 12 de agosto, sucediéndole Inocencio VIII.**
1486	– Cristóbal Colón se pone al servicio de los Reyes Católicos tras su experiencia fallida en Portugal.
1487	– Los Reyes Católicos conquistan Málaga. – Se prohibe a judíos y mudéjares ejercer la medicina en Huesca.
1489	– Creación del Consejo de Órdenes para incorporar a la Corona las Órdenes Militares. – Castilla conquista Baza, Guadix y Almería.
1492	–Toma de Granada y fin de la Reconquista. – Inicio de los viajes de Colón a América. – Decreto de expulsión de los judíos. – **Muere Inocencio VIII y le sucede Alejandro VI.**
1493	– Fernando II de Aragón se compromete a no aliarse contra Francia al firmar con el rey galo, Carlos VIII, el Tratado de Barcelona. – **Maximiliano I sucede a Federico III como emperador del Sacro Imperio.** – **Girolamo Savonarola, dominico y predicador ascético, inicia una violenta agitación a favor de una reforma moral estableciendo en Florencia una Constitución Demoteocrática.**
1494	– Creación del Consejo de Aragón. – Firma del Tratado de Tordesillas que fija la división entre las posesiones españolas y portuguesas.
1495	– El papa Alejandro VI autoriza la reforma de las órdenes religiosas españolas bajo la dirección del cardenal Francisco Jiménez de Cisneros.

---

* Las letras marcadas en negrita corresponden al ámbito de fuera de España.

Año	Acontecimientos
	– **Manuel I el Afortunado sucede a Juan II el Perfecto como rey de Portugal**
	– Jaume Ferrer de Blanes levanta un mapamundi tras proponer los primeros métodos de medición.
1496	– El Gran Capitán arrebata Nápoles a los franceses y el Papa le concederá la Rosa de Oro.
	– Los reyes de España reciben el título de «Católicos» en compensación por el título otorgado a los franceses de «cristiniasimos».
	– **Los judíos, expulsados de Portugal.**
	– Matrimonio Felipe I el Hermoso y Juana I la Loca, pasando la sucesión española a los Habsburgo.
1497	– Los Reyes Católicos decretan la hoguera como castigo a la sodomía.
	– Las Ordenanzas de Medina del Campo unifican el sistema monetario español.
	– **Girolamo Savonarola es excomulgado por el papa Alejandro VI**
1498	– El Sínodo realizado en Talavera obliga a hacer un registro parroquial de los bautizos realizados.
	– **Por la publicación del *Tratado sobre el régimen de gobierno de la ciudad de Florencia*, Savonarola es condenado a muerte.**
	– **Luis XII sucede al rey de Francia Carlos VIII.**
	– **Miguel Ángel esculpe la *Pietá*.**
1499	– Primera edición de la *Tragicomedia de Calixto y Melibea*, atribuida al bachiller Fernando de Rojas.
1500	– El Cardenal Cisneros publica *Ejercicio de la vida espiritual*.
1501	– Isabel la Católica autoriza la introducción de esclavos negros en América.
	– **Por el pacto de Granada, Luis XII de Francia y Fernando de Aragón se reparten Nápoles.**
1502	– Decretada la expulsión de España de los mudéjares no conversos.
	– Nicolás de Ovandos, Gobernador de Indias, pacifica La Española (Santo Domingo).
	– **Moctezuma es proclamado emperador azteca.**
1503	– Creación de la Casa de Contratación de Sevilla, para que la Corona comercie con América.
	– Las tropas españolas de El Gran Capitán derrotan a las francesas en Ceriñola (Italia).
	– **Pío III sustituye por veintiséis días a Alejandro VI. Después el Pontificado lo ocupará Julio II.**
1504	– Muere Isabel la Católica.
	– **Por el Tratado de Lyon, que cierra la guerra entre España y Francia, se reconoce a España el Reino de Nápoles.**
1505	– El Segundo Tratado de Blois establece el matrimonio de Fernando II el Católico y Germana de Foix.
	– Tras la aprobación del testamento de Isabel, Felipe el Hermoso se opone a la regencia de Fernando con el apoyo de la alta nobleza de Castilla.
	– **Da Vinci finaliza *La Gioconda*.**
	– **Julio II confía a Miguel Ángel su tumba, de la que se conservan el *Moisés* y los *Esclavos*.**
1506	– Por el Tratado de Villafáfila (Zamora), Fernando cede a Felipe el Hermoso y a su hija Juana la Corona de Castilla.
	– **Erasmo de Rotterdam publica el *Enchereidion* en el que se plantea una reforma religiosa.**
	– Antonio de Nebrija publica *Lexicon iuris civilis*.
	– Tras la muerte de Felipe el Hermoso comienza la segunda regencia de Fernando el Católico.
1507	– Las tropas del Cardenal Cisneros conquistan Mazalquivir, al norte de África.
	– **Margarita de Austria Gobernadora de los Países Bajos.**
1508	– Las tropas castellanas alcanzan el puerto de Gomera en África.
	– Inauguración de la Universidad de Alcalá de Henares.
	– Américo Vespucio piloto mayor de la Casa de Contratación de Sevilla.
	– Garci Rodríguez de Montalvo publica el romance caballeresco *Amadís de Gaula*.
	– **Luis XII, Julio II, Maximiliano I y Fernando II el Católico organizan la Liga de Cambrai para invadir Venecia.**
	– **Miguel Ángel incia los frescos de la Capilla Sixtina requerido por Julio II.**
1509	– Por el Tercer Tratado de Blois Maximiliano I reconoce como regente de Castilla a Fernando el Católico.
	– **Inicio de la traducción de la Biblia al francés.**
	– **Enrique VIII sucede a Enrique VII en el trono de Inglaterra.**
	– **Erasmo de Rotterdam escribe la sátira *Elogio de la locura*.**
1510	– Castilla conquista Bugía y Argel en África.
	– La Casa de la Contratación de Sevilla autoriza la importación de esclavos africanos en América.

Año	Acontecimientos
1511	– Diego de Velázquez conquista Cuba para España. – Se crea una Audiencia en La Española. – Berruguete realiza los frescos de la sala capitular de la catedral de Toledo.
1512	– Julio II, por la bula *Pastor ille caelestis*, excomulga a Catalina II de Navarra y a su marido. – Castilla toma Navarra y expulsa a Juan III de Albret. – Juan Díaz de Solís sucede a Américo Vespucio como piloto mayor de la Casa de Contratación. – La Junta de Teólogos de Burgos prohíbe la esclavitud de los indios americanos. – **V Concilio de Letrán.**
1513	– Ponce de León toma la península de la Florida. – Fernando el Católico se compromete a respetar los Fueros de Navarra. – **León X sucede a Julio II.** – **El almirante turco Piri Reis realiza un planisferio.** – **Maquiavelo concluye *El Príncipe* y *Discursos sobre la primera década de Tito Livio*.**
1514	– Preparación de la Biblia políglota en la Universidad de Alcalá de Henares.
1515	– Carlos de Habsburgo recibe en herencia las posesiones de Felipe I el Hermoso. – **Tomás Moro escribe *Utopía*.**
1516	– Carlos de Habsburgo recibe en herencia las posesiones de Fernando II el Católico. Francisco Jiménez de Cisneros es regente durante la minoría de edad. – Carlos de Habsburgo y Francisco I de Francia firman el Tratado de Noyon que reconoce la soberanía de Francia en el Milanesado y devuelve la Corona Navarra a Juan III de Albret. – Bartolomé de las Casas presenta al Cardenal Cisneros el *Memorial de catorce remedios*, plan de gobernación de las Indias. – **Erasmo de Rotterdam dedica a Carlos V *Institutio principis christiani* y publica la edición crítica grecolatina del Nuevo Testamento.**
1517	– Erasmo de Rotterdam rechaza la invitación de Jiménez de Cisneros para visitar España. – Domenico Fancelli realiza el sepulcro de los Reyes Católicos en la capilla real de Granada. – **95 *tesis* de Lutero contra las indulgencias promulgadas por León X.**
1518	– En las Cortes de Valladolid se jura fidelidad a Carlos de Habsburgo y, poco después, en Aragón. El nuevo rey jura sus fueros. – Castilla incorpora a su jurisdicción las tierras americanas. – Creación del Santo Oficio en Sicilia. – Sebastián Caboto, nuevo piloto mayor de la Casa de Contratación de Sevilla.
1519	– Las cortes catalanas juran fidelidad a Carlos de Habsburgo quien, tras el fallecimiento de Maximiliano I, es coronado emperador con el nombre de Carlos V. – Hernán Cortés hace prisionero y asesina al emperador Moctezuma II. – Bartolomé Ordóñez realiza el monumento de Felipe el Hermoso en la capilla real de Granada. – **Tras varias publicaciones y actos manifiestamente contrarios a las indulgencias promulgadas por León X, Martín Lutero rompe definitivamente con la Iglesia Católica.** – **Comienza la travesía alrededor del mundo del portugués Fernando Magallanes.**
1520	– Sublevación azteca en Tenochtitlan. – Coronación de Carlos V en Alemania. – Se extiende la revuelta de los comuneros de Castilla (derrotada un año después) que acompaña a la de las Germanías de Valencia y Mallorca después, al tiempo que otras sublevaciones campesinas se suceden en Austria, Nápoles y otros territorios europeos. – **La bula *Exsurge domine* acusa a Martín Lutero de herejía, y este difunde su Reforma con varias publicaciones.**
1521	– Cortés derrota a los aztecas en Otumba y finaliza la conquista de México. – **Lutero expulsado del Imperio tras su negativa a retractarse.** – **León X muere el 1 de diciembre.**
1522	– Con el Tratado de Windsor, Enrique VIII y Carlos V acuerdan el matrimonio de éste con María Tudor. – Juan Luis Vives publica una edición revisada y comentada de San Agustín. – Juan Sebastián Elcano concluye el viaje alrededor del mundo iniciado por Magallanes. – Fin de los comuneros de Castilla y de la Germanía de Castilla. – **Erasmo de Rotterdam critica las costumbres del clero católico en sus *Coloquios*.**

Año	Acontecimientos
	– Los Caballeros Hospitalarios de San Juan capitulan en Rodas (Grecia) frente a Solimán II el Magnífico. – Los ingleses atacan el noroeste de Francia. – Martín Lutero publica la traducción del Nuevo Testamento. – Adriano de Utrecht, antiguo preceptor de Carlos V, es nombrado Papa (Adriano VI).
1523	– Por una bula papal las órdenes de Santiago, Calatrava y Alcántara se incorporan a la Corona Española. – Se reúnen las Cortes de Castilla. – Rendición de Palma y fin de las Germanías de Mallorca. – **Clemente VII es elegido nuevo Papa tras la muerte de Adriano VI.**
1524	– Juan Luis Vives publica *De institutione feminae christianae* e *Introducción a la sabiduría*. – Alvarado conquista Guatemala. – Creación del Consejo de Indias con jurisdicción sobre los territorios conquistados. – Por la presión de banqueros alemanes, Carlos V permite el comercio de bancos extranjeros con las Indias. – **En *De libero arbitrio* Erasmo de Rotterdam ataca el luteranismo.** – **Clemente VII (Julián de Medicis) se alía con Francisco I y con Venecia contra Carlos V.** – **Rebelión de nobles alemanes contra Carlos V.** – **Martín Lutero publica su *Carta a los príncipes de Sajonia*.**
1525	– Publicación del Edicto contra la Secta de los Alumbrados de Toledo. – Difusión del arcabuz, arma española. – Comienzo de la construcción de la fachada plateresca de la Universidad de Salamanca.
1526	– Firma de la Paz de Madrid por Carlos V y Francisco I, que romperá este último al aliarse con Inglaterra, Milán y Clemente VII en la Liga de Cognac. Comienza una guerra entre Carlos V y la Liga. – Desacuerdo de Carlos V con las tesis de libertad religiosa de la Dieta de Espira (Alemania). – Gonzalo Fernández de Oviedo, historiador, publica el *Sumario de la natural historia de las Indias*.
1527	– Polémica en Valladolid entre erasmistas y antierasmistas. – Creción de la Audiencia de México. – **Motín del ejército hispano-alemán, que llevará a un saqueo de la ciudad de Roma.**
1528	– Ignacio de Loyola se refugia de la Inquisición en Francia. – Primera reunión (con Carlos V) de las Cortes de Aragón Cataluña y Valencia en Monzón (Huesca).
1529	– Juan Luis Vives publica el opúsculo *De la pacificación*. – El Tratado de Zaragoza establece la nueva demarcación de territorios de España y Portugal. – Fundación de la Casa de Contratación de La Coruña. – **Tras el rechazo del Papa a la petición de Enrique VIII sobre su matrimonio, el lord canciller y nuncio pontificio inspirador del divorcio es sustituido por Tomás Moro.** – **Ulrico Zwinglio forma la Liga Cívica Cristiana en Zúrich.**
1530	– Carlos V entrega Malta a la Orden de San Juan. – Un real decreto prohíbe esclavizar a los indios americanos. – **Carlos V se hace con Florencia y restaura en el poder a los Médicis.** – **Clemente VII corona emperador y rey de Italia a Carlos V en Bolonia.** – **La Reforma protestante oscila entre las opiniones más radicales de Ulrico Zwinglio (*Confesión tetrapolitana*) y las moderadas de Melanchton (*Confesión augustana*).** – **Carlos V pretende la unión de los cristianos por la Dieta de Augsburgo (Alemania) que ratifica el Edicto de Worms.**
1531	– Vives escribe *De tradendis disciplinis*. – Miguel Servet, médico y teólogo protestante español, niega la existencia del dogma de la Santísima Trinidad en su obra *Sobre los errores de la Trinidad*. – Pizarro comienza la conquista de Perú. – **En respuesta a la Dieta de Augsburgo los estados protestantes crean la Liga Smalkalda.** – **Juan III de Portugal solicita la creción del Santo Oficio en su país.**
1532	– **Firma de la Paz de Nuremberg entre Carlos V y los estados protestantes.**
1533	– Nueva reunión de las cortes catalanas, aragonesas y valencianas en Monzón (Huesca). – **Clemente VII excomulga a Enrique VIII cuando el rey inglés publica el Acta de Supremacía que le otorga poderes plenos como jefe espiritual de la su Iglesia.**
1534	– Ignacio de Loyola, Francisco Javier y Diego Laínez fundan la Compañía de Jesús en París.

Año	Acontecimientos
	– Pablo III es el nuevo Papa tras Clemente VII.
	– Martín Lutero completa la traducción de la Biblia al alemán.
1535	– Establecimiento del virreinato de México o Nueva España
	– Miguel Servet publica y comenta la obra *Geografía* de Tolomeo.
	– Garcilaso de la Vega escribe su *Égloga primera*.
	– El canciller Tomás Moro es ejecutado por orden de Enrique VIII.
1537	– Tercera reunión de cortes en Monzón.
	– El portugués San Juan de Dios funda la Orden de Hermanos Hospitalarios en Granada.
	– Francisco de Vitoria dicta en su cátedra de Salamanca el *De temperantia*.
	– Pablo III, por la bula *Sublimis Deus*, reconoce a los indios como seres racionales e hijos de la Iglesia con plenos derechos
1538	– Francisco de Vitoria publica *De Indis*.
	– Juan Luis Vives escribe *De anima et vita*.
	– Carlos V convoca las Cortes de Castilla.
	– Fundación de la primera universidad del Nuevo Mundo: la de Santo Domingo.
1540	– El *Index locupletissimus* de Francisco Ruiz integra los contenidos de todas las obras de Aristóteles.
	– Thomas Cromwell es ajusticiado en Londres acusado de herejía y alta traición.
1541	– Con la muerte de Juan de Valdés se disuelve el grupo religioso erasmista de Nápoles.
	– Juan Bautista Carrano descubre las válvulas de las venas.
	– Alvar Núñez Cabeza de Vaca explora Paraguay.
	– Sublevación de los indios de Nueva Galicia.
	– La Dieta de Ratisbona impulsada por Carlos V intenta restablecer la unidad religiosa.
	– Miguel Ángel termina los frescos del *Juicio Final* de la capilla Sixtina.
1542	– Cuarta reunión de las Cortes de Valencia, Aragón y Cataluña en Monzón.
	– En el *Memorial de fray Bartolomé de las Casas y fray Rodrigo de Andrada al Rey* se critica la imposición de leyes españolas a los indígenas americanos.
	– Creación del virreinato de Perú.
	– Berruguete esculpe la *Transfiguración* que se encuentra en la Catedral de Toledo.
	– Las Leyes Nuevas promulgadas por Carlos V pretenden ofrecer un trato más humano a los indios.
	– El jesuita Francisco Javier desembarca en Goa con la misión de evangelizar la India.
1543	– Blasco de Garay inventa la navegación a vapor.
	~~Tributos de tipo aduanero son impuestos por Carlos V en el comercio con América.~~
	– Sublevación araucana en Caupolicán (Chile).
	– Copérnico publica *De revolutionibus orbium caelestium*.
1544	– Creción de las Audiencias de Lima, en Perú, y Santa Fé, en Argentina.
	– La Dieta de Espira une a los príncipes protestantes con Carlos V frente a Francisco I; con la Paz de Crépy, estos dos últimos se aliarán en la lucha de Carlos V con los primeros.
1545	– Domingo de Soto escribe *Deliberación en la causa de los pobres*.
	– Pedro de Medina publica *El arte de navegar*.
	– En la Dieta de Worms, los Estados protestantes agrupados en la Liga Smalkalda se niegan a acudir al Concilio de Trento.
	– Inicio del Concilio de Trento.
1546	– Jaime Enzinas, luterano español, es condenado a muerte y ejecutado en Roma.
1547	– Primera relación de libros prohibidos de la Inquisición española.
	– Nueva reunión de cortes (la quinta ya) en Monzón.
	– Expansión de la Compañía de Jesús por el Nuevo Mundo.
	– Iván IV Vasílevich, zar de todas las Rusias.
	– Enrique II sucede a Francisco I de Francia.
	– Eduardo VI sucede a Enrique VIII de Inglaterra.
	– Juan III de Portugal establece una Inquisición siguiendo el modelo de la de España.
1548	**– En el Ínterim de Augsburgo Carlos V autoriza a los protestantes la comunión con pan y vino y el matrimonio de los sacerdotes.**
1549	**– Subvencionado por el embajador de Francia en Jerusalén, Guillaume Postel comienza la traducción de la Biblia al árabe.**

Año	Acontecimientos
	– **Muere Pablo III.**
1550	– **Julio III, nuevo Papa.**
1551	– **Reanudación del Concilio de Trento.**
1552	– Nuevas Cortes en Monzón, Huesca.
	– Fray Bartolomé de las Casas publica *Brevísima historia de la destrucción de las Indias*.
	– Alonso Chaves, piloto mayor de la Casa de Contratación de Sevilla.
1553	– Miguel Servet publica *Christianismi restitutio* y es condenado a la hoguera por Juan Calvino.
	– **María I Tudor sucede a Eduardo VI de Inglaterra.**
1554	– Publicación en Burgos, Alcalá y Amberes de *La vida de Lazarillo de Tormes y de sus fortunas y adversidades*.
1555	– Carlos V cede a Felipe II, su hijo, el Gobierno de los Países Bajos.
	– Prohibición de las novelas de caballerías por las Cortes españolas.
	– **Al Papa Julio III le sucede Marcelo II, que morirá ese mismo año.**
	– **Pablo IV es nombrado papa.**
1556	– Carlos V cede la corona de España a su hijo Felipe II y el trono imperial con los dominios austríacos a su hermano Fernando I.
	– Diego Laínez sustituye a Ignacio de Loyola al frente de la Compañía de Jesús.
1557	– Tratado de paz entre España y el papa Pablo IV.
	– Francisco de Vitoria publica *Relectiones theologicae*.
	– El jefe araucano Caupolicán es ajusticiado por los españoles.
	– Victoria española sobre Francia en San Quintín.
	– Juan Bautista de Toledo comienza, por orden de Felipe II, el monasterio de San Lorenzo de El Escorial.
	– La infanta Juana, gobernadora de España, prohíbe la introducción de libros extranjeros en el país.
	– **A Juan III el Piadoso de Portugal le sucede Sebastián I.**
	– **Fernando I de Habsburgo, con la Controversia de Worms, fracasa en el último intento de unificación religiosa**
1558	– **A María I Tudor de Inglaterra le sucede su hermana Isabel I.**
	– **Iván IV el Terrible llega a las puertas del Báltico.**
1559	– Fernando Valdés, Inquisidor General, publica un *Índice de libros prohibidos*.
	– Diversos autos de fe contra protestantes en Valladolid y Sevilla.
	– **A Enrique II de Francia, muerto en un torneo, le sucede su hijo Francisco II.**
	– **El *Index Vaticanus* recoge los libros contrarios a la doctrina católica.**
	– **Pío IV es el nuevo Papa tras Pablo IV.**
1560	– **Carlos IX sucede a Francisco II de Francia bajo regencia de su madre Catalina de Médicis.**
	– **John Knox organiza la Iglesia presbiteriana en Escocia.**
1561	– Felipe II traslada la Corte a Madrid.
	– Fray Luis de León traduce y glosa el *Cantar de los cantares* para la lectura de la monja Isabel Osorio.
1562	– Teresa de Jesús inaugura el primer convento de Carmelitas Descalzas en Ávila.
1563	– Felipe II convoca las Cortes aragonesas.
	– **Gracias a Morone, Laínez y Salmerón triunfan las tesis dogmáticas en el Concilio de Trento.**
1564	– **El rey de Francia decreta el comienzo del año el 1 de enero, siendo hasta entonces de Pascua a Pascua.**
	– Teresa de Jesús comienza *Camino de perfección*.
	– Extensión de la primera gran peste del reinado de Felipe II.
1565	– **Los decretos del Concilio de Trento adquieren el rango de leyes de Estado.**
	– Juan Tomás Purcell describe las primeras autopsias en *Información y curación de la peste de Zaragoza y preservación contra la peste en general*.
	– Pedro Menéndez de Avilés funda la primera ciudad de los actuales Estados Unidos: San Agustín.
	– **Los Caballeros Hospitalarios de San Juan expulsan a los invasores turcos de la isla de Malta con la ayuda de los españoles.**
	– **Muere Pío IV.**
1566	– **En el Sínodo de Amberes se funda la iglesia calvinista de los Países Bajos.**
	– **Pío V es elegido Papa.**
1567	– Con la concesión por el Papa del impuesto del excusado sobre los bienes del clero en Castilla, Felipe II busca financiación para la guerra de Flandes.

Año	Acontecimientos
	– El Tribunal de la Sangre juzga a los *Gueux,* sublevados contra los españoles en los Países Bajos.
	– Por iniciativa del duque de Alba se sustituye el arcabuz por el mosquete en los Tercios de Flandes.
	– Nuevamente estalla la guerra contra los hugonotes tras intentar secuestrar a Carlos IX.
	– María Estuardo I abdica en su hijo Jacobo I tras la sublevación de la nobleza.
1568	– Juan de la Cruz funda la Orden de los Carmelitas Descalzos.
	– Rebelión de los moriscos en las Alpujarras al serles prohibido el uso de sus vestimentas y su lengua.
	– Isabel I encarcela en Inglaterra a la refugiada María I Estuardo.
	– Pío V reafirma su autoridad sobre el poder imperial en la bula *In caena Domini.*
1569	– Tomás de Mercado publica *Tratos y contratos de mercaderes y tratantes.*
1570	– Se constituye el tribunal permanente del Santo Oficio de Lima.
	– Teresa de Jesús escribe *El castillo interior o tratado de las moradas.*
	– La Liga Santa integra a España, Venecia y los Estados Pontificios en su lucha contra el Imperio otomano.
	– La Paz de Saint-Germain extiende la libertad de culto para los hugonotes en toda Francia excepto París.
	– Pío V excomulga a Isabel I de Inglaterra.
1571	– Se sofoca la rebelión de las Alpujarras y se expulsa a los moriscos granadinos.
	– Se constituye el tribunal permanente del Santo Oficio de México.
	– Los aliados, dirigidos por Juan de Austria, derrotan a los turcos en Lepanto.
	– Pío V promueve la «guerra santa» contra los turcos.
1572	– Fray Luis de León, detenido por la Inquisición.
	– Luis Vaz de Camões concluye el poema épico *Os lusíadas.*
	– Muere Pío V, sucediéndole Gregorio XIII.
1573	– Holanda y Zelanda se sublevan contra la soberanía española y nombran nuevo gobernador.
	– Mathieu Salade es condenado a la hoguera en Lima acusado de luteranismo.
	– Teresa de Jesús escribe el *Libro de las fundaciones.*
	– Derogación de la cédula de 1529, por la que Sevilla recupera el control del comercio americano.
	– Unos veinte mil hugonotes son asesinados en la *Noche de San Bartolomé* **francesa.**
1575	– Comienzo del cautiverio de Cervantes en Argel.
	– Segunda bancarrota de Felipe II en España debido a la moratoria de la deuda.
1576	– Fray Luis de León queda libre y retoma su tarea docente.
	– Rodolfo II sucede a su padre Maximiliano II como emperador germánico.
	– Saqueo de Amberes por las tropas españolas.
1577	– Juan de la Cruz es encarcelado y escribe gran parte de su obra poética.
1578	– Tras el saqueo de Amberes los tercios españoles regresan a España.
1579	– Alejandro Farnesio, por la Unión de Arrás se gana para la Corona española el sur de los Países Bajos reafirmando las libertades de esas provincias. Frente a ellos, el norte se organizará en la Unión de Utrecht.
	– En la India, el Decreto de Infalibilidad confirma la supremacía imperial de los teólogos en materia de ley y administración.
	– Doménikos Theotokópoulos (el Greco) culmina *El Expolio de Cristo.*
1580	– Felipe II se impone en la lucha por el trono portugués e incorpora el país a España.
	– Zwinglianos y calvinistas forman en Suiza la Iglesia Reformada.
	– Jean Bodin, economista y filósofo francés es sospechoso de brujería por su libro *Demonomanía de las brujas.*
1581	– Las Cortes de Tomar reconocen a Felipe II como rey de Portugal.
1582	– Vigésimo Concilio de Toledo.
	– Gregorio XIII aprueba el *Corpus iurus canonici,* **núcleo normativo de Derecho canónico.**
1583	– Fray Luis de León publica *La perfecta casada* y *De los nombres de Cristo.*
	– Galileo Galilei descubre el isocronismo del movimiento pendular.
1584	– Fin de las obras de El Escorial.
1585	– Segunda y última convocatoria de las Cortes de Aragón con Felipe II.
	– Muere Gregorio XIII. Es nombrado papa Sixto V.
1586	– El Greco realiza *El entierro del conde de Orgaz.*
1587	**– María I Estuardo es ejecutada en Inglaterra.**

Año	Acontecimientos
1588	– Creación de la Cámara de Castilla, dependiente del Consejo de Castilla. – Derrota de la Armada Invencible frente a las costas inglesas. – Por la publicación de *De los errores de Porfirio*, Francisco Sánchez de las Brozas (el brocense) será sometido a un proceso inquisitorial. **– Los «castrati» se imponen en el teatro musical romano con la prohibición de Sixto V a que suban a un escenario las mujeres.**
1589	– Epidemia de peste en el territorio español.
1590	**– Gregorio XIV sucede a Urbano VII que, ese mismo año, había sustituido al papa Sixto V tras su fallecimiento.** **– En *De motu* Galileo formula las leyes sobre la caída de los cuerpos.** **– William Shakespeare escribe *Enrique VI*.** **– Della Porta concluye la cúpula de San Pedro diseñada por Miguel Ángel.**
1591	**– Mientras es publicada su obra *Sobre la composición de las imágenes*, Giordano Bruno es entregado por Venecia a la Inquisición romana acusado de herejía.** **– A Gregorio XIV le sucede Inocencio IX, que moriría ese mismo año.**
1592	– Felipe II convoca a las Cortes de Aragón. – Fernando de Herrera publica *Elogio de la vida y muerte de Tomás Moro*. **– Clemente VIII sucede al papa Inocencio IX.** **– Edición definitiva de la *Vulgata Sixtina*, edición latina de la Biblia.**
1595	– Alvaro de Mendaya descubre las Islas Marquesas (Polinesia). **– Francia le declara la guerra a España.**
1596	– Juan Rufo publica en Toledo *Los seiscientos apotemas*. – Tercera bancarrota con Felipe II. **– Los Países Bajos e Inglaterra se alían con Francia contra España.**
1597	– Los españoles conquistan Amiens y Calais y amenazan París. – José de Calasanz abre en Roma la escuela de los Escolapios, precursora de la escuela popular gratuita. – Cervantes, encarcelado en Sevilla.
1598	– Felipe III sucede a su padre Felipe II. – Félix Lope de Vega publica *La Arcadia* y *La Dragoneta*. **– Campanella, encarcelado por predicar la insurrección y el reparto de tierras feudales a los campesinos.**
1599	– Peste en Castilla.
1600	**– Después de un proceso de siete años Giordano Bruno es quemado en la hoguera.**
1601	– Felipe III traslada la Corte a Valladolid. – Desembarco de la flota en Irlanda en apoyo de la población católica del Ulster. – El Consejo de Millones se crea para administrar la Hacienda Real.
1602	**– Fernando II de Austria prohíbe la Reforma protestante en sus Estados.** **– Cipriano de Valera publica la versión reformista La Biblia. Los Sacros Libros del Viejo y Nuevo Testamento.** **– Petrus Paulus Rubens pinta La glorificación de la Cruz.**
1603	– Aumento del valor nominal de la moneda de vellón decretado por Felipe III.
1604	– Por la Paz de Londres se permite el comercio inglés en España. **– Galileo halla el movimiento rectilíneo uniformemente acelerado y postula la Ley de los Espacios.** **– Kepler define la reflexión de la luz en *Óptica* y publica *Ad vitellionem paralipomena*.** **– Shakespeare estrena *Otelo*.** **– Fundación de la Compañía francesa de las Indias Orientales y del Conselho da India en Portugal.** **– La peste de Inglaterra causa estragos en York.**
1605	– Publicación de la primera parte de *Don Quijote de la Mancha* de Miguel de Cervantes Saavedra. – Felipe III cierra el comercio con los ingleses con las posesiones españolas y portuguesas. **– León XI sucede a Clemente VIII y será sucedido el mismo año por Pablo V.** **– Francis Bacon publica la primera parte de la *Enciclopedia del saber humano*.**
1606	– Traslado de la Corte a Madrid.

Año	Acontecimientos
	– Francisco de Quevedo y Villegas comienza a publicar *Los sueños*. **– El portugués Vázquez de Torres descubre Australia.**
1607	– Nueva bancarrota de la Corona. **– Claudio Monteverdi termina Orfeo.**
1608	– Francisco de Sales publica *Introducción a la vida devota*.
1609	– El duque de Lerma da por concluida la Tregua de los Doce Años entre España y Holanda. – Garcilaso de la Vega «el Inca» escribe *Comentarios Reales*. – Felipe III decreta la expulsión de los moriscos. **– Galileo construye el primer telescopio.**
1610	**– Enrique IV de Francia es asesinado y María de Médicis asume la regencia.**
1612	– El «Índice de libros prohibidos» es publicado por el Inquisidor General Bernardo de Sandoval.
1615	**– La secta del Rosacruz (Rosenkreutz) se extiende por Alemania antes de pasar a Francia e Inglaterra.**
1616	**– Armand Jean du Plessis Richelieu, es nombrado secretario de Estado para la Guerra y Asuntos Exteriores.** **– Campanella publica la *Apología de Galileo*.** **– La Inquisición condena el heliocentrismo de Copérnico al incluir en el Índice romano su libro «De revolutionibus orbium celestium».** **– El 23 de Abril mueren Miguel de Cervantes y William Shakespeare.** – Segunda parte de *Don Quijote* de Cervantes.
1617	– Publicación de la *Historia General del Perú* del Inca Garcilaso.
1618	– Publicación, de modo póstumo, de *Subida al monte Carmelo*, *Noche Oscura* y *Llama de amor viva* del místico Juan de la Cruz. **– Inicio de la Guerra de los Treinta Años.**
1619	– Juan Gómez termina la Plaza Mayor de Madrid. – Lope de Vega termina *Fuenteovejuna*. **– Vanini, denunciado por mago, astrólogo y ateo será quemado en la hoguera.**
1620	**– El *Novum Organum* de Bacon forma parte de un plan de reforma de las ciencias.**
1621	– Felipe IV sucede a su padre Felipe III. **– Gregorio XV sucede a Pablo V.**
1622	– Gregorio XV canoniza a Ignacio de Loyola, Teresa de Jesús, Francisco Javier e Isidro de Madrid. **– Armand Jean du Plessis Richelieu es elevado a la dignidad cardenalicia.**
1623	– Velázquez es nombrado pintor real y realiza el retrato del conde-duque de Olivares. **– Urbano VIII sucede como Pontífice a Gregorio XV.**
1625	– Los ingleses atacan Cádiz pero son derrotados por los españoles.
1626	– Quevedo publica *Historia de la vida del Buscón llamado don Pablos, ejemplo de vagabundos y espejo de tacaños*.
1627	– Pubicación póstuma en Bruselas de *Cántico espiritual*, de Juan de la Cruz. – ~~Miguel Caxa de Leruela, economista, publica *Discurso sobre la principal causa y reparo de la necesidad* común, carestía general y despoblación de estos reinos.~~
1630	– Inicio de la construcción del palacio del Buen Retiro en Madrid.
1631	– Zurbarán concluye la *Apoteósis de Santo Tomás de Aquino*. – Lope de Vega publica *La Dorotea*.
1633	– Calderón de la Barca publica *El gran teatro del mundo*. **– Galileo Galilei es juzgado por la Inquisición y obligado a retractarse.**
1635	– Velázquez realiza *La rendición de Breda*, llamado *Las lanzas* para el palacio del Buen Retiro de Madrid.
1637	– Peste en Málaga. **– Publicación del *Discurso del método* de René Descartes, pilar del racionalismo filosófico. Termina de escribir *Geometría* y *Dióptica*.**
1638	– El gobierno autoriza a los jesuítas a instruir militarmente a los indios conversos para defenderse de las *razzias* realizadas por cazadores de esclavos en América del Sur. – En las *Antinomias* José de Vela estudia las contradicciones entre Derecho romano y Derecho real.
1639	– Los nobles castellanos se niegan a financiar la campaña del Conde-Duque de Olivares contra Francia.
1640	**– Juan IV de Braganza, rey de Portugal.**

Año	Acontecimientos
	– **Publicación póstuma de *Augustinus* de Cornelio Jansen y que constituirá la base del movimiento jansenista.**
1641	– El eclesiástico catalán Pau Claris asegura que Cataluña es una república independiente protegida por Francia. El ejército franco-catalán vence al castellano en Montjuic.
	– El conde-duque de Olivares desbarata una conspiración contra él urdida por el duque de Medina-Sidonia y el marqués de Ayamonte.
	– **Descartes complementa el *Discurso del método* con su nueva obra *Meditationes metaphysicae*.**
	– **La represión inglesa de los católicos concluye con la «matanza del Ulster».**
1642	– **Tras el intento frustrado de apresar a la oposición parlamentaria Carlos I huye al norte de Inglaterra y comienza la guerra civil inglesa.**
	– **El nuevo Presidente del Consejo Real de Francia, a la muerte del cardenal de Richelieu, es Giulio Mazarino.**
1643	– El conde-duque de Olivares abandona Madrid despojado de todos sus cargos.
	– **Urbano VIII condena el jansenismo.**
	– **Luis XIV sucede a Luis XIII.**
	– **El físico y matemático Evangelista Torricelli inventa el barómetro de mercurio.**
	– **Muere Urbano VIII, siendo nombrado papa Inocencio X.**
1647	– Gravísima epidemia de peste.
1648	– *El jardín de Falerina*, considerada la primera zarzuela, aparece con música de autor desconocido y libreto de Calderón de la Barca.
	– **Por la Paz de Westfalia, el Imperio, Francia y Suecia ponen fin a la Guerra de los Treinta Años. Inocencio X la condena por suponer la igualdad religiosa en el Imperio germánico.**
	– **Blaise Pascal verifica la existencia de la presión atmosférica.**
1649	– Velázquez pinta en Italia *La Venus del espejo* y *Retrato de Inocencio X*.
1653	– **Inocencio X condena cinco proposiciones del «Augustinus» de Jansen en su bula *Cum occasione*.**
	– **Dictadura personal de Oliver Cromwell tras disolver el Parlamento y asumir el título de lord protector vitalicio.**
1655	– **Inocencio X es sucedido por Alejandro VII.**
1656	– Bartolomé Esteban Murillo concluye *Las visiones de San Antonio*.
	– Velázquez termina *Las meninas*.
1657	– Velázquez pinta *Las hilanderas*.
	– **Oliver Cromwell rechaza la corona y designa a su hijo como sucesor.**
1661	– Aparece la *Gaceta de Madrid*.
1664	– **Jacobo de York conquista Nueva Amsterdam y le dará el nombre de Nueva York.**
	– **Primera representación del *Tartufo* de Molière.**
	– **Fundación de las compañías de las Indias Orientales y de las Indias Occidentales.**
1665	– A Felipe IV le sucede Carlos II, que será custodiado por la regencia de su madre Mariana de Austria.
	– **«Gran peste» en Londres.**
1666	– **Comienza la actividad del constructor de violines Antonio Stradivarius en Cremona.**
1667	– Guerra de Devolución entre España y Francia.
	– **Clemente IX sucede al papa Alejandro VII.**
	– **Primera edición del *Paraíso perdido* de Milton.**
1668	– La Paz de Aquisgrán pone fin a la Guerra de Devolución franco-española.
	– **Por el Tratado de Lisboa España reconoce la independencia de Portugal.**
1669	– **Muere Clemente IX.**
1670	– **Clemente X es nombrado Papa.**
1671	– Clemente X canoniza al rey Fernando y al jesuita Francisco de Borja.
	– **Leibniz diseña la primera calculadora y publica *Theoría motus abstracti*.**
1672	– Auto de fe masivo en Granada. 90 acusados y 75 judaizantes, en su mayoría portugueses.
	– Impresión en Roma de *Bibliotheca hispana vetus*, del erudito Nicolás Antonio.
	– **Isaac Newton utiliza el telescopio de espejo plano.**
1675	– Carlos II inicia su reinado con la mayoría de edad.
	– **Leibniz y Newton descubren a la vez e independientemente el cálculo infinitesimal.**

Año	Acontecimientos
1676	**– Inocencio XI sucede a Clemente X.**
1678	– Murillo termina la *Inmaculada Concepción*.
1682	**– Ivan V sustituye al zar Fiódor III, pero por debilidad mental la regencia recaerá en Pedro I (el Grande).** **– Newton descubre la Ley de la Gravitación Universal.** **– Edmond Halley observa y calcula la órbita del cometa que lleva su nombre.**
1683	**– Pedro II sustituye a su hermanoAlfonso VI como rey de Portugal.**
1685	**– Jacobo II sucede a Carlos II de Inglaterra.**
1687	– Epidemia de peste en Córdoba.
1689	**– Se aprueba la *Declaration of Rights* por el parlamento y Guillermo III sucede en el trono a Jacobo II.** **– Pedro I asume el poder en Rusia tras recluir en un convento a la regente.** **– Alejandro VIII sucede a Inocencio XI.** **– Finalizado el Observatorio de Greenwich.**
1691	**– Al papa Alejandro VIII le sucede Inocencio XII.**
1693	**– Último volumen de las *Fábulas* De La Fontaine.** **– La Academia de Francia publica el primer *Dictionnaire*.**
1697	– Los jesuitas se instalan en California.
1698	– Primer Tratado de la herencia española entre Francia y las potencias marítimas europeas ante la falta de descendencia de Carlos II. Como heredero al trono es designado José Fernando de Baviera, hijo de Maximiliano II Manuel y María Antonia.
1699	– Fallece el heredero al trono.
1700	– Segundo reparto de la herencia española entre Holanda, Inglaterra y Francia. – La subida al trono de Felipe de Anjou a la muerte de Carlos II inicia la guerra de Sucesión española. **– Inicio del pontificado de Clemente XI, tras la muerte de Inocencio XII.**
1701	– Felipe V, duque de Anjou, nombrado Rey. **– Ana Estuardo, hija de Jacobo II, sucede a Guillermo III de Inglaterra.**
1703	– Los Habsburgo proclaman al archiduque Carlos de Austria rey de España como Carlos III. **– Pedro I el Grande llega hasta la desembocadura del Nevá en Suecia y allí funda San Petersburgo.**
1704	– Tropas anglo-germanas conquistan Gibraltar durante la guerra de Sucesión española. **– El músico alemán Johann Sebastian Bach compone su primera *Cantata*.**
1705	– Las cortes catalanas proclaman rey a Carlos de Austria. Junto a los ingleses, conquistará Barcelona. – Fundación de la Fábrica Madrileña de Tapices. **– Clemente XI condena el jansenismo en la bula Vineam Domini.** **– Construcción del Buckingham Palace.**
1706	– Carlos de Austria ocupa Madrid. **– Juan V, rey de Portugal.**
1707	– Felipe V derrota a Carlos de Austria en Almansa (Albacete) y abole los privilegios y fueros de Valencia y Aragón. – Los inquisidores generales Sarmiento de Valladares y Vidal Martín comienzan y concluyen, respectivamente, un nuevo *Índice de libros prohibidos*.
1708	– Menorca pasa a dominio británico.
1710	– El ejército de Carlos de Austria toma Madrid, aunque la abandonará poco después. Felipe V derrota a los austríacos en Brihuega (Guadalajara) y Villaviciosa (Oviedo).
1711	– Felipe V constituye la que será llamada Biblioteca Nacional.
1712	– Felipe V renuncia al trono francés. **– Última sentencia de culpabilidad por brujería en Inglaterra.**
1713	– La Paz de Utrecht pone fin a la guerra de Sucesión. – La Ley Sálica establece la situación sólo por línea de varón. – En Cataluña se decide proseguir la guerra contra Felipe V. – Don Juan Manuel López Pacheco, marqués de Villena y duque de Escalona funda la Real Academia de la Lengua Española. **– La Pragmática Sanción asegura la sucesión femenina al trono.**

Año	Acontecimientos
1714	– Con la conquista de Barcelona, Felipe V acaba con toda resistencia a su reinado.
1715	– España ocupa Texas (Estados Unidos).
	– Luis XV sucede a Luis XIV de Francia bajo la regencia de Felipe II, duque de Orléans.
1716	– El Decreto de Nueva Planta supone la abolición de los fueros de Cataluña.
1717	– España ocupa Cerdeña y declara la guerra a Austria.
	– Las cuatro logias de Londres forman una de ámbito nacional que sustituye la masonería profesional por una filosófica.
	– Primera inoculación contra la viruela en Gran Bretaña.
1718	**– La Cuádruple Alianza une a Inglaterra, Holanda, Francia y Austria para que España respete los acuerdos del Tratado de Utrecht.**
1719	**– Francia declara la guerra a España.**
	– Británicos y austríacos derrotan a los españoles en Vigo y Sicilia, respectivamente.
1720	– Carlos VI de Austria renuncia a la Corona de España.
	– Felipe V renuncia a Cerdeña y Sicilia.
	– Bach finaliza los *Seis Conciertos de Brandeburgo*.
	– Última gran epidemia de peste europea en Marsella.
1721	**– Inocencio XIII, nuevo pontífice tras Clemente XI.**
1723	– Revuelta de los vegueros en Cuba.
	– Luis XV de Francia es coronado el año en que alcanza la mayoría de edad.
	– Abolición de la esclavitud en Rusia.
1724	– Felipe V abdica a favor de su hijo Luis I, pero tras la muerte de éste, debe ocupar de nuevo el trono.
	– Pontificado de Benedicto XIII tras el de Inocencio XIII.
1725	– Felipe V prohíbe las corridas de toros.
	– Catalina I sucede a su marido el zar Pedro I.
	– El músico italiano Antonio Vivaldi publica la colección de conciertos *Il cimento della armonia e della invenzione*, que incluye *Las cuatro estaciones*.
1726	– El humanista y erudito fray Benito Jerónimo Feijoo inicia la publicación de *Teatro crítico universal*.
1727	– Asedio de Gibraltar, sin éxito.
	– Jorge II sucede a Jorge I de Inglaterra
	– Pedro II, zar de Rusia.
1728	**– Último proceso inquisitorial en Berlín a una bruja.**
1729	– El Tratado de Sevilla establece una alianza entre España, Gran Bretaña, Francia y los Países Bajos.
	– Bach termina para la iglesia de Santo Tomás de Leipzig *La Pasión según San Mateo*.
1730	**– Ana Ivánovna, duquesa de Curlandia, sucede al zar Pedro II.**
	– Clemente XII sucede al papa Benedicto XIII.
1731	– Pedro de Ribera construye el madrileño Puente de Toledo.
1732	– España reconquista la argelina Orán.
	– Christian Von Wolff publica *La psicología empírica*.
	– Inauguración del londinense Covent Garden Theatre.
1733	**– Los borbones españoles y franceses firman el primer pacto de familia, por el que se respetan sus respectivos dominios.**
1734	– El infante Carlos de Borbón conquista Nápoles y Sicilia.
	– Incendio del Alcázar de Madrid.
	– Voltaire, en las *Cartas inglesas*, analiza el régimen político británico y critica el francés.
1735	– Carlos de Borbón es coronado rey de Nápoles y Sicilia como Carlos VII.
	– Construcción del Palacio Real de Madrid proyectado por Filippo Juvara.
1738	– Fernando de Casas y Novoa concluye la fachada del Obradoiro de la catedral de Santiago de Compostela.
	– En la constitución *In eminenti* Clemente XII condena la masonería.
1739	– Publicación de un suplemento al *Índice de libros prohibidos* de 1707.
1740	**– Benedicto XIV, nuevo papa tras Clemente XII.**
1741	**– Tras el *Tratado sobre la naturaleza humana*, el filósofo británico David Hume publica *Ensayos morales y políticos*.**
1742	**– Carlos VII (Alberto VII de Baviera), nombrado emperador germano.**
	– Estreno del *Mesías* de Händel.

Año	Acontecimientos
1743	– El primer ministro José del Campillo y Cossío es sustituido por Zenón de Somodevilla y Bengoechea, marqués de la Ensenada.
1746	– Fernando VI sucede a Felipe V en el trono. – **Denis Diderot publica** *Pensamientos filosóficos*.
1747	– Excepto el País Vasco y Navarra, los antiguos reinos españoles empiezan a ser gobernados por las Capitanías generales, las Audiencias y los intendentes. – Reforma de la Hacienda española emprendida por el marqués de la Ensenada. – **Primeras investigaciones del físico, filósofo y político norteamericano Benjamin Franklin con el pararrayos.**
1748	– **Charles Louis de Secondat, barón de Montesquieu, escritor y filósofo francés, redacta** *El espíritu de las leyes*. – **Descubrimiento de las ruinas de Pompeya.**
1750	– **A Juan V de Portugal le sucede José I el Reformador.** – **Rousseau, escritor y filósofo francés, redacta el** *Discurso sobre las ciencias y las artes*.
1751	– **Publicación del primer volumen de la** *Enciclopedia*, **obra de los eruditos franceses Denis Diderot y Jean Le Rond D'Alembert.**
1753	– Un concordato entre España y la Santa Sede satisface a las corrientes regalistas y concede al rey de España el patronato regio.
1755	– **Dictadura personal del primer ministro portugués marqués de Pombal.**
1756	– Andrés García de Quiñones termina la obra de la plaza mayor de Salamanca iniciada por Alberto Churriguera.
1757	– **Benedicto XIV anula el decreto anticopernicano**
1758	– **Clemente XIII sucede a Benedicto XIV.**
1759	– Carlos, hermano de Fernando VI, le sucede en el trono español tras renunciar a Nápoles, y como Carlos III. – **Se expulsa a los jesuitas de Portugal**
1760	– **A Jorge II de Gran Bretaña le sucede Jorge III.**
1762	– **Epidemia de gripe en Europa.** – **Pedro III Fiedoróvich, zar de Rusia, que será asesinado el mismo año y sucedido por su esposa Catalina II la Grande.**
1764	– El italiano Giovanni Battista Tiépolo termina los frescos del Palacipo Real de Madrid.
1765	– **Luis XV, por real decreto, expulsa a la compañía de Jesús de Francia y sus colonias.**
1766	– Primeros motines populares contra el primer ministro Leopoldo de Gregorio, marqués de Esquilache.
1767	– Expulsión de los jesuitas de España y apropiación de todos sus bienes.
1768	– Elaboración del Censo de Aranda, primero de este siglo.
1769	– España inicia la colonización de California. – **Pontificado de Clemente XIV a la muerte de Clemente XIII.** – **El músico austríaco W. A. Mozart consolida su fama en su primer viaje a Italia.**
1771	– Fundación de la Orden de Carlos III. – **Primera edición de la** *Enciclopedia Británica*.
1773	– **Clemente XIV en el breve** *Dominus ac Redemptor* **suprime la Compañía de Jesús.**
1774	– **Luis XVI, rey de Francia.** – **Muere Clemente XIV.**
1775	– **Pío VI es elegido papa.**
1776	– **Firma de la Declaración de Independencia de Estados Unidos.** – **Los británicos James Watt y Matthew Boulton fabrican la primera máquina de vapor.** – **James Cook descubre las islas Sandwich (Hawai).** – **El fisiócrata Adam Smith postula el Estado librecambista en** *Ensayo sobre la riqueza de las naciones*. – **Creación de las Trade Unions en Londres, primer sindicato obrero.**
1777	– **El físico francés Charles Augustin de Coulomb formula las leyes fundamentales del magnetismo y la electrostática en** *Investigaciones sobre la mejor manera de fabricar agujas imantadas*.
1780	– Tratado de paz entre España y Marruecos.

Año	Acontecimientos
1781	– Reconquista de Menorca. – **Kant publica Crítica de la razón pura.**
1782	– El Inquisidor General Felipe Beltrán decreta la libertad de lectura de la Biblia en lengua vernácula.
1783	– Carlos III abole la deshonra legal del trabajo.
1785	– Fundación del Museo del Prado por Carlos III. – **Por el estatuto de libertad religiosa de Virginia, se separan Iglesia y Estado en EE UU.**
1787	– **El químico francés Lavoisier establece el principio de conservación de la materia.**
1788	– Carlos IV sucede a su padre Carlos III.
1789	– El conde de Floridablanca encarga a la Inquisición el ataque ideológico a la Revolución francesa. – Francisco de Goya es nombrado pintor de cámara de la Corte española. – Se autoriza la trata libre de esclavos negros en las colonias españolas. – **Proclamación en Francia de la Asamblea Constituyente. Toma de la Bastilla. Abolición de los privilegios feudales. Aprobación de la Declaración de los Derechos del Hombre y del Ciudadano por la Asamblea. El catolicismo deja de ser la religión oficial en Francia. Marcha de mujeres de París a Versalles. Nacionalización de los bienes de la Iglesia decretada por la Asamblea.** – **George Washington, primer presidente de Estados Unidos.**
1790	– El conde de Floridablanca prohíbe por una real orden la entrada en el país de cualquier escrito referente a la Revolución francesa. – Aparición del *Índice último* del Inquisidor Agustín Rubín de Ceballos, obispo de Jaén. – Fin de la guerra hispano-británica con la pérdida del apoyo francés.
1791	– **Honoré Mirabeau, presidente de la Asamblea, aunque morirá meses después. Por la «matanza del campo de Marte» se restablece el orden en París. El rey es atrapado en su huida y presta juramento a la Constitución. Los jacobinos Jean-Paul Marat y Jaques Hébert se erigen en portavoces del pueblo llano por medio de sus periódicos *L'Ami du Peuple* y *Le Père Duchesne*. La jerarquía eclesiástica francesa se identifica con el movimiento contrarrevolucionario. Unos cuarenta mil religiosos emigran de Francia.**
1792	– El conde de Aranda sustituye al conde de Floridablanca como primer secretario del Estado que, antes de acabar el año, será sustituido por Manuel Godoy. – Goya inicia la serie «Los caprichos». – **La guillotina es utilizada por primera vez en Francia.** – **Una comuna insurreccional asalta las Tullerías y toma prisioneros a Luis XVI y su familia, que serán procesados. Tras la conclusión de la Asamblea y la laicización del Estado, se abole la monarquía e inicia la Convención Nacional. Año I de la Revolución. Trescientos sacerdotes que se negaron a prestar juramento a la Constitución son ejecutados.** – **El físico Alessandro Volta formula la ley de variación de la presión de un gas al variar la temperatura.**
1793	– **Luis XVI ejecutado. Levantamiento realista en La Vendée. Los «sans culottes» y los jacobinos armados obligan a la Convención a encarcelar a los girondinos, y decretan la movilización militar en masa. Aprobación de la Constitución. La revolucionaria Charlotte Corday d'Armont asesina a Marat. Maximilien de Robespierre entra a formar parte del recién creado Comité de Salvación Pública y decreta la libertad de culto. Napoleón Bonaparte, ascendido a general. Ley contra los sospechosos. Suspensión de la Constitución, de la división de poderes y de los derechos individuales. Se procesa y ejecuta a María Antonieta. Ejecución de los girondinos. Victoria revolucionaria contra La Vendée.**
1794	– En la guerra hispano-francesa, el ejército galo ocupa Figueres, Pasajes, Fuenterrabía y San Sebastián. – **Segunda invasión francesa de Bélgica. Ajusticiamiento de partidarios de Hébert. Disolución del ejército revolucionario. Claudica el Comité de Salvación frente a la Asamblea. Robespierre elegido presidente de la Congregación. Se instituye el Gran Terror en Francia. Constitución de la Convención Termidoriana. Robespierre y veintiún seguidores son ajusticiados. Cierre del Club de los Jacobinos e inicio del «terror blanco» de los realistas.**
1795	– Ocupación de Bilbao y Vitoria por los republicanos franceses.

Año	Acontecimientos
	– Por el Tratado de Pickney o de San Lorenzo, España permite a Estados Unidos la navegación por el Mississippi. – **Restricción de las atribuciones del Comité de Salvación Pública, supresión de la Comuna, prohibición de la *Marsellesa* y ejecución masiva a montañeses y jacobinos. La Convención francesa se orienta hacia un gobierno de notables y, gracias a un ejecutivo débil, se elimina a la clase popular de la política. La Convención es desplazada por el Consistorio para controlar la grave inestabilidad sociopolítica.**
1796	– Declaración de guerra a Gran Bretaña por la continua violación de los acuerdos de Nootke Sound. – Primer Tratado de San Ildefonso con el Directorio francés, por el que se establece una alianza defensiva y ofensiva a perpetuidad contra Gran Bretaña. – La Inquisición prohíbe *Reflexiones sobre la Revolución francesa*, de Burke. – **Bonaparte es elegido general en jefe del ejército francés en Italia, y firmará la paz con Parma y Módena. A éstas seguirá un armisticio con Nápoles y la Santa Sede. Represión por el Directorio de «la conjura de los iguales» (socialistas utópicos) organizada por los jacobinos radicales y dirigida por el revolucionario Baboeuf.**
1798	– Francisco de Goya concluye los frescos de la ermita de San Antonio de la Florida. – Inicio de la llamada «desamortización de Godoy». – **Tras la toma de Roma y la detención de Pío VI se proclama la República de Roma. Ocupación de Suiza y proclamación de la República Helvética. Expedición hacia Egipto al mando de Bonaparte. Toma de Malta y el Piamonte. Victoria de las Pirámides. El almirante Nelson derrota a los franceses y aísla a Napoléon en Egipto.** – **Laplace publica *Mecánica celeste*.**
1799	– Goya comienza *La familia de Carlos IV*. – **La República Partenopea es creada tras la ocupación francesa de Nápoles, aunque el mismo año cederá ante el asedio de los rusos. Declaración de guerra a Austria. Los rusos obligan a abandonar la Lombardía. Tropas rusas asedian Génova y ocupan Turín. Malta y el Mediterráneo pasan a manos de los británicos. Napoleón vuelve a Francia y, tras dar un golpe de Estado y derribar el Directorio, establece una dictadura. Con la nueva Constitución francesa Bonaparte es primer cónsul. Ese mismo día Jorge III rechaza la paz propuesta por Napoleón.** – **El descubrimiento de la piedra Rosetta permitirá descifrar los jeroglíficos egipcios.** – **Fallece Pío VI.**
1800	– **Pío VII es elegido papa y publica la encíclica *Auctorem fidei* contra los jansenistas.** – **Alessandro Volta construye la pila eléctrica.**
1802	– **Bonaparte es nombrado presidente de la República Cisalpina, que tras la reorganización que establecerá, pasará a llamarse República italiana. Napoleón es nombrado cónsul vitalicio y es promulgada una nueva Constitución.** – **El físico Louis Joseph Gay-Lussac descubre la Ley de Dilatación de los Gases.**
1803	– España se declara neutral en el conflicto anglo-francés. – Abolición de la pena de galeras.
1804	– Carlos IV declara la guerra a Gran.Bretaña y se produce una nueva alianza hispano-francesa.
1805	– **Napoleón es coronado rey de Italia e incorpora la República ligur a su Imperio.** – **La flota británica del almirante Nelson derrota a la hispano-francesa en Trafalgar.** – **Batalla de Austerlitz o de los tres emperadores.**
1806	– Estreno de *El sí de las niñas*, del escritor Leandro Fernández de Moratín. – **Ruptura de Napoleón con el Papa. Tras la invasión de Nápoles, José Bonaparte se convierte en rey. Luis de Bonaparte será el rey de la República de Batavia, ahora reino holandés.** – **Sublevación en Buenos Aires contra la ocupación británica. Primera invasión británica del Río de la Plata.**
1807	– En El Escorial, el príncipe Fernando es procesado por un intento de Golpe de Estado. – Tratado de Fontainebleau con Francia, donde se acuerda la tripartición de Portugal y se reconoce a Carlos IV emperador de las Américas. – La Inquisición condena unos 500 libros en lengua francesa, en su mayor parte pertenecientes al período post-revolucionario.

Año	Acontecimientos
	– **El filósofo alemán Georg Friedrich Hegel publica** *Fenomenología del espítitu*. – **Gran Bretaña abole la trata de esclavos.** – **Bonaparte impone en Europa la conducción por la derecha.**
1808	– Tras el motín popular de Aranjuez, Carlos IV abdica a favor de su hijo Fernando VII debido a su política francófila. Las tropas francesas del mariscal Murat ocupan Madrid. Carlos IV revoca su abdicación y Fernando pide ayuda a Napoleón. Los militares Ruiz, Velarde y Daoíz dirigen el levantamiento popular del 2 de mayo, condenado por la Inquisición por ser «un escandaloso tumulto del pueblo bajo». Napoleón nombra rey de España a su hermano José, que jura su cargo ante las cortes estamentales de Bayona. Con la derrota francesa de Bailén (Jaén) José I Bonaparte huye de Madrid. Poco después será repuesto por Napoleón, tras sus victorias en Zaragoza, Gamonal y Tudela que culminarán con la entrada de nuevo en Madrid. – Napoleón Bonaparte suprime por decreto la Inquisición española. – José Bonaparte inaugura el museo del Prado de Madrid. – **Goethe publica la primera parte de** *Fausto*.
1809	– Capitulación de Madrid. Napoleón conquista Zaragoza. Las tropas hispano-británicas derrotan a los franceses en Talavera, Medina del Campo y Ocaña. Los franceses ocupan Gerona. – Goya comienza *Saturno devorando a sus hijos*. – **Napoleón se divorcia de su esposa Josefina.**
1810	– Se convocan Cortes sin estamentos que establecen la primera regencia y la disolución de la Junta Suprema. – En esta época se suceden revueltas en toda Sudamérica contra la autoridad española. – Primera sesión de las Cortes de Cádiz. – **Bonaparte se casa con María Luisa de Austria para reforzar la unión con ese país.**
1811	– Las Cortes de Cádiz abolen los señoríos jurisdiccionales. – Comienzan a proclamarse independientes las colonias americanas. – El escritor Antonio Puigblanch publica *La Inquisición sin máscara*. – El general francés Souchet toma Tarragona y Sagunto.
1812	– El general Souchet toma Valencia. – Con la gran ofensiva hispano-británica, se libera Ciudad-Rodrigo (Salamanca), Badajoz y Arapiles (Salamanca). – Las Cortes reunidas en Cádiz aprueban una nueva Constitución. – Reconquista de Venezuela, que había alcanzado la independencia, y dura represión española. – **Pío VII obligado por Napoleón a trasladarse a Fontainebleau.**
1813	– Simón Bolívar, Camilo Torres y Santiago Mariño inician la segunda revolución en Venezuela. – El general Wellington derrota a los franceses en Vitoria y, tras cruzar el río Bidasoa entra en Francia. – Las Cortes ratifican el decreto de abolición de la Inquisición. – Por el Tratado de Valençay (Francia), Fernando VII recupera la Corona española. – **Austria declara la guerra a Napoleón.**
1814	– Fernando VII regresa a España y abole la Constitución española. – Intento liberal de Francisco Espoz y Mina en España. – Fernando VII decreta la reinstauración de la Inquisición. – Destierro de los afrancesados por decreto. – Goya finaliza sus *Desastres de la guerra*, *Retrato de Fernando VII* y *Los fusilamientos de la montaña del Príncipe Pío*. – **En el Tratado de Chaumont los aliados deciden emprender una acción militar conjunta contra Francia. Los aliados entran en París y un gobierno provisional depone a Bonaparte, que abdica en Fontainebleau y se retira a la isla de Elba. Por la primera Paz de París se restablecen las fronteras de 1792.** – **Pío VII aprueba el Tribunal de la Santa Fe y la Orden de los Jesuitas.**
1815	– Represión de la revuelta independentista de Morelos y Pavón. – **Derrota francesa en la batalla de Waterloo (Bélgica). Los aliados entran en París y restablecen a Luis XVIII. Bonaparte, confiado a los británicos, es desterrado a la isla de Santa Elena.** – **Consolidación de las teorías liberales basadas en el contrato social de Rousseau y el**

Año	Acontecimientos
	Derecho natural de Locke y el barón de Montesquieu.
1816	– Tercera revolución venezolana de Simón Bolívar.
	– En el congreso de Tucumán se proclama la independencia de Argentina.
	– Juan VI sucede a María de Portugal.
	– El duque de Weimar concede una Constitución para Alemania.
	– Holanda, España y Baviera acceden a la Santa Alianza.
	– Prohibición de la tortura por el Papa en todas las Inquisiciones dependientes de la Santa Sede.
1817	– Desarticulación de la conspiración liberal del general de Lacy y Gautier.
	– Gobierno independiente de Bolívar en Venezuela.
	– Nueva Granada (Colombia y Panamá), independiente.
	– Comienzo de las obras del Canal de Panamá.
1818	**– La británica Mary Shelley publica *Frankenstein o el moderno Prometeo*.**
1819	– Simón Bolívar, presidente de la República de la Gran Colombia (Venezuela, Quito y Nueva Granada).
	– Goya comienza a utilizar la litografía y a crear la grandiosa serie de «pinturas negras».
	– Una ley en Gran Bretaña establece la jornada de trabajo para los menores en doce horas.
1820	– Alzamiento del coronel Rafael de Riego.
	– Tras ser obligado Fernando VII a aceptar la Constitución se inicia el Trienio constitucional.
	– Intentona absolutista de Fernando VII.
	– El rey abole la Inquisición debido a las revueltas contra la institución.
	– Introducción del romanticismo histórico a través de revistas y traducciones europeas.
	– Un decreto obliga a los obispos a escribir pastorales favorables a la Constitución.
	– Jorge IV, rey de Gran Bretaña.1821
1821	**– Itúrbide proclama la independencia de México.**
1823	**– Muere Pío VII y es elegido papa León XII.**
	– La Confederación Centroamericana se independiza de México.
	– Restauración de Fernado VII gracias a la intervención del duque de Angulema al frente de los Cien mil hijos de san Luis.
1824	**– Beethoven compone su *Novena Sinfonía*.**
	– Fin de la América continental española.
	– Se crea la Junta de Fe de Valencia.
1828	– Goya muere en Burdeos.
1829	**– Pío VIII sucede a León XII, muerto el 10 de febrero de ese año.**
	– Designación del Tribunal de Rota como destinatario de las apelaciones a las actuaciones judiciales de las Juntas de Fe.
1830	**– El 30 de noviembre muere el papa Pío VIII.**
	– Stendhal publica *Rojo y negro*.
	– Revoluciones liberales en Francia y Bélgica. Carlos X de Francia es depuesto por Luis Felipe I.
1831	**– Es elegido Pontífice Gregorio XVI.**
1832	– Fernando VII anula la Ley Sálica para que pueda acceder al trono su hija Isabel.
1833	– Accede al trono de España Isabel II tras la muerte de Fernando VII. Su madre María Cristina, actúa como regente.
	– Surge el carlismo al reivindicar los seguidores de Carlos María Isidro el trono de España por aplicación de la abolida Ley Sálica.
1834	**– Abolición de la esclavitud en el Imperio británico.**
	– Abolición definitiva en España de la Inquisición.
1835	– El día 1 de julio se produce la abolición de las llamadas Juntas de Fe.

Bibliografía

AA.VV. *Historia de España*. «Los Reyes Católicos. Los Austrias», vol. IV; «América: de 1492 a la Independencia», vol. V. «Los Borbones hasta 1845», vol. VI, Club Internacional del Libro, Madrid, 1988.

ATIENZA, Juan G. *Monjes y monasterios españoles en la Edad Media*. Ediciones Temas de Hoy, Madrid, 1995.

CARO BAROJA, Julio. *Las brujas y su mundo*. Alianza-Ediciones del Prado, Madrid, 1993.

COHN, Normas. *Los demonios familiares de Europa*. Alianza Editorial, Madrid, 1980.

COMAS, Juan. *Antropología de los pueblos iberoamericanos*. Biblioteca Universitaria Labor, Editorial Labor, Barcelona, 1974.

DOMÍNGUEZ COMPAÑY, Francisco. *La vida en las pequeñas ciudades hispanoamericanas de la conquista (1494-1549)*. Ediciones de Cultura Hispánica del Centro Iberoamericano de Cooperación, Madrid, 1978.

DUFOUR, Gerard. *La Inquisición en España*. Cambio16, Madrid, 1992.

FERNÁNDEZ ÁLVAREZ, Manuel (Coordinador). *Renacimiento y Humanismo. Gran Historia Universal*, vol. VI. Club Internacional del Libro, Madrid, 1988.

GARCÍA DE CORTAZAR, Fernando y GONZÁLEZ VESGA, José Manuel. *Breve Historia de España*. Alianza Editorial, Madrid. 1994.

GARCÍA DE CORTAZAR, José Ángel y VALDEÓN BARUQUE, Julio. *El medioevo. Gran Historia Universal*, vol. V. Club Internacional del Libro, Madrid, 1988.

KAMEN, Henry. *La Inquisición española*. Editorial Crítica, Barcelona, 1992.

KINDER, Hermann y HILGEMANN, Werner. *Atlas Histórico Mundial. De los orígenes a la Revolución Francesa*. Ediciones Istmo, Madrid. 1976.

LAMBERT, Malcolm. *La otra historia de los cátaros*. Martínez Roca, Barcelona, 2001.

«Las sociedades ibéricas y el mar. As sociedades ibéricas e o mar. Las sociedades ibéricas y el mar a finales del siglo XVI. As sociedades ibéricas e o mar a finais do século XVI», en *Exposición Mundial de Lisboa`98*, 1998.

LOWER, Thomas. *La Inquisición*. Ediciones Petronio, Valencia, 1975.

LLORENTE, J. Antonio. *Historia crítica de la Inquisición española*. Ediciones Hiperión, Madrid, 1980.

MARTÍN, V. y FLICHE, A. *Historia de la Iglesia*. Edicep, Valencia, 1976.

MASIÁ, Ángeles, (ed.). *Historiadores de Indias. América del Sur. Fray Bartolomé de las Casas, Alvar Núñez Cabeza de Vaca, Fernández de Oviedo, Agustín de Zárate, Juan de Castellanos y otros*. Editorial Bruguera, Barcelona, 1972.

MESTRE CAMPI, Jesús (Director). *Atlas de los cátaros*. Editorial Península, Barcelona, 1997.

MESTRE CODES, Jesús. *Los cátaros. Problema religioso, pretexto político*. Ediciones Altay-Península, Barcelona, 1997.

NELLI, René. *Diccionario del catarismo y las herejías meridionales*. Ediciones Alejandría, Barcelona, 1997.

PÉREZ VILLANUEVA, Joaquín y ESCANDELL BONET, Bartolomé (directores). *Historia de la Inquisición en España y América. El conocimiento científico y el proceso histórico de la Institución (1478-1834)*. vol. I. Biblioteca de Autores Cristianos. Centro de Estudios Inquisitoriales, Madrid. 1984.

PÉREZ VILLANUEVA, Joaquín y ESCANDELL BONET, Bartolomé (directores). *Historia de la Inquisición en España y América. Las estructuras del Santo oficio. Vol. II*. Biblioteca de Autores Cristianos. Centro de Estudios Inquisitoriales, Madrid, 1993.

PIETRI, Luce. *La Edad Media. Gran Historia Universal*. Editorial Argos-Vergara, 1979.

WALKER, Joseph Martín. *Historia de la Inquisición española*. Edimat Libros, Madrid, 2001.